重返狼群

李微漪 著

迄今为止世界上唯一由人养大后成功放归荒野的狼

十几天

刚满月

两个月

三个月

四个月

五个月

六个月

七个月

八个月

九个月

长江出版传媒
长江文艺出版社

在若尔盖草原，

我绝没有想到会遇上注定影响我一生的小狼格林。

● 出生十五天，引狼入市。

● 小狼入主画室，失宠的“狐狸”看在眼里，醋在心里。

● 床底的狐狸窝从此改姓为狼。

● 好友拨着小家伙尖钉子般的獠牙：“流浪狗？分明是狼嘛！”

● 我的骨头我做主！连骨髓都吃光，狼性毕露。

● 为了激发格林的野性基因，第一次喂它活鸡。

● 朋友刚钓上的“开门红”小鱼成了格林的开胃菜。

● 野狼上街了！城市对格林来说已是危险丛生，一定要带他回草原。

● 飞去草原前，我如实在托运单上填写了“狼”，帮忙的朋友在“狼”字后面加了一个“狗”字。

● 初到草原獒场，最温驯的半岁小獒“小不点”就导弹般射向格林。

● 化敌为友，格林与藏獒成为獒兄狼弟。

● 新“格林童话”里，狼与獒不是天敌，狼还有狗仔队。

● 一头牦牛在远处久久注视着狼性饕餮。

● 每当听见我咳嗽的声音响起，格林就关切地趴在窗口，再没心思和藏獒们玩闹。

● 平日护食抢食的狼，在我病时把仅有的存粮给了我，我的泪水夺眶而出。

● 格林静静地把伤爪放在我的手心，用他的伤抚慰我的伤，他用他能表达的方式给我鼓励，他是我荒野里生死相依的唯一伙伴。

● 狼群的嗥声不时在空野回荡，格林听到了亲族的召唤。

● 在这莽莽荒原，我与格林之间所剩的将只有沉甸甸的记忆。

● 格林从深深的雪中拔出一只前肢，迈出了离开人类的第一步……

● 格林走了，若尔盖在一片素白中恢复了寂静，在这圣洁的草原上，没有人知道这群狼的足迹中藏着多少故事。

图腾仍在飘扬
狼已成为传说……

目录

序

姜 戎

“狼女”是若尔盖草原藏族牧民送给“80后”女画家李微漪的带有神性色彩的藏名，我认为微漪更配得上“中国第一狼女”的称号，因为她不仅救狼崽，养小狼，野化训练狼，成为将人养的狼成功放归狼群的第一人，而且还撰写了《重返狼群》——世界狼文化中的第一部由女性当事人自述的纪实体小说杰作。

我已精读了四遍《重返狼群》，仍想再读。这部狼书经常让我或冷汗淋漓，或热血沸腾，抑或潸然泪下。最让我情感冲动和意想不到的是小狼最后成功融入狼群，以及狼女和小狼格林为此目标所表现出的大胆进取，不惜冒生命危险的狼性格。这种胆大妄为、成功概率几乎等于零的冒险，居然圆满完成，给予了我精神上空前的震撼。

我作为《狼图腾》的作者，作为比较熟悉世界狼文化的人，深知养狼艰难，放狼回归狼群，更是凶险得难以想象。我在青年时期就未能实现将我养的小狼放归狼群的梦想，前几年重庆的罗勇放狼归群也悲壮地失败了。据我所知，此前世界上还没有一条由人养大的狼放归荒野后能够存活下来，因为，没有独立捕食、寻食和防卫能力的孤狼在荒野根本无法生存，要想生存就必须加入野生狼群。但是，由人喂大的狼带有类似家畜的依赖性，又不会捕猎，更危险的是完全不懂得狼群的族法家规。因此，这种狼不仅不会被狼群接纳，甚至还会被狼群咬杀。

然而，中国狼女李微漪却打破了这项零的纪录。由于若尔盖草原湿地已经开始干涸沙化，再加上盗猎猖獗，狼群几近绝迹，因此，狼女的这项纪录尤显珍贵，珍贵到可能以后再也无人破此纪录了。李微漪真可能成为“李唯一”——中国当代唯一的狼女。这是她的荣誉，但这也是她、中国生态环境、狼群以及其他动物的悲哀。

阅读《重返狼群》，我首先关心的是狼女微漪是如何实现这一连国内外狼男们都未能创造的奇迹的，这也是该书最具创新特色的主要看点。狼书生动详尽地记录了狼女成功的原因：她出于对自由强悍狼性的尊重和理解，大胆采用一种育狼野化狼的独门绝技，即以真正狼妈（不是人妈）的方式来养狼驯狼。从幼崽开始，就完全放纵狼性，在成都某高楼的一间秘密小屋里让小狼暴饮暴食、无法无天、自由野蛮地成长。到了若尔盖草原以后，微漪首先“自我”野化，如同真狼妈那样，完全脱离人群，在野狼出没的狼山上，与半大小狼过着同吃同睡同狩猎的野狼生活。以真狼环境的凶险与饥饿来激活小狼体内的野性基因，在实战中锻炼小狼独立捕食的生存能力。

但是，这种狼妈驯狼法艰辛异常，风险巨大，危及生命。用“九死一生”来形容育狼驯狼的过程仍显轻飘。事实上，小狼格林至少经历了不下十几次的死里逃生，就是狼女自己也多次与死神擦肩。让我深深感动和敬佩的是，在一次次死亡的威胁下，狼女依然咬牙坚持，没有退缩，没有心软：不是仅仅为了“活着”，而是为了自由生活；不是退回城市动物园，而是在“望子成狼”的母爱下，将小狼置于危险残酷的环境中，强化成真正的野狼，并把它送回它的血亲狼群之中。更让我内心震颤的是，狼女不惜亲身全程陪练，甚至做好了自己可能成为狼群聚餐时的“一道主菜”的精神准备。一个中国现代青年女性，能如此敬狼爱狼，能如此深刻理解狼和自由，能有如此自由意志和胆魄，真让我这头“老狼”肃然起敬。

继续让我惊讶的是，狼女不仅具有狼胆，而且还拥有超人的狼智慧。在小狼两个月大的时候，由于狭窄的城市公寓将扼杀小狼日益膨胀的自由狼性和野性，又由于狼嗥遭邻居举报，微漪最终不得不携小狼离开成都，竟然下决心到草原一个朋友开办的养獒场去驯狼。如果换了我，是断然不敢冒险将一条小嫩狼送入狼的天敌藏獒群的。

然而，狼女就敢剑走偏锋，不惜几次冒着小狼几乎命丧獒牙的危险，使小狼在猛兽群中学会察言观色、学会寻找保护伞、学会如何表达臣服的肢体语言、学会与藏獒斗智斗勇，甚至欺负大獒。最后，渴望群体生活的小狼居然创造了化敌为友——与藏獒成为生死与共的战友的奇迹，让人们对勇敢、智慧、倔犟的狼性有了全新的正面认识。事后来看，狼女的冒险虽然是被逼无奈，但也有她对小狼潜能的正确预判。因此，这次冒险还是一着高智商的险棋。后来的事实证明，聪明机智的小狼几乎用生命换来的融入猛兽群的经验，对它最终被狼群接纳，起到了其他种种驯狼法所无法替代的关键作用。

狼女奇书《重返狼群》还具有颠覆中国传统恶狼文化的文化价值，该书以无可辩驳的众多实例实证和实景图片，展示了人们难以想象的狼性中重情重义的爱心，进一步颠覆了中国人心目中狼的凶残狠毒、忘恩负义的恶魔形象。我敢断言，绝大多数的中国人绝不会想到，那条半大的小狼，在吃羊吃兔的时候总会给狼妈留一条腿；在狼妈病倒时，小狼会在窗前日夜焦虑地守候，还会从地下刨出自己“私藏”的野兔来喂妈妈；在狼妈一次被三条凶猛大藏狗疯狂追咬时，会毫不犹豫挺身救母，拼死血战，不惜负伤累累；在草原狼山上，大雪封路断粮断援的时候，小狼会日夜狩猎，将难得的猎物与妈妈分食，养活狼妈……李微漪以女性特有的温柔细腻的文笔，深情描写了小狼格林的爱心，那是《重返狼群》最动人心扉的部分，值得每位中国家长和孩子阅读与思考。书中那些真实动人的故事，可证明中国传统的恶狼文化是多么虚假无知，多么误人子弟和误导民族价值取向。

《重返狼群》的文化价值中，具有更为重要的现实意义：它将为中国近年来兴起的狼文化热，继续提供能量，为打造中国的强势文化贡献新元素。

当前，世界强国的竞争已进入文化竞争的决定性阶段。虽然世界公认我国的经济、科技、军事等方面的发展处于强势，但是我国的文化实力和影响力处于明显的劣势。因此，鉴别中国各种文化的强弱，并大力发展强势文化，将是关系到中国命运的当务之急。而狼文化恰恰是人所共知的一种强势文化。从人类文化心理上看，“狼来了”绝对比“虎来了”“狮来了”更具威慑力。

在世界历史上，狼文化是许多强势民族的核心精神文化之一。在古代，版图最大的蒙古大帝国、版图第二大的罗马大帝国，以及横跨欧亚非三大洲的奥斯曼大帝国，都是崇拜狼的民族建立的。虽然在西方基督教和中国儒学鼎盛时期，狼文化被妖魔化，并遭到全面封杀，但在文艺复兴之后，自由民主精神高扬的时代，狼的自由顽强竞争精神重新受到推崇，狼文化再度崛起并逐渐复兴。

当今世界上唯一的超级大国——美国，就是一个狼文化高度发达的国家，它崇尚并继承了罗马的狼精神和北欧民族的狼神文化。在工业化时代，它还主动吸收了美国本土的印第安人深厚丰富的狼崇拜文化，在此基础上建立了世界上最强盛的狼文化，产生了大批对美国精神和性格影响巨大的狼文化作品。如小说《人与狼》《狼王洛博的故事》《荒野的呼唤》《雪虎》《海狼》，以及电影《狼改变美国》《与狼共舞》（该片获奥斯卡大奖），等等。

自由独立、顽强竞争、勇敢进取的狼精神，对美国长期保持世界首席强国地位起到了重大作用。因为，美国最早认识到自由进取的狼精神，在本质上是与资本精神、市场精神、企业精神以及民族复兴精神最相同相通的精神。如今，在强国的文化竞争中，美国文化依然保持着狼一般的强势，让中国导演们不断惊呼“狼来了！”。

那么，处于文化弱势的中国该怎么办？唯一出路就是不要再把精力和财力浪费在封建腐朽和百扶不起的无生命力的文化上，而全力打造中国的强势文化，尤其应该借鉴美国学习印第安人狼文化的成功经验，并吸收中国本土游牧民族的得天独厚的狼文化资源，建立具有中国本土特色的狼文化。而《重返狼群》这部产生于中国西部草原的狼书，将为建造中国的强势文化做出特殊的贡献。在此，我真切希望千千万万读过《狼图腾》的中国读者，读一读《重返狼群》，它定会给你有关中国新兴狼文化的深层启迪。

最后，“老狼”衷心感谢小狼女及她的好友亦风：让我第一次亲闻了中国人救狼放狼的故事；让我在书中亲见了与我当年养的小狼几乎一模一样的小狼格林；让我重温了与小狼一起生活的父子般亲密而痛苦的岁月；帮我实现了我青年时代未能实现的放狼梦想；部分补偿了我对狼族欠下的罪责；也使我看到中国狼文化后继有狼。

“老狼”预祝《重返狼群》走遍中国，冲出亚洲，最终成为长啸于世界的第二匹中国狼。

2012 年 4 月 2 日

01 一窝“死狼崽”

我刚去若尔盖草原写生的时候，绝没有想到草原上会有一只濒死的、注定会影响我一生的小狼崽向我发出微弱的呼救声……

我刚去若尔盖草原写生的时候，绝没有想到草原上会有一只濒死的、注定会影响我一生的小狼崽向我发出微弱的呼救声……

我一踏上这片海拔近四千米的高原草甸，就立刻感觉到空气稀薄，太阳炽烈，长风刮劲草，几乎没有任何树木能够扎根生长，这里只有广阔无边的草场和绵延起伏的浅山。据当地人说，“若尔盖”的藏语含义是“牦牛喜欢的地方”。放眼望去，神圣的雪山，飘扬的经幡，悠悠白云下漫山遍野的牛羊，澄澈的天宇映衬着金碧辉煌的藏传佛教寺庙……这是每一个画家梦寐以求的自由乐土。

此时正值四月，压抑了一冬的烈日开始炙烤高原上的每一寸土地。正午，我背着画夹与行囊顶着骄阳越走越渴，四周没有树木可以遮阴，水也早已喝完。我终于在无边无际的草场上找到了一处牧民家，推门进去讨口水喝。

这草原深处的牧民家少有外来的汉族客人，因此他们异常热情。一个牧民老阿妈端出酥油茶，揉了一块糌粑递给我。几个粗通汉语的牧民围坐桌边，天南地北地和我拉起家常来。闲聊中，说起了草原上新近传来的关于狼的故事。我是个动物迷，一听之下立刻来了兴趣。

“很久没见过那样的狼了！”老阿妈在我对面坐下来，褪下手上的佛珠串，一颗颗数着，娓娓道来，“前些日子，一匹大公狼钻进一家人的羊圈偷走了一只羊。丢羊的消息一传开，打猎的人就去下了狼夹子，没几天，狼夹子不见了！后来找到夹子，但上面只有一只咬断的狼爪，狼竟然跑了！”

“狼咬断自己的爪子吗?!”我吃了一惊，虽然以前在小说中也读到过这样的描述，但总是当文学故事看，此刻听草原上的牧民讲现实版本，不禁心惊肉跳，“还真有这样的事儿?!”

“有，草原上的狼狠着呢！”老阿妈连连点头，从她接下来断断续续的描述和旁边几个牧民七嘴八舌的补充中，我努力还原着当时的景象：

那只被夹的大公狼，拖着狼夹子跑不远，立刻咬断了受伤的前爪，翻身逃命，被几只藏狗循着血味儿一路追撵过去。大公狼三只爪子爬不上山，慌乱当中躲进山脚下乱石堆的石缝里，狼头向外，严防死守！围上来的几只藏狗里，一只年轻没经验的狗见了瘸狼，以为好对付，不知深浅地往里冲，刚伸进半个头就被大公狼连头带喉咙一口咬住，狗眼珠子也被咬爆了，狼头一阵猛甩，狗哼都没哼几声就被公狼撕破了喉咙，死在洞口。剩余的藏狗吓得再不敢往里冲，只管大声汪汪叫着报信。狼也死守在石缝里不出来。

闻声赶来的猎人和牧民轰开狗群，见石缝不太深，猎人就把藏刀捆在马棒子头上，戳进洞去，一阵乱捅，把大狼活活捅死在石缝里。猎人感觉再没动静时，抽回马棒，挑出死狼一看，尺把长的藏刀一直扎进大公狼的嘴里，从喉管下面戳透，狼嘴和喉咙直翻血泡泡，大股大股的狼血顺着刀刃往下流，刀柄直吞进了狼嘴里，被狼牙死死咬住，拔都拔不出来。

听到这情形，我艰难地咽了一口茶，很不舒服地摸摸喉咙，仿佛那一刀是戳进了我的喉管里。

“那狼死的时候，头皮眼睛耳朵几乎都被刀戳烂了，只剩一只眼睛还死盯着杀他的人，看得人心里直发毛。”旁边的牧民大哥一点不在意我不舒服的感觉，接过老阿妈的话往下讲，“那只大公狼的刀伤只在头上、眼睛上、脖子上有，身上和后背一点伤都没有，你说是怎么回事？”他卖个关子，倒上一碗酒，咂了一口，看看我一脸迷茫的表情：“大狼到死都是迎着刀往上咬，如果是狗挨上两刀早就转身往里缩了！你说这狼狠不狠？”

我头皮一阵窜麻，心里凉飕飕的，仿佛感觉到那狭窄石缝中寒光闪闪的藏刀就在眼前狂扎乱刺。

“那个猎人运气倒好，”另一个大胡子的牧民羡慕地说，“他得了张几乎完整的狼皮，就是缺了条狼腿。”

我垂下眼皮，叹了口气，心中既钦佩又惋惜。我从小爱动物，是看着赵忠祥解说的《动物世界》长大的一代，因此对各种生物也有或多或少的了解。但对狼，我一直觉得他不是一种普通的动物——神秘、冷峻、凶残而令人敬畏。从我所知道的各种动物传说和记录中，也只有狼才能下狠心咬断自己的脚爪，用高昂的代价换取一条生路，其他任何动物都下不了口，以自戕肢体的办法从捕兽夹下逃脱。可惜这只宁死不屈的强悍大狼终究没有逃脱被杀的厄运。我突然很想亲眼见证一下那只断狼爪，亲手抚摸一下公狼遗留的“战袍”，感受一下一直以来以为只有小说和传闻中才有的狼精神。

老阿妈手里一颗颗拨着佛珠，露出不忍的神色：“最可怜的是后来那只母狼，刚生狼崽没多久……”

“还有一只带崽的母狼？”我惊讶地瞪大了眼睛。

“是呀！”阿妈回答，“所以公狼才会去偷羊。”

我点点头，从我对狼生活习性的了解中，我知道，母狼生育幼崽期间都是待在狼洞里，而打猎养家的任务就交给公狼。这只初为狼父的公狼有一家子要养活，猎食育幼是每个狼父亲的本能。可即便如此，狼也是从不愿意与人为敌的，难道祖先们血的教训还不够吗？我深为同情但很不赞成公狼猎取家畜的冒险行为："真傻，公狼死了，那一窝狼怎么活？他去抓野牛野羊不行吗？"

"野牛野羊？"大胡子牧民干笑了几声，"你一路走过来，看见有吗？"

"斑羚呢？麂子？青羊？狍子？鹿子……"我把我能想到的，作为狼的食物的野生食草动物名字问了个遍。大胡子摇着头："这些稀罕物要有的话，早就被人打光了，还轮得到狼下手？"

我心里一沉，顿时明白了公狼甘愿冒死偷羊的原因，我突然憎恨起人来。

牧民大哥接过大胡子的话："那公狼死了以后，母狼就像疯了一样，大白天都敢闯进牧场，接连咬死了三四只羊。晚上，母狼就跑到山头上或者在公狼被杀的地方一声接一声地哀嚎，嚎得牧民每天都提心吊胆的……"

我追问："有人看见那只母狼了么？"

"怎么没看见，大白天都来，狗也撵不走她，见了人也不躲，那母狼纯粹是在跟人玩命。"牧民大哥摆摆手，示意我不要打断他的话。我立刻闭嘴静听，生怕错过了哪一个细节，牧民大哥的讲述把我带回了数天前：

那几天里，饱受丧夫之痛和饥饿折磨的母狼夜夜哀嚎，让牧民惶惶不安，加之母狼自杀式的挑衅，天生不可调和的牧民和狼之间的矛盾更加尖锐。为了免除后患，有经验的猎人们到处搜寻，找到了狼窝，几番试探，发现母狼不在，但窝里分明还藏有小狼崽。有人建议掏了狼崽，炸掉狼窝！有人怕招致母狼更疯狂的报复，建议留下一只活的狼崽，母狼爱子心切，一定会带着仅存的小狼远走他乡躲避灾祸，但是要把小狼的一双后腿折断，让母狼养一只永远站不起来的狼，一辈子身心疲惫，再也别想卷土重来；有人还是不相信这几乎亡命的母狼会护着崽子离去，应该主动斩草除根，先留下这窝小狼崽，引诱母狼回来，再一网打尽，这样又能多一张大狼皮。

牧民大哥咬了一口糌粑，慢慢嚼着，看了看老阿妈，似乎有点不忍心说下去了。我急切地望着牧民大哥，想听他继续说完。

牧民大哥犹豫了一下，接着道："猎人后来投了毒肉，本来想毒死的狼皮最完整，可让人万万没想到的是，中毒的母狼竟然自己用牙把背皮撕烂，死都没让人得到那张狼皮！"

老阿妈手上滚动的珠串滞涩了。"母狼临死还爬回狼窝，挨个舔她的小狼崽，紧盯着围上来的人嗥叫，嗥得喷血，嗥得人心颤，一直嗥到咽气。"老阿妈摇摇头说，"其实母狼根本不是'被'毒死的……"阿妈特别强调了那个"被"字。

"怎么讲？"我仔细听阿妈的说法。

"狼又不傻，惯用的那些毒药味道大，连狗都骗不过，草原上的狼早就不上那种当了。而且母狼咬死了牧民那么多只羊她不吃，却偏偏去吞有毒的肉，为什么？——公狼死了，她也不想活了。"

我心头一阵阵地拧痛："可母狼毕竟还有一窝狼崽啊，她死了难道不心疼小狼吗？”

“心疼有什么用？没公狼帮着找食，落单的母狼哪儿有能力养活一窝狼崽啊，拉家带口的，搬家搬不远，近处又没食，狼窝又被人发现了。母狼最爱崽，从不会像豹子熊猫那样丢下幼崽自个儿逃命，眼看迟早是个死，还不如同归于尽。”

“那小狼崽呢？死了吗？”此刻我最关心的莫过于那几条小生命。

“这就不清楚了，听说是被掏走了，六只小狼崽都没睁眼呢，多半活不成。”牧民大哥回答。

这几只小狼崽的命运立刻牵动了我的心，我急急追问：“这具体是什么时候的事情？被谁掏走的？那人住在哪儿？联系得上吗？我想看看那窝小狼崽。”

“昨天才听河边过来的人说起。牧区没电话，没办法联系谁。具体哪家也不太清楚。你要想打听不如沿河往上走，再问问或许还有人知道。你想见小狼崽？母狼都死了，你只能见到一窝死狼崽了。”

我的眉头蹙了起来，这故事如果出自城里人茶余饭后的吹牛，我也许只当猎奇般听听，不会太留心，可对于有信仰的人说出的话，我坚信不疑。事情发生不久，我耳边似乎响起了狼崽轻微的呼救声。我心中忽然升腾出一个强烈的愿望，一定要知道这几只小狼崽最后的命运。

主意一定，我立刻起身收拾行囊，灌上一大壶水，再次跟牧民确认方向。

老阿妈挽留道：“太热了，等太阳下去再走吧。”

“没事，阿妈，越早越好。”我笑了笑，继续整理行囊。

阿妈颤抖着手，把那串一直数着的佛珠放在我的手心，双手紧握，念着我听不懂的话，又在我额头摸了一下。我虔诚地双手合十向她道别，带着阿妈的祝福出发了。

老阿妈倚靠在门口的身影渐渐模糊。

行走在莽莽草原上，有时几十公里都看不见人烟。找人如同大海捞针，何况是找狼。但那对狼夫妻的抗争与殉情引起了我的同情心和敬佩之情。我一定要找到小狼，哪怕我寻回的只有大狼的残骸或断爪，哪怕找到的只有小狼崽的尸体，我也要把这一家狼安葬在一起，作为一个人对他们的歉疚。

狼是可以殉情的，这点我非常相信，因为早在若干年前我就听过这样一个真实的故事：

1894 年，美国新墨西哥州有一匹名叫洛博的狼王警戒心极强，不但从不上猎人的当，还领着狼妻布兰卡和其他四只灰狼袭击牛羊充饥。他们似乎具有逃脱死亡的超自然力量，神出鬼没地游窜在大草原上。他们像是嘲笑人类般，不断破坏猎人精心设计的陷阱，并在其上留下粪便。洛博的智慧和冷静，换来了悬赏千金的猎杀令。

终于有一天，布兰卡落入了陷阱，被猎人杀死。痛苦的洛博爬上山岭，对月哀嗥着，仿佛在祭奠他的亡妻。猎人们无比紧张，害怕在洛博的复仇烈火中无人可以幸免。没想到几天后，洛博愤然踏进了布置在牧场周围的钢夹陷阱中，而且连踩四个，一只脚爪一个狼夹，就那样神情冷漠地被锁在原地，淡然地望着夕阳下他曾经统治过的山脉……隔天早上，猎人们发现洛博已经断气，没有挣扎，没有外伤。就为了追随他挚爱的伴侣，洛博解散了他的另外四个伙伴，孤傲地死在布兰卡的身边。

多年来，洛博的故事让我记忆犹新。但这故事毕竟发生在多年前的美国，离我的生活还较远，而如今新的殉情狼故事就发生在我脚下的这片大草原上，真实得有如触手可及，跨越时间和地域，真应了老牧民们的那句话：“人和人不一样，狼和狼一个样。”我渴望尽快见到中国的洛博情侣和他的孩子们。

我加快脚步拼抢时间，天黑前一定要多问几户人家。在若尔盖草原上新近发生的这么动人而震撼的狼故事，一定有很多人知道，如果在城市，肯定街头巷尾早就传开了。

然而事情的进展并不像我想象的那么顺利。我原以为这么感人的狼故事会传得路人皆知，结果一直走到天黑，问了三四个人，他们却对这事一无所知，反而对我这个外来人颇感好奇，问长问短地打听城市的消息。我这时才尴尬地意识到一个围城现象：当城里人都关注与向往原生态草原的奇闻逸事时，牧民们更感兴趣的却是日新月异的外来文化。他们对这里的动物生生死死之事早已不足为奇，也许只有老阿妈那样经历过草原岁月变迁，虔心向佛的人才会关心动物吧。

我一点新的线索都找不到，情绪非常低落。失望、沮丧，甚至有一瞬间都怀疑牧民们故事的真实性了。我仅凭着一方之言，热血上涌就不顾一切地去寻找，是不是傻了点儿?

精神动力一失衡，在缺氧的高原奔走了一天后的筋疲力竭顿时把我击垮了。我仰躺在草地上望着逐渐清明的星空，两脚交替蹬掉鞋子，我脚底脚跟都磨起了几个大大的水泡。尽管搽了防晒霜，但额头和鼻尖仍旧被下午毒辣的太阳几乎晒爆了皮，像抹了辣椒水，一触碰就火烧火燎地疼。此刻，肆虐了一天的太阳鸣金收兵，长风劲吹的草原立刻变成了另一个冰冷的世界。白天晒融的冻土，此刻又“咯吱咯吱”地拱动着结起冰霜来。

我冻得开始哆嗦了，把白天热得脱下的衣服又一层层裹上，马马虎虎地选了一处缓坡，鼓起残余的力气支起帐篷，倒头便睡。

那一夜，梦里全是狼死前的哀嚎和小狼崽嗷嗷待哺的声音。几次翻来覆去，到半夜就再也睡不着了，手里抚弄着老阿妈临走前给我的佛珠，闭着眼睛仔细回想白天牧民讲述中的每个细节，想到虔诚的阿妈和牧民大哥对狼流露出的由衷钦佩，这传闻一定是有真实来历的，他们没有必要骗我。尽管在现代社会，人与人之间早已面临着信任危机，但我仍愿意相信有信仰的人，虽然我不信佛教，但是对佛教有亲近感。

我意识到自己低估了寻找的难度，像这样盲目地徒步撞运气，找到的概率几乎为零。正在灰心之际，公狼被剥皮的细节如灵光乍现般提醒了我。现在的牧民生活渐渐富足，穿的不再是自制的毛皮，而是与外界接轨的牛仔裤、夹克，传统手工早已丢生了，大多草原人不会自己熟制毛皮，包括每年剥下来的羊皮牛皮都多半是由县城里的皮匠统一收购加工。狼皮既然被剥，肯定要尽快找人熟皮，何况如果要卖珍贵的狼皮，也一定会在人多的地方悄悄放出消息，公路和路边的饭店旅馆正是各色人等汇集的地方，消息最灵通，最不济还可以找到皮匠，或许能打听到蛛丝马迹。想到这里我顿时兴奋得坐了起来，忽然又想到珍贵的小狼皮也可能被剥来卖了，一时间心乱如麻。

紫蓝色的天际刚能看清远山的轮廓，我就早早收拾帐篷，啃上一块方便面饼，用手机的GPS定位找准公路的方向，用几个创可贴贴好脚上的水泡，踩着坑坑包包的草场，一脚高一脚低，匆匆上路了。

刚来草原的头两天，我以游玩写生为目的，不疾不缓地走走停停也没觉得累，可现在是要争分夺秒地去找人，脚步立刻匆忙起来，在空气稀薄的高原长时间徒步，对体力和毅力是个巨大的考验，好在我从小身体基础打得相当好，身体壮得像头小牛。

我出生在川西的一个小镇上。妈妈说自从怀上我就没让她省心，先是磨磨蹭蹭地在娘肚子里赖了十二个月，之后生下来足有八斤半，粗胳膊壮腿儿，都以为是个男孩儿，结果是个丫头。那时，我父亲在县里一所中学教书，妈妈工作也忙，我就由外婆带大。两三岁时，外婆带我去爸爸的学校玩，我哧溜儿下就爬到了操场的篮球架上好奇地四处打望，吓得外婆在篮球架下面惊叫救命，张着两手随时准备接人。篮球架上，我像个猴子一样飘来荡去还倒挂金钩却偏偏掉不下来。外婆吓得大气都不敢出了，几个胆大的学生爬上篮球架想把我抱下去，我就是不肯，结果嫩胳膊被拽脱臼了我也没松手。

长到五六岁上，我就更淘了，成天混在男孩子堆里，舞枪弄棒，爬树上墙，掰牛角，爬拖拉机，做猴皮筋儿打鸟，削竹棍儿上山探险，披个纱巾像超人一样在五层楼顶之间跳来跳去……小镇上的大土狗很多，一帮小破孩儿最常干的事就是抓着狗尾巴看谁最后放手……我通常是最后放手的人，但奇怪的是尽管狗儿大发雷霆，却从来没咬过我。

外婆管不住我了，我妈常常气得说：“你啥时候才能像个女孩子啊！简直是个野丫头，以后不准出去耍！”因为这些捣乱事迹，我没少挨过打，但我还是野性不改。谁要是想限制我的自由，我就直挺挺地“倒硬桩”（像木桩似的硬倒在地上），经常把自己摔得鼻青脸肿也要争取出去的权利！

不能放任我野下去，我父母毅然割爱把我送到了成都的亲戚家。独自来到这个陌生城市的那年我八岁，没了父母在身边的管束，我更是调皮捣蛋：给校长的照片画胡子，钻到大医院的太平间去开抽屉箱。我还迷上了射击，参加了射击队，每天扛着步枪神气活现地去打靶。因为我的身体基础比城里孩子好，从小学到初中，田径比赛样样全校第一，参加市里省里的体育比赛每次也都捧了奖牌回来。我的身体素质很让父母欣慰，但学习成绩就让他们大喜大悲了。

我的学习是随心情而变的，成绩好时全校第一，成绩不好时名落孙山。能在大考的试卷上把丁玲的代表作《太阳照在桑干河上》写成《太阳照着三个和尚》。

“这学生纯粹没看书，而且作弊的时候都没仔细听清楚。”班主任批改我的试卷，能把头皮屑摇得一桌都是。

真正改变我性格与爱好的，是刚踏入初中校门，一个微风习习的下午，我路过音乐教室，看见一个长发齐肩的姐姐在钢琴前弹奏乐曲《少女的祈祷》，窗外婆娑的树影投印在她淡紫色的纱裙上，恬静、优雅，和着柔美婉转的乐声，让人怦然心动。一瞬间，我的整个精神世界都被震慑住了，这世界还有这么美好的淑女形象，还有如此随情而至自由弹奏的音符，我一定也要驾驭属于我自己的自由和艺术。

从此我爱上了音乐，爱上了画画、刺绣……只要是艺术的东西我都去学习，一用功就是十多年，性格又文静到了极致。但在文雅的表面下，童年生活植下的野性狂放和不受约束的根茎还在，时常在不经意间长出刺来。高中时候，我常逃课翻窗去音乐教室弹琴，后来音乐老师发现有人翻窗的脚印，就把窗户锁住，还拿铁丝绑牢。我折腾半天打不开窗子，干脆转到音乐教室门口，看看四周没人，就提起裙子，一脚踹开教室门，然后理理裙摆，恢复斯文形象，坐下弹琴。

高中也曾有过一个男生喜欢我，悄悄看我画画，听我弹琴，看过我的个人画展以后，更认定我是他心目中的淑女。结果有一天，他看见我飞身跳墙进学校，最倒霉的是我跳进来的时候正好面对面落在他眼前。那一瞬间，他大嘴张得可以塞下一个馒头，眼睛里写满了幻灭，从此他再也不喜欢我了。不喜欢算了，我还是我，一个自由自在、胆大妄为、好强执著、坚决不喜欢受约束的人。

毕业以后，已经调到成都的父母想把我安排到机关单位去工作，但我执拗地选择走艺术这条道路。画画是我从小的梦想，人各有志，自己的命运应该掌握在自己手里。

我喜欢四处游历，画我所爱的东西，这才是我所向往的生活。我曾做过十年的美术教师，后来从学校辞职做起了职业画者，多数时候潜心创作，有时画些连环画……生活挺知足。人对物质的追逐总是很难有止境的，我常常见到一些朋友永远在付出时间挣钱，却连花钱的时间都没有，那么挣钱为什么？有些富有的朋友羡慕我拥有一份自由，而他们自己却身不由己。其实每个人都有自由，只是他们舍不下用自由换来的太多东西。有时间尝试放松一下吧，如果自信一辈子都有能力挣到钱，又何必急于一时呢？

对于一个画画的人而言，感性与冲动常常支配我的行为，而天性倔犟执著的我只要认定了一个目标，便像狼见了肉，想方设法必穷追到底。

寻找小狼或者狼夫妻的踪迹就是我的下一个目标。

中午，顶着太阳赶路，吸进肺里的空气都是烫的。当我终于走到公路边时，傻眼了，几乎笔直的公路前后都望不到头，光秃秃的路两旁哪里看得到任何饭店旅馆。间或来往的车都呼啸而过，任凭我怎么招手都不予理会，行色匆匆的人们都是多一事不如少一事。

我叫苦不迭，拿出水瓶，节制地喝了一小口水，把画板顶在头上，勉强遮一小片阴凉。我蹲在路边伸长了脖子，等可能停下的车。太阳继续发威，汗水还来不及流过滚烫的皮肤就被烤干了，水泥路面把旅游鞋的胶底烘烫得发软，路中间一只来不及翻面的倒霉甲虫没挣扎几分钟就被烤得酥酥脆脆的。高温蒸烤下，长长的公路尽头渐渐有了些朦胧意味，像海市蜃楼的幻境。

水已经喝完了，上烘下烤，这真是名副其实的“干”等……终于出现了一个骑摩托车的藏族小伙儿，当地人是最愿意停车的，为求助的路人稍作停留也是一种淳朴的信任感的体现，这在城市人中已经很少有了。我老远就跳起来，大叫着猛挥双手，藏族小伙子慢慢停了下来，我赶忙迎上去问他关于狼的事，他摇头，懵然不知。我哪里肯放过这根救命稻草，马上塞给他一百块钱，一定要搭他的车，让他送我到有饭馆的地方。小伙子眯着眼睛笑了笑，摆手把钱推还给我，大方地指了指后座。我感激地跨上了车。

我搭摩托车走了大约几十公里，终于找到一家给货车司机打尖的路边小饭店，我向店主买了些水和干粮。几瓶水灌下去我又来了精神，守在店门口见到路过的人就上前打听，但问了一下午仍一无所获。晚上我在小饭店里狼吞虎咽地扒着饭，想着下一步该怎么办。邻桌的老司机教了个方法：“姑娘，你不是还想找皮匠吗？每天清早的时候，一些收皮子的人就会在进县城的路边蹲候。到时候你问问他们。”

一语点醒梦中人！

第三天天刚亮我就搭车往县城方向赶，果然有些藏族人零零散散地蹲在路边，面前的地上摊放着刚收来的牛羊皮。我连问了几个收皮人以后，终于有一个开着拖拉机的收皮人说：“好像是听说过这么回事儿……”

终于有了线索，我兴奋得心都要从胸腔子里面蹦出来了。

“但是野生动物是要保护的，那些皮子我们可从不敢收。”收皮人警惕地补充。

我强压兴奋，仔细想了想，从上衣外包里抽出两百块钱：“我只是个普通人，只想看看那些小狼崽，你如果肯告诉我，这钱就给你。”

他看了看钱，把我上下打量着，目光闪烁：“我不知道……”

我死盯着他的眼睛看了有一分多钟，又抽出一百，语气更加肯定：“你知道！”

他看看我，低声说：“很远……”

我领悟地点点头，把外包里剩下的两百也全摸出来。“带我去，五百，全都给你了。”我边说边把空空的外包里子翻出来给他看。收皮人抠着脑袋，眼珠在我翻出的包里子上转悠。

“不行就算了。”我把钱放回包里，开始以退为进，转身向其他收皮人那里走。

“等等，”他纠结了片刻，用挡风的围巾把嘴脸捂得严严实实，只露出两只眼睛，然后绕到拖拉机后面，卷起拖斗上的几张牦牛皮，腾出点位置，干脆地说，“上车。”

拖拉机开在草原的公路上，头顶烈日，大风刮得我睁不开眼睛，但我的心情却敞亮起来，两天来终于有了确凿的线索，我又喜又忧，喜的是眼看就能到事发地，甚至有可能见到生平从未见过的野狼崽，忧的是不知道见到的小狼崽是死是活。我还想跟收皮人多打听几句，但一张嘴，风沙就嗖嗖地往肚肠里灌。“那些小狼还活着吗？在什么人手里？”我拢着嘴巴冲他后背喊话。

收皮人一心开着拖拉机，捂住的围巾下看不出说话没，或许是拖拉机声音太大他听不见，或许是他回答了，我却听不见。当然，也或许他对我这个奇怪的外来人还有所顾忌。几番喊话问不出个所以然，我也就安静下来，等待着到达的时刻。我满心祈祷小狼们还活着，我总觉得母狼临死的哀嚎是有意义的，我不能让这对狼死不瞑目。在内心深处我总觉得自己与狼有一种神秘的缘分，这缘由得从我十多岁时在红原与狼的一次遭遇讲起。

中学毕业的那年，我和几个驴友合伙租了一辆吉普车到邻近若尔盖草原的红原去旅行。傍晚的时候，吉普车水箱开锅了，一车人下来活动筋骨，在附近聊天拍照，等着司机把水箱冷却，加水。

横竖有时间，我看见天边的玫瑰色夕阳特别美，而似乎在对面小山包上可以看见夕阳落山的全景。我跟大伙儿简单地打了个招呼，便独自往小山包上爬去。爬上这个小山包一望，却发现还有一个更高一点的山头视野更广阔，于是兴高采烈地转过山垭子，沿着斜坡往更高的山包上爬去。

走着走着，我突然一阵颤抖，莫名紧张起来，本能地停下了脚步张望。前方山坡上不足百米处的长草微微一动，我猛然发现几只灰黄色的大狗趴在草里面晒着黄昏的太阳。他们看见我这个手无寸铁的孤身小女孩出现在他们的地盘，显然很惊讶，四个脑袋向右看齐，八道冰锥般的目光齐刷刷地向我射过来。其中一只最大的狗“嗖”地站了起来，用威严而警惕的目光直勾勾地打量着我。另一只狗则缓缓地站起来，朝侧面踱了几十步，向我身后打望。当确认我身后没人跟来时，大狗们交换了一下眼神，难以置信地盯着我，更加诧异了。

陡然遇见陌生的狗，我本能地保持距离不再前行。“遇到狗别跑”，这是祖训。僵持了一会儿，我看大狗们也没冲我龇牙咧嘴地汪汪叫，似乎没显出什么敌意，也就渐渐放松下来，抻着脖子看我的夕阳。我是从小揪着野狗尾巴淘气长大的野

丫头，对狗本来就没有太多惧怕之情，记忆中，随我怎么捣蛋折腾，都从没被狗咬过。看见狗多的时候，大不了别去招惹就行。

我一会儿张望风景，一会儿看看大狗们。他们面面相觑，过了半晌，终于松懈下来，略带讪笑地打个哈欠，转开目光继续晒太阳，时不时地回头盯我一眼，目光柔和多了。只有那只最大的狗慢慢走上前几步，缓缓地坐下去，依旧保留几分戒备地挡在我与其他狗之间，密切注视着我的一举一动。我也偶尔好奇地看看他们。

也不知过了多久，山那边依稀有了人声，接着吉普车尖利的喇叭声打破了黄昏的宁静。四只大狗扭头望向我身后，尖尖的耳廓向声音传来的方向转动了几下，不慌不忙地站起身来，又回头意味深长地看了我一眼，然后转身在长草中连着几个拱动跳跃，就悄无声息地消失了。除了几个趴伏的草窝子边还有几根长草在慢慢回直之外，似乎那些狗根本就没存在过。

这么神出鬼没的狗还很少见呢，我心里嘀咕着，掉头循着喇叭声回去找大伙儿。

刚回到车里大家就埋怨开了：“你这家伙跑哪儿去了，喊你半天了！”

“单个儿人别乱跑，这里狼多。”这个有经验的司机经常跑红原。

“狼？不会吧，倒是有几只大狗盯了我好半天……”

“狗？这荒山野地，人都没有，哪里来的狗？”司机一愣，“长什么样的？”

我大概描述了一下那些狗的外形和遇到他们时的情景，司机倒抽一口冷气：“那些就是狼！他们要咬你根本不需要汪汪叫！”

我惊呆了，一瞬间魂飞天外，突然觉得整个世界都没了声音，一车人七嘴八舌地说着什么话，一句也没钻进我耳朵里，这种毫无知觉的寂静中，只有心脏的咚咚巨响闷雷般直轰脑门。直到朋友抓住我的肩膀猛摇大喊，我这才后怕地哆嗦着收魂入体，内衣已被冷汗浸透。

“是狼为什么不吃我？”我声音抖得厉害，努力让自己的灵魂归位，长这么大还没这样害怕过，但是却莫名其妙地怕从没见过的狼，因为在从小接受的传统观念当中“狼是吃人的恶魔”。我刚才无异于去鬼门关走了一遭。

回家以后，我恶补自己的动物知识，特别是大量地阅读关于狼的资料和书籍，想解开这次遭遇之谜。

“那些狼大概是吃饱了懒得理我吧。”我最初这样跟自己解释，但很快我否定了这个猜测，因为资料中显示，狼遇上落单的、弱小的猎物都会有猎杀的欲望，哪怕他们并不饥饿，遇上唾手可得的猎物也会杀死作为存粮。而当时，我的确称得上是地地道道的“唾手可得的猎物”，四只狼困而攻之，一个小女孩根本没有招架之力。又有资料告诉我，遭遇狼的时候，往往狼也在权衡我的力量和胆识，狼会读心，在狼面前绝不能示弱，如果在狼面前显示出自己很怯弱，就很容易被狼当成猎物而引发攻击。回想当时，其实自己是因为没见过，也不知道面对的就是狼，仅仅把他们当做大狗看待，那时的我并不是英勇无畏，而是“无知者无畏”。侥幸啊，或许那些狼也为我的“大胆”而纳闷呢。

随着年岁渐长，时光冲淡了小女孩的恐惧与惊疑，每当回想起当年的情景，自己竟然和一群野狼相安无事地共赏夕阳，就感慨这是多么奇妙的一次人生际遇。我对狼这种动物渐渐产生了好感。

“狼是可以与人和平共处的。”每每想起狼群柔和的目光，我常萌生出这样的想法。狼其实并非时刻都凶残可怕，或者不近情理地杀戮，当他们被赋予“狼”这个名字以及这个名字背后的恶劣名声后，“狼”就变得异常可怕。其实很多人，包括以前的我都是怕“狼”这个概念的。而怕狼的人当中真正接触过狼的又有几个？

前年，我和一个朋友去重庆动物园的狼山游玩，这里的狼群在被电网围起来的小山上，呈半放养状态。

我看着狼群穿梭在狼山的小树林中，想起少女时代与狼群美妙的邂逅，如今又能接触到他们，我情不自禁地越过电网，踏入了狼群的领地。几只大狼跑到我面前，反复嗅闻，久久凝视着我，目光就像当年在红原遇见的那些狼一样柔和友善，好像能读懂我的心。其中一只大黄狼轻声“呜、呜、呜……”地叫着，我尽量放松自己的紧张情绪，蹲下身来试探性地伸出手，也模仿着他的声音“呜、呜……”地回应，没想到大黄狼耳朵一竖，竟然直扑过来，一头扎进我怀中，用硬邦邦的狼脑袋在我怀里亲密地摩挲着，就像久别重逢的老朋友一样。其他的狼也“呜、呜……”地哼了起来，声音透出一种友好，亲近地围在一边看着我。我又怕又激动，难道他们听得懂我的回答？我大着胆子摸了一下怀里的狼头，这是我生平第一次亲手摸到活生生的狼，不是做梦吧？我心里涌起一阵奇妙的兴奋，甚至有点受宠若惊了。

狼没有想象中那么可怕呀？至少他们对我是友善的。

电网外正在拍照的朋友惊得目瞪口呆，直到我在工作人员的制止下退出电网，朋友才回过神来：“太不可思议了，狼群竟然能够接受你?! 唉……也许你前世就是他们当中的一员。”

无论前世今生，当年那群有能力杀死我的狼，却慷慨地与我共赏夕阳，这份神秘情缘牵引着我此刻匆忙寻狼的脚步。

午后，厚重的云层笼罩过来，草原要变天了。当大风已经把拖拉机上的我吹得蓬头垢面的时候，收皮人终于在公路边停了下来。“剩下的路在草场上，拖拉机开不过去了，你得自己走。”他伸手指着远处草场上遥遥可见的一处帐篷，“就是那家人。”

我跳下拖拉机，目测了一下距离：“这该有五六公里吧。”

收皮人嘴巴一咧，笑道：“草原上的路看起来近。”

“不能开下去吗?”我深知草原徒步的艰辛。

“这坑坑包包的，车一下去就卡住了。”

我仔细看着草原上那些拱起的土包，小的像钢盔，大的像扣翻的水桶，密密麻麻星罗棋布，这样的草场摩托车开上去都困难，我不由得纳闷：“这些土包都是怎么形成的啊?”

“地老鼠挖的。”收皮人回答。当地人所说的地老鼠是一种叫做鼢鼠的动物，吃草和草根，常年在地下挖洞穴居，挖出来的土堆积成小坟包似的土丘，所以有的人也叫它们“坟鼠”。好好的草场怎么会被鼢鼠挖成这样，我望着如牛皮癣一样连成片的土丘，心里很不舒服。

看来必须徒步了，我略带犹豫地把钱交给收皮人：“你保证小狼崽就在那家人那儿?”

“我向菩萨保证!”收皮人信誓旦旦地说。我点点头，藏族人信佛，我相信这样的誓言。

收皮人接过钱数了一下，补充说：“死的活的就不一定了。”

“为什么?”我心里一凉。

“牧民是不会养狼的，没这规矩，头几天让他们卖皮，不卖！早说狼崽子养不活的！每天都在死!”

这几句半通不通的汉话，顿时让我泪眼迷蒙，我抓起背包背上，飞也似的朝那顶若隐若现的帐篷狂奔。拖拉机的声音逐渐远去，黑压压的云层下，细细的雨丝随着狂风飞舞，像理不清的乱麻。我心里绞痛难当，想起这两天绕来绕去耽误的时间，每一分钟小狼崽的生命都在流失。我为什么早没想到。“每天都在死!”收皮人的话回响在半空，我边哭边跑，眼泪洒了一路，后悔得想揍自己一顿!

我一路狂奔疾走，直跑到傍晚过后，离帐篷越来越近，帐篷前依稀坐着一个藏族老人。陡见陌生人出现，帐篷外几只大獒犬狂吠着气势汹汹地迎了上来，我上气不接下气，变声变调地喊着：“我不是坏人！我来找小狼！我不是坏人!”

赶牲畜回家的两个小伙子和在帐篷外忙碌的大姐急忙叫喊着拉回獒犬，拴了起来。这一家人对我这个陌生人急匆匆的到来颇感意外，而我大声呼喊的“小狼”两个字一钻进他们的耳朵，他们就立刻有些警惕而排斥起来，不知道我到底想干什么。

老人几步走过来挡在帐篷前，摇着经筒，慈眉善目却表情阴郁。那两个牧民小伙子和大姐试着问我的来历。其中一个戴毡帽的小伙子翻译着我们的话。我拉风箱一样地喘着气，断断续续尽量简单诚恳地说明了来意。大姐和小伙子们扭头看向帐篷前的老人，老人一言不发，表情复杂地打量着我。

“小狼还有活着的吗？我找了三天了……”我的眼泪终于忍不住又滑了下来，累得颓然跌坐在湿漉漉的草地上。老人家的神情这才渐渐缓和下来，终于叹了口气，于心不忍地让到一边，指了指帐篷，答了我第一句话：“你来晚了。”我的心霎时沉到了谷底，爬起来急匆匆地撞进了帐篷。眼前的地上最后一只小狼已经不再有声息，他四肢松散地侧躺在地上一动不动，连肚子上的皮毛都看不出丝毫的起伏。跟进来的毡帽小伙子拨弄了几下，拈住小狼后颈拎起来摇了摇，小狼垂着爪子耷着头软绵绵地晃荡着毫无声息。毡帽小伙子放下小狼摇了摇头：“死了……五天不吃奶还活啥呀?”一句话如五雷轰顶，我顿时泪眼模糊，几天来的日夜兼程和六只生命之烛的逐一熄灭让我悲从中来。“我还是来晚了!”我痛苦地把头埋在手心里，憋了几天的悲痛终于难以抑制，猛然间放声长啸起来，只有那长啸声才能悼念我心目中的狼。

突然，“死去的小狼”耳朵一跳，一个激灵，颤颤巍巍地翻过身来，闭着眼睛晃晃悠悠地撑在地上细听动静。

这是我生平第一次见到一只活生生的小到甚至没睁眼的野狼崽。已毫无生命迹象居然会死而复生。

“咦？啊……”牧民们齐声欷歔，似乎也找不到什么词来表达惊讶了。

“活着？五天不吃奶居然还活着?!”我瞪大了眼睛，这突如其来的惊奇让我悲喜交集，这是我生平第一次见到一只活生生的小到甚至没睁眼的野狼崽。难以置信，明明已毫无生命迹象的小狼居然会死而复生？我一时竟不知道接下来该做什么了。小狼瑟瑟抖动着，满怀希望地站着，像个盲人一般还在凝神静听，我也不知道哪里来的灵感，轻轻蹲下身子试探着“呜、呜、呜……”地叫了几声。

小狼浑身猛烈颤抖起来，如同在黑暗中摸索的人乍见曙光，他立刻循着声音，跌跌撞撞地爬了过来。他没有视力，完全是凭着听觉和感觉爬过来找我，这何尝不是一种缘？那一刻我猛然相信了狼的确是有灵性的，冥冥中自有天意牵引。后来我才知道，那一声长啸恰似狼妈妈临终前的悲叹，那些“呜、呜……”声正是母狼殷殷唤子的声音。

小狼嗅着、拱着，小爪子抓着我的衣襟，使劲往我怀里爬，吃力地仰起头想舔咬我的嘴唇，这是小狼认妈妈的举动，是与生俱来的生存本领。强烈的求生欲让他在黑暗中义无反顾地摸索着，追逐我的声音——小狼把我当成了他的妈妈。

我伸手到小狼腋窝把他抱了起来，小狼崽的头绵软无力地歪搭着，呼吸若有若无，薄得像张纸一样的皮肤下，小肋骨在我指缝间一根一根往下滑漏。我惊道：“怎么这么瘦?!”

“当然了，他不吃东西。”大姐说。

“有牛奶吗？快!”我近乎命令似的急喊。

大姐忙拿出早上挤的鲜牦牛奶，我小心翼翼地抱着小狼崽暖在怀里，用一只不锈钢小茶盅盛上牛奶，放在铁灶上烧开再浸入凉水中快速冷却下来。我咬一口饼干喝一口牛奶在嘴里含着，蹲下来仍用刚才呼唤的声音对着怀里的小狼：“呜、呜、呜……”小狼动了，迅速抽出小脑袋来盲目而焦急地嗅闻着寻找着，我把含化了的饼干奶浆吐在手心送到他鼻子下面。说时迟那时快，小狼一反虚弱常态猛地一口咬上来抢夺奶浆，奶浆霎时糊了他一头一嘴，他更加狂野，把乱溅的奶浆连同我手心的血肉一股脑地撕咬着往嘴里吞送。

我疼得咝咝咬牙，忙不迭地抽手，对着昏暗的灯光一看，手心里已经被小狼的尖牙刺出两个米粒大的血洞，汩汩地冒出血来。小家伙突然又找不到吃的，绝望地哀叫起来。我顾不上处理伤口，忙戴上皮手套再小心翼翼地喂他。五天以来滴水未进的小狼把一杯含化的饼干奶浆吃得干干净净。尽管饿极了的小狼还在焦急地寻找，伸长了脖子向我的嘴唇乞食，但我绝不敢多喂。

喂完食物的皮手套已经多了好几个眼儿，这小家伙还没睁眼就狼性十足。虽然我以前也曾经救过不少的流浪狗，但是哪怕饿极了的流浪狗面对牛奶也知道应该舔食的道理，小狼的确跟狗不同，初见面就明确地让我理解了“狼吞”一词的贴切，狼的字典里没有品尝，不会“狼舔”！吞、抢、撕、咬是狼标准的取食方式。看来用手心盛食喂狼真是异常危险的事。

小狼吃了一点东西，渐渐安静下来，呼吸也似乎比先前平稳了些，随着湿漉漉的夜风一吹，小狼开始无助地发抖。我忙拉开冲锋衣把小狼捂在怀里给他温暖，小狼一个劲地往冲锋衣里面我的腋下拱去，似乎此刻越是黑暗拥挤和温暖的地方越能给他以最大的安慰，他仿佛在拼命寻找狼洞中与母亲相依相偎的安全感。我生怕腋下厚实的冲锋衣会让小狼窒息，就略略放宽松了一点，谁知只要有一丝松动的余地小狼立刻又往更紧、更拥挤、更温暖的里面钻。直钻到大半个身子都埋没在我腋下进无可进，小狼才勉强消停下来。颤抖渐渐平息，他几乎是呻吟着疲惫地舒了一口气。

我早就听说没有自卫能力的小狼崽会本能地装死，但没想到他竟然能装得如此耐性十足，连众人都被他的毫无生气所迷惑。不过眼前的这只五天未进食的小狼崽恐怕一小半是装死，一大半却是真“死”。他只能一动不动把自己的能耗降到最低，期待着获救的一刻，也可能就在等待中完全死去。我突然想起了他的兄弟姐妹，忙问：“其他的小狼崽呢?”

“死了。”牧民回答。

“真的死了吗?”我怀着一线希望，“不会像他一样装死吧?”

"肯定死了，那些狼崽两天都没熬过，死硬了才拿出去埋的。阿爸看这只小狼一直还是软的，有点气息才坚持留着。"大姐回答。

一直站在帐篷边被称作阿爸的老人听见我们谈起死去的小狼，默默地转身走出了帐篷，似乎一点也不想回顾这些伤心事。

我才燃起的希望又熄灭下来："他这五天都吃过些什么?"

"他什么都不吃，就是拱那些死了的狼崽。"毡帽小伙子说。

"把死狼崽拿开的时候他还咬人呢，后来没力气了就一直躺着。"大姐说。

我心里一阵难过，难以想象小狼这些天都是怎么熬过来的，离开了母狼的体温和兄弟姐妹相依偎的取暖，草原寒夜的温度足以夺取他柔弱的生命。我轻轻探一根手指进去抚摸小狼，他鼻子干燥，耳朵滚烫，在发烧，身体相当虚弱，似乎刚才的一番挣扎寻找又将他仅存的一点体力消耗殆尽。我感觉到那张毛茸茸的小嘴叼住了我伸进去的手指，接着指尖被小狼温暖湿热的小舌头包裹了起来，他虚弱地吮咬了两下。小家伙没吃饱，但对饿极了的小狼，我不敢猛然喂得太多。

才一会儿，在我怀里刚安静下来的小狼，身体突然扭来扭去，就像有千百只蚂蚁在叮咬他，紧接着小狼重重地抽搐了几下。我心说不好，忙掏出小狼放在双腿上观察症状。小狼无力地垂着头，痛苦得像百蛇缠身，又抽搐了一下，"哇"的一大口把刚才吃的饼干奶浆尽数呕了出来。他咳嗽一声，又在强烈的求生欲望驱使下，把吐在我腿上的东西尽数吞进去，强行往肚子里咽。仿佛他很清楚那是他的救命粮。可过了一会儿他又吐，吐完再吞。

我急得泪花乱转，怎么会这样？小狼的状态比我想象的更糟糕，难道他的肠胃已经虚弱到不能接受食物了吗？吃了就吐怎么救得活？难道他死而复活的现象只是回光返照？刚挽回的小生命又要我眼睁睁地看着他死吗？我手忙脚乱地给他捋着皮包骨头的背脊，揉着胀鼓鼓的肚子。我摸着他和那与瘦弱身体极不相称的硬邦邦的大肚子，这似乎提醒了我什么，我这才从悲伤和焦急中清醒了过来，想起了一些重要的事情："他这几天拉屎了吗?"

大姐仔细想了想："没有。"

幸好我有过救助狗崽的经验，我忙把自己的毛巾拧了一把热水，托起小狼崽的屁股，一面用热毛巾反复擦拭刺激着他的肛门，一面轻轻替他揉着肚子。十多分钟后，小狼有了反应，挣扎着翻身，我忙把他放在地上。刚下地，小狼就拉出一团黑色的狼粪，奇臭难当，苍蝇立刻聚集过来，帐篷里的人纷纷掩上了鼻子。小狼走了几步换了个位置又拉了一大摊，难以想象一只小狼的肚子里竟然装了那么多的污物。很多小狼崽出生头几天，不会自己排便，大小便憋在肚子里，需要母狼用舌头舔动刺激狼崽的排泄肛，小狼崽才能排出大小便。又或许这么多天的装死几乎让他进入了类似冬眠的状态，难怪他吃下东西又呕了出来，有这些粪便在肚子里顶着，胃哪里还有蠕动的余地?

小狼奋力拉出最后一摊，摇摇晃晃地似乎有些虚脱了，一屁股坐在粪上。我又拧了一把热毛巾，把小狼崽抱起来，仔细清理干净他身上的污物。

过了一个多小时，小狼崽不再呕吐也不再抽搐了，我又喂了他一点牛奶，之后仔细擦干净他嘴边的奶浆。

“张开眼了!”牧民大姐惊奇地指着我怀里的小狼崽。我仔细看去，小狼的一只眼睛已经睁开大半，另一只还像被胶水粘住一样只虚开一条细缝，隐隐透出光来。

牧民们为小狼能死而复活，以及他寻母乞食的异常举动啧啧称奇，对我这个外来人的救治也觉得不可思议。他们的态度亲切了很多，遗憾地说：“你要是早来几天，其他的小狼可能也救得活。”

我心里一痛，抱着这唯一幸存的小狼就像抱着孩子一样，他触动了我内心深处最柔软的地方，一种想要呵护他的愿望陡然升了起来。无论是人类还是动物，在母爱面前都一样温柔而安详。

在老阿爸和大姐的帮助下，我在他家的帐篷外支起自己的小帐篷，一天数次煮熟牛奶溶化饼干喂小狼。小狼的精神很快好转，仿佛只要有食物，他立刻就能恢复顽强的生命力。次日下午，小狼就能离开我的怀抱，下地蹒跚地走上几步了。这时我才有机会仔细端详起小狼来。

这是一只小公狼，昨晚有气无力耷拉着的小脑袋像复活的秧苗一样挺了起来，翘着黝黑的小鼻子东闻西嗅。没睁眼的时候，他的眼睑就像刀片划出的两条细缝，缝中隐约透出些水盈盈的光来；现在小狼的眼睛已经完全张开了，只是眼睛里还有一层明显的蓝膜，就像一个刚恢复视力的人正在逐渐适应光明。小狼灰黑色的体毛蓬松芜杂，一层细细的金色长绒毛轻轻颤动，如同蒲公英的花丝一般似乎轻轻呵口气就会飘然散去。小狼尾巴上的绒毛还没长齐，光溜溜的像根老鼠的尾巴。他身上一股淡淡的野狼膻味和牦牛奶味儿掺杂混合。他的身体很轻巧，随意捏住一点皮肉就可以将他整个拎起来。

大姐和毡帽小伙子每天都给我端来酥油茶，然后伸头进帐篷来看小狼崽，但小狼一听到声音就立刻拱进睡袋里一动不动地装死。我轻轻揭开睡袋一看，小狼在里面安静地蜷缩着，活像一大团牛粪。只有听见我的声音，他才立刻翻身起来，呜呜地要吃的。

抱着这唯一幸存的小狼就像抱着孩子一样，他触动了我内心深处最柔软的地方。

老阿爸把这一切看在眼里，表情日渐温和，有天还对我们微微笑了一下，但却

仍旧寡言少语。

小狼一直在发烧，除了我随身携带的一点应急药物之外，牧区没有可救他的医药可寻，我几次想跟老阿爸商量带小狼回城里救治，可每次看到他严肃的表情，话到嘴边又咽了下去。我怕老阿爸不同意，更怕老阿爸干脆赶我走。

“你把他带走吧，”几天来一直沉默寡言的老阿爸终于对我说，“藏族人信佛，如果能救他一命也算我对母狼赎罪了。人和狼都是不得已啊。”

人破坏了狼的栖息地，狼侵犯了人的安宁，杀戮、诅咒、报复、遗孤……一切终究能怪谁？

怀抱这一出生就受人们诅咒的小小异类孩子，我和小狼的故事就这样开始了。

02 引狼入市

小狼的胆子越来越大，好奇心越来越重，精力越来越旺盛，随之而来的就是不安分和破坏。

我本来是去草原写生的，结果却带了只小狼崽回来，人生真是充满了变数，我怎么跟父母交代呢？小狼崽带回成都又安顿在哪里……

车行路上我心事重重，走走停停，停停走走，一会儿又下车给小狼喂奶、把尿、休息，休息够了再换车。坐上半天的车就在沿路小县城的旅店休息整顿，买一些牛奶和儿童退烧的药给他吃。从若尔盖到成都短短一天的车程，我磨磨蹭蹭走了三天。一方面想让小狼逐渐适应从高原到平原的落差，也避免他晕车；更重要的是，我需要多一点时间想好小狼到成都以后将要面临的问题。现在小狼是把我当唯一的依靠了。可我的父母再开明也不会容许女儿“引狼入室”的，妈妈是连狗都怕的人，何况是野狼。而且，狼属于国家二级保护动物，城市人的家里断然不能违法喂养。

虽然小狼现在看起来还很趣致可爱，跟小狗没多大区别，可他毕竟是小野狼，任何人都会说：“长大怎么办？要咬人的！”其实对这点，我自己心里也没底。虽然从前跟狼偶尔的一两次接触中，狼对我很友善，可现在这只小狼是要天天养下去的，万一哪天野性大发，咬我或者咬到别人，这可怎么得了？等他很快长成大狼，又在哪里寻找活动空间呢？这些深远的问题我一路想了三天也没想清楚，眼看已经到成都了，再磨蹭也得回家，只好走一步算一步，先把小狼暂时藏在我的画室里吧。

我家是复式结构的房子，这是我用工作十余年的积蓄为父母买下的居所，为的是能和老人们生活在一起，儿女能给父母最珍贵的礼物莫过于时间和陪伴。这房子一共三层，画室是在三楼自己修的一个屋顶阳光房。三面采光的玻璃门窗，通风透气都挺好。不足四十平米的画室里，最右边摆了一个罗汉榻，中间是一张大大的画案，左边是一方鱼池和洗笔墨的水槽，鱼池里放着几盆植物，养了几尾锦鲤。画室进门处以竹帘屏风，能把画室里的情形稍作遮挡，比较私密。屏风前一张古筝，屋梁上挂了很多长长短短的枯荷与莲蓬。除了外出写生，我都会特别安于待在画室里尽情地舒展画笔。

画室外是一方小菜地，很有几分陶渊明情结的父亲喜欢在那里种上许多的瓜菜，偶尔上来料理一下，在闹市中享受一份田园小趣。二楼是父母的居室和他们休闲的平台花园，老人家没事就常常在花园的花架下看报、聊天或与小孙女桐桐享受天伦之乐。我的卧室、书房和客厅则在一楼，客厅也是父母和桐桐经常活动的地方。父母很尊重我的隐私，一般很少上三楼画室来打扰我作画，所以画室是目前偷养小狼的唯一去处。

然而要到画室，必须想办法瞒住父母，穿过一、二楼，这是第一道难关。如果过不了这一关，小狼将无处可去。

回家之前，我先在家附近找了块没人的绿地，让小狼吃饱喝足透透气，然后让小狼躲进纸箱子里，摸摸他的脑袋安抚他，心怀忐忑地念叨："小狼啊小狼，你可得沉住气，接下来我们要一起闯关了。"小狼机灵的眼睛骨碌碌地望着我，仿佛有所领悟似的，在纸箱里调整了一个舒服的姿势，躺下就不再动了，很快进入了"死亡"的状态。我盖上纸箱拍拍箱盖，箱子里毫无回应，小狼"死"得非常到位。我会心一笑，回想这三天赶路的时候，白天温度太高，小狼在我怀里热得待不住，我就给他准备了这个纸箱子，把小家伙装在里面搭车。闻到有陌生人的气息，小狼就一声不吭地躺在箱子里装死，即使车子再颠簸，即使有人敲拍纸箱他也悄无声息。几乎没有人会注意到这个不起眼的纸箱子里会有活物。小狼的合作立刻给我增添了几分信心。

我抱着纸箱站在家门口，贴着门缝听了听家里的动静，父母似乎在客厅看电视。我再次看了看安静的纸箱，做了个深呼吸，硬着头皮按响了门铃。

"哟，这么快就回来了？才一个多星期呢。"爸爸开了门。

"嗯，有点事儿。"我含糊地说。

"你拿的啥啊？"妈妈注意到我的纸箱子。

"颜料。"我若无其事地回答，父母没有起疑。

我刚往楼上走了几步，突然想起了小狼的口粮问题："妈，家里有牛奶吧？"

"有啊，不过你不是讨厌喝牛奶吗？"

"哦，我在草原喝惯了。"我脸一红，反应挺快。

在细心的老妈面前言多必失，我低头夹着箱子就往楼上走。

我进了画室，把纸箱轻轻放在地上，正要转身关门，妈妈跟了进来，给我递上几盒牛奶，絮叨着："你这娃娃，回家也不跟父母多摆摆龙门阵，尽知道往画室里钻。"说着说着，妈妈突然留意到纸箱子上扎出来的几个透气孔，又看看牛奶，疑窦顿生，"这牛奶真是你喝吗？"

"当然，我渴坏了。"我强作镇定地打开一盒牛奶喝起来。

"你不会又捡了什么猫猫狗狗回来吧？"

我心一虚，真是知女莫若母。我收养流浪猫狗是有无数次"前科"的，每次都是偷偷摸摸带回来，结果刚进门没一会儿就被细心的父母发现，然后是旷日持久的说服教育："天底下那么多的流浪狗，你同情不过来的，万一传染上狂犬病咋办？"我承认父母的担心是有道理的，不过，我的原则还是救一只算一只，直到给狗狗治好病找到有爱心的主人，或者送到流浪狗收容中心，不过这次特殊——没有“流浪狼”收容中心。

“没捡猫狗。”我说的是实话，这次的状况大大挑战老妈的想象力。

“不信你打开看嘛。”我破釜沉舟打心理战了，这叫置之死地而后生。我心跳加速：小狼，关键时刻你可千万别露馅儿。

知母莫若女，妈妈当然也不会去翻看女儿的东西，不过极富经验的妈妈用脚尖磕了磕纸箱，仔细听了听，按照她往日的经验，如果里面有猫狗，立刻就会抓挠或者吠叫起来。然而纸箱纹丝不动，确实不像有活物的样子。妈妈这才放心地下楼了。

耳听再没动静，我伸头出去张望了一下，反手关上画室的门，拍拍狂跳的心脏，激动得手舞足蹈起来。从前每次都被父母检查出来，这次居然这么顺利就闯过了第一关，我心花怒放，我轻松愉快，我得意非凡！

然而，我高兴得太早了，第一关还远远没过，我万万没想到矛盾的起因竟然来自“狐狸”。

狐狸是我从小养大的一只博美犬，雄性，因为浑身雪白，酷似北极狐，所以给他起了“狐狸”这名字。狐狸的妈妈生他的时候难产，肚子大得出奇，宠物医生都以为怀了好几个，结果剖腹产下来却只有一只小狗崽。因为在狗妈妈肚子里吸收了足够的营养，出生以后又有充足的奶水，狐狸长得结结实实，腿粗脑袋大，不同于其他细胳膊细腿儿玲珑袖珍的博美犬，更像是一只小萨摩耶。

狐狸的脑瓜相当聪明，学东西特别快。他能听懂至少几十句常用语和指令，看家门、叼拖鞋、握手、打滚无一不会，每天早上趴在床边舔着我的手背叫我起床。美食当前的时候一定要抬头征得我的同意才开吃，如果我始终没点头，他就只好眼巴巴地看着面前的食物流口水，却绝不偷吃。最逗的是，握手的时候狐狸分得清左右，让他伸左爪过来，他绝不会把右爪放在你手心。每次上街过斑马线，他会两条后腿站立起来，伸一只前爪给我，让我像牵小孩子一样带他安全过马路，狐狸两腿走路的滑稽步态常常引来路人新奇的目光。狐狸啥都好，就是嫉妒心强。

狐狸今年五岁，按照狗的年龄而言，他也算是狗过中年的“老狐狸”了。我要瞒过父母容易，想瞒过狐狸的狗鼻子可就没那么容易了。

我刚一进门，分别一周多的狐狸就高兴得绕着我转圈，屁颠屁颠地跟着我进了画室，我庆幸瞒过了妈妈的时候，狐狸还乐呵呵地蹦跳着附和我呢。这会儿，我兴奋地在纸箱前蹲下来，狐狸早就闻到箱子里有种特别的味道，立刻凑了过来，满心以为我给他带回什么好东西了。我轻轻打开纸箱，慢慢侧翻过来，小狼随着纸箱的侧翻，头下脚上，松垮垮地滑落到另一侧，跟着“吧唧”一声，像摊烂泥一样倒下来，小眼紧闭，像个毫无生命的毛绒玩具，再专业的演员也演不出这么逼真的死态。

狐狸伸长了脖子进纸箱里好奇地探看，用鼻子拱一拱小狼，小狼沉住气不动，尽管狗是狼的近亲，但对小狼来说狐狸仍旧是没有分过类的陌生味道。狐狸把这

“小玩具”嗅来嗅去，满脸狐疑。

我清清嗓子：“呜、呜、呜……”

小狼两眼猛然睁开，一骨碌就翻身站了起来。经过三天的实验，我更加确定那“呜呜”声对小狼的确起作用，每次一唤，小狼就像接到最高指令一样立刻爬回我的身边。

狐狸见这毛绒玩具突然活过来，吓了一跳，赶紧退开两步。小狼甩甩小嫩腿，摇摇晃晃地从纸箱子里爬出来，抖了抖一身的绒毛东张西望，四处巡查这个新环境，狐狸马上跟屁虫似的嗅着小狼的屁股跟前跟后，嗅完一通还扭头新奇地望着我，仿佛在问：“他是干什么的？这也算是狗吗？”

小狼和狐狸一前一后绕画室兜了一圈，相安无事，小狼绕回我身边，我疼爱地摸了摸他只有拳头大小的脑袋：“小家伙，以后这里就是你的家了。”

猛然间，我感觉到一阵异样的目光向我袭来，扭头一看，狐狸变换了先前新奇戏谑的表情，改用一种充满妒意的眼光死盯着小狼，又顺着我抚摸小狼的手抬头看我，喉咙里发出“咕噜咕噜”一连串不满的声音。我一愣，把手拿开，狐狸不“咕噜”了，我再把手伸向小狼，狐狸立刻又“咕噜”起来。我迟疑片刻，不再抚摸小狼，起身倒了一碗牛奶，放在地上。

一见有好吃的，狐狸立刻挤开小狼，谄媚地凑过嘴来，对着牛奶幸福地伸出了舌头。

“狐狸坐下！”我命令。狐狸立刻端正坐好，舌头歪挂到嘴旁边摆出最可爱的造型，讨好地等着我允许他进食。

“让小狼先喝！”我下令了。

“什么？”狐狸难以置信地甩甩耳朵，怀疑自己是不是听错了。“对，主人一定是弄错了，我可是最受宠的狐狸！”他把狗嘴伸到牛奶碗前，试探地再次伸出舌头来。

“狐狸不准喝！让小狼喝！”我不容置疑地重复我的命令。狐狸半截舌头定在牛奶碗的上方，美食当前的幸福表情顿时僵住——这次狐狸总算是听明白了，他极不情愿地坐了下来，眼睁睁看着那个叫做“小狼”的家伙急冲锋似的跑过来，一头扎进了本该属于自己的牛奶碗

小狼不明白争风吃醋为何物，只是隐约感觉到眼前这个同类似乎和他有着截然不同的生存法则。

里狼吞虎咽起来。听着小狼“吧唧吧唧”大口喝奶的声音，狐狸心中的醋意如排山倒海般涌来，失宠的尴尬和被“人”夺去口中食的愤怒逐渐在鼻梁聚集，獠牙从皱起的鼻翼下伸了出来，他伏低身子，后腿蹬地，死死盯着小狼，一副随时要爆发噬咬的姿态。

“狐狸，注意礼貌。”我的命令对听话的狐狸通常都很管用，狐狸犹豫着放松下来，坐在一边，敢怒不敢言。而小狼却根本不在乎狐狸想什么，他眼里只有那碗牛奶，“哐当”，奶碗被小狼掀翻了，似乎不把餐桌搅乱就不是狼的进食风格。小狼一边在满地流淌的牛奶上跌着跟头，一边不管不顾地狂舔，好像饿极了的流浪儿，那副贪婪狼样看得我连连摇头。

记得在回成都的路上，我曾特意买了一支奶瓶给小狼喂奶。当我把奶瓶垂下递到小狼面前，闻到奶香的小狼立刻站立起来，贪婪地叼抢奶嘴，两只小爪子焦急地扒抓滑溜的奶瓶，可奶瓶中的牛奶就是不见少，小狼闻得到吃不到急得团团转，这点大出我的意料。我又试了几次，发现小狼的确不会斯文地吮吸，而是叼着奶嘴不断地狂咬撕扯。由于是玻璃奶瓶，所以我无法帮他挤压出奶，面对不会吮吸的小狼，我都替他着急。我抽出橡皮奶嘴一看，已经被小狼咬变形了，像筛子似的破洞里，牛奶一滴滴缓缓渗出，但这点涓涓细流显然不足以安抚一只饥饿的狼崽。难怪曾听老牧民跟我说过一窝狼崽抢奶之狂暴，凡是哺乳的母狼没一个乳房是完好无缺的，小狼崽们从吃第一口奶开始就懂得拼抢竞争，抢到的奶水越多，存活的可能性就越大，看来坚持到最后得救的这只强悍小狼当初也应该是抢吞到最多奶水的一个。

我还在惊讶中，小狼又猛扑上来，一口咬住奶嘴使出浑身力气往后拖抢，小爪子在滑溜溜的地板上不断打滑，突然“啪”的一声，奶嘴被小狼生生咬断，他咬着半截奶嘴一个跟头跌了个四脚朝天，牛奶洒了一地。小狼急忙翻身，边吞嚼着嘴里的半截奶嘴，边贪婪地抢食满地的牛奶，我连忙抓住他的脖子，掰开狼嘴，把半截奶嘴强抠出来。小狼张牙舞爪地咆哮着冲我龇牙，他很不能接受自己嘴里的东西被抢走。我一放开小狼，他立刻大吃特吃起来，仍旧是且舔且咬的方式，地面上的牛奶被他踩得一塌糊涂。他没吃够，不满地“呜呜”叫着。

能舔着吃就好办，我找了一个大碗，把牛奶倒在碗里，放在地上，小狼立刻扑进碗里，嘴巴一张合，顷刻间碗里的牛奶就少了一半。他一边用舌头片刻不停地狂卷着牛奶往嘴里送，一边还用嘴漾起牛奶争分夺秒地往喉咙里裹吞，不断发出“咕嘟咕嘟”的急切吞咽声。这样还不够，小狼干脆踩进了碗里霸着喝，一碗牛奶被踩翻流淌得到处都是，我只好扶着奶碗才保证他喝完。哪怕是没有断奶的病中小狼，吃东西也毫不娇气，许多没断奶的小狗或其他动物幼崽往往都需要用注射器或者奶瓶来劝喂，而小狼却大可不必，看来我准备奶瓶真是多此一举，小狼崽远非我想象的那么孱弱。

此时，画室地上的一碗牛奶早已被舔得干干净净，小狼卷起舌头意犹未尽地舔着嘴巴。我摸摸坐在一旁的狐狸，表扬说："狐狸乖，我马上给你装牛奶去。"

狐狸默不做声……我站起身，绕过画案拿剩下的半包牛奶，忽见白影一闪，伴随着"汪汪"两声狗叫，适才老老实实的狐狸像箭一样射向小狼，狠狠地一口咬住了小狼的脖子，小狼失声惨叫。我吓得魂飞天外，大喊"狐狸放开!"飞跑过去抢救。

早就窝了一肚子火的狐狸哪里肯听我招呼，"放开？行!"狗头一甩，小狼横飞出去，"噗"的一声闷响砸在门上，继而落在坚实的地板上，侧着身子，小腿蹬了两下就不动了。暴怒的狐狸还要扑上去再咬，我一把按住他，慌忙回头看小狼，小狼紧闭双眼，浑身瘫软，只有肚子还在微微起伏。我焦急地唤了小狼两声，小狼的眼睛微微睁开一条缝，但再也没有翻身爬起来。我的心顿时凉了半截。

作为毫无抵御能力的小狼崽，面临危险唯一的自卫就是装死，而此刻，他显然已不是刻意装死而是真的受了重创。狐狸有近十斤重，而小狼崽不足两斤，力量的悬殊可想而知。小狼初生嫩骨还没长硬，肋骨不足筷子的一半粗，一些细小骨头跟牙签一样脆弱，脖子比鸡脖子粗不了多少，内脏更是柔软易碎，如此孱弱的小狼在毫无防备的情况下，先是脖子被咬，后又重重地落地，他哪里承受得了？

我把还在挣扎叫嚣的狐狸紧紧夹在腿间，急忙伸手去抱小狼，刚碰到狼毛，突然又被蛇咬似的缩了回来。根据我以往救助流浪狗的经验，对摔伤或撞伤的狗千万不能立刻挪动，因为不知道内脏和骨骼是否被摔碎，保持原样还有希望苟延残喘，一旦挪动不得法，内脏破裂移位或者断骨扎入脏器中就没救了，现在只能先观察一下!

我一面紧压着狐狸，一面心疼地抚摸着小狼的脑袋，"呜、呜……"一遍遍颤声呼唤，动又不敢动，眼巴巴地看着躺在地上的小狼，急得泪花滚滚。

狐狸平时乖巧懂事，所以我也没太在意他爱吃醋的毛病，我万万没想到潜藏的危机今天就爆发了。小狼刚进家门就招来这等祸事。我咋就把狐狸的嫉妒怒火给忘了呢？我小心翼翼地摸索小狼的颈骨、脊椎、肋骨、腿骨……一根根检查，还好，骨头没事，但是小狼细软的脖子上隐约渗出血来。

小狼躺了七八分钟，在我的反复呼唤和抚慰中，眼睛又睁得大了些，努力地抬起头，四腿蹬了几下，猛然间触到什么痛处，又痉挛一阵，无力地躺下来，"呲呲"吐着气。

"疼吗小狼？还有哪儿伤了？"我越问越揪心。小狼虚弱地闭上了眼睛，肚子急促地起伏着，仿佛在积聚力量。又过了一会儿，他大大地喘了几口气，咳嗽两声，再次睁开眼，伸直脖子吃力地抬高脑袋，腰肢扭了两下，前腿撑地，后腿用力蹬直，我连忙伸手扶住他的腰腿，小狼几番摇摇晃晃后，居然站了起来。他定定神，甩了甩一身的绒毛，绕开我的手，哆哆嗦嗦地往椅子下走去，寻找他认为安全的避难处。他靠着椅子腿，埋下头一声不吭地舔着身上的尘土。看小狼缓过劲儿来，我这才稍稍定下心。

躺在地上反省的狐狸听到小狼还有动静，狗牙咬得咯咯直响，喉咙里又开始冒出一连串闷雷一样的咕噜声，我火冒三丈，“啪”的一巴掌打在狐狸龇牙的嘴巴上，打得虽然不重，却是有史以来最严重的惩罚。“狐狸，小狼要是有个差错，我饶不了你!”我一把推开画室的门，“滚出去!”狐狸从没见我发这么大的脾气，他耷拉着脑袋，夹紧尾巴，爬出了画室，坐在地上，隔着玻璃门看画室里的动静。

我抹抹头上的冷汗，翻出药盒，抱起小狼坐在榻边，把他放在膝盖上，用指头试探着轻轻按压小狼的胸腹部，看他有没有疼痛反应，小狼的后腿和屁股上有好几处淤青，估计当时先撞在门上的是臀部。我的手触碰到他受伤的臀部时，他下意识地收缩了一下身体，但始终不叫唤，像个勇敢的孩子咬着牙不喊疼一样。我捋开小狼脖子上绵软的胎毛，再把内层的细绒毛轻轻吹开一条毛路，仔细检查他的脖子：两道清晰的牙印红中透紫，牙印之下，细弱的动脉血管微微跳动，看得我心惊肉跳。狐狸这是下了狠口的，幸好他只是宠物狗，獠牙没那么尖利，被阻止得还算及时，否则一旦咬穿动脉，这小狼还有命吗？我再检查小狼另一侧的脖子，有两道牙痕特别深，刺穿了皮肉，缓缓渗出一滴血来，顺着小狼的胎毛滴在白色的地板上，我心里一阵紧痛，小心翼翼地给小狼抹上了一点白药。这是我养小狼第一次遇险，只差一点点小狼单薄的命运就画上句号了。我喘了好一会儿才定下心来。看来养狼必须细心细心再细心。

原以为擦药的疼痛会让小狼躲避挣扎，谁知他除了颈部肌肉反射性地轻轻抖动了两下，对疼痛无动于衷。我抬眼看他的表情，蓝膜未褪的小狼眼里没有一点泪，而是紧紧地盯着玻璃门外冲他龇牙的狐狸，若有所思——眼前的这个动物显然也和自己同类，让他极不理解的是这个同类第一次看见他就想置他于死地。在狼的社会里，小狼们都是备受大狼们关爱的，从来没有为了争食，大狼杀戮幼崽的先例。至于争风吃醋为何物，小狼就更不明白了。他只是隐约感觉到眼前这个同类似乎和他有着截然不同的生存法则。

小狼在我怀里渐渐睡着了，经过一番折腾，他累了……

两小时后，小狼睡醒了，下地尿了一泡尿，舒展舒展筋骨，仿佛又来了精神。而狐狸在画室外枯坐了两小时，精神委靡，低眉顺目地夹着尾巴。我这才打开画室门放狐狸进来。狐狸转着眼珠进了画室，缩进了他的安乐窝里——狐狸的窝在罗汉榻下面，仗着我的娇惯，狐狸软缠硬磨地从我卧室里拖走了两张昂贵的羊皮，叼来后煞费心思地铺垫在榻下，做了他的软床。榻前有个长条形的踏脚凳挡着，狐狸平时钻到榻下，舒服地躺在羊皮上，借着踏脚凳和榻沿的遮挡，还能有一线视野可以观察到外面的情况，就像隐蔽的军事堡垒，真是个风水宝地。

狐狸躲在窝里明哲保身，就连小狼又一次在他面前喝牛奶，他也隐忍不发。然而令狐狸万万没想到的事情还在后面——吃饱喝足的小狼崽很快看上了狐狸的安乐窝，仗着狐狸不敢造次，小狼天不怕地不怕地走了过去，龇牙咆哮着宣布这狐狸窝现在归狼了!

眼看小狼得寸进尺居然还要占据自己辛苦构建的巢穴，狐狸坚决不让，并低吼着恐吓小狼。我密切注意狐狸的举动，随时准备保护小狼。小狼有我撑腰更是大胆，毫不含糊地龇牙迎战，并上前几步，咬住羊皮的一角就往外撕扯拖拽，一副要把狐狸扫地出窝的架势，狐狸伸出前爪紧紧抱住羊皮，榻下气氛顿时紧张起来。

小狼极狡猾，始终不离我的保护范围之内，频频挑战狐狸。狐狸的眼睛开始发红，狗毛直立，愤怒像野火一样越烧越烈，他把我的警告都抛在了脑后，暴跳如雷地冲扑上来，猛一口咬向小狼的脖子。“汪呜……”狐狸刚冲出榻外就发现小狼不见了，接着头皮一紧，被我抓了个正着，再一看，小狼已经被我抱在怀里了。狐狸浑身一哆嗦，狗毛“刷”地倒了下来，恐惧如冰水灌顶，浇醒了他的危机意识——糟糕，今天这顿打是逃不了了。

我刚把狐狸按在地上，小狼就首战告捷似的往狐狸窝跑去，正式宣布此地改名狼窝。

我抄起纸筒子照狗屁股一顿好打，狐狸紧闭眼睛嗷嗷尖叫着告饶，紧张得尾巴都哆嗦起来，一副可怜相。我用纸筒指着狐狸的鼻子，训道:“任何时候绝不准咬小狼，明白吗?!”狐狸赶忙摇摇尾巴，好狗不吃眼前亏的道理他比谁都懂。

“自己反省!”我放手松开他的头皮。“反省”是另一种惩戒，就是让他四脚朝天地躺下来，面对天花板好好想想自己都错在哪儿。服从是狗的天性，没有我的赦免，狐狸就是躺上几个小时也不敢轻举妄动。小狼见我制伏了狐狸，钻出榻来绕着躺在地上的狐狸转悠。

小强盗还敢来看热闹?狐狸“呜噜呜噜”不满地咆哮着，还想威胁这个让他挨打又受罚的入侵者。

“闭嘴!”我厉声警告。狐狸忙把还没吼完的威胁声强吞进了狗肚子，借他十个胆子也不敢再冒挨打的危险。小狼放心地嗅来嗅去，干脆爬到了狐狸身上。狐狸极力忍着，任小狼在自己身上爬来爬去。

我看到他们终于能相容了，非常高兴，拿起相机拍下第一张友好照，夸道:“乖，这样多好，和平相处……”话未落音，狐狸惊声尖叫起来!原来“友好”并非我想象的那么简单，这小狼趁狐狸受罚，找准他的命根子，猛地一口咬下去，甩头就撕!狐狸痛得“嗷嗷”直叫，一脚蹬开小狼。小狼像个绒球一样“咕噜咕噜”滚出一米多远，翻身起来立刻叉着两腿头也不回地跑回榻底下，只见一条嫩春笋似的小尾巴颤颤巍巍地拖在身后晃悠，转眼就不见了，留下狐狸蜷成一团不住地舔伤止痛。

小家伙还有这一手?我傻眼了，防着狐狸，却没防着小狼，这小家伙真会瞅准一切机会睚眦必报。我赶紧安慰狐狸检查伤口。还好小狼崽力气并不大，但是尖利的乳牙还是在狐狸的要紧部位扎出了几个米粒大小的血点，最可恶的是小狼

瞅准一切机会，睚眦必报。

下嘴的地方选得实在刁钻阴险。我赶紧又给狐狸上药，这下可好，一人咬一口，公平合理。

强者有强者的优势，弱者有弱者的手段。谁能料到连站都站不稳的小狼崽报复心竟然就那么强。虽然和小狼才相处了一个星期，但我常常感觉在生命力、竞争力、谋略、胆量、狡诈等方面自己都太低估小狼了。

狐狸和小狼，都是我疼爱的宝贝。虽然小狼崽需要更多的呵护，但对狐狸也一定要公平。我把两块羊皮分开铺在榻下，让他们各占一边。但狐狸摆出此仇不共戴天的架势，愤而拖出属于自己的那块羊皮铺在画案底下另起狗窝，惹不起躲得起。狐狸让步以后，我常有意识地多多抚摸夸奖他，避开小狼的时候还塞点零食给他，狐狸高兴起来："我在主人心中还是有特殊地位的。"

小狼是个天生的隐藏高手，屋外稍有风吹草动就立刻警觉起来，当我离开画室的时候他会本能地把自己藏起来，悄悄地待在窝里，有人进来的时候更是安静得出奇，两点星亮的小眼睛很乖很警惕地望着外面，观察动静，我没解除警报，他就按兵不动。我曾经看过一个纪录片，片中常于野外和蛇打交道的女科学家说道："在自然界，动物们首先要学会的就是把自己藏起来，然后静静地观察周遭。走进一个安静的森林，似乎周围空无一物，但实际上有无数双眼睛含着各种想法在打量你。要做猎食者就更是这样，首先要让自己不被猎食，然后才是狩猎。"看来狼从小就精于此道。要知道在自然界危险无处不在，熊、豺、野狗以及其他掠食动物都可以威胁狼崽们的生命，只有最会保护自己的小狼崽，才能获得最大的生存机会。

尽管小狼隐蔽得悄无声息，可是狐狸却从没放弃过驱逐他。每当我父母上来的时候，狐狸就激动地窜进窜出，跑到我爸爸跟前猛拽他的裤腿又马上冲回榻下朝着里面狂叫，鼻尖像人的手指头一样直指着蜷缩在黑暗角落里的小狼，极力要向父母"告密"。哪知道"家里有狼"这种情况是父母想都不会想到的事，更不会去理会狐狸的告密了。不单如此，小狼喝的牛奶，尿的尿都记在狐狸的账上，狐狸没少替小狼挨骂。

狐狸几番告密不成，就不再与小狼正面为敌，但明争结束，暗斗却开始了。

这天我敞开画室的门通风，飞进来一只大马蜂，在落地玻璃上嗡嗡扑扇着翅膀，这是画室的常客了。狐狸偏着脑袋观察渐渐飞低的马蜂。我坐下来看书，并不在意狐狸的表现，因为他小时候被马蜂蜇过，深知其厉害，是断然不会去招惹的，看一会儿他就会走开。

然而醉翁之意不在酒，狐狸小跑着激动地围着小狼绕圈，殷切地把小狼引到玻璃前面，冲着还在扑棱的马蜂“汪”地叫了一声，小狼立刻注意到这个小活物。动物幼崽时期都对活动的东西充满好奇，小狼崽也不例外，他的第一个反应就是用嘴去试探这个小活物……

“嗷呜”一声惨叫，小狼的嫩鼻子被大马蜂狠狠蜇了一下，痛得他惊天动地地叫起来，乱撞玻璃，几个蹦跳冲到画室外的花园里，一头扎进浇花的水盆中，用冰凉的水来缓解他的剧痛。我被这突如其来的意外惊坏了，连忙找来牙膏给小狼抹在鼻尖上。小狼狼狈地捂着鼻子可怜地呜咽，他万万没想到那么小的活物会给他带来这么刻骨铭心的痛，他终于明白了杀伤力不以大小而论的道理。他的鼻子开始肿了起来，鼻头歪向了一边，显然牙膏也不足以减轻小狼最敏感部位的肿痛，而且糊在鼻子上令他很不舒服，他用爪子抹去鼻子上的牙膏，又伸舌头舔爪子，再抹再舔反反复复自行疗伤。

幸好这天父母不在家，冲出画室的小狼才没有暴露。但我对狐狸是不是故意而为深度怀疑，看狐狸摇头摆尾的得意样，抓不到确凿证据又不好惩罚他。

我的怀疑很快就得到了进一步验证：下午，一个熟识的朋友来我画室小坐，狐狸就跑进小狼躲藏的榻下，不停地碰撞小狼伤肿的鼻子，小狼忍痛潜伏。狐狸更是得意，扭来扭去在小狼鼻子上蹭擦挨挤——“我让你丫不吭气儿”，几次都疼得小狼忍不住吱吱叫出声来。

“什么声音?”朋友低头想看，我忙掩饰过去。送走朋友后，解放出小狼，狐狸又殷勤友好地跟小狼玩在一起，我隐约感觉狐狸没那么简单，却又没理由对他发作，还是再观察一下吧。

小狼的活动空间只在画室，而狐狸却能跟着我楼上楼下自由出入。有天我在厨房炒菜，半截辣椒掉在地上，狐狸高兴地上来嗅了嗅，发现是辣椒，失望地走开了。少时，狐狸又兴奋地转回来，小心翼翼地叼起辣椒一溜烟不见了。

“这家伙还对辣椒感兴趣?”我忙于做饭，没顾得上理他。

等我吃完饭回到楼上画室，隐藏了一个多小时的小狼早饿坏了。我“呜呜”一唤，小狼就急冲出来，风卷残云地把奶碗中剩下的牛奶扫荡一空。

“咳！咔！哇……”小狼突然异常难受，伸长舌头不停哈气，摇头晃脑地舔着鼻子满地打滚，两只前爪抱着舌头不断抠抓，口水淌得一身都是。我一愣，忙端起奶碗检查，几颗金黄的辣椒籽还沾在碗底，牛奶里哪儿来的辣椒？我连忙换了碗清水给小狼止住辣，想起了狐狸在厨房的异常举动，我满屋找狐狸对质。而狐狸却早就溜到二楼父母的房间避难去了，整整一天都没见他再露面。从此我将辣椒、花椒这类东西严格监管起来，不给狐狸任何可乘之机。

姜还是老的辣，没满月的小狼要跟“老狐狸”斗还嫩了点儿，论狡诈、论经验，狐狸都远胜于他。但从小有了狐狸这碗水垫底，小狼的观察和防备能力突飞猛进，其狡猾和多疑也与日俱增。

不知不觉中小狼快满月了，他已经比刚来画室时长大了近一倍，以前体型不到狐狸的一半，现在只比狐狸小一个脑袋了。小狼的力气也渐长，能一头把狐狸掀翻，如果狐狸冲他龇牙，他能比狐狸龇得更气势汹汹！看着小狼的健康迅速恢复，日渐活泼，再不是当初病危孱弱的样子，我心里美滋滋的。

然而随着小狼的长大，我感到不安起来：小狼的胆子越来越大，好奇心越来越重，精力越来越旺盛，随之而来的就是不安分和破坏。当小狼觉得自己的牙齿更尖，爪子更利，以前打不过的狐狸也似乎并不可怕了，对地盘也更熟悉了时，就不那么怕外界了。他对环境开始有了自己的判断和主张，渐渐执拗起来，再不是我能呼之即出，挥之即躲的小家伙，相反小狼更向往新鲜泥土的气息，他看上了画室外的小菜地。

一个阳光灿烂的下午，楼上无人，小狼大胆地溜到画室外，跑到菜地里尽情地翻滚折腾，把小葱压倒了一大片，大蒜一个个被刨出来啃得全是窟窿，刚长出的菜苗被踩得东倒西歪，刚长红的番茄被咬来吃了。小狼还饶有趣味地在菜地中间掏了个大坑，庭院的雪白地砖被踩满了黑糊糊的爪印。忽然，他小耳朵一竖，听得有人上楼来，一溜烟销声匿迹。

这是我和爸爸上来浇水。刚一看见乱糟糟的菜地，我们就傻眼了，这可是爸爸辛苦一春天的成果啊！心痛不已的爸爸看见爪印，不问青红皂白，就抄起扫把打在狐狸屁股上，把狐狸骂了个晕头转向。我见爪印一路通到榻底下，当然知道谁才是罪魁祸首，但也只能装聋作哑，任狐狸去背黑锅。狐狸生平可从未干过这种大逆不道的破坏勾当，现在不明不白当了替罪狗，挨打受气，委屈得眼泪汪汪，开始了为期两天的绝食抗议！

我帮爸爸收拾着残秧断苗，心里很不是滋味，老人家费尽心思引种育苗，每天爬上爬下拎水浇菜，眼看收获在即，转眼间却被小狼破坏干净。虽然他们没发现，但是小狼已经影响他们的生活了。我心里一阵阵地愧疚与自责。自从带小狼到画室的这些日子，小狼一直低调隐藏，和我配合默契。狼天生的悟性和聪明，让我误以为他比狗还听话好养，幼稚期的小狼崽除了喝牛奶就是长时间睡觉，这种无声无息不惹事的状态，让我几乎都忘记了他是一只狼，还估摸着在这画室养他到两三个月都没问题，没想到才十多天就养不下去了。我这才初次意识到养一只小狼比养狗复杂得多。

爸爸刚离开三楼，小狼自认为安全了，不等我呼唤就自作主张地溜达出来。我故意推推小狼的屁股让他回榻下隐藏，小狼非但执拗地抗拒不回，反而大张旗鼓地到处巡视，那神态仿佛在说："危不危险，我自己能判断!"我的汗毛陡然竖了起来，心中的不安愈演愈烈。

小狼丝毫不觉得破坏菜地有什么错，他得意扬扬地从榻下拱出一个番茄，用小爪子踢皮球一样玩着，仿佛向我炫耀他的收获，直到他玩够了，才把番茄一股脑地吞吃了下去，连糊在小爪子上的番茄浆都舔了个干净。这家伙小小年纪就会自己找吃食，判断什么东西能吃，看那菜地里大蒜啃过，菜叶子咬过，小葱嚼过，但似乎都不合他的口味，唯独对这番茄情有独钟——吃掉一个、咬烂一个，还带走一个。在炎热的楼顶，番茄确实是消暑解渴的美味。

我猛然间想起原产于南美洲的番茄最早就叫做"狼桃"。传说"狼桃"的得名是由于它艳红如火，人们都以为它有毒，没人敢吃，而在早期的人们心目中凡是邪恶的、有毒的都喜欢冠以狼的名称，因为在人们眼里，世间万物最恶毒危险的莫过于狼，"狼桃"这个名字一听就让人敬而远之。直到16世纪，英国俄罗达拉公爵去南美洲旅游，回国时勇敢地带回"狼桃"作为表达爱情的礼品，献给他的情人伊丽莎白女王，从此，欧洲人才称它为"爱情果"、"情人果"，并将它作为观赏植物栽种在庭院里。但过了一代又一代，仍旧没有人胆敢吃"狼桃"。直到18世纪，一位法国画家多次为"狼桃"写生时，面对这样美丽却有"剧毒"的浆果，实在抵挡不住它的诱惑，于是冒着生命危险吃了一个，觉得酸酸甜甜很是可口。之后，他躺到床上等着死神的光临。但一天过去了，他还躺在床上，鼓着眼睛对着天花板发愣。怎么，他吃了全世界都说有毒的"狼桃"居然没死?!他满面春风地把"狼桃无毒可以吃"的消息告诉了朋友们，大家都惊呆了。不久，"狼桃无毒"的新闻震动了西方，从那以后，上亿人都安心地享受了这位"敢为天下先"的勇士冒死带来的口福。无疑这位法国画家并非出于饥不择食，而是真正全情投入地爱上了他所描绘的"狼桃"，或许同是画画的人，才有这样的疯狂与叛逆以命试爱，正如我执意走进狼性世界一样，传说的不一定是真实的。

对于"狼桃"的由来，我想到的是另一个可能：菜园中的大蒜、茄子、黄瓜等诸多诱人蔬果都被小狼浅尝则弃，辣椒更是碰也不碰。而小狼却天生就认识番茄，选而食之，莫非"狼桃"与狼真的有着不解之缘？据一些资料记载："在南美洲荒野，许多狼在缺乏食物的情况下，每逢入暮时分就在灌木丛中寻找浆果充饥，同时也补充维生素和水分。"人们都只知道狼吃肉，却不知道狼同样嗜食浆果杂食，"狼桃"就是野狼所钟爱的救命果实。或许有些流落荒野的人曾经跟随狼的脚步，捡拾这种鲜艳的浆果救命，之后感慨地把狼如此钟爱的红色浆果叫做"狼桃"，而这可怕的名字加上让人疑惑的血红颜色，让千百年来厌憎狼的人们不屑尝试就将其定义为"有毒"，并将这虚妄的判断代代相传下来。

从寻找到第一个番茄，小狼开始有了辨别食物的能力，我把小狼够不着的几个"狼桃"摘下来给他放在窝边，第二天它们就无影无踪了。

从那天以后，我寸步不敢离开画室，连吃饭都是速战速决或者干脆端上画室去吃，可就在这样严密的看护下，仍旧听见邻居闲聊说："隔着篱笆墙看见有只灰猫跑进你画室去了。"所谓"灰猫"为何物，我心知肚明。小狼敢独自走出画室了，敢大肆破坏了，敢蔑视危险了，这不是什么好兆头，终有一天他不再甘于像胆小幼崽那样乖乖躲藏着等妈妈，画室终究不是藏狼卧虎之地。况且还有一只与他钩心斗角的狐狸。小狼啊小狼，我该拿你怎么办？

画室不宜久留，趁小狼这种不受控制的行为刚出现苗头，另寻他处迫在眉睫。我想到了亦风。

亦风是我在黑熊保护中心参观时认识的一个朋友，他和我一样热爱动物，崇尚自然。亦风早年是画油画的，后来改行做电脑动画，现在有一个自己的动画工作室，经营得很不错。事业上了轨道，他就能抽身干自己喜欢的事情。亦风爱好摄影，一有空就喜欢背包旅行，共同的爱好让我们渐渐成为了亲密的朋友。我思前想后，也只有亦风最能理解我救助动物的心情，就算今后小狼长大瞒不住他，他也绝不会出卖我。但就目前而言，为了不引起麻烦，对他还是暂且隐瞒了小狼的事实，只谎称捡到了一只流浪狗不想告诉家里人，请他一定帮忙想个安顿的地方。

"实在养不住，能不能送去流浪狗中心呢？"亦风沉吟道。

"不行……小狗还太小了，怕受欺负。我自己带着放心些。"我诡辩着。

"那这样吧，我家旁边还有一套单身公寓正好空着，家具齐全，你和小狗搬进去住就行了。"电话那头，亦风很爽快地答应了。

我迅速收拾好东西，唤出床底下的小狼，伸出手小心翼翼地抓住小狼的后脖子把他拎了起来。一离开地面小狼立刻放松四肢，软绵绵的像个布偶一样一动不动随我拎着走。我的手轻轻晃了晃，小狼也像个钟摆一样随手摇了摇，眼神中流露出安静、乖巧、从容和忍耐的神色。我尽量放松手指，不让小狼觉得太难受。我充当起了"挪窝母狼"的角色，把小狼放进纸箱子里，尽管盛夏藏于箱中闷热无比，但他固执地忍耐着一动不动。我在箱侧给小狼开出两个大大的透气孔，以为他会从透气孔中探头张望一番，谁知他仍旧无动于衷地躺着，除了因为燥热，小肚子的起伏比以前急促一点之外，他放松肢体纹丝不动。荒野小狼非常清楚贪图一时舒服的下场有可能是断送他的小命，关键时刻当忍则忍。我想起《狼图腾》中曾描述掏出的一窝狼崽装死的场景，不禁会心一笑，这是狼崽们唯一的自卫方式。

我的行动向来自由，跟父母说一声出去画画，要离开比较长一段时间，父母早已习惯了我的生活方式，嘱咐注意安全，也不再多问。我抱着纸箱出门，狐狸自然是呼天抢地地堵在家门口不让我走，可为了小狼也管不了那么多了，先让狐狸在家想想这些日子欺负小狼的过错吧。

半小时的车程就到了亦风安排的新家。亦风帮我把车上所有东西都搬进家来收拾停当，我坐在沙发上休息时环顾四周：一张床、一个沙发、书桌、冰箱、洗

衣机和一些简单的生活用品，这足够了。最重要的是在这公寓之上无人去的楼顶有两千多平米的地方可以让小狼无干扰地活动，过多地接触人对他是没有益处的，他是生活在城市中的狼。但是现在，一个大屋子的活动空间对小狼来说足够了，我对这私密的地方相当满意。

"你捡回来的流浪狗呢?"亦风问。

我脸一红，这才突然想到自己撒的谎，尴尬地想着应对。

"问你呢，狗呢?"亦风追问。

丑媳妇终归要见公婆，亦风的家近在咫尺，他迟早会看得到小狼的，好在小狼跟小狗区别不大，兴许他认不出来就能瞒天过海。想到这里我心一横，"呜呜"唤了几声，一直放在角落里沉寂无声的纸箱"嘭"的一声爆响，憋屈了半天的小狼如石猴问世一般乍然冲破纸箱蹦了出来，兴冲冲地边撒着一大泡尿，边迫不及待地向我跑来，突然看见亦风这陌生人在，小狼犹豫了一下，蹒跚着小跑过去伸鼻子前前后后地嗅闻亦风。

小狼果然不太怕生人了，我心里暗自庆幸挪窝及时。

"哟，瞧这小家伙藏得真好!"亦风呵呵一乐，张开巴掌接住他，抱起来一看愣住了，"狼?!"亦风的微笑迅速消失了，他睁大眼睛惊讶地看着我，表情中凝结了一千个疑问要从我眼里找到答案。

我大吃一惊，没想到小狼一打眼就被亦风识破，我嗫嚅着还妄图掩饰一下："这狗……是有点儿像狼哈?"然而长期热衷于看《动物世界》还陪我接触过狼群的亦风眼光却并不拙劣，他用手指拨开小家伙尖钉子般的獠牙，瞪着我哼了一声："流浪狗?你就唬我吧，说，怎么回事?"

我像考场作弊被抓了个现行似的，顿时泄了气，眼泪汪汪地把救下小狼的经过对亦风坦白交代了一番。

亦风静静地听完，叹了口气："傻丫头，我理解你的同情心，可你这是引狼入室啊，等他长大了有多危险你想过没有?"

"我还没想那么多，"我皱着眉头委屈地说，"只想着先救回一条命再说，换成是你，你会见死不救吗?"

"这条命不一样，你捡十条狗我都没意见，可这是狼啊!"

"他那么乖，跟小狗没什么两样。"我小声狡辩。

"现在是乖，但狼子野心古而有之。你把老祖宗的话都忘了吗?"

"老祖宗还说天圆地方呢!"我向来长着反骨，"现代人比起古人的见识广阔得多，干吗要事事奉行前人的信条?老祖宗就不说瞎话啦?"

"这可不是瞎话。'狼子野心'的古文，我在学生时代就读过，说有个富人出猎抓到两只小狼，将他们和狗混在一起豢养，狼很驯服也和狗相安无事。这人竟然就忘了他是狼。一天白天他躺在客厅里，听到群狗发出愤怒的叫声，他被惊醒起来，看看四周没有一个人，再次就枕准备睡觉，狗又像前次一样吼叫。这人便假睡观察，结果发现两只狼等到他没有察觉，要上来咬他的喉咙，狗阻止了狼上前。这个人最后杀狼取皮。故事末尾还专门写了‘狼子野心，信不诬哉！’（狼子野心，是真实而没有诬蔑他们啊！）告诫后人。”

“古文不错啊！”我一笑，紧跟着辩驳说，“就这个故事本身来说吧，这富人光想着指责他养大的两只小狼背叛了他，可怎么不想想小狼当初是他打猎抓来的呢？说不定还是杀大狼掏狼窝得来的。狼是相当记仇的动物，绝不乏《赵氏孤儿》戏文中忍辱复仇的例子。狼又是崇尚自由的，绝不甘于像狗那样过奴性十足的生活，这富人像训狗一样驯养着狼，怎么可能不是以悲剧结束？这么一个不了解狼性的人留下的评价值得我们信奉吗？况且古人只说狼子野心，这个‘野’字就很有深意了，野心是对自己应有生活的一种向往和追求，我觉得身为野狼拥有野心天经地义。”

我俩低头看着这个可怜又可爱的“狼子”，见亦风默然地望着狼犹豫不语，我接着说：“再说‘狼子野心’的典故是讲楚穆王时期越椒为夺权而同族相残的故事，人们总是不愿明说自己同类不好而借助兽类来隐喻，历史久远了，后人也就只记着字面的训诫而忘记了故事的根源。”

亦风一扬手：“不管你怎么替狼辩解，狼的凶残还是有目共睹的，他毕竟跟狗不同。那种凶狠不可能因为驯养而有所收敛！撇开‘狼子野心’这个典故，千百年来对狼的形容就没一个好的，连古人造这‘狼’字都是在‘狠’字的头上加了一点，意思是再‘狠’一点就是‘狼’！”

我用指头在手心写画了一下慢悠悠地说：“为什么那样想呢？狼字拆开是‘犬’‘良’，可以看出，古人认为狼是良犬，而非恶兽，《说文解字》也讲了：‘狼，良兽也，从犬良声。’”

这简直是场辩论会，亦风气得猛揪头发，哭笑不得：“伶牙俐齿的！我不跟你争了，总有一天你被他咬一口才知道引狼入室的后果！”说罢无可奈何地转身离去。

房门关上了，一间没有亲人知道的空屋子里，我一个人陪伴着一只狼。虽然刚才极力主张养狼的时候，胆大嘴硬，据理力争，可小狼长大后会不会真的野性大发，趁我睡着的时候，照脖子给我一口，我心里还真没底。亦风发现了真相也好，如果有一天我真出事儿了，至少有个人知道我的去向。

03 满月的小淘气

在这黑暗中我几乎是睁眼瞎，而格林却天生是暗夜的精灵，是夜神最为眷顾的孩子。黑夜给了格林光明的眼睛，但愿他将来看到的也是光明。

来到新家的第一天晚上，小狼睡得很熟。

天一亮，我醒来时，只见他安稳地侧卧在我怀里，四腿松松地蜷缩着，眼睛紧闭，小爪子时不时像婴儿抓握拳头般收缩一下，或许所有的婴儿睡觉时都很可爱吧。我轻轻侧身靠在床头，一只手托着腮，欣赏小家伙的睡相。以前在画室休息，总是天不亮就被咋咋呼呼的狐狸吵醒，然后提心吊胆地躲藏，他几时享受过这么平静安宁的清晨。我伸出食指，小心翼翼地触摸着小狼额头和鼻梁中间的凹陷，指尖滑过头顶，顺着绒毛的走向缓缓摸到背脊，最后捋完那根细得可怜的尾巴，想不到我竟然养了一只毛茸茸的小野狼做孩子，有几个妈妈能体验这种另类的母子情怀呢？看着怀里熟睡的小狼，我也像所有妈妈一样嘴角挂着安详的微笑，不知道他以后会不会长成一匹漂亮英武的大狼，又会不会眷恋我这个人类中的妈妈，如果将来他回到草原生儿育女，我一声长啸能不能召唤出一群狼来？在漫无边际的想象中，我心里泛起一种奇异的幸福感。

当阳光照在小狼金色的胎毛上时，他的背脊微微一舒展，打了个哈欠，醒了。他舔舔鼻子，虚开半只眼睛，再打一个大大的哈欠，夸张得耳朵都被哈欠挤到脑袋后面去了。突然，小狼陶醉的哈欠潦草收场，脖子一伸，耳朵“啪”地弹立起来，一双小狼眼陡然睁得大大的，惊讶地张望着这新屋子，回了一下神，才恍然大悟地放松下来，大概回忆起了搬家的这回事吧。我咯咯一笑，看来这家伙的记性也不咋地。

小狼跳下床，抖抖绒毛，又开始再度视察这个新环境。他对屋里的一切陈设既新奇又紧张，在屋子里慢条斯理地走来走去，对每一样东西都伸过鼻子嗅一嗅，再歪着脑袋看一会儿。

在新环境里，小狼前些日子刚萌生出来的胆气又有所收敛，我大开着房门他也不敢出去，有一次他凑到门口缩头缩脑地探看了一下，我轻唤一声，他立刻又着罗圈腿晃晃悠悠地回我身边来。如果我向床下推推他的屁股，他也立刻遵命躲藏，我的警告对他又管用了，我暗自庆幸搬家这一步棋走得绝佳，对不熟悉的环境，小狼至少会老老实实地适应一段时间吧。

我觉得屋里还得添置一些生活必需品，我简单列了个清单，趁小狼四处巡视发呆的时候，悄悄掩上门出去了。这新家是再安全不过的地方，我再也不用担心有人发现他。

我完成采购回来，把手里的东西放在鞋柜上，关闭房门一看，小狼果然老实，躲在床下一声不吭。我高兴地呼唤起来："呜、呜、小狼、小狼，解放喽！"小狼旋风似的从床底下蹿了出来，直直地朝我冲锋，胸前竟然是白乎乎的一片，这是什么？我定睛一看，瞬间惊得魂飞魄散，迎面冲来的小狼口吐白沫，一路跑一路滴，满胸都沾满了吐出来的白泡泡。

狂犬病?！我吓得手足无措，来不及多想，闪身跳进了旁边的卫生间，"砰"的一声，关上了门。紧接着，来不及刹车的小狼"咚"一声撞在玻璃门上，跌了个四脚朝天。他爬起来呜呜叫着，用尖利的爪子抓挠磨砂玻璃门，"咯吱，吱啦……"趾甲抠玻璃的声音像猛鬼掏心一样抓得我心里直发毛。我手忙脚乱地上锁，大脑一片空白，小狼的狂犬病事先怎么一点征兆都没有?

我忽然想起前两天才被小狼的牙齿划伤过，而且在草原第一次喂小狼牛奶的时候手心也被咬出血过，刹那间天旋地转，冷汗淋漓，我急忙拧开水龙头，又翻起眼睛死盯着镜前灯——得了狂犬病最典型的症状就是怕光怕水。明晃晃的灯看得我视线里全是一团团游走的光斑，而那水流的声音也似乎格外刺耳。我忙不迭地关上水龙头，两腿发软跌坐在地上，完了，狂犬病的死亡率是百分之百，我估计是潜伏期了吧，一瞬间留遗嘱的心都有了。

小狼还在门外抠抓着，甚至张嘴啃咬门缝，成片的白沫擦在玻璃上。无论如何我还是得逃出去，我环顾四周想着脱身的办法，只有墙角靠着一根扫把。豁出去了，我拉开门"啪"的一扫把将小狼打翻在地，左手抓住他后脖子避开爪牙把他拎了起来。控制住了疯狼，我茫然四顾，拿他怎么办呢?

小狼被我拎在手里，一如既往地垂下四个爪子乖乖合作，并且满脸兴奋，大张着嘴伸出舌头快活地哈着气，眼睛里盛满了迎接妈妈归来的激动和亲热。这不像病态啊？我犹豫着，实在无法把他和"疯狼"这个词联系在一起。正纳闷间，突然一股熟悉的甜香味钻进我的鼻孔，再凑近一闻，这小子口气清新异常，我猛地想起一样东西，急忙转回房间，趴在床下一找，果然，半截牙膏筒躺在地上，被咬得千疮百孔，挤出来的牙膏被舔得干干净净。

我啼笑皆非，丢开小狼，瘫坐在床前："小家伙，你可吓死我了！"

小狼莫名其妙挨了顿打，却仍然掩饰不住见到我的兴奋，伸长脖子，温热的小舌头在我脸上一舔，痒酥酥的，满是牙膏味儿，回想起自己刚才的狂犬病症状也似乎消失无踪。我哭笑不得地长长地舒了一口气。但这也给自己提了个醒，等小狼断奶以后一定要打狂犬疫苗，而我更是越快免疫越好。

小狼头上起了个小包，狼可是记吃记打又记仇的家伙。这是他第一次挨打，从此，小狼对扫把这个曾经敲得他昏天黑地的东西深恶痛绝，没事就拖出来狂啃猛咬，狠狠地发泄他的怨气。一个月中我换了三个扫把，一个比一个惨不忍睹。

他爱咬也就由着他，天性使然，满月的小狼更是一个淘气捣蛋、破坏力超强

莫名其妙挨了打，从此对扫把深恶痛绝。

的小男孩。这阶段正是他长牙的时候，新牙像春笋一样往外冒，他牙根子痒得不得了，桌腿、窗帘、家具、电线、电器随着他长大也无一幸免地成为了他磨牙的玩具。咬地板、啃墙角、钻被窝里睡大觉、爬到马桶里喝水；我洗着衣服发现卫生间淌了一地的水——小狼把洗衣机下水软管给抽出来了；我撑开雨伞，伞面已经被撕成一条一条像一只大水母……我每天早上起来都有一只拖鞋找不着，不用问，在他窝里。

只要小狼高兴，他甚至胆敢把我当做玩具。我的头发特别长，直达小腿，平时喜欢编成一根长辫子垂在脑后。不知在小狼眼里这算不算是狼妈妈的尾巴，他对这甩来甩去的长辫子兴趣特别大，先是伸出两只小爪子左右抓挠着，后来干脆一口叼住辫子悬在半空荡秋千玩，痛得我抓住辫子嗷嗷叫。我越叫小狼玩得越起劲，我只有掰开他的嘴，把辫子上一缕缕的头发从他尖利的牙缝里抠出来。从此我把头发绾起来，在脑袋后面盘成一个大大的发髻，小狼突然不见了狼妈妈的尾巴，失望地绕着我转圈。很快，他又发现了新的玩法——我蹲下来收拾东西的时候，小狼干脆从我后背爬上来，抓着发髻坐在我头上兴致勃勃地看我忙碌。我一起身站高，他就连忙过电般地抓紧发髻，像孩子坐上云霄飞车一样又紧张又过瘾地哼哼，小尾巴就在我后颈窝痒酥酥地扫着。

我很放纵小狼，尽管我把狐狸教育得很听话，但我从来不用教狗的方法去约束小狼，他爱怎样就怎样吧，顺其自然保持他的野性和桀骜不驯，他应该学会的是辨别食物和狩猎这些生存技能，这比玩球接飞盘和握手这些取悦人类的本领重要多了。他不是宠物，他身体里流淌的是野性血液，他理应保留狼子野心，大自然喜欢动物的野心。

自从在这里和小狼安家，我整天闭门不出也未和人接触过，每天都是醒来就和小狼哼哼唧唧地说狼语，我都怀疑我再说人话的时候舌头会不会打结。我的父亲有写日记的习惯，他为他疼爱的小孙女桐桐写下了从小到大的成长记录。从前总觉得父亲记录那些太琐碎，自从有了小狼，我才体会到了这种感觉，当开始爱孩子并在他身上用心的时候，他就成了一个“故事大王”，几乎天天冒出可笑、可气、可敬、可恶、可叹的故事，其乐无穷。于是每当夜深人静，我就把小狼写进日记里。最初只是对他成长状态和身体恢复情况的一些记载，后来一些有趣的事和观察也成了我日记的一部分，像一个母亲为孩子成长的每一步而惊奇、欢欣和鼓舞。我发现与一只小野狼单独生活在一起，一点也不枯燥。

小狼的身体在惊人地变化着，一天一个样，常常早上起来就觉得小狼又比昨天大了一圈。他已经满月了，从鼻尖到尾巴尖长52厘米，尾巴长约10厘米，从前掌直立到耳尖，高31厘米，体重2千克。这时期的小狼长得很快，一个星期之前还可怜巴巴软绵绵地贴在脑袋上的小耳朵，几天时间就支棱起来，并且像急待绽放的花瓣一样努力吸收着营养液越撑越开，对着光隐隐约约现出透明耳骨中一丝丝分布的淡红色毛细血管。玩着玩着小狼会突然竖起这对花瓣耳朵，然后迅速转身跑回床下去再不出声。甭问，灵敏的听觉告诉他有人来了。回家的邻居、修水电的、换门锁的，他甚至能一声不响地在床下潜伏几个小时，直到陌生人离开才解除警戒钻出来。小狼听声音辨别方位也准确了许多，我召唤他的时候，他能准确地向声音的方向跑来，而不像一星期前那样还要短暂迷茫一下才能找到我。

小狼的眼睛里还有些淡蓝色，像一层慢慢变薄的雾气，正在渐渐褪去，只是视力似乎还不是太好，常常一块食物放在面前看不见，要借用鼻子一阵盲目而焦急地嗅闻才能找到。

小家伙的身上覆盖着两层毛。一层短短的黑色绒毛约1厘米长，密实蓬松，用于保暖，对着毛丛吹口气，细软的绒毛虽倒伏却不露皮肉，而小狗狐狸的皮毛却是吹口气就现出下面粉红的皮肤，可见狼毛的密实程度远远大于狗的皮毛。这层黑色绒毛的作用有两个：保暖和吸收阳光中的热量。黑绒毛之上还有一层又尖又细又长的金色毫毛，2~3厘米长，疏密均匀，根根如钢针般直立笔挺，毛尖的金色在阳光下熠熠生辉，仿佛那是刺而不是毛，哪怕摸一摸都会扎手，张扬跋扈的狼毫让人一看就知道他是个野东西。仔细嗅嗅他的绒毛，一股淡淡的狼臊味夹杂着甜甜的牛奶香，活脱脱一个乳臭未干的狼小子。

俗话说“翘尾巴狗，夹尾巴狼”，一直以为小狼不会摇尾巴，没想到他会，只是不像狗那样灵动，摇得跟朵菊花儿似的，要形容起来更像汽车的雨刮器——直直的、僵硬的，弧度很大，当他急切乞食和极度恭顺的时候，尾巴摇动的频率更快。这时候小家伙的尾巴是根粗梢细的圆锥形，尖端细弱可怜巴巴颤颤巍巍地抖着像只秃笔，小尾巴根部却陡然变粗，强悍地植在小狼屁股上，唯恐扎根不牢被谁一把揪断似的。

过去一直以为小狼最早成熟的感官是嗅觉，很快我发现我错了，他最早用以感知的竟然是触觉，那是他脚爪肉垫上密集分布的神经末梢，这在他尚且幼小，脚掌皮肤稚嫩敏感时尤其显著。小狼崽还未睁眼时就靠小爪子摸索着寻找母狼的乳头，感知兄弟姐妹的存在。逐渐长大以后，每当有情况出现他首先是四脚站定不动，让小脚爪尽量地感知地面的微微震动，有时抓紧地面的小爪子还紧张地收缩一下，之后立刻耸动鼻翼，鼻孔翕动收集味道，接着动用听觉转动头部和耳朵寻找异常声音的来源，动作几乎连续却仍是有细微的先后之分，小狼的眼睛蓝膜

褪尽之前，相继完善的触觉、嗅觉、听觉是他主要的感官，最后成熟的才是视觉。

我为小狼生命中的很多第一次都留下了珍贵的照片，小狼对我的照相机尤其感兴趣，每次我蹲下来拍照的时候，他就会迅速跑过来对镜头又闻又舔，结果我好多照片拍出来的都是一张毛茸茸的嘴和夸张的大鼻子，相机镜头也常常被舔花。

小狼的第一个月几乎都是在大量的睡眠中度过的，他很淘气贪玩但精力有限，往往玩上一会儿就困倦了，打着哈欠扒着沙发边缘，使出吃奶的劲儿努力往上爬，可爱至极。我轻轻托着他圆滚滚的小屁股助他爬上来，小家伙疲惫地哼唧着钻到我怀里，眼皮沉沉，很快就进入了梦乡。从第一次在我怀里睁开双眼，我的怀抱就是他最本能的向往。我轻轻用手护住他的身子，在他柔柔的呼吸声中感受这份异样的亲情，沉沉入梦，与狼共眠。

从第一次在我怀里睁开双眼，我的怀抱就是格林最本能的向往。

这天，我忙完清洁打电话叫外卖，低头一看小狼偏着脑袋竖着小耳朵万分不解地看着我，似乎为我刚才的自言自语而感到奇怪，小狼当然不明白人类用来沟通的电话为何物。我蹲下来抚摸他好奇的小脑袋，他爬到我身上隔着衣兜反复嗅闻着我刚才用过的手机。我哈哈一笑，干脆把手机掏出来放到他鼻子跟前，他认真地闻了闻，又伸出薄薄的粉红小舌头舔来尝一尝，回味了一下，突然张开嘴一口咬住抢了过去，四爪并用一通乱啃，软绵绵的按键磨着乳牙的感觉好极了，每咬一口按钮还会发出尖利的滴滴声，就像一个在他口中垂死挣扎、呼救的猎物，声嘶力竭的按键音似乎是对他的努力撕咬作出的最大鼓励。

小狼越玩越兴奋，这手机在他眼中简直就是一个杀不死的活物。无论怎么咬都会有叫声。咬着咬着突然手机那头响起了欢快的彩铃，接着一个浑厚的男人声音从话筒中响起："喂?"小狼吓了一跳，竖起耳朵望向门口，手机"当"一声掉在了地板上，小狼吓得连连退步，像每次听见陌生人闯入一样缩进了床底下潜伏起来。“喂？”又是一声，小狼这才发现声音的来源并非门外，而是来自这对自己毫无威胁的“小猎物”当中，他匍匐着身子小心翼翼地爬了出来，小鼻子一探一探地嗅着。

“喂？说话啊？”电话那头的声音变得焦急起来。

小狼兴趣盎然，低垂了脑袋摆动着耳廓，像一只大狐狸聆听地下鼹鼠的动静一样，全神贯注地听着手机里的声音，突然他一跃而起，一口咬住手机猛地甩头，“啪”的一声，手机摔在墙角“粉碎性骨折”。小狼迅速上前把每个肢解部分都嗅了一遍，又咬了几块起来偏着脑袋尝了尝，眉头一皱“呸呸”地吐了出来。破坏完毕，他对再没了声响回应的手机顿时失去了兴趣，似乎是觉得那个“猎物”已经被他咬死了。

小狼终于玩累了，他费劲地爬上沙发，钻到我怀里，打了个哈欠就睡起觉来。我睡了一会儿迷迷糊糊就听得有敲门声，小狼一个翻身跳下沙发就缩进了床底下。我揉揉惺忪睡眼起身开门，是亦风。他进门就喊：“你没事吧？”同时把我的手脚脖子每个零件都扫视了一遍，然后如释重负地松了口气：“你刚给我打电话又不吭气儿，我听电话里动静很大，‘啪’的一声挂断就再也打不通了，担心你是不是出事了，赶紧跑过来看。”

“小狼刚才玩手机来着。”我笑了，“你怎么那么紧张啊？”

亦风提心吊胆地叹口气，进屋坐在沙发上：“你一个人跟狼在一起，我怎么可能不担心？我最近老做梦，梦见你睡觉的时候一只狼照着你的脖子咬下去。”

小狼已听见是抱过自己的亦风的声音，亲亲热热地从床底下跑了出来，皮球一样滚到亦风跟前，张开小爪子把他的腿抱了个结结实实，一边哼哼唧唧撒娇，一边把肚子翻过来左扭右扭地让他摸摸。

“他还记得我？”亦风有点意外，小狼仅仅见过他一面。对小狼的认知发展而言，三个月是一个重要分界线，前三个月的小狼崽会一一记住来探望他的同伴的味道，将这些味道归类为伙伴和亲人——因为三个月前的小狼崽都是在狼妈妈的严格保护下，被允许接触到的东西都经过负责的狼妈妈的筛选、过滤和引导，因此这些事物的味道都被小狼归类为无害的、友好的，而这期间的重要认知会在小狼的脑海中铭记终生，即使长大后多年不见，他也能认出儿时的亲人。同时，牢记母亲和同窝兄弟姐妹的味道也能避免日后过近血缘的繁殖。三个月之后的小狼活动范围变广，狼妈妈不可能面面俱到地保护他，小狼需要自己判断危险的来临，遇到陌生事物会本能地害怕和排斥，这时候他再认识的味道都容易被归类为有害的、有威胁的，这时候出现的其他狼或者其他动物甚至人都会被归类为他的竞争者、猎物或者敌人，他会牢记这些味道。所以三个月之后的小狼要再接受和亲近陌生人是比较难的。

亦风伸手摸着小狼细嫩无毛的光滑肚腹，如同婴儿般的奇妙触感令亦风紧张的表情愈见舒展，我感到他的心微微动了。小狼用前爪愉快地捧着亦风的手掌摇来晃去，后爪子在他的抚摸下舒服得直哆嗦。亦风避开小狼尖利的爪牙，轻轻地把他抱在怀里，目光里浮现出少有的温柔："小东西叫什么名字?"

"没名字。"

"那你怎么叫他呢?"

"呜、呜、呜、呜……"我叫了几声，小狼立刻朝我身上爬过来。亦风惊异地耸耸眉毛，学了几声，小狼歪起脑袋盯着他——"听不懂"。一番努力后，亦风苦笑着："我学不来你的声音啊，看他这么聪明灵性像个孩子一样，咱们给他起个名儿吧。"

我心里漾起一阵感动，名字是一种认可，是一种亲密感情的维系，亦风给小狼起了名字就意味着接纳。但起名真是个费脑筋的活儿。

"叫阿狼?"

"最好别带狼字，要低调!"

"黑豹?"

"也别用其他动物的名字，混淆视听。"

"疾风?"

"那是马的名字。"

"亦风呢?"

"找揍啊?"

我俩有一搭没一搭地坐在那儿起着名儿，小狼站在我俩中间，好奇地听着，翻过后爪子挠着小脑袋，打着哈欠似乎也没听到令他满意的名字。无聊之余爬下地开始撕咬起拖鞋来。看着他的尖牙，亦风又有些担心起来："瞧瞧，他可是吃肉的，哪天趁你睡觉时把你给生吞了。"

"拉倒吧，我又不是小红帽。"

突然，亦风一拍手："我想起一个名字!"

"我也想起一个!"

"格林!"亦风抢先说了出来。

我连连点头，格林兄弟《小红帽》的童话不知造成了多少人从小对狼的偏见、莫名惧怕与仇视，狼外婆的恐怖形象深入人心。从前纯粹为了娱乐而编造的故事变成了主流意识，偏偏这些欺骗人的概念却向着缺乏辨别能力的儿童灌输，在最初的时候就影响了他们对客观事物的判断。对我的狼子，我希望重新写一篇属于他自己的真正的《格林童话》，记录他从小到大的成长经历。英文就叫"Green"，小狼眼睛的颜色，草原的颜色。

"格林!"小狼的耳朵竖了起来，听着我们发出只属于他的独特呼唤。

"格林！格林!"我们一声声呼唤着，小格林翻身起来抖抖毛发，亲昵地跑了过来，把伤痕累累的拖鞋叼给我，对我俩又亲又舔，似乎他也喜欢这个名字。

亦风掰着格林的牙齿细看，尖尖的乳牙像钢钉一样，上半截微微透明。亦风轻轻放开小狼嘴，心情颇为复杂："回家吧，你一人在这里我很担心。你可以每天来看他，给他送饭。"

"那不成探监啦？我离开一会儿小狼都到处找我，而且资料上都说了，狼妈妈是相当负责的，在前三个月里，母狼除了喝水可是寸步不离地照顾幼崽的。"

"那要是'母狼'自己都饿死了呢？光啃饼干能过日子吗？"亦风气呼呼地来回跺着脚，拿起钱包钥匙一开门走了出去。

"你去哪儿？"

亦风头也不回地扬扬手："公狼给你们打猎去！"

我心里有一阵暖意慢慢激荡开来，格林又多了一个人的疼爱。

转天一早我起来收拾了一下，就打算出门重新买一个体温计，原来那个电子体温计早就被格林咬得"神经错乱"了，上次测量下来一看：40 摄氏度，把我吓了一跳，如临大敌。重新测量再看：80 摄氏度，这明显在"谎报军情"嘛。有些号称现代科技的东西实在太过脆弱了，还是买只传统的体温表比较靠谱。当然，做电子体温计的人估计也想不到这仪器还要过狼牙这一关。我看看格林还在忘我地陶醉于和马桶刷子的戏耍中，就悄悄掩上门下楼去了。

等我回来开门一看，不由得大吃一惊！屋里简直乱了套：米粉撒了一地，地板的压脚线被抠了出来，阳台上的植物成了残枝败叶，卫生间里的卷纸被拖出来老长，像迎接国家元首的地毯一样一直铺到了阳台，面巾和日记本撕得满地都是。洗衣机和电冰箱的电线都被咬断了，他居然没被电着，更让我吃惊的是洗衣机竟然从原位置上挪动了一米多远出来，不知道小小狼崽哪来那么大的力气拖动它。洗衣机后面的墙上赫然撕咬出一个大洞，那是用塑料挡板遮住的水表监测口，格林一定对阴冷黑暗的洞穴情有独钟。冰箱面上的薄膜被抓扯得惨不忍睹，电视打开了，"咿咿呀呀"地放着广告。电脑的鼠标被拽下来甩在地上，写字台上全是狼爪印。蜂蜜罐翻倒了，滚在桌子边上，一罐蜂蜜所剩无几，我赶忙把蜜罐扶了起来。

格林挺着大肚子四仰八叉地在沙发上睡着安稳觉，还伴随着一点小小的鼾声，肥嘟嘟的屁股下面压着已经被掏出电池的电视遥控器，嘴上脑袋上沾满了黏糊糊的蜜糖，真是一个甜梦啊。听见开门声，格林半眯着眼睛瞄了我一眼，尾巴简单地摇了摇算是打了招呼："老妈，今儿的午饭俺自己搞定了。"

显然干了这么一番"大事业"后格林累了，睡得贼香。平时爬都爬不上去，还要我帮忙的他是咋上沙发的？一看沙发前面的纸盒子，明白了，这家伙从床底下把装台灯的纸盒子拽出来，放在沙发前面垫脚，高度正好，先爬上纸盒再上沙发。可是将近一米高的桌子格林又是咋上去偷吃蜂蜜的呢？实在令我费解，传说中狼会搭狼梯，可这单只的小狼又是如何搭梯上桌的呢？唯一的解释就是借助旁边软布质地的报纸架了，刚满月的格林就能如此善用环境。狼在饥饿的驱使

见啥咬啥，一切皆可磨牙！

下可以学会任何东西，看来这话真的有道理。今天自己寻来的香甜蜂蜜代替了牛奶，填饱了饥饿的小狼肚子。而我则终于明白了“一片狼藉”这一词语的真正出处了。

等我收拾完被格林破坏的屋子，天已黄昏。格林肚里的蜂蜜也消化得差不多了，他开始爬下沙发来。我带他到阳台边，拿了一个生鸡蛋滚到他面前。

格林第一次见到鸡蛋，有点不知所措，但本能告诉他，这是可以吃的东西，几番嗅闻和拨来滚去之后，还是拿这圆滚滚的物件没办法。我拿火腿肠抹了一点肉味在蛋壳上，他的劲头更大了，把鸡蛋叼在嘴里，四处想办法，一个不留神，鸡蛋从嘴里滑落，掉在地上，磕出一道缝，淡淡的腥味从缝中渗出，格林更兴奋了，围着鸡蛋直打转，似乎琢磨出了一点端倪，他把爪子压在鸡蛋上，阳台的地砖很光溜，略一用力，滑滑的鸡蛋就迅速被弹出，滚动着撞在墙脚上，破了！格林兴奋地跑过去舔着流出的蛋黄蛋清，竟然连蛋壳也一并嚼碎吞下，直到把地上都舔干净，无限享受的样子。此后我每天给他一个生鸡蛋，由他自己玩够了以后吃掉，这对他迅速发育的耳朵软骨很有好处。

格林一天比一天长得结实，如果体温没有异常我就准备给他打疫苗了。我用体温计为他测量肛温，格林别扭极了，非常讨厌体温计插进自己的屁股里，测完以后他恶狠狠地盯着我手里的体温计，第二天我放在书桌上的体温计就不见了，我在桌上地下抽屉床头找了个满头大汗，生怕玻璃水银的体温计是被格林咬碎了，划伤他，甚至毒死他！但格林始终安然无恙，家里也没发现任何玻璃碴，体温计就这样“活不见人，死不见尸”，成了一桩疑案。

几天后马桶堵住了，请来工人疏通下水管道，折腾半天掏出了失踪多日的体温计，格林干的！他竟然知道这玻璃的讨厌东西不能咬坏，就转而扔进了马桶里，太可恶了！

我打发走工人，叫出格林开始严肃教育，格林偏着脑袋听了两句，突然伸出两只前爪，并拢向前一溜，“刺啦”一声，在光滑的地板上像磕长头一样拉长身子趴下来。我一愣：今天怎么行此大礼啊？难道他知道错了？格林伸长舌头斜眼瞄了我一下，在地板上呼呼大睡起来。我这才领悟，中午天气热，这家伙绷直了身子趴下，把肚腹这些少毛的地方紧贴在凉快的地板上，是为了最大限度地散热，

他才不会有悔过心呢。

夜里，我开着窗户睡觉，明月清辉洒进屋中，我很快进入了梦乡，格林却一点不知疲倦，他白天早已睡够了。他扒在床边，想要我起来陪他玩，我翻了个身没理他。他不满意地呜呜叫着，不一会儿屋子里传来了叮叮当当折腾捣乱的声音，我疲惫而痛苦地捂着耳朵，这家伙又要拆房子了。果然“哗啦！哐哐当当……”一连串大响动——卫生间的盥洗架被他拉倒了，接着“吧嗒、吧嗒”津津有味舔舐的声音又钻进耳朵，我生怕他又乱吃东西，忍不住翻身起来开灯查看——格林正忘乎所以地舔着果味的洗发液，看见我走过来，他舔舔鼻子，突然从鼻孔里吹出一个五光十色的大泡泡， “啪”，泡泡破了，格林吓了一跳，再舔舔鼻子，“噗”，又是一个大泡泡，格林蹦跶了一下，再舔，再吹，他竟然乐在其中了。这家伙会吹泡泡了，明天又将干出啥意想不到的事儿呢？我唉声叹气地收拾卫生间。

关灯上床，我突然发现格林的眼睛在清透的月色下如同两颗湛蓝的宝石闪闪发光。其实小狼的眼睛本身并不发光，但能反射进入眼睛的月光、星光和其他微弱的光线，汇集在眼睛的虹膜上，才使这双眼睛光彩照人，给黑暗中的小狼增添了几分神秘色彩，两点磷火般的光亮随着他身形的移动拖出流星一样长长的光尾，这是夜行动物特有的眼睛。

我摸到口袋里一颗小小的黑色巧克力豆，有心试试格林的夜视能力。我不动声色地把巧克力豆用指尖弹射出去，几声轻微的碰响，巧克力豆在房间各处弹跳，最后不知落在什么地方，那两点磷火迅速准确地蹦射而出，一秒钟后传来了嚼碎巧克力豆的声音。

我佩服得五体投地，在这黑暗中我几乎是睁眼瞎，而格林却天生是暗夜的精灵，是夜神最为眷顾的孩子。黑夜给了格林光明的眼睛，但愿他将来看到的也是光明。

04 天生会游泳

格林终于领教了什么叫做水，有些看似平静的表面却并非那么踏实可行，他知道了让他活命的水也可以要他的命。

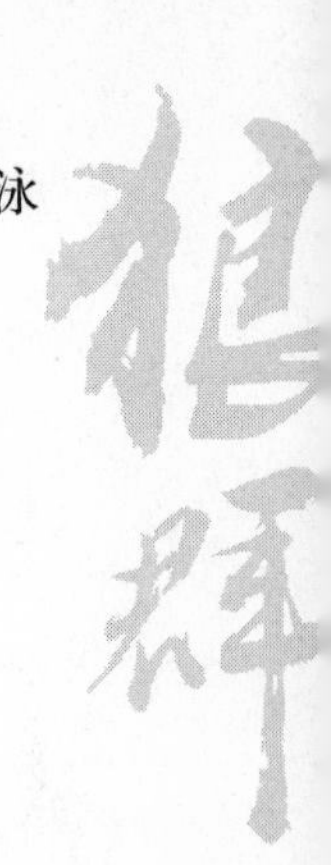

格林身上有种神秘而不可阻挡的力量——生长的力量。这力量最明显而外在的表现就是好奇和探寻，没有什么可以阻止这股力量在他体内的升腾，当屋子里的一切对他而言都索然无味以后，他最向往的就是屋外的世界。从格林第一次见了亦风不再本能地把自己藏起来，而是好奇地嗅闻这个陌生人的时候，这股成长的生命浪潮就冲走了他与生俱来的恐惧感。

格林的食量越来越大，两三天一箱牛奶还不够，我出门采购的次数也越来越频繁。格林好奇的眼睛一次次看见我消失在门后，又一次次开门而入，每次手里都会有收获——鸡蛋、牛奶，还有那对他有无限吸引力的充满腥香的肉。格林热切地跳起来扑咬着袋子，再失望地看着我将这些食物都储存在那个他怎么也啃不开的冰冷的柜子里。他总期望着有朝一日爬进那个柜子里吃个够，他也总好奇着为什么每次我消失在门外以后就能带回好吃的。诸多的疑问不断刺激着他的好奇心，他开始在每次我要出门的时候跟随在我脚跟后面想要到门外看个究竟，每次都被我严肃地制止推回屋内。门在小格林眼前合上了，他只好独自在屋里自娱自乐，时不时地在门后侧着耳朵细听，他知道有熟悉的脚步声响起，妈妈就会带着食物回来。

有一次我开门把焦急等待的格林夹在门背后，进屋转了一圈没找着，回头才发现那团小毛球卡在门后，可怜巴巴地哼唧着；另一次进门，把扑上来热烈欢迎的格林踩得吱吱叫，我赶紧收脚。那以后我学会了小心翼翼地把门先开一条缝，等格林钻过来了以后，抱在怀里再开门进去，既不会夹住他，也不至于踩着他。但这些丝毫没有打消格林想窥探门外世界的念头，他总是趁着我拖完地板开门通风的时候，扑腾着嫩腿像藤蔓植物追逐阳光一样坚定地向家门爬去，然后站在门口望着空荡荡的楼道发呆，楼道里偶尔吹起的微风似乎都可以将他轻易地掀翻。他固执地摇摇晃晃站着，直到我关门他也没敢迈出第一步。

第二天，他伸了一只小爪子踩在了门外光滑而坚实的地砖上，一阵冰凉从他敏感的掌心传来。第三天他索性四个爪子都踏出了门外，还走了几步，光洁的地砖上映照出他的影子，仿佛一个隐藏在未知世界的伙伴，格林心中升起一种奇异感。直到我寻找他的呼唤声响起，格林才像一只受惊的小鹿一样掉头就逃回屋子。

格林的狼臊味越来越重，我每天必须开门透气，而格林出门的欲望越来越强烈，步伐也越来越快。我有意识地要让他知道不许出门，就学着母狼用爪子教训小狼的动作，伸手把他推打回去。格林像溜溜球一样滚出几步远，翻身起来更加义无反顾地向门口冲，再打回去，再冲！再打，再冲！来回几十次这样的争斗丝毫不能改变格林的决心，我手都打酸了，好一匹倔狼！滚着滚着格林躺在地上不动了。是不是出手重了？我心里一紧，慌忙凑过去看，原来小家伙已经累得睡着了。

格林一觉醒来，看准我又向门边走去，他立刻悄无声息地向门口爬，我刚拉开一条门缝，他已经蹿出来抢先把脑袋塞进了门缝，我本能地稳住门，不让他出去。“吱吱！”格林尖叫着示意他被夹痛了，我忙把门松开一点，让他可以退回来。任何动物（包括人）在被门夹痛以后，第一反应都是抽回被夹部位。格林却大大出乎我的意料，非但不抽回被夹的小脑袋，反而把脑袋又往门缝里使劲地塞送。“你不要命啦？”我揪住格林的细腿往后拖，他拼命挣扎执意把脑袋夹在门缝里，一双桀骜的小狼眼布满血丝，呼呼喝喝地咆哮着向我示威，那神情俨然是种威胁：“来啊，除非你把我的头夹掉，否则我就要出去！”我只好妥协，开门让格林去楼道里走几步。

格林好奇地探寻着这陌生的世界，不明白为什么我要一再阻止他。

然而，格林在楼道里一次比一次走得远，越走胆子越大。为了阻挡日渐好奇的格林，通风的时候我动用了茶几、椅子、木板等好多可加以利用的家什挡在门口，让他知难而退。可是门外好像并没什么危害啊，格林不明白为什么我要一再阻止他。

这种好奇终于战胜了恐惧和对我的服从。一天，格林叼玩着布偶来到这些阻挡物跟前，想起那天在外面地砖上邂逅的神秘的伙伴，一种孤独感和渴望让他丢下了嘴里的布偶，审视着这些阻隔他和外界的劳什子。他试过很多次都翻不过去，可今天他发现布偶可以帮他这个忙，“存在的东西都是可以利用的”，这点格林很在行。他踩着布偶，指挥着小胳膊小腿儿爬茶几。几次跌得仰面朝天后，他成功地翻过了障碍，扭着小屁股争分夺秒地往门外跑！我的呼唤也不奏效了，格林唯恐被我捉拿归案，边在地砖上打滑边铆足了劲儿往电梯口奔去！旋即传来美眉的惊呼和格林凄厉的尖叫声。出事儿了！我急忙追出去。

原来，格林刚才看见等电梯的美眉，好奇地走近示好。美眉却是个怕狗的人，更惧怕格林的爪子抓破她性感的丝袜，看着格林靠近竟惊恐地跳起了踢踏舞，那舞动的高跟鞋就成了杀伤性武器，把格林的小爪子重重地跺了一下。格林呜咽着躲到了我的身后，无助而恐慌地靠着我的腿肚子。美眉骂开了："哪里来的野狗？也不管好，把袜子抓烂你赔啊！"

我连连道歉："对不起对不起，抓坏没有？我赔你，实在对不住。"

"都邻里邻居的，大惊小怪啥？又没抓坏，倒是你把人家小狗踩得吱哇乱叫。"另一个等电梯的小伙子插话了，"人家道歉就行了嘛，啰唆啥？又没影响你的美丽！"最后这句话挺受用，美眉白了一眼，扭着细腰走进电梯："再惹我，我一脚踩死它！"她自顾自地合上电梯门下楼了。我想起网上虐猫的高跟鞋，后背冒起一阵寒意。小伙子重新按了电梯钮。

"谢谢！"我蹲下摸着受惊不小的格林，"害你还等下一趟电梯。"

"没事儿，我也受不了那香水味儿。"他突然定眼看着格林，"他好像受伤了。"

我低头一看，地上一串红红的梅花印，格林左前爪有气无力地挂在胸口颤抖着，小身体找不着平衡，他放下爪子，但一挨着地又反射似的抬起来。格林无力地靠在我的腿边。他像所有受了惊的狗崽一样，一个劲儿地呜呜叫着，受伤的爪子也就随着急促的喘息和叫声像钟摆一样在他窄窄的胸口晃荡，他无法自控地哀叫起来。

我心疼极了，把格林轻轻抱回了屋里，放在沙发上检查他的爪子，刚拨开他小爪子上的绒毛托平脚掌，格林就痛哭般长声呻吟起来，抗拒地抽开爪子，甚至还张嘴咬我的手。我一面安慰他，一面迅速检查了他的骨骼，把他被踩断的一段悬挂在肉上的趾甲剪掉，撒了一点白药粉末，然后放开了他的爪子，硬着心肠任由他拉长了声音哀嚎了一阵，之后就像每次清洁身体一样，格林埋头自然而然地用小舌头去清理自己的伤口。

"格林不痛，格林勇敢。"几天里看着格林一瘸一拐地颤抖着挪动那小小身体，我不知道用什么方式才能更好地安慰他。可以踩碎小猫脑袋的高跟鞋没伤着他的骨头就是万幸。但是他的一个足趾却从此缺少了一块，这让格林的脚印特别容易辨认。虽然狼的身上都少不了伤痕，但别的狼是在战斗中受的伤，每一处伤换来的是食物、尊严、家庭和领地，每一处伤都足以让狼引以为傲。而小格林生命中的第一道疤痕却是在对人类表示友好的过程中留下的，这不该是一只狼应有的伤痕。

不是所有人都可亲近的，格林你一定要记住！

我把屋子打扫得更干净，以免他因受伤而感染。格林老实了好几天，伤口渐渐愈合。

几天以后，格林又开始蠢蠢欲动了。但是成长中第一份痛楚的记忆是深刻的，格林每当听到高跟鞋击地的声音，就会惊恐地钻回床底下瑟瑟发抖，抖得狼毛都竖立起来。从此，我和格林在一起的时候再也没穿过高跟鞋。

格林小爪子的伤好了以后，我决定让格林接触大地。他第一次获准走出那道厚实的家门，来到了小区的庭院里。

午后阳光灿烂，一切东西对他而言都是陌生而充满新鲜感的。松软潮湿的是泥土，小爪子踩在上面的感觉如此之好，比家里滑溜的地板不知惬意多少倍，泥土中带着浓浓的幼时熟悉的味道，此时更是挑起了他生而有之的好奇心。陌生世界的诱惑如此之多，他早已忘记了妈妈的存在，格林用嘴、用鼻子、用爪子，甚至用身体去感知和探寻那魔幻般抓住他的未知世界，嗅嗅芳香的花朵，讨厌的花粉让他连打了好几个喷嚏，在葱郁的草地上打几个滚，有些草茎割着柔嫩的鼻尖还隐隐作痛，舔舔地上发出碎裂响声的落叶，苦苦的还扎嘴，咬咬树枝磨一磨他那不安分的痒痒的乳牙……

格林好奇地探寻着这陌生的世界，他对移动的东西特别感兴趣，如果有人路过，他也会乐颠颠地跟过去看个究竟。

“哟，这小家伙长得像个大耗子一样。”一位老奶奶看着他的细尾巴评价。

“我觉得像只小猪。”一个小伙子看着格林刚长突出来的嘴评价。

格林兴趣盎然地围着这些人转悠，一直跟着别人到了单元门口，前前后后地闻，把这些味道一一归类。玩着玩着格林突然竖起耳朵浑身一激灵，神色突变，像撞了邪一样惊恐万状地往回跑，慌乱中不见我的踪影，竟一头扎进花台边的草丛中潜伏了下来，小身子筛糠似的哆嗦，带得周围的草也窸窸窣窣地抖动起来，他露出一只眼睛惶恐地向草丛外探望。

这是怎么了？我正纳闷，耳听“踢踏踢踏”的清脆的声音从单元门里传来，一位穿着高跟鞋的女子走出了单元门。原来是这声音吓着小家伙了，格林已经把高跟鞋的声音归类为极具杀伤力的恐惧音符，在第一时间作出隐藏的反应。直到女子走远，“踢踏”声完全消失，他才试探着伸出脑袋张望，并随时做好再逃跑的准备。呵呵，好了伤疤还记得疼，聪明的孩子！

妈妈熟悉的唤乳声音再次传来，格林觉得有点饿了，跌跌撞撞地扭着小屁股跑回妈妈身边，一头扎在熟悉的牛奶碗里。才喝了几口止住渴，格林又被什么声音给吸引了，他扭头一路小跑，欢叫着继续他的冒险，向着那开着最美丽花朵的地方奔去——遗憾的是那是一池睡莲。格林以前从没见过水面，而水面看上去平平坦坦的，他想都没想就跑了上去。

“扑通！”

水却并没有像陆地那样实实在在地承托起格林幼小的身体，反而把他拉了进去，并且以一种冰冷的势头把他包围起来。冷！格林急忙张嘴呼吸。

片刻的迷糊与无所适从之后，格林浮上了水面，清新的空气再次眷顾了他张开的嘴，填补了他对氧气急切的渴望。格林不再下沉了，他隐约听到了妈妈赶来的声音，但是方向在哪里呢？格林睁开刺痛的眼睛第一眼看到的是对岸，于是本能地四腿划水，小尾巴还像舵一样地调整着方向，似乎很早就懂得如何协调动作似的，在我和亦风惊讶的注视下格林开始游泳了。其实他身后就是刚才掉下来的岸边，他却向着他唯一能看见的对岸奋力游去。

午后的阳光下，一只刚满月的小狼在斑斓的睡莲池中展示着他天生的游泳本领，这是我做梦都没有想过的画面。惊讶、欣赏、佩服、担忧！既想观察格林的表现又怕他呛死，但我知道有些对世界的认知课程是成长过程中所必须经历的，某些现实经验必须靠格林自己去获取和总结而无法传授。今天格林在小区的水池里明白了这个道理，就能避免今后在大江大河里犯傻。

格林继续游着，他求助于那些引诱他跌入水中的美丽而奇幻的睡莲，谁知那一个个一碰就躲入水中的花朵和叶子根本无心救他。格林感到无比的孤独和无助，他可怜地张嘴哀叫，水立刻又灌进嘴里，让他活活把这声音咽了下去，那一刹那，他领会到了陌生世界的冷酷。我的呼唤声在对岸急切响起，格林这才想起了世界上还有妈妈这回事，于是向着他眼里那遥远的对岸坚持游去。格林的头顶一黑，他游入了下水道，妈妈的声音顿时着急起来，直觉告诉他那里不是出路，他赶紧退了出来，好在那不是下水口的急流。

终于，他被趴在岸边的妈妈湿淋淋地捞了起来。格林总算脚踏实地了，湿漉漉的小家伙余悸未消地抖着，四条小腿去掉了蓬松胎毛的修饰，像麻秆一样可怜巴巴地弯曲着，格林终于领教了什么叫做水，有些看似平静的表面却并非那么踏实可行，他知道了让他活命的水也可以要他的命。

我没料到格林会掉进水里，当然也不会准备毛巾，索性把他抱在怀里，拽过衣角来为他擦拭。拨开格林的狼毛，我惊奇地发现在水里游了七八分钟之后，格林弄湿的却只有外层的毛发，而内层的绒毛却是完全干燥的，难怪人们说狼皮保暖，下雪天狼能趴在雪窝子里待上整晚，安然睡觉，原来他的皮毛如此奇妙，即使身下的积雪融化也不能弄湿他内层的皮毛。我把格林放在儿童游戏区悬挂的玩具秋千上，让他安分地待在那里晒晒太阳。不多会儿水就蒸发干了，阳光下他的细毛蓬松而带着金辉，柔柔地泛着微光。小家伙哪里安分得了？瞅准位置，用他的小眼睛简单地测量了一下高度。“啪！”格林笨拙地跳了下来，落在儿童游戏区的泡沫地面上，抬起几天前受伤的爪子嗷嗷叫了两声就安静下来，继续东张西望。

展示过天生的游泳本领，阳光下格林的细毛蓬松而带着金辉。

小格林从水里逃过了一

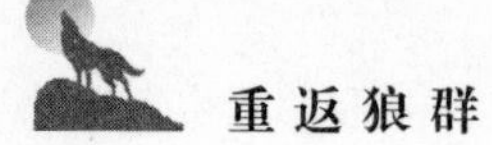

劫，让他老实了十分钟，他领教了陌生世界的威力，但既然已幸免于难，似乎又没有什么可怕的了。格林很快忘记了惶恐，继续冒险去了。只是每当路过池子的时候，他仅仅在水边嗅闻探望，不再贸然步入。

有什么能终止一双好奇的小眼睛对世界的探寻呢？做妈妈的不能用担忧去限制孩子的尝试，自身的体验比传授的经验更具意义。小格林不断地试探着，学习着，分辨着，成长着……将他所认识的事物一一分类，把这些学习来的宝贵信息储存在脑海里。

格林累了，身体累了，小脑袋也累了，以前所有的日子加起来也没有今天过得辛苦而充实。回家的路上，小家伙跟我走着走着干脆趴下睡着了，我把他抱起来，搭在肩膀上，沐着夕阳回到家，再把他像拎小猫似的放回窝里，这一切都丝毫没有惊扰到他的甜梦。

亲亲他的小脑门儿，晚安，小毛球！

05 獠牙之下出政权！

尊重狼道，尽管被抓伤了脖子，我也无论如何不忍心剪掉格林的爪牙，毕竟那是他引以为豪的武器和生存的根本，我爱狼不正是爱他的野性和不屈么？

“格林，我回来啦!”

“呜呜！吱吱!”小家伙兴高采烈地回应着，跑上来抱着我的腿，直蹦高。仅仅三天的呼唤，他对自己的名字就有了明显的反应，比狗的适应期短多了。

如果格林有兄弟姐妹在，一个月到三个月期间的小狼们正是相互在玩耍中较量、确立自己在群体中地位的时候，这种上下级关系一旦确立，基本终身不变。格林现在正步入了这个阶段，流淌在血液里的狼性基因让他为了确立自己的地位而屡屡宣战。

现在，孤单的格林能找到的“活物”就只有我，所以老跟我较劲儿。格林的牙又尖了许多，而且有点不依不饶了，以前提醒他两声就会自动松口，现在提醒四五声，甚至“反攻”一下，他才很不情愿地放开，意犹未尽地绕着我转圈，一副很想占上风的样子。想起他一窝六个兄弟姐妹，出生几天就被人掏出来，其他小狼崽都抗不过饥饿与寒冷的折磨，只有他一个坚强地活了下来，而且身体恢复迅速，可见他的体质良好，确实是优胜劣汰后硕果仅存的精品，如果他在狼群中长大，绝对是头狼。而看他每次从我手中玩命地喝奶，喝完还要抢夺碗的狼劲儿，的确是个狠角色。

格林常常冷不防一口咬住我的脚腕，虽然是戏耍，但有时候往往咬得兴起就连拖带拽，很疼。我怕被他咬伤，只好换上牛仔裤和运动鞋。我的忍耐和退让却使格林愈加张狂，时常皱起鼻子露出尖利的獠牙来，直视着我向我挑战，在他眼里，形体上的差异似乎都可以忽略不计了。獠牙之下出政权!

最疼的是有一天晚上，格林叼着我的脚背，竟开始撕咬起来！他用力向后抽动身体，拖咬着，疼得我直叫，大声喊他的名字：“格林，不准！格林，放开！……”野性毕露的小狼哪里听得进半句话，我又惊又气，一手抓住他的脖子，一手掰开他的狼嘴，把他扔开，我的脚腕上已经有了几个深深的牙痕。此时的格林退到一边，一面瞪圆了绿莹莹的狼眼与我对视，一面皱起鼻翼，残忍地用小舌头舔着尖牙和上唇。

我不禁怒火中烧，拿起旁边的扫把，指着他的鼻尖：“格林，你敢咬我?!”

看见我拿起了他极端憎恨的扫把做武器，想起从前偷吃牙膏后小脑袋上被打出一个包的仇恨，格林两眼刹那间射出桀骜不驯的凶光，一口咬住扫把头，发出威胁的吼声，小小的鼻翼皱成了一个“川”字，露出尖利的犬牙和粉红的牙龈，挥舞着爪子，一副宁死不服、血战到底的样子。

我顿时热血上涌：“好，敢挑战老妈的权威！你不服就用你的方法！”我将扫把一扔，顺势一掌扑倒格林，“啊呜……”一口咬在他还来不及张开的嘴筒上，连鼻子带下巴咬了个结结实实——我叫你残忍！叫你舔獠牙！

格林痛急眼了，前后爪子一阵乱蹬，我越发咬得紧了，频频发出威胁的吼声，双手紧压住他乱扭的身体。格林见一番挣扎无用，发出了嗞嗞的讨饶声，又尖又细又柔弱，像小孩无助的啼哭。我心微微一软，略一犹豫，放松了压住他身体的手。格林没有挣扎，只是讨好地轻叫着，慢慢地收拢后腿，蜷缩起了身子，像老兔子般一动不动。我慢慢松口，正要放开，心里却隐隐觉得格林讨饶的姿势似乎不对。转念一想，可能他太小，而且没有真正在狼群中长大，故而臣服的姿势似是而非吧。

正犹豫间，格林突然狂挣起来，适才蜷起的后腿猛蹬向我的肩膀，随即像弹簧一样翻转腰身跳了起来，歪扭着脑袋，身体强行后退，想把尖嘴抽出来，铁钩一样的前爪还不忘在转身的瞬间向我脖子上狠狠一抓！

我火冒三丈，狡猾的家伙竟然跟我玩诈降。我猛地加力毫不留情地咬了下去。兔子急了咬人，人急了咬狼！格林尖声呜咽起来，吱吱声从鼻子里传出，像婴儿即将溺毙时可怜又闷哑的啼哭。他胸口快速地起伏喘息，尾巴猛烈摇摆，像晃动白旗一般。我怕他又是缓兵之计，仍旧坚持咬了一会儿才缓缓松开口，两手依然按住他的身体不放，格林的身体完全放松了下来，不再有任何反抗的备战姿势了，他的心脏还在小胸腔里狂跳不已。他把后腿伸直，亮出粉红色光溜溜的肚子，颤抖的小尾巴夹在两腿之间，偶尔讨好地轻轻摇晃着，耳朵向后收拢贴着头，眼睛里褪去了挑衅的神色，转头伸嘴舔着我压住他的手，满脸驯服乞求地看着我。

我又冲他龇牙示威，他忙不迭地又摇了几下尾巴，我试着放开一只手，他静静地躺着不动，等候我的最后发落，我这才放开了另一只手。格林如蒙大赦，像懒驴打滚一样仰面朝天，身子撒娇似的左右扭动，随我摆弄，轻轻咬着我的手指尖，无限谄媚。想起他刚才不依不饶要占我上风的样子，我拨弄着他的头，揪着他的耳朵：“给我好好记住这个教训！想夺权，你还嫩了点儿！”

再看看格林的鼻梁上，有一丝红色，似乎是被我咬破了，我起身去找药酒，格林蹑手蹑脚地翻身起来，尾巴一直夹到了肚子下面，屁股放得很低，蜷缩着身体蹭到我面前，耳朵向颈后收拢，抬头用一种高山仰止的神情望着我，老老实实地让我给他擦药。他舔舔我的手，蹭蹭我的腿，修补刚才拔剑张弩的紧张关系。看着格林臣服的标准动作，我才深刻理解到“俯首帖耳”这个词或许就是从狼这里来的。

我舔舔牙齿，“呸呸”吐了几根狼毛，接了一杯水，“呼噜呼噜”地漱口，这时候才觉得脖子上有点火辣辣地疼，拿镜子一照，一抹殷红的血痕在脖子上特别明显，一滴血缓缓顺着颈窝都快流到白衬衣上了。好家伙，这一爪子要是抓在脸上或者眼睛上那还得了？又一想，好在我这个时候跟他分出了高下，如果格林再长大些，爪牙再利点，恐怕就没这么轻松了。

我顺手擦了擦血，跟格林大眼瞪小眼地对望着，刚才发生的情况大家都需要适应一下。格林紧张地喘着气，他的眼睛里惊魂未定、蠢蠢欲动、崇拜臣服、难以置信的情绪复杂地交替着。狼被人咬了?！别说他没想到，就是我自己也没想到。

两双眼睛五味杂陈地对视了一会儿，还是格林最先想通，他使劲地摇了摇尾巴，又恢复了老实乖巧。输了就输了呗，失败是成功他妈，等把爪牙再磨利一点，下次再斗！格林当然不会觉得自己这样做有什么不对，因为在狼的字典里，生存就是竞争恶斗，人也好，狼也罢，胜者为王，败者为臣，不过格林还会积聚力量，不会放弃再次与我较量的念头。

尊重狼道，尽管被抓伤了脖子，我也无论如何不忍心剪掉格林的爪子，毕竟那是他引以为豪的武器和生存的根本，我爱狼不正是爱他的野性和不屈么？

格林，快快成长吧，终有一天你会战胜我的，而且这一天不会遥远。

转眼和格林生活一个半月了，这天是儿童节，亦风特意腾出一天的时间来，提着大包小包的东西，钻进小厨房里忙活着，过了一会儿又伸出脑袋来冲我支嘴儿："你去找一个大碗来。"

我东张西望，从冰箱里找了一个不锈钢的大碗，拿进厨房，好奇地问："你在做啥呢？"

"给咱格林的儿童节礼物——营养肉粥。"亦风边搅动着锅里的米，边把剁碎的肉放进锅里，说，"小狼一断奶，肉粥马上就得跟上。"

我饶有兴致地靠在厨房门边，看着亦风像做化学实验一样操作着，边做边婆婆妈妈地对我讲着道理："小米熬的粥，最容易消化，肉末可以长劲儿，软骨丁、牛奶既营养又补钙，起锅的时候把鸡蛋花打进去，加一点点鱼肝油，再放一点点盐，把切碎的白菜往肉粥里一搅和，粥就兑凉了一半，啧啧，贼香，你闻闻！"

我闻着满锅喷香的奶肉粥，问："你怎么知道这些的？"

亦风嘿嘿一笑，指指灶台边勾画得满当当的一本书："现学现用。"

我探头一看，一本《狼图腾》被他翻得油乎乎的，姜戎肯定想不到他还写过一本"菜谱"。亦风又拿起一个像止咳糖浆药瓶似的瓶子，在我眼前晃晃："瞧瞧，液体钙，现在最好的，咱科学育儿。"

我笑了，想不到亦风也对格林用心起来了。

一大锅肉粥加鸡蛋，熬得满屋子香喷喷的。香味早把格林撩动得上蹿下跳，馋得伸长了脖子嗷嗷叫，他大张着嘴巴，口水顺着舌头牵着线往下淌，胸毛弄湿了一大片。

“瞧这家伙，口若悬河!”亦风把成语用这儿了。我咽了一口唾沫，拿不锈钢大碗来装。

“不行，不行!”亦风拦住我，“放凉一点才行，狼抢吃东西容易被烫，而且，不要用不锈钢碗，狼应该是害怕铁器的，最好别让格林习惯在铁器中吃东西，他毕竟还是狼。”

我心里一震，看来亦风的确很细心，而他坚持不让格林熟悉铁器的深意又在哪里呢？难道在他内心深处也希望保持格林的野性，而不愿意将他长久地驯化吗？我想到了格林的未来，突然很想问问亦风的想法，但话到嘴边又咽了回去，我不想在节日里提起这么沉重的话题。

格林早就急不可耐了，发疯般地跳着猛抓厨房门，又不断被地上滑溜溜的狼口水滑倒，他生平哪里闻过这等美味。

肉粥放到九分凉了之后，我用手背试了试，粥还带点余温，便换了个硬塑料的大碗盛上，滴上几滴液体钙。我小心地推开厨房门，格林立刻蹦起来拦路抢劫。一碗肉粥“哐当”落地，被他抢了过去，粥汤四溅，还好打翻的不算多。格林闻也不闻，想都不想就一头扑了上去，嘴巴快速张合几下，碗里的肉粥就少了一大半，好像那早就是他肠胃期盼的美食了，除了立刻狼吞之外，其余任何准备动作都是多余的。而且他立刻发出吼声示意我走开!

我吓了一跳，平时喝牛奶没这么大脾气啊，随我怎么抚摸都没事，今天怎么六亲不认了？

我不甘心：“不让我摸，我偏要摸!”我试探着摸了他两把。格林很不满意地吼着，停止了吃食，垂着头斜眼盯着我的手腕，颈毛针一般竖立起来，鼻翼开始往中间聚拢，仿佛在说：“再不走开我就咬你!”

我还是有些不甘心，拿了条厚毛巾缠裹在手上，做好防咬措施，把手固执地放在格林身侧，试探着挨挨他。他立刻用力推挤我的手，好像在排斥一个抢食的伙伴。我的手放在格林右边，他就围着食碗，逆时针方向推，我把手放在格林左边，他又马上顺时针挤，一面排挤着“抢食者”，一面埋头苦干，生怕少吃了一口。我裹着毛巾的手把他惹急了，他还闪电般地回头给我一口，以示警告，然后迅速扎回碗里继续吞抢。

还是走开吧，我退到亦风身边，两个人蹲在一旁，共同欣赏格林享用他的第一顿盛宴。

满满一碗肉粥我都不知道格林怎么吃下去的，狼肚子撑得浑圆了还不肯罢休。这时候格林已经比较能接受我的抚摸了，但还是不允许我拿开他的碗——里面还剩一口粥。格林围着屋子溜达了一圈后，晃晃身子，打了个脆生生的小饱嗝，似乎又腾出一点胃空当，立刻回来把剩下的粥都吃了。格林舔干净碗，再快速地搜索遗落在碗边地上的肉渣粥粒，最后把碗翻了个底朝天，用舌头把碗底沾着的几粒肉渣也卷进嘴里，这才心满意足地开始舔爪子擦嘴。我轻轻从格林腋下探手摸

吃了满满一碗肉粥，格林把替他揉肚子的殊荣奖励给了亦风。

了一下他的肚皮，热乎乎的，胀得跟纸一样薄。

格林懒洋洋地走到我们面前，挨个嗅了嗅我俩的脚，最终回到亦风面前，小心翼翼地趴低前爪，歪过脑袋，一翻身躺了下来，小爪子拍拍亦风的腿，把替他揉肚子的殊荣奖励给了亦风。亦风受宠若惊："他竟然知道这顿饭是我给他做的呢！"忙伸过手去捧起格林，抱回沙发上，轻柔地抚摸格林的肚子，格林闭上眼睛十分享受地睡着了。亦风的眼神里游荡着慈父的温柔："格林长大了。"

的确，这一个多月，格林比刚来的时候大了将近一倍，已经能够站立着趴在沙发边，咬上面的东西了。格林眼里的蓝膜也已经褪去，逐渐呈现出黄绿色的眼珠。他的头部开始转成淡棕色，身上仍然是黑色，但是狼毛变得粗糙了，耳朵立起来了，拜一天一个生鸡蛋所赐，那对耳朵发育得相当好，如同两把小勺子支棱在脑袋上，又硬又挺，不像刚见到他时那样软软地贴着头部，像小猫似的了。格林的背部有两块时隐时现的白斑，淡淡地勾勒出肩胛骨的形状，胸部比起狗来显得非常狭窄，让他看起来更加瘦削。胸前锁骨位置有两块白斑，走起路来动感十足。格林的尾巴平平直直地垂在身后，比以前更粗了。

亦风看着熟睡的格林，道："照这速度格林很快就会长大，这间小屋顶多也只能给他童年过渡，他将来何去何从你心里有什么打算？"没想到我一直忍住没说的话，却让亦风主动提了出来。看我不答话，亦风掰着手指头继续道："我昨晚想了很久，设想了这么几条路：第一，送去动物园，这样你想他的时候随时可以去看望他，也合情合法；第二，还记得我们去过的重庆野生动物园的狼山吗？那里的狼是半放养的，还有几十只狼可以给他做伴，那也是属于他的天地，越早去越好，养得时间长了我担心你的情感上就割舍不下了；如果你实在想养下去还有第三个方法，就是在郊外租一处僻静的农家小院，因为城市里禁狗令很快要出来了，大型犬都不准养，何况狼。格林长大了万一伤人怎么办？不是我不支持你哦，养狼毕竟是很具体的事情，你觉得呢？"

我沉默半晌，幽幽地说："把格林送进动物园的笼子容易，以后我想再抱抱他都不可能了，我真舍不得。再说重庆野生动物园吧，那里的狼是山地黄狼，而格林是草原灰狼，不同狼种很难相容，我怕格林被咬死。"我看看亦风，接着说：

“郊区独门农家小院本来就不好找，况且别人不知道还罢了，知道了还不把狼打死，把人轰走啊？就算瞒过了所有人，难道我们能在农村养他一辈子吗？”

“照你这么说，哪里都不能送？”亦风有点泄气，“如果在城里，就只能拴养了，不然跑出去迟早惹麻烦！”

“狼是不能拴养的。”我叹了口气，不想再讨论了，“先打完疫苗再说吧。”其实我心里有些想让格林回归自然的想法，但这只是梦想而已，怎么实施，毫无头绪。

不多时，格林睡醒了，开始咬亦风的裤腿玩儿，亦风突然想起什么，从口袋里掏出一串铃铛来：“瞧瞧我给格林带的好东西，你不是老说格林走路像鬼一样没声音吗？”

我笑着接过铃铛给格林戴上，小家伙浑身一抖，丁丁零零一阵脆响，煞是好听。格林新奇地玩弄着铃铛，没有表示排斥。这家伙平时走起路来一点声响都没有，老是被人无意中踩着，夜里出去的时候也常常看不见他在哪里，有了铃铛就方便多了。

亦风又拿出一个给宠物狗用来磨牙的牛筋假骨头递到格林跟前：“小家伙，给你磨牙牙的好东西。”格林近前嗅了嗅，对于假骨头不屑一顾，别说咬了，看都不看一眼，白费了亦风的一番心思。我咯咯直笑：“他喜欢真骨头，哪里稀罕这个假的？你还不如拿他最喜欢的巧克力给他呢。”

亦风依言，拿了一大块巧克力递给格林，格林一口就叼起，转到一边享用去了。

“对了，我得提醒你一个事。”看格林走开了，亦风拉着我走进小厨房，说，“上次你说格林跳上写字台吃了蜂蜜，我突然想到一个问题，这橱柜比写字台矮得多，格林要想跳上来还不跟玩儿似的，所以最好别在这里做吃的，否则那些油味儿肉味儿必定会逗引他上来，砸锅碎碗都是小事儿了，这小子又没安全意识，万一哪天晚上咬断了煤气管，你们娘儿俩就算报销了。”

“有道理。”我头皮有点发麻，哪里敢说格林已经上去过一次。有一天我正睡觉时，突然听到厨房里哐当声响，赶过去看，就发现格林已经光顾过灶台了，酱油淌得到处都是，被狼爪子踩得梅花遍地开，橱柜上的盐罐子被打翻，格林嘴巴边上全是白乎乎的盐粒儿。也许是实在太咸了，格林憋紧了喉咙咳嗽着，飞奔出厨房到处找水喝。

后来我详细查阅了一些资料，知道动物也同样需要摄取一定的盐分和糖分，但我喂食的东西里往往缺少这两样，特别是盐分，我总是担心吃盐会让格林掉毛。可有时候他放着上好的肉骨头不啃，却翻出我丢弃在垃圾桶里的方便面袋子忘乎所以地舔着，无疑是长久以来自身机体的需要诱发他本能地寻找这些物质作为补充。知道这点后我就常常在食物里加入少许盐，大约是人摄取量的七分之一，还时不时地给小家伙一些糖吃。至于格林当初是如何发现高高在上，非他视觉能及的盐和蜂蜜存放的位置的呢？估计从那时候，格林敏锐的嗅觉便开始成熟起来，

为他的觅食服务了。

这些日子我来来去去分析了那么多，却从没注意到那根沾着油腻的煤气软胶管道，那对小狼尖牙毫无抵御能力却包裹着致命毒气的胶管的确是个严重的安全隐患。

立刻消除隐患！我爬上橱柜关闭了煤气总闸，用洗洁精仔细地擦洗管道和灶台上的油污。

亦风靠在厨房门边耐心地看着我忙里忙外，过了半晌，他突然说："你这里不适宜开火，还是到我家去做饭吧。"见我很犹豫，亦风坚持道："我是认真的，格林以后要换食了，你少不得要做饭煮肉，他弹跳能力又强，蹦上灶台怎么办？养狼是很耗精力的事，哪能靠方便面过日子？以后晚餐时你就带格林过来，你做饭，我帮你看狼，分工合作，采购的事情就我去，这样你可以二十四小时地陪着他，你觉得呢？"

"我再想想吧。"我擦完灶台把抹布晾在水池边。

退出厨房，亦风一脚踩在格林反扣的碗上，低头一看："把这个碗也洗洗吧。"亦风弯腰正要捡碗，格林尖叫着冲过来张嘴就咬。亦风毫无防备急忙缩手，着实吓了一跳："他怎么了？"

"不知道啊？平时不这样。"我也有些意外。

"碗里有东西？"

"没有啦，今天吃得精光。是不是第一天换食会护碗啊。"

"只听说过护食，没听说吃完还护碗的。"亦风摇摇头。

在格林的恐吓声中，我俩慢慢退后两步，看他守财奴一样用两只前爪死死地抱住反扣的塑料大碗，紧压在地上不让它挪动分毫。

"有古怪。"我仔细观察着格林的动作，一股恶作剧的念头油然而生，顽皮地拍拍亦风，"你等着。"说完转身跑到冰箱前面一阵猛找，翻出两段羊角笋尖，试试硬度刚好，迅速把笋尖镶在嘴里装成两颗大獠牙的样子，捂着嘴巴跑了回来，蹲在格林面前。

"你干啥？"亦风没看见我背过身在冰箱里倒腾啥，满腹狐疑地问。我冲亦风摆摆手，狡猾地眨眨眼睛让他等着看好戏。

我直直地逼视着格林，格林毫不示弱，也目不转睛地逼视着我，用一种只有野性动物才有的直视目光，这种目光在宠物狗的眼睛里是绝不会看到的。对视是一种较量，狗不会和主人进行目光的较量，好多次我硬抓住狐狸的脸颊逼着他和我对视，但最多十几秒他就会心虚地转开眼光。格林是狼，他天生能从目光中读出对方的胆识、力量和意图。我突然想到此时在格林的脑海里，眼前的对视较量一定会呈现出如同格斗游戏中双方飙升的战斗值、经验值、血值等一系列的参数。对这些参数他冷静地分析判断着。

我又往前靠近了一点，格林的喉咙里发出低沉的咕噜声，我又逼近了一点，

这显然突破了格林的安全临界点，他顿时低下头，使翻起看人的目光更为凶狠，狼毫也竖立了起来，努力使自己显得比平时更加强壮威武一些，威胁的低吼声中他皱起鼻子露出了尖利的乳牙，随之呈现出发动攻击的姿态。我就等着这一步了，猛然放下遮挡嘴巴的手，“啊呜”一声咆哮凶相毕露，亮出那两颗威猛无匹、举世无双，亮锃锃白如寒霜摄人胆魄，阴森森尖如利刃初试锋芒，响当当、脆生生、新鲜出炉的“大獠牙”！

格林顿时傻了眼，“呜”的一声可怜哼哼，牙也不龇了，鼻子也不皱了，毛也塌下去了，本来趾高气扬竖立的耳朵像消失在地平线上的船帆一样顺在了小脑袋后面，尾巴紧紧夹在肚子底下，像只煮熟的大龙虾。格林像所有受了惊吓的狗崽一样狺狺叫着连退带躲地缩到花盆后面，再探出半个脑袋惊恐万状地望着我。几天前跟我争地位被咬中鼻梁的痛显然他还记忆犹新，而此刻我又无端长出一对巨大的獠牙，直吓得他魂不附体，小身子筛糠一样乱颤不已。

亦风又吃惊又好笑：“你别把他心脏病吓出来，出的什么怪招啊！”

“这叫以眼还眼，以牙还牙！”我紧了紧摇摇欲坠的“牙齿”，得意非凡。

亦风捧腹大笑，鸡蛋里挑骨头地说：“如果你能把头发竖起来就更有杀伤力了！”

“那只有过电了。”我毫不含糊地答，獠牙在我得意忘形的嘴里晃晃悠悠随时准备叛逃。

亦风笑得差点没坐地上：“快扶稳，笑掉‘大牙’就穿帮了。”

我又张“牙”舞爪地凶了小狼一下，这才当着他的面掀开了扣在地上的碗。格林眼睁睁地看着自己的宝藏被揭开，绝望地哀叫着，又实在不敢对我继续挑衅。

碗底的秘密真相大白，一块啃剩下的巧克力已经融化得一半都贴在了地板上，是亦风刚才给他的那块。平日里牛奶米粉都消化得快，一块作为零食的巧克力不在话下，可格林今天吃的都是结实的东西，肚子实在是饱得连容纳一块巧克力的余地都没有了，第一次有了剩余的食物，他决定把巧克力先藏起来，以备日后享用。

我和亦风面面相觑讶然无语。狼是储存食物的专家，没想到脱离狼群成长的格林无师自通地懂得这一点，狼之天性啊。我不得不叹服基因真是很玄妙的东西，有的本领生来就沉睡在格林的基因里，等待被唤醒的一天，然而在这高楼林立的城市里，这些天性也可能一辈子沉睡下去。

“这个巧克力要打扫么？”亦风问。

格林冲我可怜巴巴地狺叫了两声，又冲亦风皱鼻子龇牙——他和亦风的地位还没分出过高下呢。

“让他留着吧，如果他的第一份藏品被没收，会恨你一辈子的，你得尊重他的劳动和隐私。”

“哦！”亦风小心翼翼地把碗推还给格林，毕恭毕敬地退开了。

争抢地位、护食藏食……这些都只是个开始，随着格林慢慢长大，一些属于

床下是格林吃独食最安全的地方，肉渣和软骨被啃得一干二净后才一脚把骨头蹬出来。

狼之天性的东西越来越多地显露了出来。

为给格林磨乳牙，我采购来许多肉骨头。我把骨头煮到全熟，打算在格林的肠胃能接受后再逐渐煮生一点，再生一点直至最后可以直接给他喂食生肉。格林对肉骨头的狂热程度超乎我的想象，也是在这个时候我发现格林超乎寻常的智力也在飞速发展，他对事物有了自己的分析和判断。

我把煮熟的骨头凉冷后，端到阳台格林吃饭的老地方，拿起一块骨头递给他。我还没弯下腰，格林就猛地跳起，在空中一个漂亮的转体抢过骨头，一溜烟儿就躲进床下他的窝里去啃，对这难得的美味，他当然要找个自己认为安全的地方吃独食。我埋头一看，真糟糕！床下弄得油腻腻的是最不好打扫的了，况且家里的扫把都被他啃得没法用了。

不一会儿骨头上面的肉渣和软骨就被啃得一干二净，连骨髓都被他用长舌头钩出来吃得丁点儿不剩。格林嗅一嗅再没什么可啃的了，一脚把骨头蹬了出来，飞跑上阳台，仰望着装骨头的盆子，跃跃欲扑。我赶紧把盆子放得更高，又拿了一根肉更多的骨头出来。为避免这根骨头再被他拖进床下去，我用绳子的一头把骨头牢牢拴住，另一头系在阳台的栏杆上，这才把骨头扔了下去。我拴绳子的时候，格林早就迫不及待地蹦跳着抢夺了，骨头还没落地立刻被这小子半空截住，又是转身就跑，“扑哧”一声，格林被绳子拽了个急转弯！

“居然有人敢抢狼的口中食?!”小格林怒嗥着咬紧骨头奋力抢夺，刚扯了几下就停住了，他发现并没有人在抢他的骨头，那么这个骨头为什么拖不走呢？他叼着骨头又试着拽了两下，左看右看。

我挺得意：“小家伙，这块肉你是拿不走的，乖乖在这里吃！”

小格林抬头看了我一眼，把骨头放了下来，上前一步叼起绳子，挂到后槽牙上“咯吱”两下，绳子立刻被咬断，动作干净利落。格林冲我眨眨伶俐的大眼睛，嘴巴向两边一咧露出狡猾的笑，叼起肉骨头回床底下去了。半截断绳子挂在我面前，断口像剪刀剪开的一样齐齐整整。他不费吹灰之力就解决了我这番小儿科的伎俩，我惊讶坏了，小狼才一个半月，他第一次看见拴在骨头上的绳子，就能准确地判断出绳子和肉骨头的关系，狼惊人的观察能力和解决问题的能力别说比狗，就是比一两岁小孩的智力都要强得多，格林的确有资格嘲笑我。

又一天上午，我剁肉骨头，一不小心就剁到了手，血流如注，痛得我蹲坐在地上。小格林循声赶来，关切地呜呜叫着，一看我受伤了急忙伸出舌头来舔我的伤口，我本能地把他推开。格林还没打疫苗，况且狼的唾液中有太多的细菌，怎能让他在开放的伤口上舔舐？而且，天啊，鲜血对即将换食的他是多大的刺激啊？狼毕竟是食肉动物，马戏团的驯兽师还常常因为伤口的血腥味引得长期驯养的食肉兽野性大发，何况这来自原生荒野的狼，如果他从此熟悉了我的血味……不敢再想下去，我背后一阵寒意。

格林委屈地叫着，不明白我为什么断然拒绝他的关心。他试探着再凑近，伸出舌头。我仍旧把他推开，虽然已不像刚才那么用力，可他还是伤心极了，退后几步一脚踩滑，爪子上沾满黏黏的红色液体让他很不舒服，他下意识地舔了一下小爪子，又舔一下……格林的眼神一下子就变了，他立刻狂野地舔舐起地板上这些红色腥味的液体来，脚踩在血上站不稳，几次滑倒，身上、嘴上、脸上，到处都沾满了刺目的鲜红。格林仍不顾一切贪婪地舔着，一边翻起眼睛注视我，那神情和饥渴比起喝牛奶要疯狂多了。

讽刺啊，我心爱的小狼第一次展示野性竟然是舔我的血。我呆站一旁，不知所措。

绝不能让他把我血液的味道归类为食物，我勉强站起来，拿起光秃秃的扫把将格林挑开，格林退后几步，竟然对我皱着小鼻子龇起了牙！耍狠也没有用，绝对不能开这个先例！我也照样露出了牙齿，发出低吼恐吓的声音，看谁更狠！格林愣了一下又退后了几步，仍旧露出沾着血的牙齿，意犹未尽地用舌头舔着牙尖，死死盯着地上的残血，迟疑不前。我赶忙拿来一坨纸巾盖在地上把血污擦拭干净，格林喉咙里如随时启动的引擎般低吼着，眼睛泛红，埋低脑袋，蹲下后腿，做出要扑上来的动作，但他终究还是没有扑上来，而是很不甘愿地看我把这些“美味”统统抹去，扔在垃圾桶里拎出了门外。格林嗅嗅紧闭的大门，又嗅嗅刚才流淌着美味的地面，怅然若失。

狗改不了吃屎，狼改不了嗜血，格林这么小就已经显露出对血的狂热，这也是我们最担心的。亦风让我千万别喂生肉，不能把格林的野性激发出来。我犹豫不决，格林已经换食了，这是迟早要面临的问题，喂不喂食生肉从某种程度上来说意味着是把他当宠物还是当野物来养，以及驯化与不驯化的抉择。

傍晚带格林在小区散步的时候，亦风对我说：“狼毕竟是食肉猛兽，一天天在长大，他吃饱了倒也罢了，哪天如果饿了，我真担心你的安全。”

“我理解，但是相处这么久了，你也能体会得到格林对我们有多依恋。狼和人一样是有感情的，如果万事都要忽略感情来看待，人也会吃人的。网上关于婴儿汤的报道又不是一次两次了，相比之下有些人还不如狼。我相信任何事情都有一

个极限，当没有达到饥饿极限的时候，狼是不会对自己身边最亲近的同伴丧失理智的。”

“可你不是他的同类，你是人，人和狼之间会有超越饥饿的感情么？那简直是童话。”

“不试怎么知道？我们都听过太多编造的童话了，为什么不看看真实的童话是什么样的？”

亦风叹口气：“狼是爱吃肉的，我只怕你养狼为患。”

“爱吃肉的不光是狼，人也爱肉，狼众食人，人众食狼！人与狼之间的关系本来就是相克相制的，而且现在这个天平早就严重倾斜了，人众狼寡，狼有多怕人可想而知。但格林都相信我，我为什么不能相信他？”

亦风眉头轻蹙，默不做声。那边，格林爬向睡莲池，伸长了细细的脖子全神贯注地看里面的鱼，还伸鼻子去嗅一嗅，小脑袋里不知道在转着什么念头。看着那些此起彼伏的鱼背，格林终于忍不住伸爪子挠过去。“哗啦！”鱼群一哄而散，翻腾的鱼尾巴溅了他一脑袋的水花。格林猛甩着湿毛，霎时间抖出一层晶莹的水雾。格林又看了看空荡荡的水面和躲入深处的鱼群，这才怅然若失地向我们跑来。

“我会照顾好自己的，相信我好么？”我柔声宽慰。

亦风点点头：“我多帮你收集些关于狼的资料吧，特别是他的性格和行为方式，希望对你有帮助。但是我无法辨别哪些是真的，哪些是假的。”

“我会在和格林慢慢的相处中辨别的。”

“手怎么了？”亦风突然发现了我胡乱包裹的伤口。我忙缩手往身后藏，亦风急了，一把抓过我的手来：“是不是被咬了？”

“不是，我自己剁骨头不小心。”

“你让人省点心好不好？”亦风一把抱起格林，拽着我就上楼，“回家擦药！”

06 绝不把自己的命运牵在别人手里！

其实格林挺愿意与我一路同行，但他就是不能忍受像狗一样被人牵着走的奴性感觉。爱你，才跟你走，但绝不放弃骨气和尊严。

从第一次允许格林走出家门而没有引起太多人注意后，我渐渐带着他越走越远，有时甚至带他到浣花溪边的草地上去散步。一只野狼气定神闲地在城市的大马路上散步，这是很多城市人做梦都想不到的事，但我每天都在与狼同行。

然而基于亦风第一眼就认出格林真面目的经历，走在大街上我总有点心虚，左顾右盼地留意旁人的眼神，有谁多看格林一眼我都会忐忑不安地招呼着格林赶紧走开。大多数人都会认为格林是小狗，我最怕遇到的是专家，毕竟现在是一个专家泛滥的世界。不过，就算遇到真的专家，恐怕他一时半会儿也只会认为自己眼花了吧，毕竟在城市养狼还胆敢出来溜达，并且这狼还很听召唤，这种匪夷所思的事情搁谁面前都不会信。

一个凉爽的下午，暖暖的阳光洒在草地上，亦风和我刚把格林抱过街，格林老远就看见了他的同伴——几只牧羊犬和秋田犬在草地上玩耍，接着飞盘，追逐主人扔的球，格林很激动，急切地要挣开我的怀抱去找同伴玩耍。几个狗主人招呼："放他过来耍嘛！"我有些迟疑，毕竟格林的牙齿尖利，而且他除了狐狸还没见过其他的狗。狗主人们又招呼："没事儿，狗儿们玩闹有轻重的。"

我想想格林是吃得饱饱才出来的，应该没事，就放下了他。格林飞奔着跑向几个同类伙伴，狗狗们对这小不点的加入感到新鲜，很快就把格林包围起来。

我手心捏把汗目不转睛地盯着格林，既担心大狗把他踩伤，又担心格林痛急眼了下口。然而狗狗们玩了半小时都相安无事，亦风拍拍我的肩："你看这不好好的么？放心吧。这些虽然是牧羊犬，但世代身居市区儿时见过狼啊？记忆中的那种敌对本能早已退化得差不多了。"我心里的石头这才落了地。

狗主人们继续训练狗狗们捡网球，格林一看见草坪上跳跃的网球，迅速冲过去抢先一步一口咬住，叼着球就跑到一边撕咬起来，接踵而至的狗们大叫着抗议，又看见格林捡了球不但不叼还给主人还自己啃咬就更是奇怪，有的狗愣在一边扯着嗓子大叫大嚷，有的狗上前来为主人抢球。格林把网球咬了几口才发现自己追逐来的东西并不是个活物，顿时索然无味，吐在地上任狗们哄抢叼去给主人请功。

格林百无聊赖地舔舔鼻子，他不明白狗们对这不能吃的网球为什么那么热衷，一次次地费劲抢来再一遍遍拱手让人？格林感觉口渴了，伸鼻子嗅着四周找水源，他发现了一个水管，那是环卫用来浇花的，水管中透出潮湿的气味，格林伸舌头

格林不明白狗们对这不能吃的网球为什么那么热衷，一次次地费劲抢来再一遍遍拱手让人?

舔了舔更加确定这是水源，可是怎么才能喝到呢?他对这奇怪的装置前前后后地查看，并用牙去拽咬，最后咬到了金属的扳手并碰巧扳动了它，一股涓涓细流从水管中流了出来，那是水管中残余的水。格林欣喜若狂，立刻伸舌头舔喝起来，他为自己的聪明感到很满意!才刚喝了一点点，剩水就流完了，格林立刻又去拽扳手，然后马上伸嘴接水，他已经把扳手和水这两者建立起了联系。但是水管中除了悬挂的几滴水珠再没有残水流出，格林又试了几次仍旧不奏效，他失望了。

格林举目四望，一个中年狗主人正倒了一碗水招呼他的小比熊犬过去喝。格林抢上前去，一爪子扒开小狗，尖嘴立刻扎进碗里，喝了个痛快，比熊嘴短，争不过他，委屈地汪汪叫着。狗主人愣了一下，出于对狗狗的喜欢，伸手去摸格林，比熊犬以为主人要为他主持公道，马上凑了过来。格林的嫩嗓子里爆发出威胁的低吼，狗主人吓了一跳，手立刻缩了回去:“连水都护?”格林的小脑袋里当然没有谁是谁主人的概念，更没有施舍和恩惠，他认为所有的食物都是抢来的，谁先抢到谁先享用理所应当。他霸道地喝完水，才把空碗丢给在一边眼巴巴地摇着尾巴的比熊。我连连道歉，狗主人满不在乎地说:“没事，喂谁都一样。”

格林喝饱了水又在草丛里溜达，他撅着小屁股在柔软的草坪上打起滚来。一个路过的小姑娘看格林这样的憨态实在可爱，忍不住蹲下来叫他:“小狗狗，过来。”格林似乎天生喜欢无心机的孩子，他乐颠颠地跑到女孩跟前，像只小猫似的蹭着小姑娘的手心，痒酥酥的，逗得她咯咯直笑。带着小姑娘的老太太仔细端详着格林，有些疑惑，一口浓重的北方口音:“你这是什么狗啊?”旁边几个狗主人也竖起耳朵投来了好奇的目光。面对这些多多少少了解狗品种的人，我不知如何作答，嗫嚅了好一会儿才从牙缝中小心翼翼地挤出两个字:“小狼。”轻如耳语的一句话却似一颗重磅炸弹，炸得老太太尖叫起来，英勇地一把抓起小姑娘，一脚把还在地上撒娇的小格林挑得飞了起来，格林“吧唧”一声摔在一米之外的草坪上。草很厚，格林没有摔疼，他也并没意识到这是个不友好的举动，还以为是粗鲁的玩笑，翻身起来继续找小姑娘撒娇。

“走开！走开！我就看出不对劲。”老太太声音都变了，把小姑娘扯到身后，摆出武松打虎的架势。俗话说“打狗看主人”，打狼却大可不必。我急忙捉住格林，连声解释：“别怕，他不咬人的。”

“狼会不咬人？你们这些年轻人怎么想的？啥玩意儿都养？”见多识广的老太太现场训话，“为啥不送到动物园？”小姑娘看着还想亲近她的小格林，难以相信这小东西会吃她。

“这是狗。”亦风出来打圆场了，“跟您开玩笑的。城市里哪会有狼啊？”

“什么狗啊？”几个遛狗的主人也纷纷表示没见过。

“格林犬。”亦风的脑子相当够用。

“格林犬……那应该是德国品种吧？”

“德国猎兔犬！”那个喂水的中年狗主人肯定地判断，“这狗跑得特别快，我朋友养过，很聪明。”

“对对对！”亦风和我对视一眼，憋住想笑的尴尬给格林的出身定性了。

总算应付过一场惊慌。老太太牵着女孩走后，我坐在树荫下，远远地看着亦风和格林在草坪上玩耍，轻轻叹了口气。

“喝水吗？”先前那个帮腔的狗主人，拿出两瓶矿泉水递过来。

“谢谢，不渴。”

“可以给格林喝嘛。”

我笑笑接过了一瓶，点头致谢，我不是很善于跟“假老练”搭讪，但别人确实帮我解了围，应该感谢。我打开矿泉水瓶盖召唤格林过来喝水。

“这小狼是哪里来的？”他看着喝水的格林淡淡地问。

我心头一激灵，到底还是有人发现了。他喝了口水，轻轻一笑。“他来抢水的时候我就看出来了。我在西藏当兵的时候也喂过一只小狼，”他轻描淡写地说，“小狼每天都跟着我，忠诚得很，比狼狗更聪明骁勇，我把罐头啥的好吃的都留给小狼，退伍的时候把他带回城里，养到八个月大不能再养了，想送进动物园，谁知道动物园不收……”

“动物园为什么不收呢？”

“动物园的动物都是有户口的，按指标放粮。又不是流浪动物收容所，狼的胃口又大，谁来养？况且那时狼又不是什么金贵动物。后来，我只好把狼送给一个当老板的朋友，他在乡下有个别墅。”说着，他的脸痛苦地扭曲了一下，“我万万没想到啊，那孙子居然把狼煮来吃了，还约了几个兄弟伙，我过年去看他的时候，进门就看见狼皮，那四颗狼牙配着金链子挂在他脖子上，洋盘得很！”他仰头喝了一大口水，透出几分军人喝酒的作风。我心里一阵酸楚，深知这种感觉就像自己的爱子被人烹而食之的痛。多年过去了，但与狼的深情厚谊和狼的悲惨结局，仍让这硬汉难以释怀。

"那孙子一天到晚跟我说他爱狼，做生意都要有狼性，结果是这种爱法，老子后悔啊。"

我苦笑着，现在有多少号称爱狼之人不是叶公好龙式的追捧啊，人们已经脱离物质实体而玩起了精神概念，爱的只是狼的概念和自我比拟的炫耀，又有多少人能实实在在地为爱做一点事情呢？如果人类世界中尽皆是一些以占有为目的的爱，那么狼的灭顶之灾也就不远了，到那时图腾仍在飘扬，狼已成为传说。

"你知道成都的禁狗令要出台了吧？"他一面招呼着他的比熊一面说，"小狼长大了城里留不住。现代人的神经已相当脆弱，不懂得与动物相处，连狗尚且不能容忍，何况狼。现在大街上多少流浪狗不是被车撞死就是被饿死，要不就是卖给狗肉馆子。如今这禁狗令再一下，你的小狼怎么办？"中年人的一句话把我拉回了当前的现实中。

我是格林的全部世界与希望，在他自立以前我们绝不相弃，哪怕流亡到天尽头，我也会陪着他！

格林的身体状况已经恢复平稳，该给他打疫苗了，怕被宠物医生或者其他人认出来我应付不了，硬拖着亦风陪我去宠物医院。

出门时，格林显得特别兴奋，他如果知道今天是要量体温还要打针的话，还会如此兴高采烈吗？但在大街上太兴奋可真不是什么好事儿，格林又蹦又跳刚跑到街上，一辆电瓶车就横冲过来，差点把他撞倒，刺耳的刹车声过，骑电瓶车的中年男人见是一只灰不溜秋的狗，抬起一脚就向格林踢去，大骂："妈的，好狗不挡道！"

亦风忙上前制止，我则招呼格林。格林没受伤，抖抖毛发惊魂初定，咬牙切齿地看着那个踢他的男人。那男人又对格林做了个恐吓的姿势，随后把车靠边，走进了一旁的小超市。小格林绕到电瓶车后对准车胎就是几口，我们使劲拖开不依不饶不松口的格林，把他抱走了。

抱着格林刚走进宠物医院，趴在门口悠然晒太阳的老猫就恐怖地怪叫着竖起了毛发，把身子弓得像座虹桥一样，死死地盯着格林。我把格林放在治疗台上，他下意识地往我怀里靠了靠。隔着玻璃门在里间接受洗澡美容的哈士奇纵身跳出了水槽，冲格林汪汪地狂叫着，引得所有关在笼子里的宠物狗们都跟着起哄般地叫起来。格林竖起耳朵像雷达一样收集着这些声音，狼毫紧张地竖立着，和平时在家里调皮捣蛋的样子完全不同。

我这次学聪明了。宠物医生填写免疫证时问："品种？"我回答："格林犬。"

医生虽然满腹狐疑，不过也照我说的填了，估计这医生也是半道出家的吧。

好在来这里打针的狗们多数由于害怕，尾巴都是夹起来的，所以格林低垂的尾巴也并不让人奇怪。

我给格林打第一针预防针，他还算合作，为了避免不必要的麻烦，以后的疫苗我都带回家给他打了。

回家的路上，我看见不远处，来时的那辆电瓶车后胎瘪了气，无精打采地停在路边，刚才踢过格林的中年男子边骂边扶车检查："哪个龟儿子扎老子的车胎!"

我和亦风面面相觑，亦风小声惊道："这小家伙的牙可真够厉害的!"

"他真是有仇必报啊!"我抱起格林拉着亦风快步离开了这个是非之地，"以后上街最好还是牵着走吧，免生事端。"

"牵?"亦风疑道，"怎么牵？你还记得《狼图腾》里说过吗，熊可牵，虎可牵，狮可牵，大象也可牵，唯狼不可牵!"

我淡淡一笑："书上写啥你就信啥?《狼图腾》毕竟是小说，肯定有艺术夸张的成分，你不亲自试试怎么知道？况且，我是格林的妈妈，把他从小养大，关系那么好，我牵他难道他还能反了不成?"

亦风呵呵笑道："也是，你叫他的名字，他都那么听话，牵着走应该问题不大。"沉吟片刻又说，"不过，千万别用项圈，怕勒着他脖子……"

"嗯!"我对牵格林信心十足，因为我和格林那么亲密，而且永川动物园的狼不也能牵一牵的吗？我在电视里曾经看过，配狼狗的狼不也是被人牵出来的吗?

我也理解亦风的担心，毕竟《狼图腾》中的小狼宁可勒死也不愿被牵着走，以至于最终被勒破喉咙丧命的惨烈镜头给我们留下极深的印象。每次看到这个地方，亦风总会扣下书去，再也不忍往下看，他常常不由自主地把书里的小狼和现实中的格林联系起来，在家里我们从来不愿意拴住格林，每当想到书里那只和他一样大的小狼从小失去自由，被一根铁链拴在直径三米的范围内，一圈圈跑圈的情景，亦风就心疼叹息。为了绝不让格林重蹈覆辙，我们给予他最大限度的自由，但自由也要以安全为前提。

第二天一早，我买来布制的肩带和布制的绳索。喂饱了格林，又揉肚子又摸背脊和他玩高兴了，才连哄带诓地给他套上肩带，轻手轻脚地扣好肩带背上的扣，把肩带大小调整得贴体舒服。早已在我讨好的揉搓下舒服得软绵绵的格林不知道我给他套上的是什么东西，好奇地扭来扭去，团团转着挠挠看看，虽然别扭，也没表示反抗，我冲亦风扬扬眉毛，眉宇间洋溢着初战告捷的得意之情，对牵狼的信心又增加了许多。

直到下午，肩带也安然无恙地套在格林身上，他一如往常大大咧咧，似乎并不太介意身上多了这么个东西。我和亦风坐在门口开始换鞋，格林立刻跑上来，兴奋难耐地把门抓得"哗啦哗啦"响，他知道要出门了。门一开，格林就急蹿而出。

我们把绳索揣在包里，先让格林自由走着，跟着他来到经常散步的河边小路。格林走走停停，看我们跟上来了，又放心地扭头，照旧东游西荡，一会儿跑到绿化带打个滚儿，一会儿在垃圾桶边找些稀奇玩意儿，一会儿窜到大马路上旁若无人地昂首阔步……每有电瓶车经过便龇牙狂追一番。

“牵着走吧！”亦风看得直冒冷汗，生怕节外生枝。

我扬声唤道：“格林……快过来！”格林欢天喜地地跑回我身边，我小心翼翼地把绳索扣在了格林的肩带上，赞许地拍拍他的小脑袋，“现在走吧。”

格林继续向前冲，“呼啦”，瞬间绷紧的绳索猛然将格林拽了个跟斗。格林一骨碌爬起来，纳闷地转圈，又徒劳地冲了两次，短暂的茫然之后，他立刻发现了背上的绳索，绳索的另一端牢牢地拽在我手中。狼眼中的疑惑转成了愤怒，他反口就咬，我急忙提高绳索不让他咬到，像傀儡戏一样吊拽着绳索，想让他乖乖地跟我走。格林极为恼火，愤恨地龇牙咆哮，一屁股坐在地上，拱起肩背，使出浑身的劲儿跟我拼，就是不走！任凭我在那里晓之以理、动之以情，软硬兼施，又劝又牵，格林像在地上生了根，坚决不从。一个人、一只狼、一条绷紧的绳索，就这样僵持在原地。

“好倔的狗啊！”过路的人乐呵呵地驻足观看，我万万没想到两个月的小狼发狠较劲起来，力气竟然那么大，一来二去拽不动，我尴尬地站在路边，哭笑不得。

“我来！”亦风接过绳索，在手上挽了一圈，硬拽起来。小格林力气再大，哪里是一个大男人的对手，立刻被拖动了几米，但他马上叉开两只前爪死撑地面，立刻站定，弓起脊梁，脖子一梗，使出浑身的力量来和绳子抗争。亦风再加力一点拖他，格林又踉踉跄跄地被拖行了一米多，他干脆趴下后腿，就连后腿弯都死死抵在地上，尾巴直直地撑地，像只袋鼠一样，最大限度地增加摩擦力。我拿格林最爱的巧克力在前面引诱他走，格林绷紧绳索不为所动。

“你到后面去赶他走！”亦风不甘心，仍旧毫不放松地往前拖。格林愤然怒吼，一对小狼眼里射出少有的不屈和桀骜，不自由，毋宁死！格林把前肢都趴了下来，像鳄鱼一样贴在地上，连肚子的摩擦力都用上，哪怕被粗糙的水泥地面磨得肠穿肚烂也要拼死抗拒。

“啊，不能拖了！不能拖了！”我惊叫起来，格林身后的水泥地上拖出几点暗红的血迹，夹杂着磨掉的狼毛，触目惊心！亦风连忙放松，小格林倒退几步，摇摇晃晃地站稳，抖抖狼毛，仍旧死抓着地面，摆出一副随时反抗的姿态。

小野狼格林，叫得过来，牵不过来！

我急忙抱起恼怒得浑身发抖的格林，一面安抚着一面检查他的小爪子，四个爪子磨破了，两条后腿弯处的皮毛磨掉了，露出淡红的肉，血珠子从伤口处的尘土下慢慢渗了出来，最难忍的是他肚子贴地反抗时，连命根子都磨破了一层皮，我的心拔凉拔凉地疼："格林啊格林，我牵着你也是为你好，这是何苦啊。"

格林丝毫不领情，挣扎下地，反口咬断讨厌的绳索，甩甩一身的浮土，简单舔了舔命根子，也不记恨我们，高昂着狼头继续按照他自己的意志漫步去了，似乎那点伤对他也只是小菜一碟。我们只好无可奈何地跟在格林后面。

"看来狼的确不可牵。"亦风边走边说。

"一次实验不说明问题，我明天换条绳索再试试。"我捡起断成两截的绳索扔进路边的垃圾桶里，拍拍手上的尘土，仍旧心有不甘。

然而，事与愿违，那以后的日子里格林经常趁我不备抢了绳索，扔在水池、草丛、下水道这些我找也找不到的地方。格林还咬断了无数条肩带，他明白了肩带的作用，再也不像第一次那样好奇平静地接受它的束缚，每次都歇斯底里地狂挣，甚至张口就咬，要给他套上肩带是极其困难的事情。牵狼的尝试更是屡牵屡抗，我心疼格林的小爪子不敢硬拖，放开绳索，他就很开心地在草丛里扑腾，反而时不时地要回头等我跟上他，或者到我身边来蹭一下，跟我亲近一番。其实格林挺愿意与我一路同行，但他就是不能忍受像狗一样被人牵着走的奴性感觉。爱你，才跟你走，但绝不放弃骨气和尊严。

一来二去，为牵狼的事情折腾了半月有余，我们终于达成了一个尴尬的"协定"，格林允许我们之间有一根绳索的维系，但条件是他要走在前面，要随他的意愿漫步，我只能无条件地被他拖着走，路线也只能由他来决定。我若不从，他立刻咬断绳子把我丢在路边。为了保住绳子，我只好依着他，于是我经常被他拖进绿化带，或者不情愿地穿过能刮破裙子的灌木丛，有时候我抓抓脑袋直犯迷糊——到底是我遛他还是他遛我？

狼跟狗的性格完全不同。也许对狗而言，为了人类赐予的食物，狗甘心套上绳索受人驱使，主人用绳子役使和控制自己是理所当然的。

就拿狐狸来说，他长期适应了绳子的约束，只要拿起绳索，狐狸自己就跑过来伸着脖子非常合作地让我拴住他，然后就乖乖地待在原地睡觉或啃骨头自得其乐。我犯懒不想弯腰的时候，甚至用一只脚丫子都能给他套上绳索，这家伙就这么合作。

有一次，家里来了陌生人，狐狸立刻恪尽职守地向门口冲去，刚冲了几步就人立起来，远远地朝门口汪汪大叫着不再前进，并不断在一个扇形的区域万分焦急地徘徊。我和亦风对他这奇怪的动作很是疑惑，后来仔细观察分析才领悟——原来之前我曾将狐狸拴在那里，但松松的绳索早已脱落，而陌生人到来后狐狸刚要跑去门口，突然他的心理暗示告诉他"我已经被拴住了"，于是狐狸始终在绳索最长距离的扇形范围内游走大叫，甚至直立起来的时候都俨然身后绷着一根绳索，像被催眠了一般。

为证实我们的这一猜想，我专门试验了几次，叫过狐狸来，仅仅拿绳索在他脖子后面比画了一下，或者勾住他几根毛，他果然就老老实实地坐在原地，一个多小时都没离开，直到我又比画了一下解开绳索的动作他才跑开。

对狗而言，主人的命令是“圣经”，可对狼而言，自由才是“圣经”！无论条件多么优厚，食物多么丰盛，都休想让狼用自由来交换。

看来，电视里能牵着走的狼估计都是在笼子里驯化了好几代的，从小就不知道原本属于自己的世界有多广阔，也不知道自由的概念。而格林直接来自原生荒野，喝过野狼妈妈的奶，在他心中自由至上的信仰是坚不可摧的。狼，绝不把自己的命运牵在别人的手里。

小野狼格林，叫得过来，牵不过来！

07 天台上的狼嗥

可怜我的格林本应属于自然，却在这钢筋混凝土的森林中成长，在灯火阑珊处谱写着另类的曲调。

格林是见了肉不要命的家伙，可是有时也会例外地把我看得比肉食更重要，比如我刚买菜回家，递给他一只冻鸡，饥肠辘辘的格林会匆匆忙忙撕下一块鸡翅膀跑到我面前，使劲蹦跳着，做出想抱我舔我的样子。他急切地呜呜叫着，似乎在倾诉我离开的时间里他对我的狂热想念，唯恐欢迎仪式不够热烈我感受不到他的激情。但与此同时，他又舍不得放掉嘴上叼着的美味鸡翅膀，边和我亲热，边护着鸡翅，着急纠结的可爱状每每令我受宠若惊。我有时会想，咱们天天都在一起，出门买菜不过半个小时而已，至于像久别重逢那么夸张吗？

格林走路渐渐灵巧轻盈，有了他父母的步态，不像当初那样叉着腿走路。随着运动量的加大，他的四肢越来越稳健，能在静止状态下瞬间提速，像炮弹一样把自己射出去，也能长时间不知疲累地轻快奔跑，我逐渐跟不上了。他能轻而易举地把我甩在身后，得意地回头，见我没跟上就站在前面等，或者又回过头来绕着我转圈催促，每次散步时他总是像忠实的卫星一样围绕着我，从不让我远离他的视线。随着格林的体型和模样越来越狼味儿十足，他引来越来越高的回头率和询问，我也越来越紧张，白天不敢带他出去逛街了，我只好让他在楼顶天台上活动，天台有两千多平米的无人空间，可供他跑一跑。晚上，借着夜色的掩护，我和亦风才能偷偷地带他出去跑跑。每当穿越光影闪动的马路，面对车水马龙，格林就畏缩不前，我得抱着他过街。走到阴暗处，格林莹莹反光的眼睛才提醒了我，在漆黑的原野中，光是何等重要的信号？没有人烟的地方，夜晚的光亮往往是动物的眼睛，而大街上那么多铁甲动物圆睁着两只发光的大眼睛呼啸而过，怎不叫他害怕？

可怜我的格林本应属于自然，却在这钢筋混凝土的森林中成长，在灯火阑珊处谱写着另类的曲调。

日子像童谣一样柔缓轻快。我和格林越来越多地互相琢磨解读，尽可能让对方知道自己的意图和需要，理解对方的行为方式和肢体语言。

狼嗥，这是让无数人恐惧又痴迷的神秘语言……

格林的第一声嗥叫算是比较晚的了，如果在狼群中，有狼父狼母狼兄弟的领唱也许要早得多，而他却时常在邻居狗的带领下发出狗一样的嘶哑顿音：“花！花！”

两个月大的格林其听觉已经日趋成熟，两只耳朵直挺挺地竖立，随着他接收到的声音一张一合，就像一只大蝴蝶停歇在脑袋上一样。这样快速长大的耳朵让我越来越惊异，总想好好摸一摸感受一下。我记得狐狸的狗耳朵虽然也是支棱起来的，但却软绵绵松垮垮的，我揉搓狐狸的耳朵甚至拧一拧，他一点都不会反抗，还很享受而顺从地舔我的手腕，仿佛主人拧狗耳朵，那都是理所应当的。而格林的狼耳朵却异常坚挺，用手压下去再放开会“噗”的一声弹起来，有时连他自己都会被这声音吓一跳。我轻轻挠格林耳根子的时候他还比较惬意，有时还歪着脑袋就着我的手指头，调整一个最舒服的角度给我，但格林能接受轻柔平等的抚摸，却绝不接受肆意揪耳朵甚至揉搓扭转的待遇。

有一次我和亦风在楼顶天台上陪格林玩的时候，看着那双硬挺傲气的耳朵，执意想跟格林开个玩笑，他却坚决不让我把他的耳朵弄得有一点变形，我硬抓住他的嘴巴不让他反抗，然后把他的两只耳朵都向头顶折翻过来，耳朵芯儿里的狼毫就像菊花一样绽放出来，绒绒地顶在头顶活像戴了一顶雷锋帽。坚挺的狼耳朵一旦翻折就不像软绵绵的狗耳朵那样自己能散落复原。格林生气了，呼呼地吼着严正抗议：“不许玩我的耳朵！”我笑着赶忙松手，格林立刻将头“啪啦啪啦”一阵猛甩，两只耳朵立刻恢复原样。

亦风笑着说：“看见了吧，他可绝不是‘炟耳朵’，让人任意‘执牛耳’的是奴才，即使面对的是抚养他的人，狼也绝不接受奴才的待遇。”

这对狼耳朵接收到外界的声音越多，格林越想作出回应，最直接的表现就是他更加渴望沟通。看来仅仅唤子的呜呜声已经不能满足格林对传情达意的需求了，他更多的时候会竖起耳朵聆听我说话，分析我的每一句话，结合我的肢体语言、表情、声音的轻重缓急等分别向他传达一些什么意思。他琢磨我的喜怒哀乐，而我也同样开始琢磨他的表达方式。

亦风煞费苦心地从他的工作室为我搬来录音监测设备，我录下格林的发音，描绘出音频线，再和一些纪录片中的录音和表达方式反复比较。但困扰我的是，一些纪录片中的狼声是后期配音，和狼当时的肢体语言以及发声之后的行为并不相符。

这天亦风兴高采烈地找到我：“我给你寻到了一样好东西，狼谷狼山的现场录音，绝不会掺假了。”

我如获至宝，立刻戴着耳机听并学起来。亦风饶有兴致地看我认真揣摩，笑呵呵地问：“有一个问题哦，这些可都是国外的科学家录下的狼嗥，你说这狼嗥会不会有方言啊？将来格林要是学得满口外语你说中国狼能听懂不？”

“能不能得先试试，总不能一只狼跟着狗学汪汪吧，那才真叫外语呢。”

通过长期的比照分析并结合过去积累的知识，我发现狼的嗥声其实是一种情绪语言而并非内容语言。狼嗥更类似一种音乐，没有歌词，所以不会有点对点的翻译内容，但它是一种情绪的表达，通过声调的变化、轻重缓急传达一定的情绪

和感受，让对方体会到这种感觉并作出回应，从而达到交流的目的。狼是天生的音乐家和音乐鉴赏家，他能将自己的情绪绝妙地糅进嗥声中并且品读出狼歌声中所包含的意味。

例如寻求伴侣时，公狼的柔声像一支缠绵的小夜曲，柔情蜜意裹挟着不尽的孤单与向往，有时夹杂着清越激情的高音，有时又是寻寻觅觅的婉转低回，而母狼的声音则羞羞怯怯，脉脉含情令人着迷，欲语还休地告诉对方她的方位。

哀伤时，狼的哭腔又像一首悲歌，幽幽咽咽，如泣如诉，仿佛要把这一生的孤独、坎坷与满腔愁怨尽现歌中，像二胡曲《江河水》一样让人闻之心酸。

当有猎获分享或者高兴的时候，狼的声调中又带着骄傲自豪和几分戏谑与愉悦，声音极尽高处又带着颤音打着旋儿往下落，整条狼尾也因为这颤音而欢欣抖动起来。狼歌重在真情实感，嗥歌的时候极为投入，唱到动情处，往往会引颈望月，闭上眼睛，全情感受其中的深意。

狼所有的歌声中最具感召力的莫过于秋末冬初狼王汇集家庭成员的集结令了，这长啸声空旷、恢弘，传出的距离最远，像大战将临的冲锋号，像雄壮军歌，振奋鼓舞极富号召力。并且，不同的狼家族都有属于自己的集结号，虽然声调含义大致相似，却会在音高处或尾音上加入几个颤音作为自己家族的特殊标识。

狼的歌声中还隐约有一种地位的较量和领地的宣示。特别是在公狼当中，需要足够中气和肺活量来维持的长声狼嗥是一种健康状态的反应，而这种健康状态奠定了狼所处地位的基础。所以常有一些彼此呼应的叫声会一声比一声高亢，一声比一声悠长。为此，狼喜欢选择一些制高点、开阔地或者回音效果奇佳的山谷，以壮声威，借此向对方昭示自己正值壮年，精力旺盛，对所在领地具有绝对占有权。

至于狼为啥总喜欢望着月亮嗥叫，亦风的“看法”是“因为月亮上有兔子”，我无语。

我反复地听反复地学，觉得练习得差不多了，一天格林静悄悄地睡觉时，我小声地学了两声，然而我自以为学得极为相似的声音，格林却只是半睁开眼睛淡淡地听了听，并不太感兴趣，爪子把大耳朵一盖转过脸继续睡大觉，相当不给面子。我有些沮丧，很郁闷地回到亦风那里：“你那个狼嗥好像不灵啊，我学得那么像，那小子一点反应都没有。”

“哦?”亦风说，“你再学学。”

我又学了一声，亦风和狼嗥声比对着，也有点纳闷：“听起来是一样的啊。”

我不甘心，拿起录音话筒说：“你再测测音频呢。”

亦风点头调试，两条音频曲线一出来，我们都发现问题所在了，两条曲线抑扬顿挫走势几乎一模一样，但是我的声音频率明显低一些，不足以刺激狼耳朵。想想当时自己初学狼嗥，心虚胆怯放不开，更别说全情投入了，的确引不起格林的共鸣。

亦风笑起来：“人家睡得正香，你那么小的声音在他听来就像打了个大哈欠，怎么会有反应嘛。"

我若有所悟，放开音量对着音频不断地练习发声，直到曲线几乎一致，这才信心十足地回去找格林。小家伙已经一觉醒来，在阳台上支棱着两只耳朵听小区里偶尔响起的狗叫声。

"花!"格林说，"花花!"

"别花了，今天跟我上楼顶，教你怎么用狼的声音说话。走吧!"

"走吧"两个字是格林最爱听的，他立刻跑到门口等着。一些资料上说狼能听懂人的部分语言，以前没接触过真狼也无从知道，只是想到狗都能听懂部分人言，比狗更聪明的狼当然也能听懂，可我没想到格林理解我语言的速度能够如此之快，小狗一般要三个月之后才逐渐在食物的诱导下，条件反射地听懂主人一些简单的命令，而格林刚满月的时候，仅仅用了三天时间就听懂了自己的名字，就智商和领悟速度而言，比狗快得多，甚至比小孩都快得多。

两个月的格林悟性奇高，眼睛里透出一股机灵劲儿，格林对人的语言行为的分析是全面结合起来观察理解的，并且非常善于把人的口头语言和将要发生的动作相联系，他能听懂很多简单的语言，例如："走!""吃。""回来。""出去。""不准!""危险!""放开!""咬!""巧克力。"……并且像海绵吸水一样不断吸收和理解新的语言。

格林尤其对"走"字极为敏感，一听到这个字，立刻冲向门口守着，他知道我要出去了，他绝不允许我丢下他，甚至用他的老花招——把爪子或者头塞向刚刚打开一点的门缝，给我一个两难的选择题："夹死我，或者带我走!"但是我怎么可能带一只狼去卖肉的菜市场？所以每次出门买菜时，我和格林之间都有一场你死我活的"夺门斗争"。

亦风见此情景与我商定，以后要出门不再说"走"字，换成"开路"。

第一天的确奏效，格林没反应过来，可是不久这一招也失灵了，这个暗语被他破译了，一说"开路"他照旧去卡门！不得已，我们又换语言，先后用了英语、韩语、藏语的"走"，但都在几天的时间内被格林一一破解。夺门之战从未停歇。亦风调侃说："他还能听懂多国语言。你小时候为了要出门，在家里倒硬桩，他为了要出去用头塞门缝，你们娘儿俩还真像!"

格林不但能听懂很多日常用语，而且常常在我对他说话的时候目不转睛地盯着我的表情，从语气的轻重缓急和相应的动作中揣摩我的意思。当我语气舒缓柔和的时候，他知道我是在说一些安抚的话，当我语气急切快速的时候，他会精神亢奋紧张，知道必定有状况出现。

格林会听笑声，知道那是玩耍时很开心的表现。我和亦风哈哈大笑时，他也会情不自禁地受到感染，听着看着，表情渐渐变化：他把脑袋抬起来，耳朵快活地一转一转，眯起眼睛，咧开狼嘴，翘起上唇，露出揶揄的表情，这是他在笑。为了多看格林的这个表情，我和亦风便夸张地大笑着去逗引他，结果越笑越干，表情僵化，格林感觉这似乎不是发自内心的喜悦，或者是觉得自己被戏弄了，他的狼笑渐收，甩甩耳朵，大喷一口鼻息，转身离去，那表情仿佛在说：“傻样儿！想糊弄我啊！”

最令我心软的是，当我伤心难过的时候，格林会耷拉下耳朵，眼角低垂，肩背耸起，把头埋低，很伤感的样子，然后把脑袋拱到我的臂弯里，轻轻地推送摩挲，发出柔和安慰的吱吱声。如果我流泪，他会立刻伸出小舌头，舔掉下巴上那一点泪滴，然后仰头紧张地盯着我的眼睛，唯恐看见再掉下一滴泪来。从格林专注的神情来看，我觉得他不仅是在读我的语言，更甚者是在读我的内心。

格林开始通过变换自己吱呜声的抑扬顿挫，加上肢体动作的配合来表达他的需要。我们都对能够进行更深层次的沟通有了强烈的渴求。

我带着格林来到了楼顶天台上，天台上虽然管道众多，也没有植物，但对他却实在是一个广阔的天地，一上天台，格林立刻撒了欢地跑——他得锻炼自己迅速成长的骨骼了。

一架飞机从头顶灰蓝的天空飞过，拖着隆隆声响。格林从未见过这样的“鸟儿”，抬头认真地看。“喔——”他眨着眼睛开始模仿飞机的声音，直到目送飞机消失在云端。突然他耳朵一转，又捕捉到一个尖锐的声音——那是救护车的高音。“哇——呜——哇——呜——”他又开始模仿这声音。小家伙此时敏锐的学习状态正好，我急忙清清嗓子深呼吸一口：“嗷——欧——”

格林的耳朵立刻掉转方向齐刷刷地指向我，浑身触电般激动地颤抖，眼睛放出惊异的光彩，似乎听到了天籁之音。

“嗷——欧——”我仰头闭眼，再次深情献唱，格林完全陶醉了，像聆听福音的小天使，满脸痴迷的神色。他梦游一般地张开嘴巴：“哇——呜——”这一声刚发出，顿时把他自己吓了一跳，痴迷的神色一下子烟消云散，一种懊恼和自责的表情占据了小狼脸，“呜”音还没拖够就义愤填膺地把剩下的声音吞进了肚子里。他好像觉得那是在唯美的鹤唳声中突然冒出了一声乌鸦叫，实在是大煞风景、亵渎神灵。他紧闭嘴巴屏息聆听，唯恐再度破坏了那美好的乐章。

“来吧格林，试试！”我鼓励。格林犹豫再三，仿佛小喉咙几个星期以来一直痒得不得了，嗓子里有股气流不吐不快，他大张开嘴又来了一声：“花——”连第一声都不如，这一声怪音来不及收回，情急中格林伸出小爪子猛地搭在鼻子上，压住了嘴巴。我哧地笑出了声，又赶紧捂住嘴。小格林已经深受打击，龇起了半透明的小獠牙凶巴巴地瞪着我，小眼珠却泪汪汪地打转，唱不出来的嗓子让他好像被辣椒呛到了一样难受。

“别着急，慢慢听，慢慢学，我绝不笑你了。”我打开手机上此起彼伏的狼嚎录音，先让他仔细听听，制造一种氛围。小格林不断地围着我转圈，追音溯源，很快忘记了刚才的尴尬。

“喔——喔——欧——喔——”格林不停地找音。

“嗷——欧——”我马上抓住时机给他起音。

“莫——嗷——嗷——”格林鼓足勇气叫起来，声音不大，但是有点狼嗥的意思了。

这是一种并不长但是很高亢的叫声，是定位的表示——是让格林明白，无论他在哪儿，如果听到这种叫声，需要尽快回到我身边。

“莫嗷——欧——”格林再次唱出来。很像了，我高兴得拍手叫好：“很好，就这样！”格林对自己的表现深为满意，他惊喜地发现自己很有歌唱天赋，平时学狗叫咋学咋不像，没想到学狼歌一学就灵。唯一的遗憾就是声音压不过我，这家伙从小喜欢争强好胜的劲头又来了，看看四周地势，马上跳到了一个粗管道上，占据这个制高点，张开嘴巴又叫：“莫嗷——欧——欧——”

“再来，格林！嗷——欧——”我边鼓励边带动。

“嗷，嗷呜——欧——”格林一声接一声越叫越来劲，叫了好几声之后，他抬头望望我，还是觉得声音没有我大，他沉吟片刻把这原因归咎于地势。小格林东张西望寻找高位置，他认为就算声音压不过我，气势上也一定要压过我！既然自己拥有这么好的歌唱天赋就一定要找一个最顶级的舞台表演。他左顾右盼，看上了天台长长的女儿墙，小家伙乐翻了，美滋滋地冲过去，铆足了劲儿往女儿墙上蹦。我吓了一跳，赶紧揪住他的小尾巴，这胆大妄为的家伙，女儿墙外面可是十八层的“地狱”，这一冲上墙要是栽下去那还得了！

格林蹦墙没得逞，立刻火冒三丈：“难怪你声音大，果然是因为高度的原因，你不让我上去，我偏上！”张口咬开我拽着他尾巴的手，执著地往墙上跳！我“哼”

既然自己拥有这么好的歌唱天赋就一定要找一个最顶级的舞台表演。

了一声，干脆把这不知深浅的家伙抱了上去。他站在女儿墙上，我一只手护着他，让他感受一下我阻止他的原因。小家伙如愿以偿地上了女儿墙，正得意间，突听喇叭声响，低头看去吓得一抖："这么高?!"本能的畏惧让格林慌忙退后了一步，贴在我怀中，小爪子紧张地扒着墙头，望着令人眩晕的高度和蚂蚁般大小的行人，小心脏怦怦猛跳了两下。突然他想起了什么，仰头歉意地看了我一眼，舔舔我刚被他尖牙咬过的手背。我呵护地拍了拍他的小脑袋瓜，无须多言，妈就是妈。

小格林定了定神，开始挣开我的怀抱，我以为他害怕了要下来，就伸手去抱他。谁知他竟然扭着小腰，甩开我的手，抬爪爬上了宽度不足四十厘米的女儿墙墙头，并迈开刚长硬朗的腿在墙上面昂首阔步地走起来。这一举动令我深感意外，十八楼顶上走"独木桥"，这家伙居然不怕。他对不了解的东西会有所忌惮，可一旦了解了就绝不让我压他一头。格林当然知道踏空一步就是粉身碎骨，但他自信地把握住安全的尺度，在临界点上蔑视危险，在地狱的边缘拥抱天堂。他选择了一处视野最广阔的墙角高傲地站定，昂起头来享受拂面微风，平静地俯瞰楼下的车流和周围林立的高楼，那孤傲的神态恍惚中让我看到一个狼王在悬崖峭壁上临风而立，巡视他的领地。那份勇敢、孤傲与淡定，让人相形见绌。我既钦佩，又深为担忧，这保留着诸多珍贵品质的狼会不会在人类的扩张下消亡绝种？那些桀骜不驯的棱角、野性狂放的性格、坚强勇敢的品质就像一颗未经琢磨的宝石，这种天然之美弥足珍贵。尽我所能保留其自然天性的愿望愈加强烈。

然而小格林毕竟还不是雄壮伟岸的狼王，稍大一点的风就会把他吹得摇摇晃晃，我生怕他失足，紧跟在他后面随时准备伸手为他护驾。格林也毫不客气地推辞，像走钢丝一样一步三摇地在墙头上巡视，甚至开始小跑起来，一面跑一面低头查看，我留意到每当他路过一处伸出女儿墙的阳台顶棚或是多出来的一小点地盘，小家伙都垂下头目测跳下和跳回的距离，仿佛那多出来的一点点空间都令他垂涎欲滴。我心惊肉跳地跟着他围着高楼的女儿墙整整走了一圈，直至回到最初抱他上墙的地点，他认了认地方滴上几滴尿液，用后腿狠狠扒抓了几下地面，转身向内跳了下来。我终于松了一口气，隐约明白了格林似乎是在确认有多少围墙外侧是"悬崖"，有多少外侧还能够印上他的足迹。我甚至感觉他是在为自己的地盘未来能扩张到什么程度，做到心里有数，这家伙从小就有永不满足的野心，哪怕是阳台顶棚那几平米的弹丸之地，他也想占有。而他沿着女儿墙走的一圈更是以此宣示了他的领地。

格林刚一落地，看见自己四十分钟前放歌的钢管舞台才突然想起唱歌的事儿来，连忙爬上钢管站定张开嘴巴继续献唱。可经过攀爬女儿墙一事的打断，他又找不着调了，低头"欧欧欧"了好几下，刚才那种酣畅淋漓的感觉荡然无存，"欧——哦——噢——猫——花"地怪叫几声，急得他咬牙跺脚，满地乱转！

我看看天色快下雨了，叹口气说："这东西不是一天两天能够学会的，今天就到这儿吧。"转身要下楼，格林急了，一下抱住我的腿，竖起耳朵拉长了脸，满嘴咿咿呀呀像一个聋哑儿童那样焦急地哼唧着，苦苦哀求不让我走。

“乖嘛，回家去，我给你巧克力吃。”我像哄小孩一样安慰他。

格林仍旧抱定不放，两眼死盯着我丝毫不受利诱，不达目的誓不罢休。

零星的雨点开始落了下来，我有点焦躁起来，掰开他抱腿的爪子，把他关在天台上，格林在天台门外绝望地呼叫起来。

我轻笑一声耸耸肩膀回屋拿伞。

少时，我抱着雨伞正往天台走，突然“嗷——欧——”一声奶声奶气的狼嗥传进耳朵，我惊住了，放轻脚步贴在门上仔细聆听，“嗷——欧——”（我在这儿……）声音焦急柔嫩却不失豪放。估计格林以为我丢下他走了，情急之下立刻找到了呼号的标准音调，没想到我一走反而激发了他强烈的表达欲。

“嗷——欧——”我也以长啸回答。格林更加兴奋，拿出更高亢的腔调遥相呼应。我轻轻推开天台门，格林满怀欣喜地望了我一眼，炫耀似的翘着小鼻子继续狼歌声声，有了听众他唱得更来劲了，嗥声中也再没了焦急的意味。格林越唱越陶醉，完全沉浸在音乐的天空中，细雨淋湿了绒毛也丝毫没有浇灭他火热升腾的激情。我撑开伞替他挡雨，他嗥声不停却赶紧从伞下走开，我再遮，他又走开，似乎很不愿意我遮住了他头顶的一片天空。在这毛毛细雨飘洒的静谧天宇下，格林的艺术才华尽情地施展，兴之所至，他开始自由发挥，随心所欲地加入了很多修饰音和曲里拐弯的变调。

格林舔了舔唇边的雨水，深深望着迷蒙的云朵，第一次见到从天而落的水滴，他仿佛承接到了上帝赐予的甘霖。他深吸一口气，埋头慢慢吐出了一个起音，随着声音缓缓拉长，他的头渐渐抬了起来，直到湿漉漉的小鼻尖指向阴云密布的天空，嗥声陡然开始发颤，为单调柔缓的长音平添了几分波折，而后歌声开始转缓，以沙哑的幽咽结束。整个调子竟然透出几分凄清苍凉，从那婴儿般的嗓音里唱出像一个孤儿在凭吊父母的哭泣，那份愁绪比漫天的雨丝更加绵长。

我轻轻收起了伞听他继续这样哭诉，思绪竟被带入了蛮荒的原野，想起了他的一脉狼族凄苦的遭遇，难道在他幼小的内心深处早已知道自己的身世？而这些随情所至的抒发我却从未教过他，难道狼性本身就是孤独的？难道命运本身就是悲苦的？难道当狼仰望天空时就有不尽的灵感与命运多舛的感叹？我闭上眼睛陪格林在蒙蒙细雨中慢慢品味那充满欲望和野性、满载狂放与不羁、承托荒凉与哀伤的幼狼长歌，这歌声发自本性深处，在比他自己更深奥的狼性深处，他用他祖先的声音唱着不尽的古老与沧桑。

自从格林学会了第一声狼嗥，就像他发现了新奇的交流游戏，他一有时间就忘乎所以地放声歌唱。高兴之余我的眉头又渐渐锁了起来，这狼嗥声一出可就暴露无遗了。格林找到属于自己的声音本身无可厚非，但这是一个充斥着两腿动物法规的城市，如果有邻居发现举报，可能就会强迫把他送到动物园，等待他的将是一辈子的囚禁，我根本无力庇护他。

偷来的锣儿敲不得，偷养的小狼嗥不得！

格林当然意识不到这种危机，而且他总喜欢在静悄悄的夜晚或是午休时一展歌喉。有那么几次，深夜小区里静谧安宁，只有蛐蛐在草丛里低吟，小格林一觉醒来闲极无聊歌兴大发，站在阳台上开始对外广播了，小区里被惊醒的狗立刻汪汪声一片，又把格林才找好的狼嗥音调带拐弯儿，“花花”几声似狗非狗的走音以后，格林默想了一会儿，清清嗓子继续坚持狼嗥韵律。小区音叉似的栋栋高楼传声效果奇佳，狼嗥狗吠加上偶尔凑热闹的猫叫立刻组成了交响乐团，不一会儿各家各户的灯就次第亮了起来，谁家的婴儿也开始放声大哭。

我听得提心吊胆。每次只要格林一嗥叫我就赶紧救火似的抱起他往天台跑，在那里声音传播在楼顶之外，不至于影响邻居和引起满院子狗叫那么大的轰动。谁知我每次一抱他上天台，他就闭嘴不叫了，在天台像夜游神一样东游西荡地玩，再抱他回屋又叫。如此几次以后，格林渐渐把这种叫声和天台游乐结合起来了，不管白天黑夜，只要他想上天台了就用嗥叫逼我就范。

坏家伙，为他好居然反过来威胁我?！一周之后我的眼圈就跟熊猫有得一拼了，我疲倦不堪地逃出家门坐在楼下水池边，享受片刻难得的悠闲，叫亦风也下楼陪陪我。

“怎么搞的，没休息好？”亦风问。

“别提了，我自作自受。”

亦风还待细问，楼上又传来一声狼嗥，像地主老财在催促使唤丫头。我头都大了：“小祖宗，我躲到楼下你都不放过我？”

亦风顿时领悟，大笑道：“的确是你自找的，早叫你别教他嗥，现在咋办？用橡皮筋把他的嘴扎起来？”

“欧——”又是一声嗥叫。我竖起耳朵瞪大眼睛惊喜地笑了：“你听！”

“听什么？”亦风没我那么敏感的耳朵。我指着六楼方向闭上眼睛不再说话。

“汪，欧——”来自六楼。

“嗷——汪——欧——”来自十楼。

“欧欧——欧——”来自三单元。

…… ……

此起彼伏，这次亦风听到了，两人乐得合不拢嘴。格林一叫，小区里的狗们都跟着长嗥起来。每只狗都狼嗥得有模有样，真是长江后浪推前浪，一嗥更比一嗥长。正版的小狼嗥完全被湮没在“山寨狼嗥”中。

“没想到在城市里还能领略如此壮观的狼嗥。”亦风差点笑岔了气。

格林啊格林，让你要挟我。眼下“盗版”这么猖獗，看你怎么跟我斗。

08 激活格林的野性基因

格林的基因里深刻地拷贝着一套狼族特有的生存密码，随着时间的推移身体慢慢长大，只要有适当的条件和机会，密码就会一个个自动激活，使他无师自通地、顽强地表现出生而为狼的本色。

随着格林渐渐长大，在城市藏住他的难度也越来越大。自从那次在浣花溪边的草坪上和中年狗主人聊到禁狗令的事情后，格林未来的去向问题就一直沉甸甸地压在我心头。我曾经无数次梦想着将他送回若尔盖草原，但是人养大的狼还能保持他的野性吗？这个问题一直困扰着我。

曾经有一次，亦风在家打死一只老鼠，我就突发奇想，想把这只老鼠给格林，看他有什么反应。但那次终究觉得格林尚小，预防针还没打完，加之老鼠实在太恶心，就放弃了这一念头。

亦风家里的老鼠很有前赴后继的精神，这些日子又发现鼠辈的脚印出现在客厅茶几上，把茶几上的玫瑰都啃得七零八落。亦风想了个馊主意，接格林出马，天敌的味道一定能让鼠辈们望风而逃。

我应邀带格林来到了亦风的家里，哪知道格林的破坏力比老鼠大多了，进屋就是一阵搜寻，茶几上的玩意儿摆设被弄了个乱七八糟，无一幸免。我俩慌忙跟在后面收拾抢夺，格林一口叼住了一包麻糖，立刻跑开，在门口地垫上忘情地啃起来，我试图抢夺下来，亦风无奈地说："算了，你看他那护食样，抢不下来了。"

我也只好作罢，苦笑着："看他把你家折腾的，还不如闹耗子呢。"我从冰箱里拿出一小块肉，在格林面前晃晃，他丢掉麻糖猛一口就咬过来，早防着他这手了，我迅速退后把他引到阳台，把肉往外一丢，关上了阳台纱窗门。当格林冲出去一口吞下肉回过头来奔向我时，却一头撞在了纱窗门上，弹回去摔了个四脚朝天。他翻身起来先是愣了一下，然后仔细揣摩这层奇怪的屏障怎么就把自己和妈妈隔开了呢。他撞了几下，撞不开，来回踱步，找不到其他的入口。

我和亦风在屋里很得意地看他的表情，格林冲我叫唤几声，似乎不明白妈妈为什么不过来帮他。我不理他了，开始收拾被他捣乱过的客厅。他很不满意，焦躁地在阳台上走来走去，时而把脑袋伸出栏杆缝望着楼下的车流，时而嗅闻阳台上的几盆花草，时而趴在软软的纱窗上，向里面仔细侧目观察。钩爪子的纱窗让他发现了这一屏障的致命缺陷，这平时能将老实的狐狸隔离在外的纱窗，却挡不住一匹想奔回妈妈怀里的小狼。格林张开大嘴咬定几个纱窗洞，使劲地往后撕扯，刺啦一声，纱窗被竖着撕开一条大口子，眼看纱窗门就要被拖垮了，我们都还没来得及阻止，格林已从撕开的空隙里钻了进来，奔进室内。我慌忙跑过去，按住狂奔而来的格林，格林亲切得很，在我怀里不住撒娇，他显然以为自己克服了困难来到妈妈身边很是值得表扬的事，把我的拥抱当成了嘉奖。

“我们低估他了。”亦风把弄坏的隐形纱窗门推开，“关玻璃门吧。”我点点头，抱着格林走到阳台，把他往外一推，迅速退回，关上了玻璃门，这下格林不像那样疯狂地撞上来了，他闻到了玻璃坚硬冰冷的气息，也终于弄明白了，刚才不是一场意外，而是妈妈故意把他关起来的。格林委屈地望着我哼唧着，眼中忽闪忽闪全是问号，他不理解从不限制他自由的妈妈为什么今天要关他。他开始对我展开猛烈的眼神攻势，无限可爱与无辜，坐得乖乖的，高一声低一声可怜巴巴地呜咽着：“呜喔——啊呜——啊恩——呜依——”（妈妈，俺错了吗？妈妈看俺的眼神，妈妈放俺进去，俺是你最可爱的儿子……）亦风侧身阻开这个带电的眼神，敲敲玻璃：“这下过不来了吧？你咬玻璃啊！”格林眼里迅速掠过一丝愤怒，我心里咯噔一下：“亦风，你可别惹他！”亦风耸耸肩：“你儿子还能撞开玻璃门不成？”我摇摇头，又点点头，格林那眼神太富深意了，我还真猜不透他的小狼脑袋里在合计些什么。

格林不指望我了，停止了眼神攻势，来回地踱着步审视环境，终于他安静下来了，定定地看着楼下的车流发呆，五分钟过去了，他没动静。亦风说：“行了，消停了，你忙你的去吧。”我点头起身去倒茶。

“啊喔——”声音凄厉悠长，这“偷来的锣儿”自己又狂敲起来了！我的太阳穴像要炸开了，滚开的茶水倒在了手上。

“呜喔——”又是一声。我吹着火辣辣的手回头看，格林居高临下面对着滚滚车流狼嗥起来。我感觉全身迅速被一阵寒意笼罩，脊柱上像有一条冰冷的水蛇在慢慢往上爬，汗毛都竖立了起来。亦风也闻声赶了过来：“怎么回事儿，闹什么妖啊？这么瘆得慌？”我连忙蹲在门前，敲着玻璃：“格林不许叫！再叫我咬你！”格林悠然回头，用狡黠的目光挑战似的瞄了我一眼，又深吸一口气，再提高一个八度，继续向全世界“广播”：“嗷欧——喔——”格林发现在阳台上嗥叫的声音传得特别远。我浑身鸡皮疙瘩浪打浪：“别价，小祖宗别叫了，算我求你了成不！回头邻居举报把你送动物园就别想出来了！妈妈给你肉吃！”我赶紧把麻糖和肉都从门缝里扔给他，格林看我态度好多了，得意地昂起头继续以“狼歌在线”争取他的权利。

“嗷呜——喔——呜——”仿佛向全体市民宣布，“快看啊，这里有只狼啊，快来举报我啊！”

亦风蒙起了耳朵：“算了，还是放他进来吧，阴风惨惨的，真有人举报就完了！”

真是领教了啥叫鬼哭狼嚎，我苦笑着打开了门，格林这才叼起先前贿赂他的肉狠狠吞下，不紧不慢地踱步进屋，走过我面前时还舔着嘴巴一副今天K歌意犹未尽的神情，斜眼瞄着我：“看你还敢关俺不？”我又好气又好笑，抬起腿来，一脚踢在他圆滚滚的屁股上，他被踢了个跟斗，顺势翻过身抱着我的脚丫快活地啃起来。

这家伙太狡猾了，不但会利用环境，还能看穿人所有的心思，找出对方的弱点，可这些都是谁教他的？莫非他从小就在琢磨我了么？今天居然又被他得逞，窝心！

我和亦风在忙碌工作的时候，格林就在亦风家里瞎折腾。为了安抚他，亦风打开电视放《动物世界》的纪录片，这招果然管用，格林立刻安静下来，于是我们就有意识地找一些关于狼的纪录片来放给他看，每次格林一听到纪录片中的动物声响起，就立刻跑过来目不转睛地盯着看。每当有小狼出现的镜头，他就会激动得吱吱叫着迎上前去。当镜头一换他又会一脸茫然地绕着电视转来转去，失望地哼哼。

格林的记忆力越来越强，一部片子放上两三遍他的兴趣就淡了，亦风又给他换新的纪录片，于是格林又再次专注地观看。两个月里格林至少认真看了几十部关于狼的纪录片，还有其他一些《动物世界》的片子，每当片中狼嗥响起时，他就煞有介事地遥相呼应。亦风打趣说："多媒体教学，这是一匹接受现代化教育的狼呢。"的确，有几只狼看过电视啊？可每当看到格林焦急而期盼地凝望电视里狼伙伴的神情时，我们又感觉阵阵心酸。

"他太孤单了，如果能有个伴儿就好了。"

"把狐狸接过来吧……"我和亦风同时说，随即两个人都笑了。

很快，这对小冤家在亦风的家里一见面，就开始了没完没了的折腾。有了狐狸陪伴的格林心情豁然开朗，大闹天宫的劲头更加充足，还怂恿着狐狸跟他一起闹腾，但狐狸遵守着做狗的本分，他知道我护着格林，就尽量保持低调。尽管每次格林捣乱的时候，狐狸都明智地跑到我和亦风面前最显眼的地方待着，表明那些大逆不道的破坏勾当都与他狐狸无关，然而狐狸还是免不了陪着格林受罚。有一次狐狸也瞅个机会把格林诱到了厨房的粘鼠板上。当格林顶着粘鼠板像海龟似的从厨房里爬出来时，我和亦风都惊呆了，粘鼠板上的胶可是洗不掉的！我只好动用我拙劣的技术剪掉了格林右半边身子的一层胎毛。

我动用拙劣的技术剪掉了格林右半边身子的一层胎毛。

为了不再造成误伤，我和亦风撤掉了所有的捕鼠工具，只好任由老鼠横行了。

没想到几天后，我们费尽心机也没抓到的老鼠居然自己失足掉进洗手间的半桶剩水里淹死了。老鼠的个头不小，肉鼓鼓的。我高兴得手舞足蹈。

“咋处置？”亦风问。

“喂狼！”我想起为了抓这老鼠误粘住格林的粘鼠板，不由恨恨地说。

我们照例带格林和狐狸到了郊外，不同的是今天多了一只死老鼠。我用绳子拴住死老鼠，装在鞋盒子里，格林早就闻到了鞋盒子有种特别吸引他的味道，却不太明白具体是什么。他迫不及待地抢过鞋盒盖子，叼着就跑，跑了一圈回来才发现真正味道的来源却是这只老鼠，于是丢下盒盖立刻扑向老鼠，咬住就不放，用尽全身的力气与拴老鼠的绳子较劲。狐狸高傲地站在我身边，嗤之以鼻地看着格林抢死耗子，俗话说“狗拿耗子多管闲事”，对这些“业务之外”的事情，狐狸毫无兴趣。

“你快来拽着绳子。”我招呼亦风，想趁着格林还没把老鼠抢走之前给他第一次吃生食拍张纪念照。

咬紧牙关，绝不松嘴。

亦风接过绳子，格林咆哮着死拉硬拽跟亦风较劲，看着格林那宁死不放的拼命劲儿，亦风好奇地把绳子往上提，格林更是咬牙不放，再往上提，格林竟然在我俩面前像钓鱼一样被吊在了空中。亦风提绳子吊着格林荡来荡去，像公园里的旋转木马一样抡了几圈，格林仍旧是咬紧牙关绝不松嘴。

亦风又惊讶又好笑。看着吊在空中要肉不要命的小狼格林，我简直无语了。

死鼠被格林拦腰扯断，格林嚼也不嚼就迅速吞下半截鼠肉，马上飞身蹿上来，凌空一口咬住剩下的半截鼠肉，借着狼身下坠的力量“啪”的一声拖断了绳子，把老鼠抢了去。这一连串动作让我立刻想到《狼图腾》中描述狼猎杀马群的时候，狼扑蹿上来死咬住马肚子，吊挂在飞奔的马腹下自杀式的攻击方式，哪怕被劲爆的马蹄踩碎，也休想让狼松口，这种为达目的不惜亡命的狼性让人不由得不服。

格林把死鼠连皮带骨甚至肠肠肚肚都吃了个干净，然后心满意足地在草丛中擦嘴。这是格林第一次让我领会到他对囫囵个儿猎物的狂热——格林毕竟是狼，生来就是吃生肉的。

我第一次向亦风提出了想送格林回草原的想法，亦风笑了笑，大概觉得这事儿理想的成分太多吧：“人养大的狼还有野性吗？他能自己捕猎吗？动物园好吃好喝养惯了的老虎都有投活食的时候懒得去逮的事情！”亦风担心的也正是我担心的，我们决定试一试一直以来吃熟食的格林是否还有猎杀的天性。

我拿了一个小动物布偶，拴根绳子拖着从格林面前飞快地跑过，格林一看跑动的东西立刻追击上来一口叼住，狐狸也汪汪大叫着加入追捕游戏中，但他当然是抢不过格林的。谁知格林抢过布偶咬了几下发现那是个假活物，就兴致索然地丢口，用一种被忽悠了的眼神盯了我一眼，走了。狐狸见格林弃权，乐得捡了个便宜，兴高采烈地把布偶给我叼回来邀功。

亦风说："格林还是有追捕欲望的。"

我摇头，格林可能只是好玩而已，还不足以说明他能猎杀，要试只能用活物。

几天后，我们设法买来了一只活鸡，开车带上了格林和狐狸准备去郊外。亦风开车，我坐在副驾驶位置上，格林和狐狸就并排挤在我的脚下，狐狸乖乖地趴在我脚下睡觉，格林却不甘心，乘势踩着狐狸的身体一个劲儿往上爬，他想爬到车窗上看外面的景致，一路上这对狗兄狼弟就这样折腾着，一直到了郊外的那片荒草地。

格林好奇地张望着鸡，他从没见过这种长羽毛的两脚动物，倒是见多识广的狐狸凑上去闻了闻鸡屁股，饶有兴致地看热闹。格林见狐狸靠近鸡都没有什么危险，也大着胆子走上前去。被人饲养惯了的鸡站在原地没有任何反应，开始我还把鸡拴在小树旁怕他飞跑，可格林咔嚓一口把绳子咬断开来，鸡也呆在原地甚至连一丝逃跑的欲望都欠缺，让人不由得联想到"呆若木鸡"的成语，人养的家畜真是活得悲哀，别说灵性，他连对生死威胁的感知都没有。

格林伸嘴拱了拱鸡，又叼着鸡翅膀，撩起来瞅了一眼，那模样活像淘气的小屁孩儿掀起小女孩的裙子那样。鸡仍旧不动，格林兴趣缺缺地走开了，不知道他是不是以为那又是一个布偶。我失望了，看来格林真是欠缺野性了。我准备把鸡拎走，刚抓起绳子拖动了一下，格林一看鸡活动了，神情大变，扑上来就抢，我从未见他如此冲动过，狼耳不断颤动，狼血冲头，两眼像通了电似的闪闪发光，尾巴尖活泼得像条小泥鳅，在地上颤跳。

狐狸也凑上来抓鸡起哄。"咯咯"几声鸡叫，格林竟然照着鸡肚子狠命地下口了，紧接着，他猛甩头部撕咬起来，霎时鲜血四溅，喷红了狼头和鸡毛。呆鸡这时才如梦初醒地狂叫扑翅，挣扎起来。我吓了一跳，赶紧退到一边，狐狸也惊呆了，他啥时候见过这场面啊？吓得站在鸡面前张嘴吐舌头不知所措，狐狸显然站得太靠近格林的战利品了，格林冲他皱起了鼻翼。鸡血的气味瞬间唤醒了小狼的野性，杀心升腾。

"狐狸快让开！"我赶忙招呼狐狸。狐狸这才迅速倒退，缩到我身下发抖，再也不露头。

鸡还在扑腾，血还在喷溅，格林虽不懂得拔除鸡毛，但是他天生就会掏肉吃，他一股脑豁开鸡肚子，见肉就撕，见血就吞，转眼间半只鸡就进了格林的肚子。我又喜又惊，喜的是格林仍旧潜藏着狼不可泯灭的掠食本能，有猎食冲动，这是小狼健康正常的心理表现，这让我看到了野化的希望；惊的是仅仅两个月大的格林，其嗜血的本性竟然如此野烈。我和亦风忽然对一直像小狗一样养着的小狼另眼相看了，一种对原生态掠食动物的敬畏之情油然而生。

格林的基因里深刻地拷贝着一套狼族特有的生存密码，随着时间的推移身体慢慢长大，只要有适当的条件和机会，密码就会一个个自动激活，使他们无师自通地、顽强地表现出生而为狼的本色。

“基因真是很神奇的东西。”亦风边开车边说，然后就是长时间的沉默。我知道他在担心什么。

09 一匹野狼上街了！

刹车！喇叭！叫骂！强光！车轮带起的飞石打在格林身上，尘土飞入他眼中，金属的碰撞就在他耳边，废气向他喷过来！他弓着腰，夹着尾巴，瞪大了眼睛，伸长了舌头，大口吸入令他窒息的空气。

格林在我下电梯的时候跑丢了！

那天下午也真够倒霉的，我和格林出门散步，按老习惯下楼的时候格林走楼道，我坐电梯，兵分两路楼底会合，结果我坐的电梯突然出现故障卡在了八楼，我手忙脚乱地按了几次按钮，还是运行不了，我顿时慌了起来。前几天就听人说这电梯出了毛病，我也没太在意，大热天的要从十六楼跑下来可是很具体的事，偷个小懒，人之常情。进电梯之前我还心想自己不至于那么倒霉吧，没想到我的确很倒霉。

一想到格林还在楼底下等着我，我简直要抓狂了！

"格林！格林！"我对着电梯门缝大声呼喊，没有动静，刚才电梯走到十楼的时候，我还隐约听见格林脖子上细碎的铃声，这会儿格林应该早就跑下楼了。一楼肯定听不见八楼电梯里的声音！他这会儿应该急得团团转了吧？

我忙掏出手机给亦风打电话，想让他迅速赶到院子里接格林。可更糟糕的情况出现了，手机根本没信号！这电梯居然没有网络覆盖！什么破设施！简直是个陷阱，我猛按电梯警铃，大喊大叫，像个笼中困兽。若是平时被困在电梯里，我或许还能保持淡定，可现在放出了家门的格林就在楼下，一匹狼在城市里陡然脱离了看管，会发生什么事情?！绝望、焦急和深重的担忧让我失控地上蹿下跳，拍着电梯门声嘶力竭地呼救。

好一会儿，外面有了声音："你被困在里面啦？"

我顿时抓住救星，连声央求："快救我出去！快！"

"你等等啊，我帮你喊物管，少安毋躁。"

"别，别走，有电话吗？先帮我打个电话！求您！"我哪里安得下来，都快急疯了，目前的当务之急是先控制住格林！我掰着电梯门缝，一连串地报出亦风的电话号码。

"是谁？说啥？"对方问。

我脑袋里急速旋转着："就说格林已经下楼，我被困在电梯里，让他赶紧去接格林。"

"格林？是小孩吗？"

"……是！"我急得直跺脚，"您快打好吗？"

对方依言拨通电话，照我的话说了一遍，然后下楼帮我找物管去了。

总算送出了消息，我深吸一口气，努力冷静下来，等候修理人员。又按了几下警铃，发现就连警铃也是坏的，我发誓再也不坐这个破电梯了。想起每次引诱格林跟我进电梯时，他多疑警惕地徘徊在电梯口就是不进来，真是有道理的，任何封闭空间都让狼觉得不安，在格林的眼里，这可能就是一个类似捕兽陷阱的铁箱子。

记得第一次出家门，我抱着刚满月的小格林在十六楼等电梯时，电梯门一开，格林就惊惧地望着这个墙面上凭空洞开的大铁箱子，当我抱着他进了电梯，金属的气息和逼仄狭小的空间让他陡然不安起来，小爪子紧紧地扒抓着我的肩膀，把我锁骨上抓出好几道红印子。“叮当”，电梯关门的铃声一响，格林像瞬间挨了雷击，惊叫一声，猛然挣脱我的怀抱，飞身跳下地来，拖着摔疼的腿，不顾一切地往电梯门外冲，边冲边发出尖利而短促的叫声，就在电梯门合拢到只有巴掌宽的一瞬间，小格林冲出了电梯！“哐当！”电梯门关上了，“呜——”格林的小尾巴尖被沉重的电梯门夹了一下！一切发生得太快，我根本没想到抱在我怀里的小家伙还会出现这种状况。电梯开始下行，我才反应过来，急忙按十五楼，错过！十四楼，谢天谢地，电梯终于及时停了！我赶忙下电梯，顺着消防楼道跑回十六楼。

在十六楼的电梯口，小格林一瘸一拐，焦急地在紧闭的电梯门前走来走去，用小鼻子嗅着，小爪子绝望地扒着门缝，嗷嗷呜呜哀嚎着，感觉他是在喊：“嗷——我的妈妈死了，谁来救救她啊？嗷——欧——欧——”那凄惶无助的表现，完全是一个眼看着妈妈掉入了陷阱却无力挽救的狼孤儿，很无助，很凄凉，很可怜。

我心里一阵暖暖的痛，急忙轻唤了一声：“格林……”

格林浑身激震，猛然回头，惊喜地发现我“脱险”了，立刻哭爹喊娘般地扑了上来，抱紧我的腿就不放，狂亲狂咬，狂蹭狂舔，激烈地表达着他寻找我的焦急和离开我的恐慌。我心里一阵酸软，连忙把他抱了起来……

格林又一次见识电梯，是亦风带着他在电梯口等我上楼拿东西。小格林照旧不肯跟我进电梯，并发出短促尖利的声音，我逐渐理解这种声音是感受到了恐惧和威胁的警告。我进了电梯，电梯门合上了，格林就着急地守在我消失的地方嗅来嗅去。不一会儿电梯“哗啦”一打开，走出一大堆陌生人，格林吓得连退几步，毛骨悚然，耷拉下耳朵，连滚带爬地钻到亦风身下，只露出半个瑟瑟发抖的屁股和一根紧紧夹在屁股下面的松鼠似的尾巴。对那个会大变活人的金属箱子，格林深感困惑。

稍微长大一些以后，格林明白了电梯对我没伤害，他不再哀嚎了，但是他仍旧固执地坚持不进电梯，他绝不会把珍贵的生命交给一个自己无法掌控的东西。格林很快就想出了自己的方法。我一进电梯，他就沿着消防楼梯逐层跑上去，每层都跑到电梯门缝闻闻我上来了没有。每次我的楼层到了，门一开格林已经在电梯口等着我了。这恐怕是中国唯一一匹自己爬十六层楼梯回单身公寓的野狼了。

格林悟性极高，日子一长，他认得回家的路，就更是驾轻就熟地走楼梯，跟我兵分两路，在楼底或者家门口会合。

今天下午，我刚一打开家门，格林就迫不及待一冲而出，顺着楼梯一层层下楼去了，哪知道格林一直担心的事情就发生了，他的妈妈终究还是被“陷阱”困住了。

多数人的想法跟我一样，平时短时间的坐电梯从没觉得有什么不舒服，反正一两分钟就出去了，很享受这种现代科技给我们带来的方便。而现在科技要脾气了，把我关押在电梯里，上不上下不下地悬在半空中，坐不坐站不站越来越憋闷，铁门紧闭，窗户也没有，那感觉比坐单人黑牢还令人抓狂。

我等到维修人员把我救出来的时候，已经过去一个多小时了。我急忙赶到楼下，迎面碰见还在焦急寻找格林的亦风。他没看见格林，我脑袋“嗡”的一声：格林终究还是走丢了！一只狼在城市里跑丢了，比违禁武器遗失还要可怕！狼一旦上街，足以引起整个社会的恐慌！在国人的心目中，“狼来了”比“狮来了”“虎来了”更令人心惊胆寒！

我和亦风急忙冲进小区庭院地毯式地搜索，大声叫着他的名字，找了半天，找不到，事情严重了。格林要么出去了，要么被谁抱走了……

“报警吧！”亦风没辙了。

“报警？偷养野狼，没收！野狼上街，击毙!! 这娄子捅得不是一般大!!!”

“格林现在是最淘的时候，对谁都好奇，啥都想抢来看看，稍不注意，很容易伤人！”

“但是更有可能是格林被人伤，你容我想想。”我喘口气，沉吟片刻，拔腿就往物业管理处跑。

“去哪儿?”

“监控室！查录像!”

小区的监控室里，我计算着我和格林下楼的时间，先让保安帮我调出我们单元门口的监控：下楼十多分钟以后，格林出来了，站在单元门口一脸迷茫，东张西望，他没有等到我，在单元门口跑进跑出踌躇了好一会儿，嗅着地面，消失在庭院中。再寻找下一段庭院的监控录像：格林在庭院里焦急地跑来跑去寻找着我，只要有一个人经过，他就立刻追上几步看，然后再失望地转身走开。他继续东张西望，偶尔抬起头似乎在呼叫，像街上走丢的孩子。第三段监控录像：格林低头到处认真地闻着，可是这庭院里，到处是纷乱陌生的人味，况且，我根本就没有来到庭院里，他能闻到的大约也是我昨天留下的味道。然后他走到我们经常休息的凉亭，坐在那里发呆，肩背微微耸动。看着凉亭里孤孤单单一只小狼的背影，我的鼻子有点发酸。

少时，格林很迷茫地抬头张望，判断我可能去的路，他一定以为我和他走散了。他当然不会明白电梯故障是什么意思，更不会猜到我还被挂在半空“坐黑牢”

呢。跟踪第四段监控镜头：格林跑出了小区的大门，向右跑去，消失在镜头外，我的心脏咚咚狂跳起来，这是我最不愿意看到的镜头——繁华都市里，一匹野狼上街了！

我给监控室的保安留下我的电话，如果格林又出现在监控镜头里，让他立刻给我打电话。

我拉着亦风飞奔出了小区大门，向右沿着格林跑去的方向，边喊边找，沿路遇到小卖部，特别是卖肉食的商铺，就上前询问有没有看见一只半大的“灰狗”，每到一个小区的大门口，我们就会好说歹说地拜托那些小区的物业帮我们调出大门口的监控录像来看。

在一个小区大门的监控录像里，我终于发现了格林的身影，他和另一只体型差不多大的麻灰色流浪狗相互嗅着味道，表示友好，继而双双向西面跑去。

“是他，就是他！”我激动地抓着亦风的手，终于看到希望了，说明我们的路线没错。

我们转向西面寻找，穿过两个街口，这条路上没有小区，也没有商铺，天已黄昏，我们开始有些茫然了，真希望自己长一个狼鼻子，嗅着味道就能追踪到格林。

我们徒劳地张望，叫喊着格林。恍惚间，我看到一排熟悉的柳树，淙淙溪流声就在不远处，脑袋里灵光一闪，前面不是绕回了我们常带格林散步的浣花溪吗？平时我们散步的路线总是从浣花溪这边走过去，又过桥，然后从对岸绕回家。狼喜欢走老路，而且格林还小，对我的依赖性很强，他这次跑出来是以为自己走丢了，他一定会沿着老路线找我的。

我立刻和亦风兵分两路，在浣花溪的两岸沿路寻找。浣花溪的这一段河流并不宽，我和亦风能遥遥相望，他在对岸冲我挥挥手，表示暂时还没发现，我们继续往下沿路寻找。

走了很长一段路，亦风突然在对岸大叫起来：“格林！”

我扭头一看，格林正和先前在监控录像里看见过的那只灰色流浪狗一前一后在路边追逐，俨然一对好伙伴。格林听见呼唤，立刻扭头寻找声音来源，流浪狗也跟前跟后地陪着他。

找到格林了！我心里一阵狂喜，如释重负，五个多小时了，终于找到你了！

“格林！快回来！”亦风又召唤。格林发现了亦风。

突然，我远远看见一辆奔驰飞速驶来，心里一沉，不祥的预感当头袭来，连忙隔着河大叫：“不能喊他，有车！！！”

晚了！远远看着格林小小的身影飞快地横穿马路，紧接着那辆奔驰呼啸而过！

“啊！”我捂着脸惊叫起来！刹那间，尖利的刹车声过，车轮下一个小身体无助地翻滚着，伴随着一声凄厉的狺叫，在亦风的狂吼阻止中，格林已经血肉模糊地躺在了车后。

真是飞来横祸！我失声痛哭，沿岸狂奔找桥过河。

那边，奔驰一见闯了祸，反正不是人命，司机反应极快，猛踩油门，一溜烟跑了，亦风大骂叫喊着在车后追赶，哪里追得上？

我哭喊着向格林跑去，血已经淌了出来，被车拖出的长长一道血痕在路中间触目惊心。好不容易找到了格林，却是这么个结局，我哭得眼前发黑，肝肠寸断，万念俱灰……捧起地上的血尸。

“等等，不是格林！”亦风翻过了被车压变形的狗脑袋，“是那只流浪狗，一样的灰色……”

我心里“咯噔”一下，急忙擦擦眼睛，确认尸体不是格林以后，立即四处寻找。只见路边一处供行人休息的长椅下面，格林缩着脑袋，身上溅满泥浆草屑，邋遢得像个叫花子，满脸尘垢，浑身湿漉漉的，一双眼睛里盛满了恐怖与惊慌，双腿颤抖，瘦瘦的身子哆嗦得像一片寒风中的枯叶，他的胸口溅上了一片血迹，估计刚才他和那只死去的流浪狗相距不远。或许是狼神奇的敏捷让他逃过了一劫，但那只可怜的流浪狗就没那么幸运了。格林眼睁睁看着同伴惨死在自己面前，甚至还被溅射上了同伴的鲜血，幼小的狼胆哪能盛下如此的恐惧？我既为眼前惨死的狗狗伤心，又为格林吓成这样而难过。

“格林不怕，妈妈来了，妈妈找到你了。”我蹲下身来，慢慢靠近椅子，轻声劝慰格林。格林惶恐不安地望着我们，一声都叫不出来，似乎连我和亦风都不认识了，可怜的孩子已经吓傻了。

浣花溪边的这条路作为景观路段，本来车辆是限速二十码的，但是总有那么一些开名车拉风的人无视这些规定，看见这条路车少、人少、路况好，就在路上飙车。被撞死碾死的猫狗屡见不鲜，车主肇事后扬长而去，没人拦得住，纵使被人记下车牌号也没有法律能约束他们。

亦风把流浪狗的尸体挪到路边，扒了些草叶把他掩埋在格林看不到的地方。我缓缓伸出手去，想抱格林，格林下意识地往椅子下面退缩，他空洞的眼神前所未有地陌生。他惊吓过度，他连我都害怕。

我心里一阵刺痛，再次呼唤：“格林，是我啊。格林……格林……”

反复呼唤中，格林的情绪才渐渐平稳了一点。我退后一步，让椅子下面的格林能把我看清楚，我尽量引起他注意，把他散乱的目光慢慢聚集起来，摸着他的头引导他从椅子下面爬出来。格林眼神迷离惶惑，动作呆滞如行尸走肉一般。

“格林不怕，没事了……”我正在安慰他，突然，又一辆拖着怪叫的改装赛车，从我背后飞驰而过，车身卷起的风把格林背上的狼毛都吹立起来，发动机的咆哮声震得狼耳猛烈一抖，格林像遭了雷击一样浑身巨震，快要收拢的魂魄顿时又惊散开来！他的瞳孔瞬间放大，狼眼圆睁，狼鬃根根挺立，突然间，他撒开四腿狂奔起来。

我措手不及，大喊着格林，和亦风飞奔追赶，可是哪里追得上，小狼早已跑得比人快了。

一个急转弯，格林冲入了二环路主干道!

此时正是下班高峰期。公路上全是车，刺耳的声音直冲云霄，浓烈的人味、金属味、汽油味刺激着格林敏感的鼻子，满街都是杀死同伴的钢铁巨兽。格林在车流中惊慌失措，左躲右闪，狂奔不止，一会儿跃过隔离带，一会儿跳上安全岛，在路灯柱、电线杆和绿化灌木里乱撞乱窜，险象环生。

“格林，不要跑，危险!”

“格林！快回来!”我和亦风的喊声毫无作用，嘈杂的喇叭声早已把我们的声音淹没，我们不顾一切地冲破车流寻找着，呼喊着。

格林疯了，不受控制地狂跑。他跳过绿化带，向左飞奔，一辆车在他面前急刹住，尖利的刹车声把他惊得跳了起来，他慌不择路地往十字路口逃窜！迎面而来的公交车一脚猛刹，跟着是一连串的刹车声，和随之而来的喇叭声。一时间，这个路口的交通陷入瘫痪，城市的秩序被一只荒野小狼扰乱。

一些人摇下车窗叫骂：“烂狗！撞死算了!”“影响交通！耽误大家时间!”

一些人干脆下车看热闹：“是狗还是狼哦?”

“咋可能呢？城里头哪儿来的狼?”

“就是有点像狼!”

种种谩骂和议论钻入我的耳朵，我脸红筋涨，心里一阵一阵地紧张。

一辆一辆的车亮起了车大灯，如同黑夜中的巨兽陡然睁开了凶猛的眼睛，格林更加失魂落魄地逃窜。

刹车！喇叭！叫骂！强光！车轮带起的飞石打在格林身上，尘土飞入他眼中，金属的碰撞就在他耳边，废气向他喷过来！他弓着腰，夹着尾巴，瞪大了眼睛，伸长了舌头，大口吸入令他窒息的空气。

我和亦风不停地道歉，不停地躲闪着车，不停地呼唤，不停地追向格林……眼看格林就在前方车边，我和亦风包抄过去。谁知格林连我都不认了，一埋头从一辆车肚子下钻了过去，失之交臂！格林钻出车底，又跑，一辆大车就从格林几秒钟前还站立的地方飞驰而过!

格林急速闪躲着，一辆车紧急刹车！又一辆车！又一辆！……无数辆车！磅礴的车河！空气中充满了燃烧爆炸的汽油味。交通阻断，无数汽车瞪大了眼睛。终于，格林发现自己已经被包围，四周全是纷乱纵横的汽车，他在十字路口的中间无路可逃。摇下车窗嬉笑怒骂的人，或者下车看热闹的，都向他围拢过来。车辆发动机不断发出猛兽般的咆哮——这是城市猛兽和荒野猛兽的对峙，城市猛兽在保卫他们的领地，他们要入侵者滚出去!

交警手忙脚乱地指挥交通，一面阻止十字路口的车辆，一面大喊：“哪家的狗？快牵走!”

满城钢铁猛兽，一匹孤独小狼。格林环顾四周，眼睛反射着微不足道的荧光，

他龇起了獠牙，咆哮起来，极力想摆出迎战的状态。

终于，格林昂起头来，绝望地长声哀嚎：“莫嗷——欧——嗷——欧——”

天啊！你生怕别人认不出你啊！我终于抓住机会冲上前去，一把握住格林的嘴，迅速抱起他，耳听亦风在后面不住跟警察和司机们道歉，我冲破人潮车流，就像抱走自己闯了祸的孩子一样，迅速逃离现场……

夜晚，窗户透着橘红微光，在家等了一天的狐狸吃饱狗粮，蜷在角落里，对白天发生的事情一无所知。而饱受惊吓和疲累的格林已经入睡，我关上了窗户，不让一点车声再惊扰格林的梦，他的小爪子已磨破流血，这在草原上奔跑的爪子本来就不是为城市的水泥地而生的。

“城市不是他待的地方。”亦风抽着烟，看着熟睡的格林叹了口气，“以后再不能带他上街了，我们随时都会有疏忽，随着格林长大，难免有看不住他的时候，再走丢怎么办？伤人怎么办？我们都负不起这个责任。更重要的是，如果他长大了跑出去，人们一眼就能看出是狼，职能部门出来给毙了，怎么办？为了格林好，趁着还没闹出事儿，还是送去动物园吧。至少他在那儿是安全的。”

我闭上眼睛，流下泪来。

“明天我陪你一起去动物园。”亦风决定了，打开网页查询动物园的电话……

第二天，格林一觉睡醒又恢复了以往的活泼天真，只是感觉他目光中多了一些东西。他和狐狸碰了碰鼻子，相互嗅闻一番，这对从小掐大的朋友，以后可能再也见不到了。

我把格林梳洗干净，给了他一大块肉，让他吃饱，细心地擦掉他嘴角和胸口上的每一粒肉渣，心里酸酸的，像第一次送孩子上幼儿园一样，一边劝慰着，一边抱着他上了车。上车以前格林明显对车有些畏惧，死死地抱住我的胳膊。我宽慰地抚摸着他上了车，我以为他会在车里狂烈挣扎，谁知道车门一关，他像婴儿一样无助、害怕，缩成一团在我怀里瑟瑟发抖。我皱着眉头，想到分离在即，很舍不得。

去动物园的路上，格林像婴儿一样无助得瑟瑟发抖。

亦风拍拍格林的脑袋，开车了……

到了动物园，望着人来人往的动物园大门，我更加恋恋不舍，一个劲儿地冲亦风摇头，抱紧了格林缩在车里就是不下来，这个时候我才更加强烈地感受到“这个幼儿园，一旦送进去就别想出来了”。

格林的鼻子耸了两下，突然极度不安起来，两只前爪死死抱住了我的脖子，狭窄的狼脸紧紧挨在我的脸颊边上，在我耳边呜呜哀叫起来，像个不愿离开妈妈的孩子一样，害怕、排斥，他紧紧抓住唯一可以保护他的亲人。我吸了吸鼻子，空气中一股浓烈的狮虎豹味道冲鼻而来，别说格林了，我闻着都难受，格林虽然从来没见过狮虎之类的大型猛兽，可对巨兽的惧怕却是深深镌刻在他灵魂当中的。

看着格林恐惧紧张的可怜样子，我心里对这一决定更加排斥。我抱紧了格林，坚决不下车，就这样跟亦风僵持着。

亦风大大地叹口气，转身走了，过了一会儿转回来，拿着两张动物园的门票：“要不这样吧，我们不通知园方，也不带格林进去，我们就当是家长考察幼儿园，先进去看看，如果条件好，狼同伴多，我们再来接他好吗？不然我们来都来了，光守在门口不进去也不是个事儿。”

亦风说得的确有道理，我们找了个味道相对小一些的隐蔽地方停了车，让格林留在车里等着。下车后我又担心地望望车里的格林，发现他很安静地缩在座位上，也就转身和亦风急匆匆地向动物园跑去，直奔狼区。

几经打听来到了狼区附近，我和亦风的心情顿时沉重起来——这里确切地说应该称作“猛兽区”，因为狮虎豹等所有的食肉猛兽都安排在一个仅仅几百平米的区域里，各种猛兽的味道混合，腥风扑鼻，恶臭难当。为避免游人投食逗弄和猛兽伤人，每个关押猛兽的牢笼用的都是厚重的玻璃幕墙。一个玻璃牢挨着一个玻璃牢，每个牢房大的不足十平米，小的不足五平米，豺、狼、虎、豹、狐狸等食肉兽的距离近得可以数清楚彼此的胡须。

玻璃牢房之外，喧闹的人流熙攘而过，一些低素质的人肆意敲拍着玻璃，逗弄着这些曾经称霸自然的兽中之王。真是虎落平阳被犬欺，对受困的强者肆意侮辱是弱者的嗜好。

猛兽区几十米外就是游乐场。嘈杂的音乐与游乐器材的尖声嘶叫，昼夜不停地折磨着野兽们敏感的耳朵。也许这些娱乐项目留住了孩子玩耍的心，也为园方创造了经济效益，却丧失了人们来动物园的真正意义——这些动物牺牲一生的自由困在这里，让人们去认识了解他们，然而他们却成为了蜗居城市少见多怪唯我独尊的人类轻侮和逗弄的玩物。

等到终于站在我们设想中的狼区前，我和亦风都傻眼了，所谓“狼区”竟然只是一个不足五平米的肮脏玻璃牢，牢里关着唯一的一匹毛鬃稀疏的老狼……

这里被囚禁的猛兽各自表现不同，金钱豹漠不关心地踱来踱去，老虎舔爪子梳理毛发，把头上的王字整理得清晰威武，狐狸干脆找个避开人的角落，缩成一团，卷起蓬松的尾巴遮住耳朵和眼睛呼呼大睡，百事不问。他们或许对这种牢狱展览生活已经认命了，横竖也是不愁吃喝，得过且过。

所有猛兽牢狱的玻璃墙上都干干净净，唯独狼牢不同，那只老狼一刻不停地在狼牢中跑着狼圈，厚重的玻璃上全是他的抓痕，以至于玻璃花得都无法让人用相机拍到老狼清晰的模样。我不知道这只老狼是什么时候被关进来的，但他即使老了，仍旧没有放弃对自由的向往。老狼每一次无望的扑抓都是对这看似光明却毫无出路之牢笼的无声控诉。狼身可囚，狼心难困！安全而结实的玻璃，这也许符合了人道，却绝不符合狼道——生命最起码的是一份择地生存的自由！死亡对狼而言并不可怕，但在圈养中死去却是莫大的悲哀！

我和亦风步履沉重地离开那匹可悲的老狼，出了动物园的大门。

“这不是幼儿园，这是牢房！是集中营！”亦风愤言。两人默然无语，各自想着心事。

回到车前，格林在车里早就等得焦躁难安，他用小爪掌把四面的车窗玻璃都抓得一片模糊，在车里上蹿下跳，一瞬间又让我想起了老狼的抓痕和跑圈，无论老狼小狼，对自由的向往都是一脉相承的。格林一看见我们回来，他立刻趴在车窗上，伸长脖子，小爪子一阵猛抓，呜呜叫着，泪花盈盈，比孤儿院里的孤儿盼望亲人的眼神更令人揪心。

我打开车门，抱起小狼：“格林，咱们回家……”

吃晚饭的时候，亦风依旧忧心忡忡：“亚洲动物保护组织有回信吗？”

亦风说的亚洲动物保护组织是致力于拯救亚洲黑熊的慈善组织，我和亦风最早认识的地点就是黑熊中心。我前段时间也联系过亚洲动物保护组织，希望他们能够帮助小狼。他们很热心也很重视，还专门开会研究这事儿，但是中国没有专门的野生狼救助和保护区，通过他们的打听，只有英国有一个狼保护区，他们回信告诉了我这个情况，甚至愿意义务帮小狼筹集资金作出国检疫之类的费用。说实话我还真没想过要这么大费周章送格林出国，但是动物保护组织的这种对每个生命个体的重视和真诚确实让我很感动，也实在为中国野生动物保护事业惭愧。

我把这情况跟亦风一说，亦风连连摇头：“格林是中国狼，中国人自己都没能力保护自己的物种吗？”

亦风低头看看身后，已经吃饱肉的格林意犹未尽地抱着一块大牛腿骨正呼呼大睡。亦风冲我指了指格林的睡相，用筷子夹了一根肉丝凑到格林鼻子跟前引诱他。格林耸耸鼻子，眼睛也懒得睁，他扭过头去，一只小爪子往鼻子上一搭，很瞧不上这点肉似的，继续睡觉，还把牛腿骨又往自己胸前挪了挪。

我和亦风相视一笑，眼里掠过一丝温馨。这家伙也只有吃饱以后最老实，所以我们每次都是先让他吃饱，我们才能安心吃饭，否则他早就跳上饭桌抢吃的了。

“至少格林现在在家还是快乐的，”亦风轻轻一笑，把肉丝扔给了狐狸，又端起碗来猛扒了一口饭，想到这小家伙的未来，又叹口气说，“要不，明天换个动物园看看？”

我摇摇头，看得比较透了："城市里的动物园都是营利性质的，只知道狂收门票甚至增加娱乐设施吸引大量游客，从来不会为动物着想，只要动物活着就行，是摆在那里给人们找乐子寻开心的玩意儿，是他们挣钱的工具，办园机构自己都不尊重动物，怎么可能要求游客尊重动物呢？"

亦风默然点头，白天的场景给他的印象太深刻了："要不再去看看重庆野生动物园，或者租个农家院子……"

我苦笑一声，绕来绕去又回到了老话题上。我开始收拾饭桌。

亦风回到沙发上，点上一支烟重重地喷出一口烟雾："说到底，城市就不是狼待的地方。"

我心里一动，不失时机地抓住话头："如果把格林送回草原呢？"其实这话埋在我心里一直就想说了。

"送回草原？怎么送？两个月大的小狼，根本没有生存能力，送回去死定了！"

"肯定要先野化啊。"

"我们都是城市公寓里生活的人，哪儿有地方给他野化？一只狼生活在城市里，只能狗化，没法野化。"

"如果我陪格林去草原，教他生存，一直到长大呢？"

亦风第一次听到我这个想法，惊得瞪大了眼睛看着我："你不是说梦话吧？一个人去草原，你自己生存都是个问题，还想带活一匹狼？"

我哑口无言，这小小的梦想刚冒出头来就被残酷的现实击得粉碎。

格林，迷失在人类城市的小狼……你将去向何方？

10 逼上天台，退无可退

随着小狼年龄的长大，活动范围应该是越来越广，而他却恰恰相反，生活圈被划得越来越小，从城市街道退回小区庭院，从小区庭院再退上空荡荡的天台。等到退无可退的时候，我该拿你怎么办?

我们再也不敢带格林上街了，只带他在小区庭院或者楼顶天台上活动。我也再不坐电梯，每次都陪格林步行上下十六层楼。

格林这时已有两个多月的狼龄，进入了成长的尴尬期。这时候小格林好像中了魔法似的迅速变化：嘴筒子一天比一天伸长变粗，两只耳朵像大号花铲一样又硬又尖又挺地支棱在脑袋顶上；狼头像吹气球一样膨胀，乍一看已经有几分大狼模样了，仿佛那脑袋是从大狼那里偷来的，可再看身子还是个小家伙，细瘦身子可怜兮兮地挑着一个大脑袋活像漫画中的 Q 版大头娃娃。小狼的眼睛带着几分稚气和机灵劲儿，瞳孔逐渐收缩起来聚焦成钢钉大小的一点，目光刺亮。

格林四条腿已经蹬直了，拉得细长细长的，像小鹿的腿，奇大的脚掌像四块公章似的连在细腿底端。由于快速抽条长骨架，格林身上的肉顿时显得不够分配了，薄薄地散开勉强包裹着越来越粗壮的骨骼，每次抱他都能摸到排骨，再给他加强营养也是光抽条不长肉。别看这副极不协调的长相，他自我感觉却相当良好，一副“英俊少年狼”的得瑟劲儿，只要有机会就出去向狗同伴秀他结实的骨架，

抽条时的格林活像 Q 版大头娃娃。

然后在草地上东奔西跑，自顾自地加强锻炼。格林的狼尾巴渐渐长出了长毛，如同河岸边的垂柳枝条一直拖到地上，尾巴尖上时不时地沾着一点儿饭粒肉渣，惹得他常常追着尾巴团团转。

这天，朋友听说我们又养了一只“新狗”，便邀请我们带着格林到郊外他的小木屋去玩。我们欣然答应，因为自从格林走丢的事情发生以后，几天来他的活动一直被我们严格控制在小区内，没出去过，今天有机会到郊外走走，当然求之不得。

我们把狐狸留在家里看门儿，虽然狐狸一万个不愿意，但是有上次眼看着格林杀鸡的事例在先，他对格林的态度多了不少敬畏，再不敢与格林争风吃醋，乖乖地留下看家。

朋友的这座小木屋面对水岸，阳台下沿着水边有很多钓鱼的人。对新的环境格林充满着惊奇，而朋友们的几个小孩则对狼头狼脑的格林感到新奇，活泼好动的格林很快成为了孩子们的宠儿，孩子们毫无心机地抚摸也并不让格林反感，或许人和动物童年的个体之间更容易沟通吧。郊外的原野是一幅美丽的风景。孩子们快乐地跟随着格林，趴在地上好奇地观察他，看他低头嗅着地面轻巧地走路，看他在草地上傻乎乎地追逐蝴蝶，看他在太阳下懒洋洋地打滚，甚至观察他大便的姿态。他们很快发现小格林大便完之后总会回过头来仔细嗅一嗅自己便溺的味道，这是他从小的习惯。于是在格林又一次认真大便的时候，一只促狭的小手伸过去轻轻拉开刚好承托着格林大便的那片枯叶，很快扔到一边的水沟里。当格林终于轻松完，回头一看，身后却啥都没有，他大惑不解，满地寻找自己的“成果”，孩子们笑得抱成了一团。

这边几个朋友在湖边钓鱼，有个人竟然钓上来一尾巴掌大小鲜红色的鲫鱼，真是少见。那朋友得瑟极了，给我们炫耀说今天是他的幸运日，瞧瞧钓上来的鱼都不一样，这叫开门“红”好兆头！为了显摆还单独用一个盆子，把红鱼养在盆里，放在阳台上，叫大伙看着眼馋。

不多久，孩儿们和格林一起回来了，刚走进阳台，格林就发现了这水中的活物，天生猎手的本性使格林想也没想就进入了状态。

格林像很早以前就懂得如何浑水摸鱼一样，伸出一只爪子搅动水面，一下，两下……鱼慌乱地在盆中游动起来……终于，晕头转向的红鱼慌不择路，正好落到格林的爪子下面，格林用爪子顺着盆边一钩就把鱼捞了出来。虽然鱼尾拍扇了格林几个响亮的嘴巴，但鲜活的鱼也理所当然地成了格林的开胃菜，连头带尾、连鳞带刺，几口就被格林嚼完了。小小鱼儿不够填饱一只小狼的肚子，格林回到盆子边上观察，淡淡的鱼腥味仍在水中荡漾，盆底的图案让他以为还有漏爪之鱼，他继续努力地搅水，观察盆底。搅来搅去太麻烦，格林索性叼着盆边把盆子扣了个底朝天，再翻过来检查地上和盆子里确实再无他物，才失望地咬盆子发泄。

格林利索的捕鱼动作和明确的思维指向性，让我和在场的人极为惊讶，大家还没见过会抓活鱼吃的“狗”，而我虽然知道狼有机会的时候是要捕鱼吃的，但是如何浑水摸鱼我却从未教过格林，他是怎么学来的呢？仔细回想才记起给格林看的《动物世界》纪录片中曾出现过狼在河沟捕鱼的镜头，那时格林偏着小脑袋看得极为专注，还在巨大的电视机前走来走去地探察，“鱼是可以抓来吃的”那一幕肯定深深地印在格林的脑海里，而今当出现这样的机会他立刻就学以致用。

盆里真的没有漏爪之鱼了。

几个孩子大张着嘴巴看着最后一点红鱼尾巴在格林嘴边抖动，像蛇吐芯子一样被格林收进了嘴里，这才争先恐后地跑到湖边报告：“叔叔，叔叔，你的开门红被格林给米西了。”

鱼友们一阵哄笑：“这哥们儿今天就钓了那么一条，这下没得瑟的了。”

“这小狗有点儿意思。”另一个满载而归的鱼友看格林意犹未尽，又慷慨地扔了一条大鱼给他，格林立刻按住滑溜溜的鱼大快朵颐。

又吃完半条鱼之后，格林就饱了，他悄悄把剩鱼藏在了阳台的角落，还叼来一些树叶细心掩盖。等他又和孩子们出去玩饿了回来，就径直走向阳台，准确地找出藏好的剩鱼，美美地吞下了肚。

游玩一天之后，朋友提出：大伙儿难得见面，一定要去吃个火锅！我和亦风你看我我看你，面露难色，都不知道该拿格林怎么办，也不便跟朋友明说格林是狼。虽然我们对格林的友善很有把握，而且孩子们一整天跟“小狗格林”都玩得很快乐、很亲热，但如果一公布格林是狼的真相，还不吓飞一团人？

“火锅店门口有寄放宠物的笼子，把小狗（格林）寄放在笼子里就是了。”朋友建议。

朋友盛情难却，我和亦风只好答应了。开车进城的路上，玩了一天的格林就在我怀里眯着狼眼直打瞌睡。谁知我刚把格林交给火锅店门口的服务员，格林就狂挣起来，他非常惧怕陌生人牵制住他，他一口咬断绳子，就缩回我的脚边警惕地看着试图接近他的陌生人。我安慰着抱起格林再次交给服务员，格林夹紧尾巴，紧张地并拢两条垂下的后腿疑惑地望着我，不明白为什么我要将他交给陌生人。

当服务员要把他放进宠物笼子的时候，格林再也管不了那么多了，他早在动物医院看见过关在这种笼子里的狗，他可绝不愿意像狗那样被关起来。他使尽浑身力气乱扭乱蹬，龇着牙威胁妄图剥夺他自由的人，当那服务员不顾格林的反抗，执意把他往笼子里塞的时候，他闪电般地一口咬了过来！服务员吓坏了赶紧松手，摸着差点被咬到的手指心有余悸，再也不敢来捉格林了。

格林又迅速奔回我脚边警惕地探出脑袋东张西望，我走到哪里他就紧贴着我到哪里，似乎成了我的影子，这是他在拥挤人流中唯一觉得安全的地方。

于是店方破例让我带着格林进店。

我一直担心进了火锅店这个充满肉食腥味的地方格林会狂性大发，哪吒闹海一番，谁知格林却像个最听话的小狗一样紧跟着我，对这些有着辣味气息的食物充满怀疑，看也不看一眼。他打了几个喷嚏，寸步不离地贴在我的脚边，我坐下来吃饭，他就在椅子下面，侧躺着身子呼呼大睡，我夹了一片火腿肠放在他鼻子边，他瞄了一眼，毫无兴趣。我这才想起格林过去曾被狐狸扔在牛奶中的辣椒刻骨铭心地辣过一次，此时，在火锅店这个弥漫着麻辣味的地方他当然警惕异常。

在大都市里，带着一匹野狼去吃火锅，而这个秘密只有自己心知肚明，真是一种特别的感受。邻桌一些人伸脖子张望格林，有的还主动问起："这是狼狗吗?"我和亦风含糊地点头。

几天后，我正在家里睡午觉，迷迷糊糊中就听见"咔嚓咔嚓"的声音。我陪格林在小区庭院里玩了一上午，疲倦之极不想睁眼，半梦半醒地把声音归着类。咔嚓声中伴随着格林满足而陶醉的哼哼，一股腥味钻进我的鼻子。越听越可疑，我睁眼一看，格林正在沙发上，两只前爪抱着一条鱼大嚼特嚼。

"这鱼哪儿来的?"我翻身起床大惑不解，我这几天从没有给过他鱼啊？他当然不会回答我，这家伙吃得满沙发都是鱼鳞，眼睛贼贼地防备着我。

接连几天又是几条鱼莫名其妙地出现在家里，小区的保安向我告状："你家的狗要抓鱼!"我几次埋伏侦察后终于水落石出——原来自从这小子懂得抓鱼以后，小区睡莲池里的鱼可就遭殃了。格林常常在我带他出去散步的时候，悄悄溜到池边，把水搅浑，制造出不小的动静，一有机会就把那些慌乱中游到浅水处的鱼抓出来当点心。

格林成了高明的渔夫和狡猾的小偷，经常私藏一两条鱼回家做宵夜。叼着鱼回家的时候，他会抢先一步顺着楼道飞奔上十六楼，把鱼藏在楼道隐蔽处或是天台水管下，我气喘吁吁地慢慢爬上楼当然不会注意这些。之后他会趁我打扫清洁或通风的时候再把鱼叼回家藏起来，或者干脆藏在天台上，玩累的时候享用。天气热的时候，天台上藏的鱼已半臭，他毫不在乎，照样吃完。

发现了小格林的偷鱼行为以后，我只好常常买来更多的鱼补充进小区的睡莲池中。如此几次，一些好事的老太太还以为我是善男信女，每每看到都要招呼一

句："姑娘，又来放生啦?"我哭笑不得，心想："放什么生啊，这是给淘气的娃娃交罚款呢。"不过，挺让我惊异的是，格林这小家伙有着比狗更强的捕猎意愿和对求生技能的学习欲望，我还没有野化他，他似乎已经开始了自我野化的课程。

楼顶的天台无人涉足，本是一个安全的地方，然而格林在上面藏着的鱼却招来了几个不速之客——一只大黑猫和两只大狸花猫。他们仗着猫多势众偷吃了格林的私房鱼不说，见到格林还凶巴巴地拱起脊背恐吓他。格林没见过猫，他伸鼻子好奇地嗅闻猫屁股。俗话说"老虎屁股摸不得"，老猫屁股也闻不得！黑猫忽地转身，张开鱼钩一样的爪子一爪抓在格林的小鼻子上，顿时鲜血长流，痛得小格林呜呜直叫，满地打滚。三只猫齐扑上来左一爪右一口地把伤痕累累的格林驱逐出天台。这时候的格林比一只猫大不了多少，哪儿能以一敌三? 输了就输了吧，好狼不吃眼前亏。回家我给格林鼻子上擦点药，让他自己舔伤去。

没想到小格林的领地观念相当重，报复心极强。两天后，我猛然发现黑猫的尸体躺在天台上，被啃得只剩龇牙咧嘴的头和一条尾巴，干枯的猫眼直望着天空，黑猫怎么也没想到自己得罪的是一匹狼。格林第一次尝到了复仇的滋味和猫肉的美味！

此后，另外两只猫再也没敢上天台。不知道黑猫是不是无主的，我留意了好几天也没见人提起过。

一些日子以后，睡莲池里的鱼都得了教训，只要格林的影子一出现，鱼儿们就躲进深水区，绝不露头。格林满月时呛水的记忆犹新，他围着池子左三圈右三圈地转悠，徘徊多日，还是不敢冒险涉水。我以为捉不到鱼的格林应该消停了，稍稍放松心情，谁知天下孩子都一样，总有叫大人不省心的闯祸阶段。

这天上午，格林正在睡莲池边和水里的小鱼兜圈子，我坐在凉亭里看书，没理他，反正他也抓不着鱼了。

突然，格林停下脚步，昂起头来，小鼻子一耸一耸的，眼珠一转，就开始往一个单元门口走去，躲在一块石头后面好奇地张望。我心里犯嘀咕，不知道他又发现了什么。

那边，一个大嫂手里拎着一个大塑料袋，袋口露出几片菜叶葱苗之类的，一看就是刚买菜回来。她慢悠悠地走到单元外，停步在小区布告栏前面，被张贴的广告吸引了。她把沉重的塑料袋放在布告栏前面的台阶上，揉着酸麻的手，饶有兴致地看布告栏上的超市打折广告。

格林舔舔鼻子，咽了口唾沫，伏低身子，狼尾平举，脑袋、肩背和尾巴拉成了一条线，狼眼直勾勾地盯着扔在台阶上的塑料袋。一看格林的狩猎动作出现，我立刻警觉起来，大声喝止："格林，不准！"

格林全神贯注，根本不听我的招呼，忽地一下冲了出去，跳上台阶，照准塑料袋底部，一口咬破，"哧溜"一声拖出老长一截里脊肉条。我追过去大声喝止，格林拖起肉条边跑边吞，刚跑了十几米，肉条就已进了狼肚。

鱼儿杀手，小恶霸兼破坏专家。

大嫂追赶着格林，大叫大嚷。我连忙赔礼道歉："对不起，对不起！小狗不懂事，实在对不起！"

"狗不懂事，人也不懂事嗦！拴起养讪！"

"好，好，对不起，以后一定注意……"

"以后？那这次咋办？"

"我赔，这次我赔，您多原谅……"我忙摸钱包，只有一百元的，既然是赔偿，当然不可能厚着脸皮让别人找零，我抽了一张，双手递给这位大嫂。大嫂愣了一下，没想到我这么好说话，但随即又觉得面子上过不去，抬起下巴高声嚷道："有钱了不起嗦，城里人哪个缺钱嘛？关键是耽误我的时间。"一些好事的邻居开始围上来看热闹了，各种评论不绝于耳。

"大嫂，您说个家门号，我马上去买肉给您送家来，绝不耽误您做饭，好吗？"我态度谦恭，毕竟是给别人添了麻烦，早点息事宁人为好。

"你们年轻人选的肉，我瞧不起，而且我为啥要给你说家门号呢？"大嫂不答应。

我叹口气，赔钱也不行，赔肉也不行，这就有点麻烦了。我突然想起主妇们都喜欢逛超市，亦风昨天才给了我一张超市的三百元消费卡，让我给格林买肉用的，我还没来得及去。我赶紧摸出卡来，赔着笑说："大嫂，这是超市的消费卡，三百元我一次都没用过，赔给您，今天给您添麻烦，实在对不住！"

大嫂眼里闪过一丝不易察觉的惊喜，接过消费卡看了看，捏在手里："我看你态度还可以，就算了。以后狗要管好。"

我点头哈腰，总算化解了一件事儿。格林是我藏着掖着的一块心病，和邻居处好关系尤为重要。养了个狼子，就得夹着尾巴做人，我只求平安无事。

送走大嫂，我瞪了一眼惹事的格林，他根本没觉得自己找食吃有什么错。狼本来就是猎手，猎到的就是自己的，他心满意足地在凉亭舔爪子洗脸，好像这边发生的事情都与他无关。

随着格林渐渐长大，胆子也越来越大，他俨然成了一个小恶霸兼破坏专家。无论我跟得多紧，他总有层出不穷的花招和捣乱伎俩，跟在他后面给人赔礼道歉补偿损失成了我每天的主要工作。我生怕他再给别人添麻烦，从此以后把他的活动范围严格控制在了天台，再也不带他到楼下去了。

天台虽大，出太阳没处躲，下大雨没处藏，硬邦邦的水泥地面没有一棵草，我心里觉得特对不住格林。随着小狼年龄的长大，活动范围应该是越来越广，而他却恰恰相反，生活圈被划得越来越小，从城市街道退回小区庭院，从小区庭院再退上空荡荡的天台，等到退无可退的时候，我该拿他怎么办?

11 城市里的宅狼

格林不是宠物，他需要的是一份择地生存的自由和一个竞争求存的世界。我们不能剥夺格林自由生存的权利，应该让他像狼那样活得有意义，有自由，有尊严。

草原、戈壁和沙漠常常会让人觉得荒凉，然而当我和格林长期待在十八层楼顶天台上的时候，才开始深切地感受到另一种荒凉。

天台上光秃秃的，没有人、没有树、没有草、没有水、没有一星半点的生物，甚至没有沙……只有纵横交错的金属管道、水泥烟囱、电梯井、废气孔。出太阳的时候，地面被晒得滚烫；刮风的时候，高楼顶上睁不开眼睛；下雨的时候没地方可以躲避。

黄昏，站在楼顶极目远眺，太阳被重重叠叠墓碑般的高楼埋葬，城市灰色的天空在眼前无尽地铺开，整个世界死气沉沉地躺在静静的尘烟中，像盖了一层挽纱，我觉得没有任何地方比城市的高楼顶更加荒凉。草原和城市是两种不同的荒凉——原始的荒凉蕴涵着生机与生命活力，现代化的荒凉蕴涵着的却是荒芜。

没有建不成的荒城，只有回不去的荒原。

然而，在这荒城之上，小格林依旧很快乐，很满足，只要能给他一个自由奔跑和呼吸的空间，只要有一口吃的，只要我陪在他身边，他仍能找到乐子。一块硬纸板，一片塑料袋都可以让他玩得很开心。如果偶尔飞过一只小鸟停在电梯井上歇脚，格林就会歪着脑袋看上好一会儿，听小鸟喳喳地叫着，看小鸟梳理羽毛，直到目送小鸟飞远。这是他唯一能看见的小生命。

在没有任何娱乐的楼顶，我尽量不让格林感觉孤独。我和他比赛跑步，从楼顶的这一头跑到那一头，沿途跳过所有的管道障碍；我和他比赛捉迷藏，每次我只能藏在水泥管或者电梯井后面；我和他比赛抢骨头，把一根大牛腿骨抛向半空中，落地的时候，看谁先抢到。比赛的成绩基本是这样的：赛跑我没赢过；捉迷藏他没输过；抢骨头，我想平分，他不干！

虽然格林已经不再下楼活动了，但他以前在小区出没造成的后果开始显现，压力像一股暗涌悄无声息地包围过来。

这天中午，我正带着格林在亦风这边吃饭，就听得“咚咚咚”有人敲门。格林立刻竖起了耳朵警惕地望向门口，一声不响。狐狸则汪汪大叫着冲到门口。我和亦风你看我我看你，我们很少来客人啊，自从有了格林以后更是闭门谢客，这时候谁会来？

亦风在猫眼里瞅了瞅，两个穿工作服的人站在门外，亦风问："谁啊？"

"小区物管的。"外面的人回答。

"有事儿吗？"亦风隔着门继续问。

"是这样的，"门外的物管说话很客气，"有业主给派出所反映，说你们养了'疑似狼'的动物，经常听到有狼嗥。派出所先通知我们物管来协调核实一下。"

我和亦风对视一眼，双双望向格林，我们最担心的事情终于还是来临了。

格林此刻就在家里，肯定是不能开门的，亦风隔着门和物管客气几句，解释说家里养的是狗，并一定注意不再让小狗嗥叫扰民了，而且强调现在基本没放狗出去过。物管再三叮嘱以后才离去。

我更加小心翼翼，除了天台，小区里哪儿都不带格林去，格林成了蜗居城市的"宅狼"。我时刻陪伴着他，不让他在家嗥叫一声。此时沉默等于生存，沉默才能换来有限的自由。

格林每天眼巴巴盼望的就是上天台。这点小小的奢望我偷偷满足他，我们在沉默和隐藏的氛围中又有了新的游戏——藏肉。

我先是用半块砖头大小的一块肥猪肉，让格林在天台上找地方把肉藏起来，然后我去找。当然，这游戏是在格林吃饱的前提下，要不然他就直接把肉藏进肚子里了。

最开始的时候，格林藏肉的手段并不高明，他曾经试图在地上挖个坑，但是很快发现水泥的楼板根本挖不动，于是他把肉叼到电梯井的背后，我绕过电梯井就把肉块捡了起来，很不屑地扔还给他。他一声不吭地叼回肉来，自己也知道藏得蹩脚。他绕着天台慢慢踱步，又把肉塞到一条管道的下面，他钻出管道，回头看了一眼，肉在管道的阴影下，似乎要保险一点。他回到我面前，舔舔鼻子瞪着我，示意已经藏好了。我撇着嘴，直接走到管道面前，伸腿儿就把肉钩了出来。

格林急忙护住肉，神情很沮丧，看着肉块想了想，又东张西望了一会儿，重新叼起肉，鬼鬼祟祟地绕到水泥烟囱的背后，然后前腿撑地，后腿蹲好马步，弓起腰来，翘起尾巴，开始忙活……少时，他如释重负地转了出来，神情间有几分得意。我伸脖子往烟囱背后一瞅，乐坏了！白花花的肥肉块上，堆放着几条黑漆漆油光光的小狼粪，乍一看，活像一块点缀了巧克力的奶油蛋糕。这点狗屎伎俩哪里盖得住啊？我笑得前仰后合，一脚就把"蛋糕"踢得原形毕露。格林气急败坏地跑上来，抱着我的腿就是一阵猛啃，龇牙咧嘴，鼻翼皱成了一只苦瓜，冲我恶狠狠地咆哮起来。

"你跟我发狠没用，再藏！"我背过身去，任由他继续折腾。

格林稍稍平静了一会儿，叼起肥肉绕到楼梯出口的背后。我等了老半天也不见他出来。

"格林！"我喊，"我过来咯?!"……没动静儿……我顺着格林消失的方向找了过去，探头一看，格林端坐在地上，舔着嘴巴，满脸狡黠地看着我，肥肉却不见了，似乎是藏好了。我绕着楼梯出口仔细检查了一遍，没有……管道下面？也没有……烟囱背后？还是没有……我扭头看看稳如泰山的格林，赞道："行啊你，有长进。"

我又找了一圈，还是不见肥肉的踪迹，在这光秃秃的楼顶，肥肉好像凭空消失了一样，难道他吃掉了？不可能吧，那块肉又肥又腻，就算他很饿的时候也不见得能吃完。我打量着他的肚子，抠着脑袋一琢磨，不对，平时我找肉的时候，这小子都会紧张地跟在我后面探头探脑，生怕我发觉，这会儿怎么那么淡定？再看看格林，他仍旧从容端坐着，轻移前腿儿，转过身子对着我……

确实有古怪，我摸摸下巴："你让开！"他偏过脑袋望向别处，装作没听懂，不动。我动粗了，抓住格林的后脖子一把揪开他——肥肉就在他身下！

这次藏好食物后怎么变得这么淡定？

我惊讶得说不出话来，这小子居然要起了"灯下黑"的花招，越危险的地方越安全，他拿自己做掩体，一屁股坐在肥肉上，还随着我检查的视线转动身子挡着肉，当然是稳坐泰山了！然而这些鬼点子是谁教他的呢？四五岁的孩子都不见得能这样做。我突然由衷地佩服格林，不简单啊，仅仅两个月的小狼就狡诈至此，难以想象长成大狼后会有多智慧？在分析心理和利用环境的本领上，狼的确有过人之处，难怪许多游牧民族会以狼为师学习兵不厌诈的种种战法。

然而格林毕竟还是孩子，他的藏肉计划连连失利，不由得恼羞成怒，照着肥肉一阵歇斯底里地猛咬，发泄他的一腔怨气，咬得肥肉滋滋流油，转瞬间，他又仰脖子瞎嗥，嗥完几声，他原地转圈，拼命追咬自己的尾巴，宣泄懊恼的心情。

确实，在这毫无遮拦也没有任何道具可寻的楼顶，要让他完美地藏好一块肉，确实太为难他了。但这藏肉绝非仅仅是好玩的游戏，它和猎食一样重要，是生存要则，格林总有一天会用得到的。对狼来说，命运叵测，世事难料，饱一顿饥一顿很难均匀得到食物，只有学会精打细算地过日子，巧妙地储藏食物，并尽可能不被其他动物发现和偷窃，才能在关键时候充饥保命，避免自己被严酷的生活淘汰掉。

社会压力继续逼近。

物管走后的几天里，亦风的家门口又发生了怪事，莫名其妙地被人丢满了垃圾。头两天亦风没在意，自己把垃圾打扫了，后来居然又发现了狗屎，有些还抹在了门上。亦风很郁闷，自己平时深居简出，不知把谁得罪得这么厉害，左思右想，估计这事可能跟格林嗥叫有关。亦风跟我商量，让我这几天待在格林的单身公寓里，没事别到他家来。

亦风的家和格林的单身公寓在同一个小区的两栋楼上，户型不同，居住的群体不同。亦风家所在的那栋楼户型大，属于安居型的，往往一家几代人都住在一起，主妇闲人比较多，是非也多，邻里关系的相处上，稍不顺眼就步步紧逼，正面给笑脸，背后使阴招。丢点垃圾狗屎啥的都是小事，亦风最担心的是谁会扔些耗子药毒肉啥的在门口，格林就危险了。这种事以前在小区发生过，讨厌狗的人往草坪里投毒，结果七八只狗都被毒死了。

格林住的单身公寓楼是小户型，整栋楼都是流动租住的年轻人，邻里关系淡漠，平时各自忙工作，晚上回家蒙头睡觉，邻居之间谁是谁都不认识。曾听说十三楼有个租客女孩子失恋自杀，无人知晓，直到尸体腐烂发臭，才被人发现。相对而言，无人问津的单身公寓更适合格林藏身。然而单身公寓这边毕竟没有开火做饭，于是我要带格林到亦风那边去吃饭之前总要先给他打电话：“你那边安全吗?”“安全!”我这才抱着格林溜过去，感觉像潜伏特工一样。

这天，我和亦风正在吃晚饭。格林和狐狸早已各自饱餐了一顿，正在一边舔爪子洗脸，突然格林停下了动作，狼耳朵像弹簧刀一样猛地弹立了起来，紧接着，狐狸也开始歪起脑袋凝神静听，并起身靠近门口。

格林狼耳直立，嘴唇紧闭，警惕地走到我身边，靠近我的腿。狐狸已经冲着门口汪汪大叫起来，我心弦立刻绷紧了，这几天神经本来就高度紧张，狐狸这种叫法可不是什么好兆头。

果然，外面响起了敲门声。狐狸更加狂躁地高叫，亦风做了个镇定的手势，又向卧室指了指，我赶紧抱起格林蹑手蹑脚地进了卧室。

我轻轻关上卧室门，上锁，也不敢开灯，就贴在门上细听动静——只听得亦风边喝止狐狸叫嚷，边和敲门的人对上了话，恍惚听见“派出所”三个字。我心脏咚咚乱跳，这下惨了，派出所来的人听声音不止一个，他们一再要求配合一下工作，看来今天不进门瞅瞅是不会甘心的，而格林就在家里，那还不抓个现行?

亦风还在门口应对着，狐狸一直叫个不停，外面具体说了些什么我也听不清楚，只觉得脑袋嗡嗡直响，不停地设想着格林被发现的最坏打算。格林在我怀里出奇地安静，他也在屏住呼吸仔细地听。

大约过了半个小时，听见亦风送人关门的声音，又过了一会儿，亦风上来敲卧室的门，叫我们出来。亦风的神色显得比较凝重，坐在沙发上，点燃一支烟，说："刚才是派出所的人，说有人举报我们家养了'疑似狼'，他们来核实一下。"

我心里一沉，终究还是东窗事发了："他们没有证据啊！"

"有，"亦风说，"他们说保安看见咱们格林在池塘抓鱼，居民看见格林抢生肉吃，他们还看了小区的监控录像觉得确实很像狼。"

我底气不足了："你怎么说？"

"我没承认，只说我们养的是一只小狼狗，派出所说是狼是狗他们过几天会请林业部门的专家来鉴定，希望我们配合，也好给居民一个交代。"

我想起这段时间门口的垃圾和狗屎，皱起眉头叹了口气："可是格林明明就是狼啊，哪能蒙混过关呢？"屋子里一片沉默，晚饭也凉透了，只有格林和狐狸还在毫无心机地玩着。

亦风往沙发后一靠，望着天花板："要不就来个抵死不认，说格林已经送人了。"

"抵死不认也不行，格林送没送走他们一看监控就知道。况且邻居还有那么多双眼睛，你没个最终结果，门口的垃圾狗屎就不会停……唉，真是天罗地网，草木皆兵啊。"我心里一阵烦躁，自从收养格林以后，压力和危险就源源不断，躲过了家人躲外人，躲过了外人还要躲监控，躲有关部门，天天东躲西藏，夜夜提心吊胆，连顿饭都吃不安宁。

所有矛盾的焦点都源于格林是匹狼，有他不可改变的肉食习性和他带给人的恐惧感，以及他千百年来的声名狼藉。格林不咬人，但他天生有咬人的能力。人的世界，狼来了，不能单凭我们保证格林不伤人就能当狗一样养在身边，就驳斥邻居没有爱心不近情理，自私是生命的本质，谁愿意拿自己冒险呢？将心比心，如果我们家里有小孩，而邻居养着一只有能力伤人的狼，还没拴，我们也同样会担心，只是不会采用扔垃圾抹狗屎之类的方式而已。

既然我们不可能取得所有邻居的理解，那么现在摆在格林面前的就只有两条路：第一，跟林业局走，其结果必然是关进动物园。第二，想方设法留下格林，可是怎么留呢？

"把格林伪装一下？"亦风异想天开。

"怎么伪装？你就算把他浑身的毛都剃光，专家也能鉴定出这是一只地地道道的裸狼。"

亦风猛地被烟呛了一口，咳嗽几声又说："别太高估专家了……能不能装成狼狗呢？"亦风的一句话突然给我提了醒，我心里有了个主意——找老林。

老林是个三十出头的小伙子，事业有成，为人耿直仗义。他也特别爱狗，尤其是藏獒和狼狗，前些年就听他说过在玉树养了一些藏獒，所以他认识的狗友们挺多，我也算其中一个。亦风一说起"把格林伪装成狼狗"，我顿时就想到了老林，能不能让他在狗圈里打听打听，从哪里找只大小相仿的小狼狗，借来一用，狸猫换太子呢。

借狗来干啥，老林也没多问，二话不说就帮着联系。不到半天就打听到一家狼犬训育场有四只小狼狗都不到三个月大。我和亦风非常高兴，赶紧开车去看，选了一只毛色体型和格林都比较接近的狼狗，悄悄接回了家，又把格林妥善安顿在单身公寓。

第三天，派出所的民警带着专家如约而来，一起前来的还有小区物管和业主委员会的人。经林业部门的专家亲自鉴定，“格林”的确是狗——一只地地道道纯种的德国黑背狼狗。

大多数人的判断都是根据“翘尾巴狗夹尾巴狼”的理论以及格林吃过生肉的事件作的猜测而已，专家解释：“狼狗的尾巴很多时候也是下垂的，狼狗也要吃生肉，也会狼嗥。”谢天谢地，这个专家挺靠谱！

小区的监控都是远距离图像，没有一张清楚的。现在想起来，也幸好格林从来不进电梯，没有被电梯的监控拍下过近距离的视频，这才李代桃僵，蒙混过关。

派出所的人干咳了一声，说道：“虽然不是狼，但是现在市区里狼狗也是不能养的，要尽快处理。”

“不是狼就好，我们也就放心了，也好给大家一个交代。”业主委员会的说。

我和亦风相视一笑，格林总算在“疑似狼”的罪名砸实之前，被我们给匿回来了。

一场风波终于过去。还老林狼狗时，我和亦风千恩万谢，老林这才好奇地问起原委。我想了想，老林是多年的朋友了，也都是爱狗之人，告诉他也无妨，于是就把家里有只小狼要应付检查的事情简单对他说了一遍。

老林惊讶地听完，说：“你太能折腾了，这很不实际啊，你应付得了一次，应付不了一辈子，要不了多久小狼就会长大，到时候你怎么办？”

我无可奈何地摇头，我倒是希望格林永远都这么小，不要长大，但这是不可能的，狼的幼稚期很短，越长大越危险，越长大越无处可藏。

“小狼是从哪儿找到的呢？”老林刨根问底。

“若尔盖草原。”我回答。

“若尔盖？这么巧，我的獒场也在若尔盖，好地方啊。”

我一愣：“老林，你的獒场不是在玉树吗？”

老林呵呵一笑：“天有不测风云啊，去年玉树地震，那个场子就垮了，石头砌的狗房子倒了一片，藏獒压死了不少。幸好地震来之前，那只头獒预感强烈，撞开房门，带着五只小獒跑到了场子中央的空地上，才没给活埋。那只头獒太有灵性了。”

“哦？”我有些惊异，动物对灾难的感知的确比人强得多。我又问：“那些藏獒还在吗？”

“在，我后来就跟几个朋友合伙在若尔盖重新租了块地，用抗震的板房修了一个獒场，我那只头獒连同救出来的五只小藏獒都迁到若尔盖的新獒场养着呢。现在最小的藏獒也有六个月大了，还有两只已经一岁多了。”

“那只头獒叫什么名字呢?”

“叫皇帝，是只纯黑的长毛大公獒，特别护崽。那五只藏獒的命都是皇帝救出来的，全部听皇帝的话。”

“皇帝?”我和亦风念着这名字，想象着那只威武灵性的头獒形象。

“你那小狼要是没地方养，可以送去我的獒场啊，反正藏獒吃啥他吃啥，也不在乎多一张嘴。”老林慷慨地说。我怦然心动，抬头望向亦风。

亦风也有些心动，毕竟格林的生存问题已经刻不容缓，而且若尔盖又是格林的出生地，送格林归故乡正是我的梦想。但亦风的激动转瞬即逝：“藏獒和狼可是不共戴天的宿敌啊，这俩冤家能养一块儿吗?”

“也是哈。”我和老林这才反应过来，我刚沸腾的血液又降到了冰点，格林在家固然可怜，但家门一关，生命没危险啊。要是把一只两个月大的小狼送到六只藏獒的场子里，这生冤家死对头一见面，那格林不活遭群獒分尸吗?

三人遗憾地聊了一会儿，想不出更好的方法，也就不了了之了。我倒是借机向老林又讨教了几招如何给长骨架子的格林补充营养，合理锻炼的方法。

风声渐渐平息，日子稍稍安静下来。我仍旧步步小心，带格林避开所有人悄悄上天台，给他有限的自由和快乐。格林藏肉的技术有了突飞猛进的发展。终于一天，一块比砖头还大的肉条被他叼着在天台绕了几个来回之后，肉就像人间蒸发了一样，藏得我无论如何也找不着了。

藏好肉的格林神情异常得意，不紧不慢地踱步到一边，找了个舒服的地方，吹着小风，哼着“小曲儿”，自顾自地抓痒痒，然后用舌头慢条斯理地给自己“洗澡”，至于我搜寻到哪里，他根本不理会，那份任尔自来的淡定很有点诸葛亮唱空城计的感觉。他似乎胸有成竹：“找吧，谅你也找不着!”

他继续自我陶醉地“舔澡”，舔得非常认真，先把爪子舔湿润，然后伸爪子擦洗毛发，从头部开始，耳廓内外，额头脸颊，鼻梁下巴，眼睑嘴吻，都仔细舔擦了一遍，然后又侧过脸埋头舔舔颈窝、肩膀，弯起身来舔四肢、脊背、胸部、肚皮、尾巴，将全身各个部位擦洗得干净光滑。舔理完，他伸个懒腰，就像人做完了全套的SPA，容光焕发，新袍闪亮。最后，他很少见地翘起狼尾巴，歪着脑袋满脸讪笑地看着我。我的额角沁出了窘汗，继续找。

他休息了一会儿，又自己跟自己赛跑，接着他又睡了一小觉，醒来后他又上蹿下跳锻炼筋骨……折腾了大半天，我还是找不出来，偌大一块肉不翼而飞，游戏没法继续了。

傍晚的时候，我打电话叫亦风上来一起找，也是一无所获……两个成年人输给了一只小狼。非要知道他藏在那儿不可!亦风和我输得心服口不服!

饿他!让他自己找出来!顺便考验考验他的耐饥能力。

晚上，我没给格林吃的。第二天，也没给，带他上楼“坦白交代”。他扛着饿，不招。

第三天，我狠狠心还是不给他东西，再把他带上天台，让他加大运动量消耗体力，算是在“严刑逼供”了。格林饿得舔地上的灰，这是他生平第一次挨饿。无论是抱着我的腿撒泼耍赖，还是曲意缠绵软硬兼施都要不到吃的，格林终于意识到了再不启用存粮，明天就要饿得走不动道了。

他用钢针似的目光盯着我，气恼地喷了一口鼻息，开始在天台上兜圈子，我立刻紧跟其后。转电梯井，翻钢管，贴着女儿墙走，绕了三四圈，他根本没有要找东西的意思，我越绕越憋闷，眼看他又开始重复新一轮绕圈，我不跟了，觉得自己很傻。

格林果然还在毫无意义地重复着绕圈，“Z”字形地绕，“8”字形地绕，来回地绕，一会儿消失，一会儿出现，一会儿又消失，一会儿又出现，绕得我头晕眼花……

直到我累得不行、困得不行、热得不行的时候，我突然觉得格林这次消失的时间似乎比前几次都久。我蹑手蹑脚地走过去，藏在电梯井后面，突然醒悟他绕来绕去是在玩障眼法，就是想甩掉盯梢的，我如果再被他发现，势必还会被他带着兜圈子。

我摸出随身带的小相机，打开，拿在手里，把手探出去，旋转着搜寻格林的踪迹，我就从相机的液晶屏幕上监视电梯井背后的状况。

格林在天台女儿墙边站着东张西望，又把眼睛死死地盯着我所在的方向，一动不动。难道他发现我了？格林朝我这里盯了好长时间，我大气不敢出，手也不敢轻举妄动，突然有一种跟野狼战斗的感觉，不知道熟悉的格林为什么会引起我这种感觉。也不知僵持了多长时间，格林不再看我这边了，看来是他的天生多疑促使他用长时间的观察来解除可能存在的监视与跟踪。我对狼的遗传基因越来越感到吃惊，仿佛天上的狼魂在一点点地指导他怎么做。

格林终于放心了，嗅着地面，顺着女儿墙根溜到天台角落的一个雨水管道口前，几乎背对着我。突然，他像个老牌特工般猛一回头，狼眼如机关枪一样在身后一阵地毯式扫射。我的心狂抖了一下，与野狼对峙的感觉再次袭来。格林这动作毫无征兆，回头幅度之大、速度之快，令我防不胜防。我才隐约感觉到为什么面对终日熟悉的小狼也会涌起一种战斗感，这的确是一种人狼心智的较量，物种生存本能的较量，实在与感情无关。从格林多疑的神情和连我都防备的动作，我能清楚地感受到，在他看来，好不容易找到的这个珍贵的藏食点比这块肉的意义重要得多。

格林的这次回头，看来也是在做最后的确认，他终于放心地低下头来，用鼻子嗅嗅墙角的雨水管道，开始用两只前爪扒抓，一会儿，从管道口扒抓出一些泥土来。这也是天台上仅有的泥土吧，那是城市里长期掉落的少许灰尘，日复一日被雨水冲刷积累在雨水管道口的，充其量也只有两碗泥土。

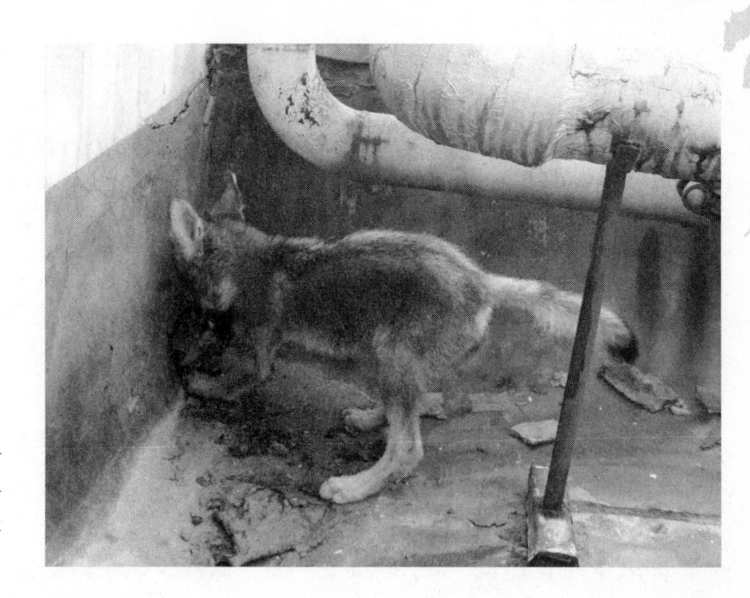

一场人狼心智的较量，好不容易找到的这个珍贵的藏食点比这块肉的意义重要得多。

格林挖了一会儿，伸过鼻子嗅了嗅，龇着牙尖咬上一点泥往外一拖，拉出一条黑糊糊软乎乎的东西，竟然是裹满了泥土的肉条。看来在这燥热的天台上藏了两天，肉已经发臭了。我吃惊地捂上了嘴巴，这点小动静似乎立刻被格林发觉。他迅速把肉塞回雨水管，并立刻用鼻子拱起泥土迅速回填，还用鼻尖夯实泥巴。动作之快，塞泥之猛，我真担心他的鼻孔会不会被堵住。然后他警惕地抬头看周围的动静，直到再次确定安全，才又把肉拖出来。

再看那肉，像风味小吃驴打滚一样裹满了泥沙，他叼起肉，先是甩动脑袋抖了抖，把肉上大量的泥沙抖掉，然后再侧着脑袋，把肉条钩挂到后槽牙，嚼断，吞掉。肉有臭味还带着泥土，但丝毫不影响格林的食欲。我这是第一次看到他吃腐肉，心里暗自担忧，怕他吃坏肚子。之后，我观察了格林几天的粪便都非常正常，可见狼的肠胃确实适合消化腐肉，难怪牧民说狼是草原清洁工。

格林虽然是留下了，但是在重重的压力下，除了宅在家里，我们也不能给格林更多的自由和空间，虽然我们略感安慰的是天台至少比动物园的笼子大得多，而且格林还有我们的爱，如同家人一样平等的爱。但是难道他就一辈子生活在天台上躲躲藏藏吗？难道他就一辈子孤单地仰望那些天空中的小鸟吗？我想带他去草原，然而草原上除了獒场找不到别的栖身地，一想到狼和藏獒是死敌，我就下不了孤注一掷的决心，城市虽然局促，躲在家里至少没有性命之忧。

好景不长，几天后，天台上陡然来了很多工人，正在施工，一打听，说是有公司把整个楼顶的广告位买下了，正在安装大型霓虹灯广告牌，估计最少施工个把月。金属敲击声，电焊的光，陌生的人……

格林在城市里的最后一块自由乐土也失守了。

傍晚，亦风还在电脑前忙碌。我望着窗外城市的灯火，喃喃道："如果一个人离开人群生活会是什么样子？"

"不好说，人毕竟是群居动物，单独的人短时间还可以享受清净，时间长了就算活得下来，那份孤独也足以把人逼疯。"亦风端起茶杯喝了一口，"别看现在的人成天到晚写着诗歌唱着寂寞、喝着闷酒、喊着孤独，其实有些孤独感生活在人群中的个体是永远体会不到的。"

"狼也是群居动物，格林会有孤独感么？"我颔首看着熟睡在我身边的格林，他的肚子均匀起伏，小爪子还迷迷糊糊地抓挠两下，不知道在做什么梦。

"他有我们陪着，不会孤单的。"

"可我们又能陪他多久呢？再大一点，狼的样子就谁都瞒不过了，我们为了藏他，搞得他差点连命都丢了，还要继续藏吗？狼不可能适应城市生活，即使他能够适应，人们也容不下一只狼生活在身边。"

亦风停下了工作，喝了一口茶，默不做声。他很清楚这是一个沉重却无法回避的现实，野生动物在这城市里根本不可能有家，格林只有回到他的世界才能好好生活下去。毕竟人有人的社会、狼有狼的社会，这分属于两个社会的个体是很难永久相伴的。这些日子以来，格林对生命的渴望，对自由的向往令我们深深震撼。格林不是宠物，他需要的是一份择地生存的自由和一个竞争求存的世界。我们不能剥夺格林自由生存的权利，应该让他像狼那样活得有意义，有自由，有尊严。

亦风转身端详我的表情："你有话跟我说？"

我绕着书房踱了一圈，深吸了一口气，咬咬牙底气不足地说："我……我还是想送他回草原。"我知道亦风肯定又会枪毙我的痴心妄想。

亦风沉默了很久，问道："你心里有计划了吗？"

我"嗯"了一声，头埋得更低了，像在等待一个判决。

亦风久久地盯着我看，看得我心里一阵阵发虚。终于，他释然一笑："我就知道你不会死心的，想去就去吧！"

"……？"我愣住了，有点不相信自己的耳朵，这家伙不会是以退为进说反话吧。我一把拉住亦风的袖子："你是说赞成我把他野化放归？你是认真的吗？"

亦风一脸诚恳："是认真的，让格林回到他应有的生活中。"

亦风一赞同，我反而心里没底了，瞻前顾后道："那么多的专家放归都失败了，我们连半个专家都不是……"

"别人的失败不应该成为自己的压力，你对格林的爱和投入是专家所没有的。"

我万万没有料到，亦风竟然一改往日的反对，进而鼓励起了我的想法，我一时间有点不知所措："你不是说野化放归只是个梦想吗？"

"梦想才是最真实的东西。"亦风的眼睛里有我从未见过的炽热光芒。

"那你有过梦想吗？"

亦风略一犹豫，终于答道："有……你……"

我头皮一麻，鸡皮疙瘩掉了一地。

都是经历过爱情洗礼的成年人，要再袒露心声是多么不容易的事情。

亦风尴尬地捧起茶杯，不好意思地转过头去，不敢正眼看我，嗫嚅了好一会儿，还是鼓起勇气说："和你在一起，我才感觉生活充满激情……我想让你快乐，想让你一辈子充满希望地生活……如果你有梦想，就去实现它，如果我让你丢失过梦想，那就把它找回来！我……说得不好，你别笑我。"磕磕巴巴说出这番不知道是情话还是演讲稿的台词，亦风的脸红得像煮熟的螃蟹。然后两个人都不知道该说什么了，安静的书房里，只听见彼此的心脏都在怦怦直跳……

还是亦风先打破僵局，把茶杯放在我手心："你……去吧……我忙完这个项目就去草原找你。"茶暖在手，话暖在心，两人相对傻笑……这是一段什么时候开始的感情，无声无息地就来临了……

是的，没有努力怎能知道结果？作为现代人，正因为现实的压力太大，所以我们才更不能放弃梦想，我也想跟格林一样不屈服于现实，奇迹只给坚持梦想的人。

从这一刻起，我的梦想就是让心爱的格林回归自然，如果狼注定不能亲近人，那么我就去亲近狼，将自己放回原始状态，重新解读自然之书，探寻狼族生命的意义。

12 只为那传说中美丽的草原！

在安全的囚禁和危险的自由之间，我和亦风都站到了狼性立场上，终于为他选择了危险的旅程。

机场，托运中心。

进笼子之前，格林一直狂挣乱踹，可是当笼门像牢门似的“哐当”关上以后，格林仿佛瞬间被抽空了所有勇气与斗志，像受惊的小狗一样低头蜷缩着。

小格林惊呆了，在这个人来人往的地方，第一次被塞进这样的铁笼子，惊愕、恐惧涌遍了他的全身。他夹紧了尾巴坐下来呜呜咽咽地哼着，他早已过了那种本能装死以躲避陌生事物的幼崽阶段。他望着我，不知道这些人要将他怎么样，也不知道该如何反抗。虽然一直以来对我的信赖和服从让他尽力去相信这是安全的，但这铁器的味道对格林而言有种克星似的威胁感。天性自由的狼最害怕牢笼“监狱”。

我将手指伸进笼中，轻轻触摸着格林冰凉的鼻尖和微微颤抖的鼻翼安慰他。格林的眼里充满惊惧和求救的信号。从小到大他还没离开过我，也从未被关在笼子里。在我的安慰下，格林渐渐平静了一点。我狠狠心退开了两步，看机场的托运人员麻利地打包，在铁笼子外面五花大绑地缠上一层宽胶带，小格林看我的视线被胶带遮住，不安地挠着笼子吱吱叫。

格林被放到了行李车上，跟一大堆皮箱和行李袋放在一起。行李车开动了，格林惊慌地看着被逐渐拉远距离的我，不顾一切地把鼻子挤出笼子的缝隙，用细小的乳牙啃咬着铁笼，惊恐地大叫起来。我一阵揪心地疼，追着车子喊：“格林听话，我很快就去接你，格林听话!”我的声音和样子逐渐消失在纷乱的行李车流中，格林发出了绝望的尖叫，这是一只小狼在眼睁睁失去母亲时的恐惧。

接下来简直是一场噩梦，许多陌生的男人粗声粗气地说着话，把行李、纸箱抛来抛去，扔成一堆，相互挤压着。格林的笼子被放在最外面，一个粗壮的男人清点着箱子数目，把格林的笼子用脚往里蹬了蹬。之后舱门合上了，机舱里面一片黑暗，所有的车声、人声、装卸货物的声音都被隔绝在外，静得让格林可以听见自己的心跳。他不知道自己是不是被丢弃了，一种孤独感混合着黑暗中各种陌生的气味迅速将他包围起来。

“呜喔——”格林可怜巴巴地唤了一声，回答他的只有一片沉默，还有不知道哪里的气孔嗞嗞地释放着氧气。格林停止了徒劳的挣扎，好在这个可以装藏獒的笼子对猫般大小的他实在显得非常宽松。行李舱的黑暗反而给了格林些许

我老实地在托运单上填写了“狼”，那熟人接过单子看来看去，拿过笔小心翼翼地在“狼”字后面加了一个“狗”字。

安全感——他本就出生在一个黑暗的狼洞中。他定了定神，开始仔细嗅闻着周围，直到嗅出了一旁的行李箱残留着妈妈的味道，才踏实地担负起了守护的责任。

在成都飞往九寨沟的途中，我一直提心吊胆，生怕格林有什么闪失。毕竟，明目张胆地托运一只野狼是挺冒风险的。如果不是成都到若尔盖的路被泥石流冲断了，我不会选择搭乘飞机到九寨沟，再辗转搭车前往若尔盖草原。

在机场托运的时候，老林特意找了一个经常替他托运藏獒的熟人。我老实地在托运单上填写了“狼”，那熟人接过单子看来看去，拿过笔小心翼翼地在“狼”字后面加了一个“狗”字。

老林安慰我说：“放心吧，飞机上不会有事，我担心的是到了獒场，他怎么跟藏獒相处。”

是啊，这又是一个极具挑战的难关。这次去草原，我和格林可说是背水一战，唯一的指望就是老林的獒场，除此之外，别无选择。在草原上很难有养格林的地方，首先是牧民容不下狼，其次是我独自一人，没有长期生活的条件，更别提照顾一只正值淘气时期的幼狼了。

出发之前，我、亦风和老林商量了很久，相比之下，格林最安全的去处无疑是动物园，最危险的去处则是獒场，因为极可能和藏獒一碰面就被咬死，可是獒场能让格林更贴近故土，有机会野化回归自由。商量了一整天，在安全的囚禁和危险的自由之间，我和亦风都站到了狼性立场上，终于为他选择了危险的旅程。但是到底有多危险呢？我们唯恐漏掉一个细节，一遍一遍地向老林询问详细情况。如果完全是死路一条，我总不能眼睁睁地把格林往藏獒嘴里送。

老林尽力比画着獒场的格局，我始终没太明白，老林累坏了，终于简而言之一句话：“藏獒实在容不下格林，就把后场的几亩荒草地单独给格林活动，绝不放藏獒过去。”

能隔离开就好，我放心了很多，想到草原上的几亩地可比小区庭院大多了，而且，根据老林的描述，后场的荒草地里有随处可见的高原鼠兔，这连格林的猎物问题都解决了，我觉得为此冒险一试还是相当值得的，不敢冒险还是狼吗？况且，亦风说趁着格林还小，实在适应不了草原还可以再想办法回成都。我也就下定决心了，若尔盖草原毕竟是格林的故乡啊，为了格林的回归梦，靠近一步算一步。为了全力支持我，仗义的老林此次专程陪我一起飞往若尔盖，一方面给他的藏獒们带去几百斤狗粮，更重要的就是协调藏獒和格林的关系。藏獒只认主人，但能不能接受格林，谁的心里都没底。

几个小时后，我终于在九寨沟机场等到了行李员出站台，他不满地冲我扬扬流血的手指头："行李和笼子，你自己去拿吧，你的狗不准我碰你的东西。"

我赶紧道歉，把小格林抱出笼子上了老林的车。格林依偎在我怀里，爪子牢牢钩住我的毛衣，牙齿紧咬着我胸口的围巾，似乎要用尽一切方式和我紧扣在一起，死也不再分开。

当所有的恐慌和不安渐渐驱散，随着汽车在草原公路上的轻微颠簸，闻着我怀里熟悉的味道，小格林的眼皮开始沉重起来。他的鼻尖有一抹刺眼的殷红，牙龈也有些出血，那是与铁笼子抗争的结果。我抱着格林的手渐渐发麻了，想把熟睡的格林挪到一边的座椅上。我刚一挪动，格林的小爪子就神经质般地又抓紧了，牙齿也急切地用力向前咬了更多的围巾，生怕我再将他"丢弃"。狼是群体意识很强的动物，格林自小就特别惧怕孤独，分离的寂寞和无依让小家伙在梦里都害怕。

我轻轻抚摸着格林，向窗外望去，若尔盖——阔别两个多月我又回到了这片草原，草绿了很多，却并不深。

接我和老林的司机是本地人，边走边跟我们聊起了草原的种种："若尔盖最美的季节要数七到九月间了，你来刚好赶上，这时候格桑花开得正艳，运气好还能在马粪球上捡到白色的蘑菇。再往山顶上走没准还能碰见青羊（斑羚），但那要运气相当好，青羊现在已经很少了，倒是这玩意儿很多，"司机向车窗外指指那迅速跑动的鼠兔，"那满地的土包还有洞子，都是他们刨出来的。要不了多久啊，这草场也就废咯。"

我心里一沉，旋即一喜，难过的是这风吹草低见牛羊的美丽高原湿地成了现在的模样，高兴的是怀里的这小家伙可有东西吃了，那满坡的鼠兔可让食肉欲望日渐强烈的格林尽情逮个够。但这些鼠兔不同于拴在绳子上的死老鼠，得看格林有没有本事捉到了，想起他小时候捉鱼杀鸡的能耐，应该还是有这天分的。然而，能生活在草原的生物，哪怕是只小小的鼠兔也不会像家禽和观赏鱼那样好对付。

格林，你也在这里练就你的生存本领吧。

又经过几个小时的颠簸，终于来到了老林的獒场，老林慷慨地对我说："这就算你的大本营了，先在这里适应一下吧，这里养獒的工人估计九月底就会撤走，你一个人在这儿过冬还得尽快适应这里的生活，有什么需要帮助的，做朋友的能帮就帮。”我点点头，心里暖暖的。想起我无论是以前在街头捡到流浪狗还是现在收养孤狼总是给这个朋友添麻烦，着实感激和过意不去，思忖何时也为他做点什么才好。

老林见我下了飞机却没什么高原反应，笑道：“你身体倒挺结实，不过高原太阳烈，几天就能把你晒成高原红，你不心疼？”

“呵呵，随意，谁都会老的。”

“你倒是看得开。”老林探头看看后座，问，“小狼怎么样？”

“车一停就醒了，上飞机前听你的话啥都没喂，一直饿着呢，水都没喝，该饿坏了。”

“嗯，等会儿进了獒场，也别急着喂东西，先饿他一天。”

“为什么？”

“坐飞机前不喂是怕他晕机，下来了还要观察一下，我没养过狼，但是运藏獒的经验是这样，长途跋涉下来突然喂食容易造成肠扭转，上次一个养獒的工人没经验，下飞机就喂，结果藏獒肠扭转几个小时就死了。狗到高原来肠胃会胀气，最好多适应一下比较安全。”

我“哦”了一声，又学到一个书本和资料里未曾提及的经验，也只有这些长期和藏獒们打交道的人才会了解。

进场下了车，我才发现这獒场的确是个好地方。獒场在广阔草原的中间，离公路有一段距离，獒场背后不远就是一条大河。老林和另外两个朋友合伙在这块牧场上租下了几十亩地，用石头围墙围起来，修了这个大獒场。獒场里面三家人平均各占一块，分左獒场、中獒场和右獒场，每个獒场中间用铁皮墙隔开。中獒场是老林的，给他养獒的工人是一对小夫妻：尼玛和卓玛，左獒场的工人是位五十岁左右的老阿姐，右獒场的工人是一个东北汉子老肖，听说养獒经验最足，胆子也最大。

每家人的獒场又单独细分成了前场、中场和后场，像一个“目”字的结构，三家人的獒场就像三个并排的“目”字。每家人的前场都紧邻大铁门，是连通在一起的，通常是人进出活动的区域，前场和中场之间修了一长排板房，分别是每家的员工宿舍、厨房、厕所以及狗粮肉食的储藏间。几家工人住在一起，相互也好有个照应，老肖说养獒是有风险的，容易发生意外。

板房的背后就是放养藏獒的中场，有一道铁门可以进入。从板房的每间窗户可以随时看到藏獒的活动情况。中场和后场之间是一排犬舍，犬舍里是十几个分关藏獒的铁笼子，每个笼子八平米左右。穿过犬舍就是后场，也是每家人最大的一个场子，但因为后场离人住的地方比较远，不便于监控，通常是备用的。为防止有些藏獒之间打架，可以在中场和后场分开放养。老林说可以单独放养格林的就是他的后场。

我们此刻就站在前场人活动的区域，光听到中场里狗叫的声音，还见不到藏獒。

刚一下车，格林立刻侧耳倾听藏獒的叫声，耸起鼻子嗅了嗅，警惕地观察四周。他一定闻到了藏獒的味道，只是我猜不到他心里是怎么想的。格林把每个人都看了一眼，就四处转悠着打探这个新环境，他的精神显得有些委靡，我安静地待在一边，任他自己去探寻故土。他在草丛中找了一块感觉味道很重的地方立刻陶醉地打起滚来，尼玛笑道："我们经常倒一些洗碗或者洗肉的水在那里，他闻着味儿了。"我微笑着点头，眼睛一刻也不离开格林。

格林蹭够了他自认为性感的味道，翻身爬了起来，走了两步又停下，垂着头，脸上憋满复杂怪异的表情，少时，他颤颤巍巍地伸出前爪，尾巴平举，迈着迟钝的步伐：一步，两步，三步……"噼啪、噼啪"细碎的声音从格林身后响起。周围的人都愣了一下，格林继续走着猫步，终于他加快步伐跑了起来，身后的声音也更加连贯，"突、突、突、突……"格林活像一台老旧摩托车，放着一连串的屁绕场一周。大家面面相觑哈哈大笑起来，这家伙到了高原肚子胀气居然是这模样。

格林跑完一圈下来明显畅快多了，精神抖擞，又恢复了一贯的活泼顽皮。前场有几个工人逗着格林玩，这些工人都知道格林是只狼，也并不害怕，他们与凶猛的藏獒都生活惯了，当然不会怕一只小狼。只是他们问起小狼来历的时候，我绝口不提，任他们猜去。看格林玩得尽兴，我也就放心去找自己的房间了。

老林给我指了一间空房："你就住这间吧，条件艰苦一点，但是有尼玛和卓玛在，可以帮衬你一下，你好尽快适应草原生活。"

我看着这个十平米左右简单干净的板房小屋，难以掩饰内心的兴奋。小屋的推拉窗户面向中场，屋子里除了一张小木头床，别无他物，但这已经比我想象的要好多了。小屋里有些漏水，地上潮潮的，我打开窗户透气，让草原的风吹进我的房间。我趁着有太阳把被子拿出去暴晒，然后装上自己的被套……

下午，我和老林商量了一下，把中场的藏獒都关回犬舍笼子，把格林放入中场活动，让格林先认识一下藏獒留下的味道，看看格林有什么反应。明天，再挪开格林，把藏獒放出来，让藏獒熟悉格林留下的味道，动物都是用鼻子思考的，如果双方光是闻着味道就显出势不两立的躁动，那么让狼獒会面就万万使不得。

尼玛打开中场门的时候，格林踌躇不前，在门口踱来踱去就是不进去。我探头看看，犬舍的大门还开着，就问尼玛："藏獒都关好了吗?"

"放心，都关在笼子里了，跑不出来，犬舍门只是开着透气而已。"

我放心地点点头，摸摸格林的脊背，示意让他跟我来，然后走进了铁门。

"吱、欧！吱、欧！"格林立刻向我发出尖利而短促的声音，我马上站住，这危险的警告声太熟悉了，我以前进电梯时就听格林这样叫过。此刻格林站在门外，四腿微弯，爪子抓紧了地面，身体斜倾，一副随时准备逃跑的姿态。看来他对这藏獒的味道是有所顾忌的，狼对不了解的事物绝不轻易冒险。我当着格林的面进入中场走了一大圈，然后回到他面前，表示自己安然无恙。格林看看我，疑惑地转着眼珠子，死死盯着洞开的犬舍门，仍旧不进去。犬舍的两道大铁门随着高原的风吱呀吱呀地晃动，门里飘出浓烈的藏獒味道和叫声——格林不放心那道门。

我让尼玛把犬舍门关紧，上锁。格林的逃跑预备动作取消了，但仍旧在中场门外徘徊。尼玛又使劲拉了拉犬舍门，表示相当结实，绝不会跑出任何东西，格林的戒备才慢慢放松下来，一步一颠地跟我进了中场。尼玛关上中场门的瞬间，格林的狼毛一下子竖了起来，我摸着他紧张的背毛安慰了好一会儿，和他一前一后绕着中场走了一圈，他才放松下来。我发现格林的神情很奇怪，他会凑在犬舍门缝前仔细地闻味儿，把自己的鼻息喷入门缝，当听到门里传出犬吠时又猛地后跳逃跑，过了一会儿又情不自禁地跑回犬舍门口，再嗅，再跑！动作中充斥着一种既害怕又兴奋，既排斥又向往的神情。

我和老林一路奔波，午饭都没吃，这会儿早饿坏了。卓玛在厨房简单地做了一些饭菜，炖了一锅牦牛肉，肉香飘得满场子都是，逗得三个獒场的藏獒们都嗷嗷叫着讨食吃。卓玛隔着窗子招呼我，又叫老林和东西两个场子的工人都在厨房小桌子边围坐下来，给每个人都盛上一大碗肉汤加牛肉。

我翻窗进屋，拍拍衣服，去前场找水洗手。正洗着，突听厨房里炸了锅似的，大家伙惊叫了起来，大喊我的名字。我赶紧跑进厨房，一看：格林像土匪进村一样，在灶台上一阵乱搜乱闻，翻身就往炖肉的锅里扑去。在众人的惊叫声中，有的夺门而出，有的奋力护住一桌饭食，有的端着碗跳上沙发，一屋子乱劲儿……

我快步抢上前去，在格林入锅的千钧一发之际一把揪住他的后脖子，这小子对"烫"还没有概念，他像发了狂似的扭头挣扎，两个爪子还不忘临空朝锅的方向奋力乱舞，水蒸气中格林的尖牙利爪衬着猩红的舌头和牙龈格外刺眼。我越发抓得紧了，把他拖离开灶台，饿了一天的格林绝望地嘶叫着："哇呜——！哇呜——！"（我的，我的！）瞪大的狼眼露着眼白，盯着一锅越来越远的肉汤，与眼看就要到口的美餐失之交臂。

我用力把格林抱上窗台，他四脚倔犟地蹬着窗户，扭头望着肉锅大叫，死活不肯出去。大家都端着碗跑到了门口，不知道该跑出去还是留下观望，狼狈之极。我用力掰拢格林的腿，硬把他塞出了窗户，关窗！锁死！绝望透顶的格林拼命嗥叫着，把窗户撞得咚咚响。大伙儿心有余悸地回到小桌前，七嘴八舌地议论起来：

"你翻进来的时候窗户没关死，有条缝子，他不知道咋就扒开了窗子，直接跳进来了。"

"藏獒都没翻进来过，他那么小的个子，咋一翻就进来了？太凶了！"

"狼真是比狗厉害！他在外面的时候，厨房窗户千万开不得！"

"今后你一个人在这里还要多小心，不要被他咬到了！"

“还有那些藏獒，个个咬人动真格的，你要仔细哦！”

我鸡啄米似的点着头，心里对这调皮的格林也着实没底，默念着：格林，今后这就是你生活和成长的地方了，我们都慢慢适应吧。

…… ……

饭后，我回到自己的房间，隔着窗户，可以看到格林独自在中场上焦躁地走来走去，他舍不得离开我，老想从窗户翻进屋来，窗子里一有人影晃动，他就停下脚步，定睛观瞧，无辜地哼唧着，耳朵转来转去，眨眨眼睛歪着脑袋卖萌，让我忍不住想开窗抱他。他太明白我的心理了。我撩着窗帘探看着，一阵阵地心软，忽又想起刚才吃饭时那惊险的一幕，狠心把窗帘一放，扭头走开了，格林眼见屡试不爽的卖萌策略居然不奏效，失望地长声呜咽起来。

黄昏太阳的余晖一收，草原迅速降温，风刮得窗棂呜呜作响，我翻出厚衣服胡乱裹上，心想格林睡觉是个问题，他毕竟年幼，不能像大狼那样抵御寒冷，晚上还得跟我一起在房间里睡觉。

场子里几个工人商量了一下，不放心一只狼睡在我房间里，就搬了一个关藏獒的笼子进我房间，一定要看着格林进了笼子才踏实地离去。

草原上的夜，静悄悄的，除了远方偶尔传来一两声狗叫，没有更多的声音。夜露在铁皮屋檐上凝结成水珠，间断地滴下来，滴答、滴答……我躺在床上，空寂的屋子令这些声响更加清晰，也让心沉静了下来。月色清透，从窗户洒入，每一颗透明的露珠就携着月光滴落，晶莹剔透，拖着长长的尾光，像一个个陨落的流星。那是一种静谧之美。

奔波了一天，我和格林都累了，但格林一直没睡着，他非常不习惯离开我的怀抱，在冰冷硌脚的笼子里睡觉。他在笼子里翻来覆去，经常一脚踩空再把脚抽回笼子，很难找到一个舒服的姿势睡觉。格林来来回回摆了很多造型，躺在那里撑起脑袋埋怨地哼着，一双眼睛反射着月光，幽幽的两点宝石绿。

我侧身看着他：“格林，你也睡不着么？”“呜呜嗯嗯……”

“那你数羊吧？”“呜嗯——”他那小灯泡似的眼睛眨了眨，偏着头满含笑意。对呵，狼数羊还能睡着么？我哧地笑了出来：“格林，想跟妈妈一起睡么？”

“呜呜——呜呜——”格林立刻站起身来，一只爪子搭在了笼子上。

我起身找了张厚厚的被面铺在床面上，打开笼子。格林抖抖全身的毛，两步就跳上床来，回头感激地舔我的胳膊撒娇，我整理好被窝，钻进内层的睡袋里，格林就在脚底软和的被面上趴着，夸张地打了个哈欠，把小尖嘴埋进前爪下，蜷成一团睡了。

从此，那笼子就成了一个摆设。

清晨推窗，一股清新的草香将我淹没，我迫不及待地带着格林投身于广阔的草原中。

第一次踏上这么广袤的原野，格林立刻被震住了：站在草原上激动地猛转着身子，向前看，无边；向左看，无边；向右看，无边；向后看，还是无边……格林的胸腔剧烈起伏，这比他曾经待过的荒凉楼顶、压抑的小区庭院、车水马龙的城市水泥路宽广多了，这才是他的家。当他还是满地滚爬的小绒球时就记得这片芳草齐眉、花影婆娑的故土，在他睁开第一眼的朦胧记忆中就镌刻了这一份无边的印记。格林是属于这里的，他回家了，草原有最辽阔的自由。

狼毛飞扬，狼血沸腾，格林回家了，草原有最辽阔的自由。

格林的狼眼闪着奇异的光，和草原一样的绿色光芒。他张开大嘴，似乎想呐喊，却一声也没有喊出来。他大口喘着气，他听到了草原的呼吸与脉动，与他的血管相连，与他的心跳同步。一股原始的冲动瞬间冲向他的四肢，格林突然间撒开腿跑了起来，像一发炮弹向着他目力所及的地平线射了出去！他的狼毛飞扬，狼血沸腾，一双狼眼像朝霞一样燃烧，他飞奔着，把他在水泥城市中憋压已久的激情爆发出来，奔跑变成了他唯一的自由表达。

转眼间，格林就跑得没影了！

啊?！我心里一凉，目瞪口呆：这……这就跑了？合着我刚带他到草原这就算放生啦？这家伙还没生存能力呢！咋办？一到草原就放野不听话啦？还叫得回来吗？是不是应该抓回来啊？可我哪跑得过他啊？这家伙居然一点都不留恋我？真的是狼子野心？太现实了吧？……莽莽草原上，留我一个人，一脸茫然站在原地，望着格林消失的方向毫无精神准备地一阵阵发傻……

半晌，我还在发愣沮丧的时候，远山和草场交接的地方恍惚出现了一个小黑点，一蹦一跳地，蹦过来了，蹦过来了……哈哈，那野家伙又回来了，刮地风似的朝我飞奔而来，我欣喜若狂，大笑着喊：“嘿！野家伙，我还以为你不要我了呢！”

近了!更近了!我欢喜地迎上去，格林越来越清晰，可还有三个黑影紧跟其后。我眯起眼睛仔细一看，脸色陡变。天啊，后面跟了三条大狗，一路追撵过来!格林神色慌张，仿佛在边跑边喊:“妈呀，快来救我!”

我早就听说过藏区草原狗的厉害，急忙脱下一只鞋来，大喊着朝狗扔过去!三只狗一阵急刹车，汪汪大叫着，我又脱下另一只鞋拿在手里，做着投掷威胁的动作，高声吆喝驱赶。

顷刻之间格林就跑近了我，还隔着好几米，他就一个加力蹦跳，腾空而起，直接扑进了我怀里，我猝不及防被他撞翻在地。格林拱在我后面，把我当挡箭牌。我赶紧抱着他，举起鞋子，一骨碌翻身起来轰狗，那三只狗眼看到手的猎物有了救星，懊丧地跑开了。

你看看，外面的世界很精彩，外面的世界很无奈……叫你丫乱跑，吓傻了吧!

格林看我赶走了大狗，咧着大嘴喘气，狼舌头挂在胸口来回晃悠，小爪子一个劲儿地往我肩膀上爬。我从未见这家伙如此激动亢奋，他抱定我的肩膀，朝着我的脸颊就是一阵狂舔，我大笑着躲开，擦掉一脸的狼口水:“我还以为你不回来了呢。”突然心中醋意翻滚，“小子，如果没有那些狗追你，你还会回来吗?”格林张大嘴巴一脸憨笑，那三只狗丝毫没有败坏他初到草原的兴致，而且从他的兴奋神情看来，似乎在这么广阔的地方被恶狗追撵一番也是很刺激的事情哪!服了他了。

狗群刚跑远，格林立马跳下地来，绕着我小跑着兜了两圈，一脑袋撞在我的腿肚子上，把我使劲往前拱，又绕到前面，一口叼着我的裙子拽着就跑，仿佛在喊:“你还在这儿愣着干啥?”对啊，我还愣在这儿干啥?鞋子一扔，我欢笑着跟格林追跑起来。

很快，我就被格林带到了一大片开满黄花的水草地，我还在犹豫会不会有泥沼，会不会弄脏我的长裙，格林早已蹦跳着跑了进去，泥浆水花溅了我一身。格林扭头眨着眼睛，是呵，这是他的家园，在这里他的直觉比谁都灵。是呵，既然来到了自由地，还顾忌那么多干什么?我心怀虔诚地走上了这片金黄色的繁花地，地上铺着厚厚一层软泥腐草，松软而富有弹性，踩上去像踩在海绵上，一脚一个凹坑，清凉的汁液从脚丫缝冒出来，漫过脚背。草原，湿地，我们回来了……

朝霞给远处宝石蓝的河水和灰白的河滩又涂上了一层金色，对岸紫色的河滩上白雾袅袅，深褐色的苍鹰翱翔在蔚蓝的天际。我深吸着高原的空气，柔软的长裙迎风飘舞，身边是紧紧追随的小野狼。草原如此大气磅礴，高远的蓝天，起伏的花海，耀眼的雪山……每一景物都让格林兴奋不已，他像蓝天下的蒲公英，洋洋洒洒追风而行，奔跑于草原上有种如获新生的感觉。

谁不曾梦想到天尽头去走一遭?漫步美丽的草原，如同步入一个梦境，一个童话……

13 狼与藏獒的传说

或许格林不知道藏獒的样子，但是他幼小的记忆中却深深烙印了这獒吠和獒味。藏獒的气息勾起他记忆深处的恐惧与仇恨。他的眼神和动作是复杂的，既有对同类的亲近，又有莫名的惧恨。

我和格林疯耍了一上午，回到獒场，把格林放到前场喝水休息。我回到小屋，打开窗户透气，开始收拾房间。

突然，屋子里一暗，一阵腥风猛卷过来，吹得我耳边的头发都飘了飘，我打个冷战，腰板立马僵直起来一动不敢动。我清楚地感觉有什么盯着我，盯得我后背一阵阵发寒。我不敢有大动作，小心翼翼地试探着转过身，立刻倒抽一口凉气——我面前打开的窗户上，趴着一只大藏獒。他人立起来，把斗大的脑袋伸进房间，遮去了半屋的阳光。

我感觉腿微微发抖，我本来是不怕狗的，可我从来没见过这么巨大的狗，而且离得这么近！他的肩膀和我一样宽，脑袋却顶我四个头那么大，虎背熊腰。这哪里是狗？简直是一头狮子！

我“啊”地叫了一声，惊恐中带点惊喜——这是我生平第一次看见藏獒。

听见我叫，那只藏獒也浑身一抖，冷不丁地吓了一跳。我和藏獒面对面，这才发现他额头上的长毛和扭成两坨的粗壮眉毛几乎把眼睛都遮住了，他这会儿正挤眉弄眼，挑起眉毛想把我看清楚。那滑稽的样子让我不禁有点乐了，快乐是很容易拉近距离的，看着藏獒一脸敦厚的卡通表情，我突然对他萌生出一种好感。我慢慢凑近他，轻轻一口气吹开搭在他眼睛上的长毛，一双棕黄色的漂亮獒眼露了出来。这回藏獒总算把我看清了，可没想到我胆敢离他这么近，他下意识地把大脑袋后仰，一双眼睛重新在我脸上对焦，虎视眈眈，满含对陌生人的警惕和疑惑。作为藏獒，他早已习惯了陌生人对他敬而远之的动作，却很不习惯跟人鼻子对鼻子地观察对方。他盯着我，我也盯着他，两颗心擂战鼓般咚咚乱跳。

对视着，对视着，我笑了。因为直觉告诉我他的眼里对我没有敌意。我仔细端详起这只藏獒来，仅从伸进窗子的部分就不难看出，这是一只雄壮的大獒。他鬣毛飒爽，整个脑袋几乎呈方形，大嘴阔鼻，长得有棱有角，两只大耳朵裹着长毛直垂到下巴。上嘴唇两片厚厚的肉垂下来包住整个嘴筒，随着他的喘息厚重地抖动着。方正光滑的鼻子像刚擦亮的皮鞋头，精致的鼻孔凑成一对相反的逗号。

他也在揣摩我……

尽管我知道藏獒只认主人，而且凶猛异常，接近素不相识的藏獒是拿生命开玩笑的事情，可面对这么威武的大獒，我还是忍不住慢慢地，慢慢地……伸过手去，指尖轻触到了他的大鼻梁。藏獒更感意外了，略一退后，避开我的手，重重地喷着鼻息，“呜呜，呜呜……”喉咙开始有了威胁的声音，我的指尖甚至可以感觉到他喷出来的热气。我心里一阵紧张。这个距离，藏獒完全可以一口咬掉我的手，然后松松脆脆地嚼进肚子里。第一次面对这么大的狗，谁不害怕才怪。但是，我性格中强烈的好奇心和征服欲远大于本能的怯懦，也或许是我天性中与动物尤其是犬类的某种神秘联系起了作用，越害怕我越想接近他。

我压抑着狂跳的心脏，目不转睛地注视着藏獒的眼神，固执地再次伸过手去，动作尽量轻微缓慢，随时提防他猛地给我一口，我尽量用最柔和的声音向他表达我的无害和诚意。

对一个陌生人如此大胆冒犯的抚触，藏獒戒备的眼睛里很有几分诧异，他仍旧低吼着，看着我的眼睛迟疑：咬还是不咬？直到我的手挨着他的鼻梁，他也没作出最终决定，然而他没有再避开，威胁的声音也渐渐停了……

这是一种默许，我抑制住兴奋，更加小心地顺着他鼻梁上的毛轻微地抚摸，手渐渐抚到他的额头。他有一点不自在，把脑袋偏了一下，眼里掠过一丝不满。我立刻知趣地挪开手，鼻尖沁出一点汗。我似曾听说过在藏獒心目中只有主人才能摸他的头顶，不像一般的狗，一旦接纳你就随你摸顶，我冒犯了这只藏獒的额头，他没发火咬我就算挺客气了。

我轻轻撩开藏獒眼睛上的长毛，让他把我看得更清楚些，然后把手指滑到了他的耳朵上，在耳根边轻轻抓挠。这个被我称作“狗儿乐”的耳根子边是所有狗狗们最舒服最喜欢的地方，哪怕狗儿正在赌气，给他挠到这里都会舒服得偏过脑袋就我的手，然后闭目享受一番。这法子在格林身上试验，都会挠得他浑身哆嗦个不停。

我讨好地挠着……

然而，这只藏獒却像老僧入定一样半点反应都没有，对我讨好的手法既不赞许也不表示享受。不过，他也没躲开……我眼珠一转，忽然停住不挠了，把手抬起来看着他。

舒适的抓挠突然停止，藏獒一愣，眼神复杂而纠结。

他犹豫再三，终于放下架子，把脑袋迎了过来，腼腆地侧过耳朵凑近我的手掌。瞬间一阵暖流传递过来，我刚才害怕的感觉消失殆尽。我咯咯地笑了起来，更加舒服地挠着他。几乎所有的动物都是以快乐原则相处的，这种舒服很容易演化为一种东西——好感。我知道他接受我了。那一刻起，我就对这个大块头有了特别的感觉。

抚摸中，藏獒眼睛里的光芒慢慢柔和起来，变得友善而亲近。我隐约感觉到，在这些人工饲养的藏獒一生当中，也许都没有人这样温存地抚摸过他吧。我能感觉这家伙性格和思维中一定有些独特的东西，他对陌生事物不会匆忙下结论，很有点想法和个性，而且，呵呵，这家伙还挺看重面子。

"嘿，住手！"老林路过门外正好看见，吓了一跳，赶紧阻止我，继而走到窗户前向藏獒命令着，"皇帝，出去！"

"他就是皇帝？！"我心里一震，顿时想起了老林对我提起过的曾在玉树地震时救出五只小藏獒的头獒。难怪，这皇帝的确有着非同一般的灵性。

皇帝嗅了嗅我的味道，又深深地审视了我一番，退出了窗户。

老林把窗户一关，冲我瞪大了眼睛："你不要命了，刚来就敢摸头獒？"老林说话挺激动，脸色有点泛白，"你要这么胆大，我可不敢留你了，万一出事儿我咋给你父母交代？"

老林的强烈反应让我有点意外。"没那么严重吧，他对我挺友善的。"我轻松地答道，笑着送老林走到房门口。

老林口气稍稍缓和了一点："你还不了解藏獒，再友善你也是陌生人，谁知道他怎么判断你？万一他……"正说着，只听"嘭！梆！"两声巨响！是老肖那排房子……我俩一惊。

"哗啦——"玻璃碎裂声。我和老林惊愕地望过去。

"啊！！！"女人的惊叫炸响，令人毛骨悚然。"暴龙！……暴龙！"卓玛脸色惨白，失魂落魄地惊叫着，冲出老肖的厨房，把厨房门一关，吓得声音都变调了，"暴龙冲出来了！！老肖……"她连滚带爬地跑回了自己房间，"砰"一声关上了房门。

"嘭！梆！梆！"随着狮吼般的獒吠，老肖的厨房门被撞得震天响！

在卓玛惊叫冲出的同时，所有人都瞬间冲回了就近的房间，噼里啪啦一连串关门闭户的声音。事情发生得太突然，大家的反应太迅速，我没见过这阵势，还在门边发愣，就被老林一把抓回房间。他迅速关门，转身就抵在门上。他的动作紧张却不慌张，看来这在獒场是时有发生的事。外面，不锈钢盆掉地的哐啷声还没停，不知刚才谁正在洗盆子，情急之间丢下就跑了。

"发生了什么事？"我问。

"肯定是老肖的藏獒跑出来了。"老林靠在门边听动静。

藏獒跑出来了？我鲜血直冲脑门，糟了！格林还在外面！我急忙拉门，要往外冲。

老林一把推开我："你干什么！"

"格林还在外面！"我喊着，一个劲儿地抢门。

老林死死抵住门吼着："你出去更乱！"扯起嗓子高喊，"老肖，赶快！"

老肖大声的呵斥响遍前场："嗬！嗬——暴龙！回去！回去！"

铁链的哗哗声、追逐声、獒吠声、吆喝声……就是没听见格林的声音。我急得在屋里上蹿下跳。

"不要闹，藏獒见了生人，控制不了的……"老林低声警告，我心急如焚。

好一会儿终于听见老肖喊："拴住了！拴住了！"

老林打开一条门缝，只见老肖拽住一根大铁链，像纤夫一样背在肩上，奋力拖拽，铁链的那头拴着一只庞大的金色藏獒，挣扎咆哮着，像头狂暴的雄狮。老肖边呵斥边拖，费了九牛二虎之力总算把金獒拉回他们獒场的犬舍，关进铁笼，高声吆喝，解除警报。

老林这才打开门，我赶忙冲了出去，大喊格林，四处寻找。

老肖已经从他们獒场走了出来："他在车子下头，暴龙钻不进去！"老肖指了指停在前场的一辆车。

我忙趴低往车下一看，只见格林警惕地缩在车底中间，狼眼圆睁，一脸戒备。听见我解除警报的呼声，格林迅速从车下面钻出，抖抖一身的灰尘，跳进我怀里。

"叫你不用担心的，狼的反应比人快得多。"老林说着掏了一把纸巾擦汗。藏獒跑出来的时候，老林都没太慌乱，他这身冷汗是被我抢门的劲头给吓出来的。

格林的心在狂跳，眼神很奇怪，像电焊的光，看得我也疑惑起来：格林在城里也见过其他狗，其中也有大型狗，可格林从来没有像这样躲避过。回想起昨天我放他进中场时他的犹豫徘徊，格林似乎对藏獒有着深深的顾忌，难道狼和藏獒真的是素昧平生却有血海深仇的天敌吗？

我安抚着格林，突然又意识到一个问题，或许格林对藏獒并不是完全陌生，当他还是没睁眼的幼崽时，黑暗世界里不正是一帮藏獒或藏狗带领人类来扫荡了他们的家园吗？或许格林不知道藏獒的样子，但是他幼小的记忆中却深深烙印了这獒吠和獒味。藏獒的气息勾起他记忆深处的恐惧与仇恨。他的眼神和动作是复杂的，既有对同类的亲近，又有莫名的惧恨。

躲避的工人们纷纷走了出来，惊魂未定地谈论刚才那一幕：卓玛适才到老肖的厨房去借几个鸡蛋，老肖却上老阿姐那边串门去了，卓玛就自个儿翻找鸡蛋。老肖放养在中场里的藏獒暴龙隔着窗户看见外人来屋里拿东西，顿时暴跳如雷，狂吼着撞开玻璃窗就扑进屋来，张嘴就扑咬卓玛的脖子，幸亏卓玛反应快，急转身绕着灶台跑了一圈就冲出厨房，猛拉上厨房门，边喊藏獒名字边跑回自己房间。

养獒有危险，獒场的人都早已形成了这样的危机处理模式，一旦有藏獒跑出，所有人立刻进房躲避，同时喊出是哪家的獒，哪家人就出去控制，因为藏獒只认主人和天天饲养他的工人，除此之外哪怕是邻居都一概不认！

卓玛的肩膀上还挂着暴龙黏糊糊的口水，她脸色惨白，边发抖边哭，腿软得一个劲儿地往下瘫，尼玛抱着她不住地安慰。也难怪她吓成那样，刚才要是跑慢一步，脖子必定被咬了，而在这草原上是很难及时送医的，即使来得及送到县城的医院，也没有输血抢救的条件，一旦被咬，就死路一条。

我抱着格林，浑身一阵冷一阵热。这才明白老林为啥看见我摸皇帝会那么紧张。的确，主人不在旁边，怎么看待我这陌生人，全凭藏獒自己判断，我的做法无异于同死神牵手。

老林看出了我的后怕，安慰道："皇帝算是比较理智的藏獒，很通灵性。他第一次就和你这么亲近，说不定你们是有缘的。”

老肖凑过来插了句嘴：“我说，还是把这狼放养到你们后场去吧，暴龙今天狂躁得有点反常，我估计跟他闻到狼味儿有点关系。”

大家纷纷附和。老林和尼玛把中场里的藏獒关了起来，我抱着格林，跟着他们通过中场，再穿过犬舍，就来到了老林跟我说起过的后场。这里果然很宽阔，只是感觉很少有人来，荒草齐腰，一窝窝鼠兔跑来跑去收集草籽。格林一看见鼠兔，就开始激动了，挣扎着下地去追鼠兔。鼠兔行动迅速，地洞又多，没经验的格林当然是抓不着他们的，只是好玩而已。

尼玛端来一大盆水，放在地上给格林喝。

“让狼和獒再熟悉一下彼此的味道，明天看情况再见面吧。”老林说。

我“嗯”了一声，我知道老林心里和我一样七上八下，没更多把握不敢挑战狼獒世仇。

我们又站了一会儿，看见格林已经玩得乐不思蜀了，才退出后场，回到前场厨房里。

这里虽说被我称作厨房，却比较宽大，兼具客厅、饭厅的多种功用。这是草原人的习惯，因为草原寒冷的时候多，特别是到了冬天就更是奇冷难当，厨房中间安装着一个大的藏式炉子，烟囱引到室外，炉子里长期燃着木炭或者干牛羊粪，既能烧水做饭，又能取暖。大冬天里，人在外面裹着厚重的藏袍，进屋却可以脱下袖子，甚至可以只穿毛衣。所以厨房是平时大家活动的主要场所。厨房里放着一个简易的折叠三人沙发，一个小桌子。还有一台黑白电视，但是收不到几个频道，而且经常看上一会儿就没信号了，其余的电视剧情节都需要发挥想象力去猜。

大家围坐在炉边，喝着卓玛煮的酥油茶。卓玛脸上还有两道泪痕，但情绪稳定多了。才二十出头的姑娘就陪着尼玛在獒场担惊受怕，也难为她了。

大家听老林说明天要让狼獒见面，有人惊奇赞成，有人担忧反对，各持己见。大伙儿七嘴八舌地聊起了藏獒和狼的种种传闻与故事——相传，獒和狼是天上的一对战神，獒叫做“龙狗”，狼叫做“天狗”，龙狗忠诚骁勇，天狗智慧善战。

战神龙狗因为嗜杀成性触犯天条而被贬到人间来，成了獒。獒选择了依附于人而生活，人给他食物和栖身之所，作为交换，獒为人看护牛羊和财产。但是獒天性暴戾残忍，身上有股浓重的杀气不能为人所用，所以必须在他出生七七四十九天时，将他与一只还在吃奶的羊羔同栏圈养，四十九天大的獒正是生理和心理发育成熟阶段，让这个时期的獒与羊羔共同生活，目的就是要冶炼性情，减弱杀气，用温婉的羊性冲淡獒身上那太过血腥的兽性，这就是“藏獒渡魂”的传说。如果獒与羊羔和睦相处就算渡魂成功，称之为家魂獒，能够牧羊。如果渡魂失败，咬死了羊羔就是野魂獒，难以驯服。

战神天狗因为贪婪成性妄图吞噬日月，也触犯天条被贬到人间，成了狼。狼选择了自由生活，他浪迹荒野，猎食为生。人类的牛羊也在狼的食物之内。于是这对天上的兄弟，在凡间却成了宿敌。

有了獒的帮助，依赖游牧为生的人们才得以保全牛羊。早些年里，人们为了激发獒的猛性，培养杀手级的保镖，不惜用激进的手段驯养獒。獒主人在地上挖一个五米见方、丈余深的地窖，将一窝十几只几个月大的小獒放在地窖里面，或者关在一个阴冷的房子里，只投少许生肉撩拨其野性，为争肉食藏獒必定从小打斗拼抢。之后长时间断食只给饮水，困在地窖里的小獒们饥饿难耐自相残食，只有最强悍的獒才能在杀死自己同胞果腹之后生存下来！再长大一些，主人就抓一只活狼扔进地窖里，让他全力拼斗杀狼，再大一点，投两只活狼，甚至投放其他凶猛的野兽。直到獒把对手全部杀死，这才是最勇猛的战獒！十只狗里也不见得能出一只战斗到最后完好无损被放出地窖来的战獒。这就是“九犬一獒”的传说。这样的獒一生只见喂食的主人，陌生人一律通杀！

“藏獒渡魂”和“九犬一獒”在藏区草原传说中颇为盛行，这其实是两个极端的筛选，一个是温性筛选，一个是猛性筛选。由此想来，皇帝应该属于家魂獒，而暴龙则属于野魂獒。

早听说过蒙古、契丹、匈奴等北方游牧民族有以狼为图腾的崇拜，没想到西南藏区也有对狼这样神话般的传说。无论真实也罢，传说也罢，狼獒之仇都是世人皆知。听着大家议论纷纷，我心里越来越纠结。狼和藏獒这种仇恨历经千百年似乎已经刻入骨子里。我带格林来到这个獒场实在是太冒险了，但老林却对自己藏獒的性格很有把握，他说他回成都之前的这几天一定要想法让狼獒能够相处，至少不发生流血冲突。

次日，老林带着我和格林进了犬舍，几个场的工人们齐刷刷地趴在窗边观看，甚至有人掏出了傻瓜相机。我护在离格林几步远的地方，像进了斗兽场的武士，一想到马上要放藏獒出来，我止不住鸡皮疙瘩浪打浪。

老林先试探着放出最温顺的一只雌性小獒“小不点”，小不点的年龄只有六个月大，暂时还不像成年獒那样排斥生人。她是一只小品种的母獒，漂亮机灵，也非常顽皮，总喜欢找机会扑到人身上狂闹，但獒的力量哪是一般人承受得了的？人经常被她扑个趔趄，摔倒在地，然后被蹭上一身的口水。小不点虽然说是小藏獒，也起了一个袖珍的名字，其身形重量却是格林的五倍，长得像小牛犊一样大，牙齿尖利，身体壮实，是个蛮丫头。小獒和小狼之间会有仇恨吗？

铁笼一开，大家鸦雀无声。中场里的格林，似乎预感到了什么，下意识地颤动着鼻翼四处乱嗅，耳朵像干沙上的小鱼不停地跳动，格林紧盯着犬舍大门，颈毛随着风像波浪一样起伏，脚爪抓紧了地面。

小不点一出笼子，就导弹似的射向中场里那个素不相识的新来者。格林脚掌迅速扒地，一扭腰就跳到一边，避开这冲刺的凌厉锋芒，毕竟体型悬殊，格林的头也只达到小不点的肚子那么高。狼是不会盲目吃亏的，更不会硬碰硬地接招。

牛高马大的“野蛮女友”小不点导弹似的射向格林。

小不点卸掉向前的巨大冲力，回身一扑，把格林扑翻在地，格林一声尖叫，迅速翻身收起自己最脆弱的腹部，扭过头猛咬小不点上嘴唇巨大的肉垂，小不点不顾上唇被咬，仗着嘴大唇厚荡过嘴来，连同狼嘴和自己的上唇肉一起咬进了嘴里。

“小不点不准咬！”“格林放开！”

老林警告的叫声和我的喝止声音同时响起，獒和狼都愣了一下，就那样互相咬着嘴僵持在原地。

“小不点，不准咬！”老林再次严正警告，声音中带着强烈的威胁意味。对藏獒来说主人的命令必须遵从，小不点略一迟疑微微松开了嘴。

格林瞄准机会放开嘴，撒腿就跑，他并没有趁机反咬小不点报仇，倒不是因为听我的话，也不是因为宽宏大量，而是在犬科动物法则中有一条“雄性不与雌性斗”的规矩。虽然格林尚小，没有人这样教过他，可这些原始法则就像烙印一样深深地刻在他的本能中。对格林来说，如果要主动向那只母獒展开进攻，那是违背自己本能的行为。格林左躲右闪地逃跑，小不点穷追不舍，格林夹着尾巴，屁股几乎着地，极力想避免与她发生冲突。

对小不点来说，却是另一种情况，作为雌性，她没有这种本能，相反作为藏獒，她对野性有一种本能的恐惧和排斥，尤其是对狼，这种恐惧异常强烈。在她的骨子里，她隐约记得从她的祖先第一次在草原上看护羊群的那一天起，狼就不断地掠夺羊群，是世袭的劫掠者，而藏獒则是世袭的天域卫士。此世仇早已融入血液，此刻阻止她攻击的唯一理由不是与狼一笑泯恩仇，而是主人的强令禁止！

小不点很迷惑，她紧追着这个入侵者，焦虑不安地叫着，引得三个獒场所有笼子里的三十多只藏獒也跟着叫起来，为主人允许这只狼的存在而满腔愤怒。他们觉得一定是人类搞错了。

小不点还在继续追逐，但在主人的积威和警告下却不敢再下口咬了，她多

次把格林逼到走投无路，而格林一次又一次地逃开，虽然格林和她相差四个月但毕竟是伶俐的小狼，翻身转体、改变逃跑方向都比藏獒要敏捷得多。格林一直跑，直到小不点巨大的头顶到他的腰肋骨或是撞倒他时，他才突然转身和她对峙，皱起鼻翼露出稚嫩的獠牙，但仍是好男不跟女斗的恐吓而已，同时再爬起来伺机逃窜。

小不点毕竟是只幼獒，小狗好玩的天性仍旧占主要地位，虽然有祖辈们传下来的敌对情绪，这么一来二去地追逐半天后，动作中竟然多了几分猫和老鼠的戏谑成分。

格林虽然满场子躲闪，却始终一步也没有往我身后躲，不像幼年遇见陌生人的威胁时那样缩在我脚边，很明显，他毕竟是狼，此刻毕竟是一对一，日渐强烈的狼性自尊让他虽然感觉到有来自同类的威胁，但却宁愿自己不断周旋也不肯求助于任何人。他的步子紧张却异常轻巧，有时候还夹杂着像猫一样灵活的弹跳，和藏獒奔跑时满场尘土、草皮乱飞的笨重体态形成鲜明对比。草场上这一大一小的追逐好像小裁缝和巨人的舞蹈。

追闹了一个多小时，小不点累了，藏獒的爆发力超强，其耐力却与狼不在一个档次。她趴下喘着粗气，格林远远地站着看了一会儿，也伏卧了下来，静静观察着这个牛高马大的“野蛮女友”。显然从主人平静监视的姿态当中，他们都明白了主人要他们和平共处的意图，但还是不愿意主动去亲近这一宿敌。

不管怎样，第一只小獒能与格林玩了半天相安无事就是好兆头。下一个选谁呢?

老林任由格林挨个走过藏獒的大铁笼子，五只藏獒此起彼伏地狂吠着，只有一只沉默淡定，在格林经过的时候，伸出鼻子嗅嗅，长毛之下一对深沉的眸子满含复杂的表情。我立刻认出来，他就是昨天趴在我窗子上的皇帝。

老林把格林往皇帝的笼子前凑了凑，渐渐缩小安全距离。这是一种特殊的见面仪式——藏獒的首领审查一个外来户。随着距离拉近，皇帝满脸严肃和慎重，一言不发，老林观察着皇帝的眼神，用手摸摸怀里的格林，首先表明自己对格林的认可，随后缓缓地将格林送到了皇帝的眼前。

藏獒们的叫声平息下来，似乎都在屏住呼吸等待着下一步的判决。惊讶、不解、排斥、怨愤、憎恶、疑问各种复杂的气氛交织在空气中。逼人的气息让格林不安地扭动了一下，皇帝探出一点头来，巨大的鼻子触碰到了格林湿漉漉的鼻尖，格林条件反射似的身子一抖，颈毛竖了起来，犬舍里一片寂静，每只藏獒都在笼子里静静观望事态的发展。

对从头到屁股体长不过六十厘米的小格林而言，皇帝算得上是个庞然大物。格林的身高只够得着皇帝的腿弯。皇帝耸动鼻翼轻轻嗅闻着格林，眼睛却望向老林，似乎想从主人的眼睛里挖出更多的信息。

自从知道他就是头獒皇帝，我多了不少敬畏，但昨天皇帝能接受我，我心里又存着几分希冀。我轻轻抚摸着格林的脖颈安慰，小家伙慢慢放松下来，似乎胆

子也大了许多。我咬咬牙把格林塞进了皇帝的大笼子里，手心里狠捏了一把汗。

格林仰起脸嗅了嗅笼中的味道，犹豫了一会儿，竟然一步步向皇帝走了过去。这不光皇帝意外，人意外，满屋的藏獒更是一片哗然，诅咒驱赶愤怒的吠叫声重又响起！格林已踱到皇帝面前，反客为主地嗅闻起皇帝来了，似乎不是皇帝审查他而是他在审查皇帝，格林的尖嘴已凑到了皇帝的大鼻子跟前，细细的脖子就在皇帝的大嘴巴下面。我的心提到了嗓子眼儿，如果皇帝不高兴随时可以一口咬下来，咬碎他仅有皮球大小的狼脑袋！皇帝低头犹豫着，脸上交替着复杂的神情，他抽抽鼻头俯下脖子，还想再深度闻一下这个荒野小子的味道……突然，格林伸出温热的舌头舔了一下皇帝冰凉的鼻尖。

错愕的皇帝一阵过电似的震动，原本因警惕和迟疑而竖立的鬃毛刹那间伏贴下来，眼里闪现出一丝温柔，他不由自主地放下身段，也伸出舌头舔了一下小格林窄窄的脸颊。格林高兴坏了，小爪子扒住皇帝的大脑袋像抱住奶油蛋糕似的猛舔起来，这是他第一次感受到来自同类的温柔，被同类接纳的感觉是如此的美好与温馨。虽然在成都时，狐狸也接纳格林，可狐狸的接纳中害怕与屈就的成分占多数，更不会去舔吻他。虽然和我在一起的时候，我也会给予格林温柔关怀和抚摸，但毕竟我不会爱到去舔他，可对犬类而言最温情的表达就是舔吻，那是无可替代的感情交流。记得我以前割伤了手，格林看到我流血关切地跑过来为我舔伤口，却被我惊叫一声推开，那一瞬间他的眼里满是不解和委屈，一种关怀被拒于千里之外的感觉，那时他就隐隐认识到了我和他不是同类，再亲近都有一定的障碍。而此刻这样的吻瞬间拉近了狼和獒的距离，毕竟是比人类更亲近的同科动物。

初吻打破了狼与獒的隔阂，格林像是找到了失散已久的父亲。

隔阂一旦被初吻打破，格林调皮的本性又冒出来了，他大着胆子往皇帝的身上爬，像找到了失散已久的父亲一样淘气起来。皇帝轻轻摇了一下尾巴，表明了对格林的接纳和认可。

我松了口气，想起了老林对皇帝的评价——他对幼崽爱得很！

审查通过，藏獒们的叫声渐渐平息下来，母獒们持中立态度，毕竟格林是个小崽儿，雌性更加容易受感化一点，另外两只大公獒却态度不一。公獒“黑虎”是内敛型的，他面对领袖的这一决定比较沉默，但神色中却对这一异类流露出厌憎和不屑的神色，咬人的狗往往是不叫的，黑虎在笼中背过身子睡觉去了，仿佛声明：首领要接受是首领的事，最好别惹到我这里来，否则照样不客气！公獒“森格”则是外露型的，格林野性的气息撩拨着他的攻击意识，森格狂吼不止表达他的极度不满：野小子！只要把我放出笼子就是你的死期！

从老林的描述和以后的接触中，我才更多地了解了这只叫做“皇帝”的獒王。他是这里唯一的一只长毛大公獒，两岁多，通体漆黑，嘴和四肢包裹铁锈红，肩高几近九十厘米，粗腿虎爪，菊花尾，近乎完美的外形。皇帝是这三家獒场里最魁伟的大块头，也是老林獒场里的头獒。以藏獒的角度看来，皇帝是伟丈夫型的，可他绝不是傻大个儿，他心思细腻，头脑聪明，对老林忠心耿耿，对幼獒爱护有加。皇帝很注重在獒群中的面子，哪怕人也不能伤他的尊严，如果饲养员尼玛当着众獒的面骂了他，他就绝食以示不满，直到尼玛对他诚恳道歉在众獒面前还他尊严方才作罢。

我跟皇帝的确很投缘，可能因为他是我生平见到的第一只藏獒，而我是他生平见过最大胆的陌生人吧。自从我到獒场以后，每天清晨，皇帝都会把脑袋塞进我的窗户，享受我的抚摸，他也渐渐容许我摸他的头顶了，但与普通狗不同的是，皇帝从不亮肚子撒娇，也从不舔我的手示好。或许是维护他的威严形象吧。但他每次见到我的时候总会轻轻摇一摇尾巴。

老林总是说皇帝太温和，又有些小脾气，所以在他的“皇帝”名字前加了个“小”，常常叫他“小皇帝”，而我却不以为然。在我看来，皇帝是一只充满智慧的獒王，像部落的酋长，与其说他性格温顺不如说是比较沉稳，他会独立思维，在他的内心中一定对陌生事物有着自己独到的见解和判断，不像其他缺乏判断力的狗那样见了不认识的人，不管三七二十一，通咬！除了智慧，皇帝高大威猛的优势在这个藏獒群体当中也占据绝对的统治地位。皇帝不轻易发飙，可一旦发火所有的獒都退避三舍，他一副皇帝教训子民的威严神采，可能这也是他得名的原因吧。

是夜，格林竟然没有回我的屋子，他自己钻进了“干爹”皇帝的笼子里，枕着巨獒毛茸茸温暖宽厚的身体沉沉入梦，听着那些同类的鼾声，他恍惚找到了另一种似曾相识的感觉。

我揪了一天的心总算放下了，如果战神龙狗和天狗的传说是真的，他们能否回到最初呢？

14 獒兄狼弟

当格林没有狼的团队可加入的时候，他唯一能凭借的就是智慧。格林从小就在与“狐狸”的明争暗斗中长大，使阴招是“狐狸”教给他的拿手好戏。

一向相处和谐的獒群因为格林的加入变得不再平静。最先挑起事端的是大公獒森格。森格是个厉害角色，在老林的獒场里，森格的地位仅在皇帝之下。他长得身形伟岸，头毛巨大蓬松，麒麟爪，铁包金的毛色，昂首挺胸气质超群。他的血统高贵，听说在中国獒圈子里都是挂了号的帅狗猛獒。他的眼里，当然揉不得沙子。

早上，尼玛照旧去开藏獒的笼子。往常一打开笼子，藏獒们都会迫不及待地冲向中场。而今天森格却一反常态，撞出笼子就径直向皇帝的笼子冲来，堵在笼门口，摆明了是冲格林来的。格林见他来势汹汹，绕着笼子跑了一圈，仗着小巧灵活，“嗖”的一声，从森格的肚子下面蹿了出去。森格急忙掉头追出去。皇帝不干了，自己刚认下的干儿子岂容他人白眼！皇帝怒吼着阻止森格！森格憋了一晚上的气，哪里肯听皇帝的招呼，掉头就追狼。

格林飞奔到场中央，四周都是满场乱跑的藏獒，不知道谁是谁，格林有点不知所措，猛地刹住车。就这一瞬间，森格已经扑了上来，一下掀翻格林，张嘴就往狼脖子咬去。尼玛一看不妙，惊声叫喊：“姐！你的狼！”我急忙奔到窗边一看，吓得腿都软了，一把推开窗子大喊：“格林快跑！”

格林已经被牛犊似的森格压倒在地，哪里跑得了，眼看森格刀尖似的獠牙就要咬上狼脖子了，皇帝咆哮着扑来，整个身子夯过去一头撞在森格的腰上，“嘭”的一声沉重闷响，森格惨叫着翻滚在地，蜷着腰身连打了几个滚。格林已趁着森格倒地的空当翻身逃跑，森格立刻又爬起来，以十倍的疯狂再次扑过去，一口咬在狼尾巴上。格林惨叫一声，奋力挣脱尾巴，拉掉一把尾毛，狼狈逃开。

我急忙拍打着窗户呼喊格林快往我这边逃！格林下意识地向我跑了两步，突然站住脚，略一犹豫，扭头跑回皇帝的身后，绕着皇帝左躲右闪地与森格兜圈子。

格林竟然拒绝我的保护？我又气又急又想不通。但中场里满是藏獒，还没混熟，有的还往我的窗户扑过来，我无论如何不敢踏入。我急喊着：“尼玛，快把格林抱回来！”

场子里其余的四只藏獒一看皇帝和森格打了起来，早就把他们团团围在中间，一圈一圈地冲来冲去，把尼玛隔离在外，俨然这是獒群的家务事，外人少掺和！我急忙喊老林，才知老林已经出发回成都。我没辙了。

森格吐掉嘴里的狼毛，站在场中央虎视眈眈地瞪着皇帝，他没想到皇帝会为了保护一个“外狗”跟自家兄弟动手。虽然这个场子里包括森格在内的五只藏獒都是皇帝从地震中救出来的，众獒对皇帝都是尊崇有加，可排斥异类是獒群的本能，何况这只“外狗”身上充满了让藏獒憎恨的气息。就算是獒王也不能包庇“外狗”啊！森格怒目圆睁，发出阵阵暴吼，震得铁皮墙哗哗直响，左右獒场的藏獒也跟着大叫起哄，像斗兽场看台上的观众。森格翘起尾巴，獒头高昂，一副很得民心的样子，公然跟皇帝叫板。他脚爪抓紧了地面，开始积聚力量，他不相信皇帝能把他怎么着。

这边，小不点趁着皇帝不注意，偷袭了格林一爪子。昨天老林不准她咬格林，可没有不准抓他，她对格林的好奇劲儿还没过呢。皇帝扭头冲小不点吼了一声，小不点顿时把头低了下去，夹着尾巴，不敢再顽皮。森格趁着皇帝分神之际，猛然绕到皇帝身后，咆哮着抓格林。皇帝暴怒，后腿一蹬地，扭过身来，向森格撞去。森格被皇帝撞在后胯上，身子一侧，扑击顿时失了准头。格林灵巧地尾随皇帝，躲在他庞大的身后，像老鹰捉小鸡的游戏。森格的牙齿咬得咯咯作响，看来皇帝是铁了心要护着格林。我和尼玛提心吊胆地看着这场内讧，好几次打斗的藏獒都差点踩着格林，但格林总能闪躲开，我紧张得把窗框捏得咯吱响，希望格林灵巧些，再灵巧些！

森格耸起肩背，绷紧了后腿，奋力扒地，正要再扑。突然，皇帝暴吼一声，迎面向森格对扑过来……“梆！”两只沉重的藏獒凌空对撞在一起，撞得观战的人和獒都心里一紧，下意识地侧头闭眼。再看时，森格已经被撞翻在地，皇帝扑在他身上，像一堵厚墙般压得他喘不过气来。森格急了，张嘴就向皇帝胸口咬去，皇帝毫不躲避，反嘴一口就叼住森格喉咙！

相互咬着对峙了片刻，森格突然呜呜哑哑像哭声一样叫起来，他边凄凉地叫着，边放开了嘴，他的大嘴里全部塞满了皇帝厚重纠结的长毛团，而皇帝却牢牢叼稳了他的喉管，长毛獒和短毛獒打架的一大优势显现出来。此刻，皇帝的獠牙咬在森格喉管上反复揉搓，吓得森格瑟瑟发抖，被压住动也不敢动。虽然从小一起长大的藏獒打架绝不会往死里掐，但“你的命在我牙缝里”，皇帝也会用这种方式对挑衅者往死里吓！

其他四只观望的藏獒见“二当家”森格都被镇压下来，纷纷退开，冲皇帝摇摇尾巴，没谁敢再挑战皇帝的权威了。

我总算松了口气，看来格林选择的保护伞是对的，他即将有新的群体和生活了。

日子一天天过去，格林渐渐摸透了这六只朝夕相处的藏獒：

“黑虎”——老林的六只藏獒中最凶猛狂傲的公獒，一岁，通体漆黑。其实他一直没有名字，“黑虎”是我这样叫他的。他“为獒”比较低调，不乱叫乱嚷却是生人勿近，哪怕你拿着美食讨好他，他也绝对不吃外人给的东西，对陌生人一律“咬无赦”，发动攻击时那两眼闪现的红光让人不寒而栗。

“风雪”——母獒，一岁，黑色体毛光滑如缎，柔软的腰肢、浑圆的臀部、灵动的眼睛，是个十足的美女，因为四足尖上挂有点点白色，恰似踏着风雪而来，因此得名。

“红眼睛”——小母獒，八个月大，个头比皇帝和森格略小，漆黑的毛色，眼尾下垂，弄得眼神怪吓人的，她的性格也比较情绪化，可以前一分钟还在跟你玩闹，后一分钟立刻翻脸扑咬过来！真是“女人心海底针”。接触红眼睛的最初几天我都很少用背对着她，始终有些防备。

“皇帝”——格林早就发现这位领袖好相处，所以第一个和他亲近，皇帝也很宽容地让这个异类干儿子在身边卫星似的转悠，格林喜欢在皇帝身上乱爬乱咬，有时候干脆笨拙地爬到皇帝的大脑袋上，肥嘟嘟的小狼屁股撅在前面，垂在屁股下的狼尾巴就像鸡毛掸子一样在皇帝鼻子上扫来扫去，痒酥酥的，扫得皇帝直打喷嚏，啥叫蹬鼻子上脸，就这了。有时皇帝一起身，就顶着格林晃来晃去，像戴了一顶滑稽的帽子。有时候皇帝还趴在地上，心甘情愿让格林把他当肉山一样攀爬。皇帝不善表达，也很少去亲舔格林，那似乎有损头领的威严，但他却很喜欢这小家伙，他似乎也需要这样一个依在怀中的开心果驱散囚笼中的寂寞，释放他无处倾泻的父爱，于是他常常护着格林，特别是严令禁止森格欺负格林，气得森格蹦来跳去撕咬草皮发泄心中怨气！

森格总会趁着皇帝不在一有机会就去追咬格林，一副急欲诛之而后快的疯狂劲头。母獒们有时也玩闹似的追咬起哄一番，往往看见森格真的下嘴了，就停住不追了，她们可不愿意公开去违背皇帝的意愿。幼小的格林常常被身材高大的藏獒咬翻在地踩来踩去，似乎代替了玩具或者足球之类的角色。格林身上挂个彩、破个皮、掉撮毛，或者被沉重的藏獒们踩伤腿脚一瘸一拐是常有的事儿。黑虎则是冷眼旁观，对这些不痛不痒的小打小闹嗤之以鼻。

一天的蹂躏结束，格林往往会筋疲力尽一身是伤地钻到我怀里，舔着我的手背委屈地呜咽。我心疼地抚摸他的伤处，重要的是检查他的骨头和腰肋有没有伤到，格林的骨头还比较脆弱，腰部更是柔软异常，如果从侧面拦腰托起格林的话，他的上半身和下半身就会像软面条一样耷拉下去。如果检查到有较重一点的伤，我才会给他擦一点消炎止血的药，轻伤都不理会。狼的生命力极其顽强，小伤小痛他自己舔舐一两天就恢复了。

入夜，格林仍旧钻回到皇帝的笼子里去睡觉，虽然处于底层，总是被欺负，但格林还是渴望与同类群体生活。

第二天格林醒来照样重复头天的噩梦，屡战屡败，屡败屡战，就没见他赢过。但伤痛并非全无益处，天天被扑咬的经验和教训使格林的奔跑速度磨炼得一天比一天快，体格也在追逐和与藏獒们的日日周旋中逐渐强壮起来。格林属于抗击打能力和恢复能力都超强的那种，就像拳击运动员要打人首先要学会挨打一样，格林的沙袋生涯练就了他不倒翁般的意志和性格，同时也学会了怎样尽量避免再去挨打。

格林可以躲得远远的，甚至离开獒场，这当然是个好办法，但同时也意味着失去妈妈，失去对自己关爱有加的皇帝，失去食物，失去夜晚温暖的依靠。而且，当逃兵绝不是狼的性格。论体力，莫说格林还年幼，就是一只成年狼一对一也未见得是藏獒的对手，狼的力量在于团队，在于智慧。当格林没有狼的团队可加入的时候，他唯一能凭借的就是智慧。格林从小就在与“狐狸”的明争暗斗中长大，使阴招是狐狸教给他的拿手好戏。

格林像一个忍辱负重的战士，开始利用所有藏獒没有欺负他的时间在草地上努力地刨洞，洞的走向坐南朝北，太阳正好晒不着，口小内宽，身形瘦小的格林能进出自如，而头大如斗的藏獒却甭想钻入。与此同时格林收集着一切有用的信息：

每天早上八点左右，地面的露水一干，喂獒的工人尼玛就会将吃过早餐的藏獒放到凉爽的草场上活动，这时的藏獒们刚吃饱了饭正有精力使不完，他们尽情欺负戏弄格林。尼玛总会提前放一大盆水在草地上，供藏獒们饮用。到十点左右，高原火球般的太阳就升起来了，藏獒是出了名的耐寒不耐热，他们厚重的黑皮毛既吸热又保温，像捆了一身的热水袋，让他们格外难受，必须找个阴凉地方喝水散热。水，对獒们来说犹如救命甘露。这条生命线格林看在眼里，记在心里。

三四天的时间，格林终于挖好了一个一米深的洞，再往下挖就是冻土了，洞口全是刨挖出来的新土，格林的爪子红肿流血，看得我又佩服又心疼，他却舔着爪子上的泥血对自己一手挖掘出来的防御工事倍感自豪。洞外骄阳似火，洞内却潮湿阴凉，格林在洞里享受着自己的劳动成果。

清早，藏獒们照例飞奔出笼子开始了玩狼游戏，皇帝虽然护着格林但也不是随时都站出来主持正义，皇帝以为无伤大雅的玩闹也是对孩儿们的一种操练，属于犬类的正常社交行为。森格就不这么想，在正常玩闹的同时，常常冷不防地下狠口，在格林身上留下长久纪念。

格林漫不经心地趴在洞里，把洞外的森格气得嗓子都吼哑了。

但今天情况略有不同，格林远远地看藏獒们一冲出来就立刻起身从守望我窗户的地方迅速撤离，钻进洞里，不吱声也不出来，无论獒们如何狂吠挑衅，都是漫不经心地趴着，把头放在一只前爪上半闭着眼睛养神。气得森格嗓子都吼哑了，趴下身子却怎么也不能把巨大的狗头塞进洞去。

八点半左右，一声呼哨，尼玛把水端出来了，放在草地上，藏獒们都摇着尾巴慢悠悠地围上前去喝水，格林立刻冲出洞，抢先跑到水盆前，尖嘴往水里一扎，一阵狂喝，然后迅速叼起盆角，猛一侧身掀翻水盆，水立刻被干涸的草地吸得一滴不剩，等到藏獒们围过来的时候只有一个空空的水盆丢在原地悠悠打转。

藏獒们大怒，以森格为首，黑虎第二，风雪、小不点、红眼睛紧随其后，一齐吠叫着追咬他，格林早已锻炼得腿脚灵便，像幽灵般滑过草面。平时一群藏獒从四面围过来格林才每每被堵得走投无路，咬得遍体鳞伤，现在同一方向的追逐藏獒哪里追得上轻快的狼啊，如果藏獒也懂得包抄埋伏的团队合作策略，格林便无处遁形了。可惜藏獒们都是骁勇的个人英雄主义者，格林胸有成竹地在草场上一圈一圈跑着，后面追随着一群名副其实的狗仔队。

一小时后，大口喘气的狗嘴也不足以散热了，狗仔队成员锐减。两小时后，森格干渴得似乎血液都快流不动了。饥渴难耐的藏獒垂头丧气地望着空水盆咬牙切齿，却又拿那追不上的野小子没办法，太阳已经很高，黑色的藏獒们体温迅速攀升，个个无精打采像落了藤的蔫丝瓜，没有水喝只好找一个阴凉地方先躲躲毒日头。

藏獒们各自选好阴凉地方趴好，肚子和脚掌贴着太阳没晒到的阴凉泥土以求得一丝凉意，正要打个盹儿，格林却鬼魂似的上来了，这个咬一口，那个抓一把，报仇时间到！燥热难当的藏獒实在不愿意也无力站起来，况且站起来追不了几步格林早已跑得远远的了，等藏獒们回阴凉处重新趴下，格林又阴魂不散地飘上来了。反反复复，除非藏獒待在阳光下烤着，否则狼牙就让他们片刻不得安宁。无精打采的藏獒们只有忍气吞声地趴在阴凉处，任由格林爬在他们身上扯耳朵咬尾巴尽情报复。皇帝淡淡地看着这一切，那天除了皇帝，所有的藏獒都不同程度地挂了彩或是被揪掉了大把的毛。直到晚上尼玛收走盆子，藏獒们也没能喝上一口水，尼玛当然以为水是被藏獒们喝完的，嗓子冒烟的藏獒们有口难辩。

第二天、第三天格林故伎重演，让藏獒们在烤刑和咬刑中二选一。藏獒们终于彻底明白格林是蓄意掀翻水盆的，他们几乎要发狂了。格林也不耗费他们的体力了，掀翻水盆以后就自己躲入洞穴，甚至还更嚣张地屁股朝外睡觉，用还没长多少毛的细细狼尾巴朝着围在洞外狂吼大叫的森格慢悠悠地晃来晃去，看得到咬不到，把森格都快气晕了。这一天不满的叫声中多了一个粗壮的声音——皇帝。

第四天，格林照旧钻出洞去喝水掀盆子，却被一个獒爪及时踩住水盆底，抬头一看是皇帝。皇帝喉咙里不满地咕哝着，他的确太冤了，这几天折腾得他也滴水未进，他招谁惹谁了？趁着这当口，森格他们加速围了过来："今天一定要收拾这小子!”

格林迅速低头,“汪叽”一口咬在皇帝踩水盆的脚上,乳牙跟钉子似的一扎,皇帝下意识地猛然抬起了脚,格林纵身一跃跳进水盆里,一阵胡蹬乱踹,翻滚一圈后水盆自然又翻了,湿漉漉地扣在格林身上。已经围拢来的藏獒们眼睁睁地慢了一步,今天又喝不成水了,气急败坏张口就要咬,格林浑身湿毛一甩,一层水雾瞬间包裹了他的全身,水珠溅在藏獒们张开的大嘴里,一阵清凉感觉让久渴的森格如乍逢甘霖一般,忙不迭地将撕咬改成了舔,如同酒鬼收拾打翻在桌面上的酒似的,贪婪地舔着格林身上的水,喉咙里讨好地呜咽着,唯恐他再甩毛浪费了那珍贵的水源,其他几只藏獒也狗模狗样地舔起来。黑虎退到了一边,他宁愿渴死也不愿意去和众獒挤在一堆,俯首低眉舔一只狼。他侧头看着皇帝,深沉内敛的皇帝自然也不愿意放低身段去舔格林,他没精打采地趴在一边,无可奈何地把爪子搭在扣翻的水盆上,平时威严的皇帝此刻却活像叫花子,唉,真是神仙打架皇帝遭殃。

格林高贵地仰着头,随着藏獒们亲舔的转移轻轻抬脚翘尾,俨然进了洗浴中心的贵宾般享受着众獒周到的理毛服务。

第五天,藏獒们紧张极了,怕腿脚慢了还没跑到水盆边水又光了。格林已经在大口喝水了,喝完他照例叼起了水盆,森格边跑边可怜巴巴地祈求呜咽起来,格林知道他的目的达到了,他还是把水无情地倒了一半,但是客气地留下了另一半,够藏獒们润润喉咙的,然后格林退到一边,随时做好开跑的准备,看抢完水喝之后的藏獒是不是会找他算账。

皇帝、风雪、小不点和红眼睛争喝了几口水就各自休息去了,黑虎喝完水默默地走到一边,照例百事不问甚至也不看格林一眼。森格霸着水盆把盆底舔得干干净净以后转过头来盯着格林,牙齿咬得轻微作响,几天来的恼羞怨恨在布满血丝的獒眼里反复纠结,颈毛缓缓竖立起来,后腿慢慢绷直,前爪抓紧地面开始有了扑击的前兆。格林的身子略略低伏下来,后腿弯曲到一定弓度,随时准备像弹簧一样弹射出去亡命逃窜。喝完水趴在一边休息的皇帝立刻把大脑袋昂了起来,向森格发出威严而警告意味十足的低吼,意思明确:你敢动格林一根毫毛,我打到主人都认不出你来。格林也不失时机地慢慢伸出舌头舔了舔嘴唇,告诫他想喝水就老实点儿。

森格当然不想再重温这种干渴的变相体罚了,而且他此刻也无论如何追不上这个鬼影狼的,眼看每只獒喝了几口水就见底了,还是省点力气休息吧。森格缓缓放松下来,喉咙里泛出一阵诅咒的咕噜声,勉强接受了这个和平共处的基本条约,心不甘情不愿地走到一边休息去了。

格林看藏獒们都没了再迫害他的意思,这才轻快地绕过黑虎,走到皇帝的身边,格林从不招惹黑虎,因为格林敏锐的感官在第一时间早已提醒他,那只沉默的藏獒身上有股强烈的杀气,少惹为妙。格林朝皇帝身边凑了凑,皇帝偏过了大脑袋不看他，格林歉意地舔了舔皇帝大脚爪上昨天被他小獠牙咬伤的地方，皇帝抽回了爪子收在身下不领情，下巴放在草地上闭着眼睛一言不发。对皇帝而言面子极其重要，跟主人还要赌两场气呢，枉自我对你那么好，你小子平白无故连累我跟着渴了好几天，临了还咬我一口，这心灵的创伤岂是一两句话能够抹平的？

格林见道歉不奏效，索性像小强盗似的顺着脖子爬到皇帝身上抱定脑袋又亲又舔，快乐地哼唧着，黏糊得像只缠绵的小猫，然后从皇帝的大脑袋上耍赖地滚下来，四脚朝天，把粉嫩粉嫩没长几根毛的小肚子亮出来贴在皇帝冰凉的鼻尖上摩挲，时不时地用小尾巴扫扫皇帝痒酥酥的唇吻，这是格林第一次甘于对藏獒露出肚子表示臣服的肢体语言。皇帝终于忍不住心动了，张嘴一口叼住那根调皮的小尾巴，格林也马上转过头就像还不知道自己居然有这个好玩的器官似的咬住小尾巴，滴溜溜转起圈来。

皇帝渐渐高兴起来，翻身侧躺留出位置任由这个可爱又刁钻、为达目的不择手段的野小子钻进他怀里玩耍起来。

从此，只要有藏獒欺负了格林，格林就立刻掀水盆，养獒的工人尼玛也很快发现了这一事件，很不高兴："这狼太讨厌了，本来草原的水就金贵，再掀盆子我揍他！"

我微微一笑："他掀盆子肯定有他的道理，缺的水我给你补上。"

那以后藏獒欺负格林的次数明显少多了，虽然森格仍旧恨格林恨得牙根痒痒，黑虎照旧不理会格林，但他们知道要想安生就最好别得罪这个小家伙，况且主人表明了态度向着小狼，谁敢造次？我给成都的亦风打电话讲了格林智取獒群中一席之地的过程，亦风惊讶之余也放心多了。

在獒场的时候，我几乎每天天刚亮都会听见窗户上"咚"的一声，一块拳头大小的石头飞进我的屋子，掉在床前。我把这些石头收捡起来，积了满满一盒，这都是格林的杰作。我一直没想明白他为啥总是喜欢这样：一大早就从草场里捡来石头，叼着石头爬上窗户扔到我房里来，看着石头落地的声音把我从梦中惊醒，就开始咧着大嘴快乐地哼哼，或者得意地在场子里又蹦又跳，似乎很喜欢这样的恶作剧。我还注意到，如果我表情平淡没有被石头吓到，格林就会趴在窗户上耷拉着耳朵，下巴一抖一抖显得有些沮丧的样子。如果我惊叫一声拍着胸口做出被吓到的姿态，格林就会乐不可支地翻身跳下窗去，像上了发条一样地围着场子疯跑！这些日子里，我已经在屋里捡到了十多块他扔进来的石头，全部没收了。后来他在附近实在找不到合适的石头了，干脆扔了好大一块干牛粪进来，真服了他！每天早上第一个爬上我窗户，将我从睡梦中叫醒的必定是格林，牛粪和石头都是他的签到。第二个是皇帝，他会像熊一样一巴掌把格林挠开，仗着身坯高大趴在我窗户上，遮去我半窗的阳光，晃着脑袋要我给他挠耳根子。每当这时格林就会在皇帝身下焦急地叫唤，怎么也挤不上来。我已习惯了这样的Morning Call。

每天清晨，格林都会来到我小屋的窗前，给我一个 Morning Call。

从来到这里的第一天起，格林就一直没放弃过翻窗进屋的念头，因为他知道屋里有妈妈，有温暖的被窝，最重要的是——有吃的！但是铝合金的推拉窗对不足三个月的格林来说又高又重。蹦跳、打洞的策略费时费力不奏效之后，格林开始转动他的鬼心眼儿。

我和藏獒们相处熟了，有时候会在窗前唤他们过来轮流趴在窗口上，然后把甜甜的钙片挨个儿塞到一张张大嘴里面。他们很乐意得到这样的奖赏。排队吃糖果，每张狗嘴塞一个，格林总能从藏獒的缝隙里冷不丁地伸出尖嘴一口抢走钙片，抢食之余，格林把这些规律都一一记在了脑中。

这天中午为了透点气，我小屋的推拉窗没有完全关死，一边留了大约三指宽的缝，格林转悠过来开始了他的行动，他退到犬舍门口，然后故作激动地欢跳着奔跑到小屋的窗前，人立起来趴在我的窗户上，尖嘴巴伸进窗户半开的那道缝子里，而后把嘴巴退出来，嘴里吧嗒吧嗒地大声嚼着，还回味无穷地舔着嘴唇，似乎吃到了什么好东西。在草场上睡午觉的藏獒们本就被他一阵狂奔吸引了目光，再一看又有东西吃，纷纷起身激动地拥了过来，森格奔在最前面，跑到窗口把格林挤到一边，站起来一爪就把虚掩的窗户推开，大头探进屋里，愣住了，屋里空无一人，哪来好吃的？森格还在发愣的时候，格林已经借机蹿上他宽厚的背，把森格当“肉梯”跳将上来，再从窗户蹦进屋子，计划天衣无缝！

没人的屋子立刻成了格林的天下，凭着敏锐的嗅觉他很快找出了我藏在床下的钙片和狗粮，还有一串珍藏的葡萄。狼对葡萄有着莫名的狂热，只要条件允许，狼一次能吃掉几公斤的葡萄，在产葡萄的西班牙每年都有狼和狐狸造访葡萄园，因为这种水果富含糖分和维生素，而且味道鲜美。但是由于有人类的监守和看护，狼很难弄到这种水果。奇怪的是古老的传说中并没有提及狼的这种爱好。早期的伊索寓言里曾经有一篇《狐狸和葡萄》的故事，溯其根源也并非空穴来风。草原上葡萄更是难得一见，格林这次无异于中了大奖，一串葡萄一颗不剩全部下肚。连渗出的糖水都舔干净了，真是大大的满足。

窗外藏獒们看着格林在屋子里大快朵颐，自己身子又太笨重翻不进来，气得一个个吹胡子瞪眼，大叫起来。等我赶到一看，格林还在桌上忘情地舔着装酸奶的塑料桶，并毫不客气地在笔记本电脑上走来走去，给我还在写的日记里留下一行行“天书”。屋里又是“一片狼藉”，气得我直哆嗦，门一关就想上前教训这个破坏之王。可格林看见我进来，并没意识到自己有什么错，反倒比见了食物还高兴地扑过来又抱又舔。看见格林亲热的样子我立刻心软了。的确，他想办法找吃的似乎并不是错事，在狼的成长过程中还应该是一大进步！小孩子贪玩好吃，天性如此，格林也不例外，这就更不能用人类的规范来责怪他。

我抱起格林，带着他出门散步去了，留下一窗子的藏獒还在外面干瞪眼。

很多人把狼和藏獒相提并论之时，总会纠结于狼和藏獒谁能把谁咬死的问题上。来草原之初，我也担心狼和藏獒这对传说中的宿敌不能相处，现在看来格林与藏獒们倒成了朝夕的玩伴，如果说狡黠的狐狸和格林的相处是暗地里争宠吃醋，那么藏獒跟格林的相处就像敦厚的獒兄与淘气的狼弟。

15 狼为食狂

俗话说开源节流，小格林猎食还没学会，但是节流却已无师自通，会精打细算地过日子，并且懂得警惕和分析“可疑食品”，这让我对他未来的生存能力又有了更多的把握。

格林摸透了藏獒的习性之后，渐渐开始得寸进尺了。

森格是欺负格林最厉害的一个，可是格林偏要去招惹他。

就拿上次来说，森格在中场里闲来无事，费了半天劲挖出地上一块铺路的板砖玩，他想把板砖叼起来，但是獒嘴两边都有厚厚的肉垂，叼板砖这样的宽东西不方便，要来回摆头把肉垂甩到两边，才能露出牙来。森格正对着板砖摇头晃脑，格林蹑手蹑脚地凑上前去，一口叼起板砖就跑，狼嘴叼砖可容易多了。格林趾高气扬地绕场一圈然后把板砖叼回洞里。森格气得脸都变形了，汪汪叫着冲到格林洞口就把大脑袋往洞里猛塞。獒头当然是塞不进去的，森格抽回脑袋来，狠狠咆哮了一阵。突然，森格鬃毛一抖，兴奋地绕了一圈，跑到洞顶查看了一下，猛地跳起来，再砸夯般狠狠跺下去，他庞大的身子在洞顶又蹦又跳：我跺，我跺，我再跺！空洞的土层似乎都有点承受不住了。我在窗户里看得心惊肉跳，没想到这憨大个儿还会来这手，洞顶一塌，格林不就被活埋了吗！

我赶忙喝止："森格，不准跳！"我的话对森格还是起一定作用的，毕竟相处日久，又奉送了那么多零食。森格不跳了，反正跳着也费劲，他干脆躺在狼洞上，用后背把整个洞口堵了个严严实实：让你丫不出来，闷死你！

我叹口气，翻过窗子去劝架，还没走近，就见森格"嗷"的一声挺胸弹起——洞里的格林冲他的后背来了一口。唉，这对冤家。

我一把抱住森格，"哦哦"地拍着他的后背连声劝慰："不痛，不痛，不生气，乖……"

森格朝狼洞咬牙切齿，喉咙里呜噜呜噜地吼着。

我想起裤兜里还有一块巧克力，连忙掏出来安慰这个大小孩。森格从来没见过巧克力，他稀奇地看着我剥开糖纸，放到他眼前，他伸鼻子开始嗅起来……别看藏獒个儿大凶猛，可他们吃东西却是很斯文的，每次我在窗边喂食的时候，他们总是先嗅一嗅是什么，再小心翼翼地用牙尖叼住一点点，最后把头一仰让食物落进嘴里，这种吃法绝不会伤到喂食的主人。如果食物很小，像糖或者钙片什么的，他们就微微张开嘴，让我把食物塞到他们暖烘烘的大嘴里，直到确定我的手已经拿开了，他们才开始咀嚼。格林却绝不守这样的规则，有好吃的，跳起来就抢，哪怕我本来就是要给他的，他也不会客气等候。小块的食物我绝不敢拿在手

里喂格林，很容易被他拼抢时没轻没重的獠牙剐伤。此刻，森格闻到一股诱人的甜香，他确定眼前是个好东西，就轻轻张开嘴……

突然间，一道灰影从我和森格之间闪过，等我们回过神来，我手里的巧克力没了，格林在不远处吧唧着嘴。森格错失了今生尝到巧克力的唯一机会，旧仇新恨，他简直气疯了，扑上去就追咬格林。格林迅速缩进皇帝的肚子下面，森格连忙刹车，看着格林意犹未尽地舔着嘴唇，懊恼极了。猛然间森格又想起什么，赶忙跑回我面前，张着嘴巴呜呜叫。我两手一摊，苦笑着说："没了……"森格失望地哀叫一声，倒地就打滚，又一咕噜翻身起来，大鼻子把我的口袋一阵猛嗅，最后，他嗅到手上，把我手里化掉的一点巧克力渣舔干净，发现的确很好吃。于是，他更恨格林了。

从那以后，森格只要看见我，第一件事一定是闻遍我所有的口袋。如果我手里再有吃的给他，他会毫不犹豫地先吞进嘴里再说，以至于有一次我手里拿着一块香皂，也被他一口吞进嘴里，嚼了两口才尴尬地吐了出来。尼玛看得一头雾水，只有我知道森格在想什么。

慢慢地，我看了出来，这六只藏獒里的三只母獒虽然也贪玩，但精力有限，且很多时候喜欢理毛打扮，和格林玩不到一块儿。剩下的三只公獒里，皇帝玩心不大，黑虎孤僻沉默，就属森格身体最棒，有使不完的精力，而且每逗必怒，每怒必追，当然成了格林挑逗的第一选择，格林完全沉浸于"与獒斗，其乐无穷"的感觉中。而每次玩够了，格林就躲到皇帝身后，或者缩到母獒风雪的怀里，风雪常常像个大姐姐一样替他舔理一身的乱毛。

既然明白了狼獒相处的规则，他们追撵狂闹时，我也就不那么担心了，只在一边观望，尽量不去干预格林的群体生活。

虽然生活在荒野的狼经常忍饥挨饿，遇到食物就狂吃海塞，但那只是出于现实的无奈，而并不是最佳的进食方式。狼父狼母也会尽力打猎存食以保证小狼充足的食物供应。

我为了给正在长身体的格林打好基础，让他和藏獒们每天基本享用一样的营养食谱。星期一到星期六，一日三餐均匀安排：早上，半斤狗粮、一只鸡蛋；中午，一斤切成片的精瘦牛肉，表面浇上一大勺牧民自制的酸奶，像生肉沙拉一样；晚上，半斤狗粮、半斤牛肉、一只鸡蛋，时不时地洒上几滴液体钙，加点维生素、鱼肝油等。

然而，每天都不愁吃食的格林似乎永远没有饱足感，特别是他对于晚上只有半斤牛肉的供应大为不满，为此我又特意把牛肉的分量加倍，但格林仍旧狼心不足。每到进食的时候，藏獒们都自觉回到各自的笼子里，等着饲养员尼玛关好笼子后把食盆塞进笼来。格林却绝不安于像藏獒那样老老实实在笼子里吃分配到的分量，他仗着身形瘦小的优势钻进每只藏獒的笼子里到处抢食，引得藏獒们狂吠着上来抓咬。

我常用手表掐着时间计算藏獒与格林的“食速”：藏獒们吃完一盆牛肉狗粮最快的要五六分钟，慢的一般要十五分钟左右，而格林每次进食从未超过十一秒，他一股脑把满盆食物装进肚子里，迅速吞完自己的“口粮”后，马上就钻进藏獒们的笼子里飞速抢食。等被抢的藏獒狂叫完扑上来的时候，格林已迅速钻出笼子奔向下一个受害者。唯独黑虎的笼子格林绝不靠近，俗话说“咬人的狗是不叫的”，对于沉默的黑虎，格林向来是少惹为妙。皇帝对格林像父亲一样宽容，反正食物多的是，皇帝把小格林驱赶出笼子就行了，从不下口咬他。但是离格林最近也是被抢次数最多的森格就气得双眼冒火，我不得不刻意用更多好吃的去安抚森格。

格林变得更加狡猾，他知道牛肉是好东西，每次几口吞掉自己那份牛肉就立刻扫荡藏獒食盆中的牛肉，而自己盆中剩下的狗粮则弃之不顾或者把食盆拖到狼洞里去，玩累了当零食吃。每次我只好趴在狼洞口，拿棍子把空食盆钩出来收走。

自从有了抢食者，每一只藏獒都加快了进食速度，唯恐被格林抢去精华牛肉。尼玛乐坏了：“这些藏獒从来没有这么能吃过，而且格林每天带着他们一圈圈跑，谁休息格林就折腾谁，活动量大，藏獒的身体也结实起来，很少生病，咱家这一批藏獒比从前的獒壮多了！”

的确，拼抢竞争能创造出更优秀的群体。从前藏獒们分关在笼子里进食，每天的食物爱吃不吃反正都是自己的，没有被夺食的危机感。圈养的藏獒每天除了吃就是睡，偶尔在场子里晒太阳，动也懒得动，饲养员不得不牵着他们一圈圈地遛，如果他们懒得走，干脆往地上一趴，谁也拖不动他们。活动量少食物多，他们从来不知道饿的滋味。现在藏獒的地盘里，狼来了，如同瞬间注入了不安分因素。狼像在为什么做准备似的，随时逼着藏獒陪练，使他们每天的活动量陡然增加，饥饿感随之而来。狼还不按照狗的规矩办事，藏獒每天食物的精华部分都面临被狼掠夺的危险，藏獒们吃得一个比一个快起来，拼命地跑，玩命地吃，这样锻炼出来的身体不结实才怪。一向安逸闲散的獒群中陡然植入了狼性法则，老林的獒不光比自家从前的獒强健，更是三家獒场中的佼佼者，光是吼声就足以压倒其他两个獒场的獒。已回成都的老林在电话里听说这一现象，又意外又高兴。

但是，藏獒也在竞争中慢慢沾染了一些野性，护食更加狂暴起来。这是一个危险的信号，再听话的狗都有护食的猛性，何况凶猛巨大的藏獒。为了避免潜在的危险发生，每到进食的时候我还是要把格林和藏獒一样赶进各自的笼子里。可尼玛说那笼子根本就关不住格林，他趁我不在的时候，想出来就出来，藏獒的食物他照抢不误。我将信将疑，再怎么说铁笼只有不到八厘米的栏杆间隙，格林的身子却有近二十厘米宽，怎么钻得过去啊？尼玛说，他看见格林脑袋一侧，拱出前半身，再吸口气收腹就过来了。尼玛见我将信将疑，专门用手机拍了张照片来给我告状。而我亲眼目睹的那一次就更加令我瞠目结舌了。

一个笼子哪里困得住夺食之狼？他可以抢来不要，绝不能坐视不理！

那天，老肖跟牧民合伙儿宰牛，我立刻提了麻袋去帮忙，借机“蹭肉”。我从宰牛人那里买回来不少牛肉，还有心肺、牛血、牛头以及我亲自剔出来的牛骨架。回到獒场，我先挑了一些牛肉和心肺装了一盆给格林，被他一扫而空，这家伙太能吃了。

之后，我胸有成竹地把格林往大笼子里一关，料定这次格林的肚子有篮球那么大，断然钻不出笼子来。我锁上门，走出犬舍，准备拿食喂獒。忽听身后“吱”的一声叫，我回身一看，乐了，小坏蛋果然不安分，还是想钻出来，哪知道吃得太胀，肚子被卡住了。我幸灾乐祸地蹲在格林面前看热闹，他再用力一挤，吱吱呀呀乱叫还是出不来，我不但不帮他，还大笑起来。格林有些恼羞成怒，冲我皱起了鼻子，露出狼牙。我拍拍手站起来：“格林啊，你就在这儿卡着吧，我要给藏獒们吃好的啰！”格林急了，一阵狂挣乱叫，终于选择了缩回笼子里去。然后是一阵沉默，回神。我哈哈一笑，放心地出去了。

我端回一盆狗粮，格林还在转心眼儿，但看见我端食盆进来，他有点着急了。他皱起鼻子，把胡须绷直，一格一格地量笼子的间隙，但无论哪个间隙都过不了他的肚子。格林终于停止了徒劳的尝试，退了回去。之后，令我惊讶的事发生了：格林从一个间隙中探出头来，然后埋低脑袋，肚子抽搐着，毛腰拱背“哇”的一口，他将下午吃进去的肉呕了出来，吐在笼子外面。接着他迅速地缩身钻出了笼子直奔我过来，飞身跳起一爪子打翻狗食盆，狗粮撒得满地都是，气得那些在笼子里等吃食的藏獒汪汪乱叫。我连忙吆喝格林，格林狠狠地吃了几口，又示威似的把盆子拖得老远，然后从容不迫地回到他刚才吐出来的肉前面，几口吞回去。最后还不忘向我投来轻蔑的一瞥，显然他并不屑于狗粮，但有吃的他却一定要争夺，一个笼子哪里困得住夺食之狼？他可以抢来不要，绝不能坐视不理！

从来到獒场的那天起，每次尼玛有吃的在手上，其他的藏獒都是翘首以待，等待主人的赏赐，而格林却是努力进取型的，他绝不摇尾乞食，而是明目张胆地跳起来抢。格林的弹跳能力一流，甚至能在空中急转弯。有一次，尼玛满头滴着奶水，跑进厨房边找毛巾擦头边气鼓鼓地向我告状：“那狼太讨厌了，跳起来好高，我怕他抢藏獒的牛奶，就把牛奶盆子举过头顶去，结果他跳起来就把盆子顶翻了，牛奶倒得我一脑壳都是。”我和卓玛笑得直不起腰。

在食物面前，格林一定要让自己掌握主动权！格林有他的困惑：这些藏獒为啥要坐在地上摇着尾巴等？有吃的了，你们为啥不抢？

藏獒也有他们的疑惑：这小子怎么不听主人命令？不按规矩待在笼子里等分配呢？

或许这是野狼和家獒永远难以互相理解的东西。

第二天，我又把牛骨架拖到河边，并架起了摄像机，想试试格林在野外遇到食物的反应。

格林很快发现了河边的牛骨架。他还是第一次见识这么硕大的东西。我原以为格林会不假思索地上去就啃，然而格林的表现却恰恰相反。他愣了一下，没有立刻靠近，却东张西望查看骨架周围的大环境。尽管血腥味不断撩动着他，但毕竟这不是他的领地，对领地外出现的可疑食物，他很警觉。他围着骨架转圈，顺着转，倒着转，在周围跑跑看看，再环闻地上有没有可疑的味道……周遭的一切都检查完毕，格林半匍匐着身子试探性地凑到骨架跟前，用鼻尖一碰，迅速跑开，看看骨架没反应，再爬近碰一下，再跑开，反复多次……那迅速的动作似乎在触发什么机关似的，看得我很意外。但我能清楚感觉到小格林多疑的狼性随着年龄增长越来越重，他对反常现象抱有必要的警觉，对没把握的事物懂得多长一个心眼。我在摄像机背后观察着，突然觉得心里踏实了许多，以前总担心这个贪吃的家伙会“狼为食亡”，现在看来他也并非只知道“吃”那么简单。

格林对骨架继续嗅着……他突然望向了我，担平了耳朵呜呜叫。我有些领悟了，这是我剔出的骨架，肉上和周边地上都留有我的味道，他认定这是我的领地，我的猎物。在獒场他熟悉的地盘当然由得他抢食，但出了这个地盘，狼又有狼的规矩，在他狼的领地吃他狼的猎获一定要征得领地狼的允许。此刻在他的眼中，我或许就是这里的领地狼，可这些狼性规则他又是如何明白的呢？

为了证实这一猜测，我边唤格林边走近骨架。格林果然俯首帖耳，夹起尾巴放低臀部，表示臣服和征求进食的许可。我拍拍格林的头，向他唤食。他恭顺地匍匐过来，匆忙舔了舔我的手心，随即一头扎进了骨架。我还想再摸摸他？“呜呼！”休想了。

一番憨吃死胀，格林饱了，我想把剩下的骨架牛头啥的扛回獒场给他存着，他不干，挺着大肚子跟我抢，甚至跳起来钻进牛骨架里，咬定肋骨最上面的一根，整个狼就死皮赖脸地悬挂在牛骨胸腔中间，脚不沾地地摇来晃去，活像一口寺院里的大钟。我抢不赢，只好丢手。

一头扎进骨架，再不管任何唤“狼”声。

格林麻利地肢解骨架，啃下软骨分藏在几个地方。掏出牛舌这精华部分，藏在岸边一处高草丛中，他一定要自己储存口粮才觉得保险。吃饱了也藏好了，他悠然自得地小跑过来，准备跟我回獒场。

突然，格林发现一头大母牛居然正向他藏牛舌的草丛走去。格林顿时紧张起来，龇着牙迎着母牛跑去，奓开全身的狼毛，给母牛雄起，他又冲又扑地做出凶狠姿势，扯着奶气的嗓门咆哮示威。母牛漫不经心地扭着下巴一路啃草，看都懒得看他一眼。

对狼而言，藏食地就像他的“后方粮仓”，备战备荒的道理狼比人懂得早。格林眼看母牛离“粮仓”越来越近，而自己显然不是大母牛的对手，他急得伸脖子东张西望，猛然精神一振，撒开四腿飞奔向河边，气势汹汹地冲向河边喝水的小牛犊。小牛犊吓了一跳，前踢后蹶沿河岸逃窜！格林不但扑小牛，还真的张嘴咬了，小牛犊尾巴被咬了两口，慌不择路地往河里冲去！水花四溅！母牛哪里还有食欲，立刻奔回去赶狼护犊。格林灵巧地躲开母牛的冲击，趁热打铁驱赶小牛，直到引得母牛远远离开他的“宝藏”才罢休。

我看得半天合不拢嘴，三个月大的小狼竟然会用“调牛离山”计！

抢食、夺食、护食、藏食……狼为食狂！俗话说开源节流，小格林猎食还没学会，但是节流却已无师自通，会精打细算地过日子，并且懂得警惕和分析“可疑食品”，这让我对他未来的生存能力又有了更多的把握。

16 草原领地狗

或许在格林想来，藏獒兄弟们都是“宅狗”，格林渴望的是在草原上能有一个自由的群体，哪怕会被欺负。可怜的小格林还不知道自己是狼。

这天，我还在窗边东张西望唤着格林，就听老肖扯着乌鸦似的嗓子在我门外吆喝《杜十娘》的调调："……手扶着窗栏四处望，怎不见我的狼？……狼君啊，你是不是饿得慌，如果你饿得慌，对你老娘讲，老娘给你做肉汤……"

我一拍手，笑得咯咯地迎出门去："老肖啊，今儿怎么有空上我这儿串门?"

老肖哈哈一笑，黝黑的脸上阳光灿烂："哎呀，我闺女想我了，我想请你帮我拍几张照，给她发过去。回头我牵两匹好马，请你骑马去。"

"好啊！不如你就骑马到河边去吧，我帮你照几张帅的。"

老肖一乐："那敢情好。"旋即又想起什么，赶紧说，"河边不行，我正要过来跟你说，你千万管好你的'狼君'别出去，这几天白脸又杀回来了，好家伙，带的狗成群了，要让他们逮住了狼，那可是往死里咬啊!"

"白脸?!"我打了个冷战，回忆起了一个月前的情景——

我刚到獒场的时候，搭老阿姐的奥拓车进若尔盖县城买折叠小木桌和布衣柜。老肖、卓玛、尼玛也跟着凑热闹，在县城里买了一大堆牛肉、鸡蛋和方便面。想着晚上可以打牙祭了，一车人喜不自胜。

回来的路上老阿姐开车，尼玛坐前排，我坐后排中间，卓玛和老肖坐在我的两侧靠窗的位子。下了公路往獒场方向开的时候，"哗啦哗啦"一阵声响，他们四个人不约而同地摇起了车窗，我纳闷得很："老肖，这么热关窗子干啥?"

"狗来了!"老肖话未落音我就听远处一阵狗叫，探头一看，迎着车子冲过来好几条大狗，狂吠着扑车。我心下一凛："这儿的狗这么凶?!"

"当然，你看见那条狗没有？白脸的那条，他是这群狗的头领，每次我们从这儿过，他都要咬，凶得很哦……"老肖使劲戳着玻璃给我指指点点。突然间，车窗玻璃"刷"的一声落了下来，也不知道是老肖指力惊人还是地上的大坑把车抖了一下，说穿了，阿姐的"老爷车"本来就年久失修。

刹那间，老肖的脸也像窗玻璃一样刷地垮了下来，他瞪大了眼睛，冷汗直冒，脸都吓白了："我的神啊，这玻璃咋这么不待见我哩!"

车外的狗群一看没了玻璃屏障，飞身跳起，轮番扑咬老肖。老肖大叫大嚷，双手抠拉着半截窗玻璃往上提，哪里提得起来!

“呼啦”扑上来一只狗，一爪子抓在老肖手上，老肖手背立刻出现三道白路子，眨眼间就变成了红线。

“汪呜！汪！”狂吠中一个白脸狗头猛咬进窗子！老肖往后一躲，耳朵差点被咬中，他急忙松开玻璃，挥起拳头猛砸，把狗头砸出窗外。“嚓”的一声，老肖的袖子又不知道被哪张狗嘴撕下一片来。卓玛惊呼尖叫，尼玛大声吆喝，车里乱作了一团。老阿姐猛踩油门落荒而逃，她想迅速冲回獒场。奥拓车在坑坑包包的草场上像挨烫的老鼠一样乱跳乱窜，一车人被颠得七荤八素。卓玛和尼玛唯恐自己这边的窗玻璃也被颠下去，边叫边用两只手掌死死抵在玻璃上，像练降龙十八掌。

“突突……”奥拓车关键时候熄火了！阿姐手忙脚乱地打火，卓玛恨不得提着高音喇叭尖叫。尼玛满头大汗，手顶着玻璃。外面的狗爪子“刺啦刺啦”扒抓着车身和玻璃，抓得人后背发紧。不知谁又喊了一声：“狗在咬轮胎！”一车人的毛发都竖了起来！轮胎一破，这车别想再动一步，奥拓车矮，狗随时可能从窗户扑进来，一车人就只能等着挨狗咬了。老阿姐一个劲儿地按喇叭吓狗。

最惨的还是老肖，挡无可挡，只能一夫当关，徒手打狗。老肖的手背早已见红，拳头随时可能砸进狗嘴里。他拼命躲闪着不断扑来的狗牙，脸上领子上全是狗飞溅起的唾沫，一个狗鼻子竟然撞到了老肖的脖子上，只是没来得及张嘴！老肖吓得脸都变形了：“救命啊！阿姐快开车啊！要死人的！”

“老肖闪开！”我大吼着把老肖往后一扯，抽出新买的小桌板往窗户上一挡！

“梆”的一声闷响，“嗷！嗷！”不知哪条倒霉的狗刚好扑上来，一头撞在了桌板上！老肖急忙接过救命的桌板，死死抵住窗户，猛拍胸口安抚狂跳的心脏。还有不死心的狗从桌板和窗户的缝隙把狗嘴塞进车里乱咬一气，不过够不着人了。

车前方“腾腾腾”一阵响动，一只大狗跳上了引擎盖，隔着前玻璃恶狠狠地盯着一车人，仿佛见了生冤家死对头一般，那目光阴沉得像索命阎罗！

“白脸！”老肖哑着嗓子喊。我这才看清了这只头狗，一身金黄，唯独狗脸像京剧曹操的脸谱一样白得特别醒目。我最怕的是疯狗，眼看白脸并没有口吐白沫，我稍微放下心来。我从没见过这么发狠拼命的狗。

“突突突突……”老阿姐终于打着火了，车一开，几个颠簸就把白脸甩下车去，其余几只狗纷纷向白脸聚拢，还不忘向远去的车吠叫几声。等白脸爬起来，我们的车已经开远了。大家松了一口气，小心翼翼地开回獒场，老肖锁好铁门，一车人才脚绵手软地下了车。

“太恐怖了，有这帮狗在外面，谁还敢出去啊？”老肖理着被撕烂的袖子，抹了一把手背上的血。

卓玛一如既往发挥她痛哭的特长，只是尼玛自己都没回过神，也没工夫去安慰她了。老阿姐吓得直筛糠，说前些日子就是这帮狗把她给咬了，住院一个多月。阿姐说着把伤口翻给我看，腰上、腿上被撕掉的皮肉虽然已经结痂，但仍旧触目惊心，背上歪斜蜿蜒的缝线像古栈道，不难想象当时被咬的惨状。阿姐谈狗色变：

"那帮狗简直跟我们獒场的人有仇似的，成天守在门口，出去一个咬一个。"我听得毛骨悚然。

后来一个偶然的机会，我跟每天送酸奶过来的老牧民攀谈，老牧民骑的是摩托车，我就奇怪了，那些狗怎么从来不咬他？老牧民笑着说："他们大概看你们像外地人吧。也或许有他们的原因。"老牧民看我不明白，又跟我详细解释了很多：草原上的狗分为三种——看家狗、牧羊狗和领地狗。看家狗是牧民养来看护毡房的，只对牧民一家的安全和财产负责，有陌生人靠近毡房，看家狗会吠叫报警并且毫不含糊地扑上来咬，但主要是以驱逐和报信为目的，并不会穷追不舍，只要别太接近牧民家就不会招惹到看家狗。

牧羊狗是看管畜群的，以獒犬居多，凶猛忠诚。他们认得自家牛羊的味道，如果有生人或者野兽胆敢打牛羊的主意，他们会扑倒来袭者一口封喉。但如果人兽只是走在草原上，和畜群保持距离，他们也只会远远看着，不会攻击。

唯独领地狗最特殊，他们是没有主人的，一天到晚四处游走浪迹草原，每群狗都有自己的领地。领地狗是有杀性的，对闯入自己领地的陌生狗一定要咬死或者驱赶出领地，他们过着半狼半狗的生活。很多人习惯称这些领地狗为野狗或者流浪狗，其实他们虽然流浪却并不同于野狗：野狗是没人喂的，领地狗则是处于半野生状态，除了会像狼一样在草原上浪迹捕捉活食、啃食腐肉之外，也会接受人类的施舍，特别是一些有宗教信仰的藏族人往往会在固定的时间和地点投喂他们食物，这也从一定程度上强化了领地狗对人类的生存依赖。因此，领地狗一般不会攻击人，也不会袭击畜群，领地狗都能与穿藏袍的本地人和谐共处。

听到这里，我心里暗想，以后我在草原上走动，如果穿着藏袍或许会方便很多，也更能融入这个草原。

这些领地狗又是怎么产生的呢？据老牧民说，这些狗多数是被人遗弃的，遗弃的原因就太多了：或者是没有那么多野兽了，牧民也就不再需要饲养那么多狗；或者是这些狗本领太差，既不能牧羊又不能看家；或者是一窝生的小狗太多，干脆丢一些出去自生自灭；还有些小型狗显然不是高原品种，那是外来的人"放生"到这里的狗……草原从有牧民以来，这些狗就产生了，并且一代代适应自然的汰劣留良，有的甚至还繁衍了后代，加上越来越多的弃狗加入，领地狗渐渐成群结队起来。当狼被消灭得差不多的时候，领地狗往往就开始干狼事了。只有结成群的领地狗才能寻找到更多腐肉，抢夺到更多食物，当然，也更能招来善人投喂。藏族人不杀狗，所以领地狗的境况比狼好。相比之下，同样是流浪狗，城市流浪狗被遗弃后生存能力就差，夹着尾巴脏兮兮的很委靡，草原流浪狗却能够顽强地结成团体开始自身返祖野化的征程，因此比其他狗都自由、都强大。

老牧民还嘱咐我，无论哪种狗，晚上都比白天更具攻击性！所以晚上最好别乱走。更别天黑靠近牧民家，尊重各种狗的习性就能与他们和平共处。

照老牧民的话说，白脸领导的这一帮就属于领地狗，但我们没招惹他们，这些领地狗为啥要攻击我们獒场的人，甚至冒着被车碾压的风险？我又记起第一次带格林出外见识草原的时候，格林也引来三只狗追逐驱赶，其中一只正是这个白脸。当时我扔了一只鞋子吆喝一阵也就把狗赶跑了，没见他们对人苦大仇深的呀。为啥把老阿姐咬成那样，这问题我一直都没想通。

听了老牧民的分析，我建议投食安抚这些领地狗试试。然而，老阿姐始终不放心，老肖的手上也被狗抓咬得肿了好几天，他恨得牙痒痒，才不信这个邪呢。老肖想办法搞来了几十串大炮仗，和尼玛一起拿竹竿子挑着，在獒场周围噼里啪啦地放炮，把这些领地狗吓得远远逃离开去。又把剩下的炮仗连放了几天，从那以后，獒场周围清静了下来。

这会儿，老肖对我说白脸又回来了，还带了更多的狗，我心下瘆得慌，这帮家伙咋又回来了呢？还一下子聚了这么多？我可不敢带格林出去了。

下午时分，藏獒们都关回犬舍的笼子里了，我正在屋子里写东西，隔着窗户能看见格林独自在院子里溜达。不能出场玩，他无聊得磨皮擦痒，转了几圈就开始爬我的窗户。我伸个脑袋出窗户一看，太阳烫得像出炉的钢水，别说陪他出去玩了，就是在屋外站一会儿都会晒脱皮，更何况场外还有那么多凶神恶煞的领地狗。我抓了一把狗粮，递出窗外安抚格林。格林醉翁之意不在酒，一口叼住我的袖子，硬要拖我出去。

我挣脱袖子关上了窗。格林冒火了，照着窗玻璃一阵猛抓，我没理他。于是格林开始嗥叫，一声接一声，仿佛在要挟“你不出来我就不停地嗥”。我嘿嘿一笑，这家伙又来这套，可这里是草原，不是城市，威胁不了我……格林不叫了，在场子里左顾右盼地走来走去。

过了一会儿，场子里突然传来一阵凄凉的吱吱叫声。我抬头一看，格林从铁皮墙的角落走了出来，踮着脚慢慢地从我窗前走过，一步一瘸。这家伙刚才干啥去了？怎么把腿弄瘸了？我敲敲玻璃窗招呼格林，他不理我，自顾自地瘸着腿走过窗外，每走几步就扭过头去痛苦地抬起左后腿，送到嘴前舔舔，到后来左后腿干脆悬挂了起来再也放不下地了，一挨着地就火烫似的疼得他直叫唤。是扎进刺了还是被铁皮墙割伤了？

我赶紧翻窗过去，把格林就地翻过身来检查他的左后腿：漆黑皮革质的脚掌肉垫完好无损，没有扎进刺，也没见任何肿大的现象。我又检查腿部，也没有发现任何外伤，我索性把他的四条腿都仔细检查揉捏了一遍，还是没有任何异样。我摸摸后脑勺，搞不懂了。会不会是抽条太快腿抽筋了呢？我起身回屋拿药酒。刚到窗边，还没跳窗进屋，就听格林又是一声惨叫，后腿又悬了起来，挂着后腿挣扎着要跟我走，我一阵心酸，连忙蹲下来伸手抱他。

嗯？我发觉不对劲，刚才明明瘸的是左后腿，这会儿怎么换成右后腿了？我突然有种上当的感觉：这家伙找不到人陪他，就想方设法逗引我出来。卖萌、嗥叫都不管用以后，他干脆装受伤，料我必定会出来看他。然而格林毕竟是小狼，记性好忘性大。刚才我每条腿都给他检查揉捏了一遍，他竟然就忘记了最初装病的是左后腿，眼看我又要走了，情急之间把病腿给挂错了！哼！这家伙从小就跟我耍心眼儿，这次看他怎么自圆其说。

看到我死盯他右腿的眼神，格林的眼珠疑惑地转了转，耳朵抖了一下慢慢向脑袋后面贴，他也意识到这个问题了……他心虚地低了低头，缩手缩脚，尴尬地扭了扭腰身，放下右后腿，重新悬挂起左后腿，蹦跶着向我走了几步。我叉起两手看他演戏。这小子临阵换腿，不打自招！

格林显然读懂了我漠不关心的肢体语言，也明白自己这番表演穿帮了。犹豫片刻，他忽然间哪条腿都不瘸了，改骗为攻扑上来咬住我的裤腿就往场子中间拖！我死拉硬拽拗不过他，没办法，只好从了。

以前我曾经听老牧民讲：有一个猎人带着猎狗眼看要发现狼窝了，母狼凄凉惨叫着从草丛里钻出来，装作腿受了重伤的样子一瘸一拐地向远处跑，引得猎人去追她。母狼跑得不快不慢，料定了猎人绝对舍不得开枪，因为她明白猎人最想要什么。她拖着瘸腿跑的速度让猎人觉得完全可以追上她，一棒子打死能得一张完整的狼皮。她逗引着猎人远离狼窝以后，才一溜烟跑进了灌木丛。猎人大呼上当，赶紧举枪射击，可母狼早已不见了。母狼会用装瘸的方法引开猎人，小格林也用装瘸的法子引我出来陪他玩，看来这“三脚狼”的功夫真是祖传秘技。狼会动脑筋、耍手腕达到自己的目的，称得上是动物界出色的谋略家。人也许拥有众多的现代科学发明，可在最原始的心智较量中，我一个成年人却被一只小狼玩得团团转。在知己知彼、审时度势、稳抓对方弱点这些方面，狼确实是心理专家。虽然此番较量中格林百密一疏，被我识破，但这毕竟只是小孩子善意的游戏与矫情，牛刀小试都谈不上。如果格林长成大狼，临阵对敌，狩猎打围，不知道还会有多少智慧展现。

尽管有我陪格林在场子里玩，但他仍旧躁动不安地想走出獒场去。这天我爬上墙头查看，獒场外面清清静静，没见领地狗的影子。我又扯着嗓子喊了几声，的确没狗。于是我偷偷摸摸地带着格林出去了。

宅了几天，格林憋坏了，一出场子就迫不及待地往河边跑。他跑到一处草堆，一阵兴奋地扒拉……他愣住了；急忙又跑到另一处，又是一阵扒拉……瞪大了眼睛发呆；他再跑到一处，歇斯底里地狂挖起来，沙土草屑乱飞……他连跑了好几个地方，突然放声悲号起来，在地上翻来滚去，凶狠地咬着乱草连根拔起！那痛苦懊恼的样子，就像守财奴蹲在被洗劫一空的宝库面前捶胸顿足一样。我霎时明白了一件事——正是格林在河边的大量存肉引来了白脸这帮领地狗群。唉，可怜的格林还巴望着出来打牙祭呢。

我正为格林鸣不平，就听远处又传来大片狗叫声。我汗毛一竖，慌忙夹起格林就往回跑。格林在我腋下拼命挣扎，余怒未消地向着狗群的方向张牙舞爪。狗叫声越来越近，我高喊老肖开门，一进门就把格林关回中场。只听得那些领地狗还在门外高声“骂阵”。

“我看看还有没有炮仗！”老肖往库房走。

“你有多少炮仗？吓跑了还会来！”我冷冷地说。这帮狗在附近出没，以后格林别想安生，这阵势连人都出不去。狗应该是怕人的，这帮狗到底发哪门子的疯？我心一横，进储藏间找了几根结实的大棒，试了试，挑了一根最趁手的。老肖惊道：“你不会要冲出去打狗吧?!”

我蹬上山地靴，裹上厚衣服：“必须给他们点教训，不然还会伤人。”

老肖叫苦不迭：“我的天哪，老林把你交给我们，你要出个事儿我们咋交代?”

我不吭声，又找了一个大塑料袋，把喂藏獒的牛肉剔剩下的肉渣筋头骨茬子装了一大袋拎在手里。老肖看拦不住我，一跺脚也抄起一根大棒：“我跟你去！”

“你替我把着门儿就行。”

“总不能老爷们缩在门后面吧！”老肖哼了一声，去找把门的人。老阿姐早就锁死了房门，借她十个胆儿也不敢出来。卓玛听到狗叫得凶，撇着嘴巴眼看就要哭出声了。尼玛窝在房间里不吱声。老肖火了：“尼玛！是男人就站出来！”

好一会儿，尼玛套上件厚夹克，硬着头皮走出屋子，替我们把门。

门一开，老肖率先冲了出去，大棒一挥就听见一只狗惨叫着跑开。我紧跟着出门，狗群已经散开形成了一个半圆形的包围圈，凶神恶煞地大叫着。我和老肖紧贴着铁门，我把塑料袋往脚边一放，双手捏紧了大棒。右边有一条狗嗅到牛肉味，从侧面扑过来，我挥起大棒打在狗鼻子上，直打得他像陀螺一样转了好儿圈，疼得嗷嗷乱叫，捂着鼻子满地打滚。老肖也挥棒打退了一只，惊惶的狗群又退开了一点。一阵僵持，我终于看清了这群领地狗，好家伙，大大小小二三十只，有的是藏狗，有的是土狗，有的是狼狗，还有几个小的像是京巴串之类的，不知道他们都是怎么聚到一块儿落草为寇的，你挤我撞的领地狗一个比一个狰狞。我和老肖腿微微发抖，额头沁出豆大的汗珠，紧张得快崩溃了。我后悔莽撞冲出来，更后悔没练过打狗棒法。

英雄不是那么好当的。我看到了白脸，他站在狗群后面，胜券在握地盯着我们，似乎不用他动手，这帮喽啰就能收拾我们。又有七八只恶狗慢慢地逼近，四肢微蹲下，眼看着就要扑上来了！我的脑袋“嗡”地一下，完了完了，这些狗要群起而攻之，我俩必定死得难看！

先下手为强！打跑一只算一只！我举起大棒狂挥乱舞，突然间“咣”的一声巨响，大棒正好敲在身后的铁门上，狗群吓得像蚱蜢一样蹦起来，白脸也惊得一激灵。我小吓了一跳，不过很快反应过来，顿感绝处逢生，干脆举起大棒拼命地砸在铁门上——“咣！”这一击如音爆炸弹一样，震得所有狗都难受得趴了下去。

“嗷欧——”场子里突然传来一声熟悉的狼嗥，格林被抢去存粮的怨恨尽在狼嗥声中。紧接着皇帝响亮地吠叫起来，然后是森格和黑虎的咆哮声，老林的藏獒们加入了吼阵！

“咣！”老肖也在铁门上重重击了一棒，震耳欲聋！

铁门被砸的轰鸣激发了藏獒们护家的本能，三家獒场的三十多只藏獒气势磅礴的咆哮声顿时响彻原野，夹杂着长声狼嗥，滚雷般直轰鼓膜！

领地狗们刚才还趾高气扬的尾巴顿时夹了起来，呜呜狺叫着连连后退，那些吓破了胆的京巴串儿扭头就跑。白脸大吼撕咬也拦不住逃兵！

“咣！咣……”老肖不断砸门，如冬雷阵阵！场内狼獒齐啸，声浪一阵比一阵强，强大的声势如万马奔腾般压得狗群抬不起头来！顷刻间狗心涣散，跑的跑散的散，像炸开的烟花再也收不拢了。只剩下白脸和几个死党大狗还站在不远处，但尾巴都夹得紧绷绷的，再无斗志。

万万没想到今天是这样退狗的，我和老肖很意外。藏獒和狼的确是令草原动物闻风丧胆的战神！

不战而驱狗之后，该招安了。顺我者喂，逆我者打！我和老肖抓起一把一把的肉渣碎骨，天女散花一样抛撒出去。逃散开的狗立刻又围拢来抢成一片，为争食还掐起架来，一帮乌合之众。有好几只狗居然冲我们摇起了尾巴，看来他们的确是被人投喂惯了的。

前后两次交锋，我们和白脸各赢一场。这临时组建的狗群体哪有什么道义可言？白脸像个败军之将，望着眼前哄抢一气的徒众，从喉咙深处发出一阵怨恨的诅咒。老肖捏起最后一把碎肉，揉成一团，使劲扔到了白脸面前。白脸怀疑地嗅嗅肉团，抬起头看我和老肖。白脸身边一个浑身黑毛的大狗（我叫他黑皮）趁机抢过肉团，几口就吞下了肚子。

我和老肖这才喊尼玛开门，一面防备着狗，一面背退着回了场。

从那以后，我每次有剩饭剩菜或者碎肉残骨什么的就都扔给领地狗。狗群们见了我和老肖也就不再闹事了，有的狗还颇为友善地摇着尾巴。只是他们见了老阿姐的车仍旧狂追猛咬，动物有些怪异行为，我们人是很难琢磨透的。

最麻烦的是格林，领地狗虽然不再威胁人，但是依旧容不下一只狼出现在自己的地盘上。领地狗洗劫了格林的藏食，看见格林就狂吠驱赶。格林起初还友好地吱吱叫，希望能加入他们的群体。或许在格林想来，藏獒兄弟们都是“宅狗”，格林渴望的是在草原上能有一个自由的群体，哪怕会被欺负。可怜的小格林还不知道自己是狼。然而这些领地狗虽然不再牧羊也不再看家，但他们在草原野生野长，说不定还吃过狼的亏呢，哪能不认识狼子真容？草原狗对野狼的恐惧与排斥恐怕难以化解，我不得不每次都提着大棒保证格林的安全。

这天下午，我看领地狗没在附近，就带格林沿着大河边散步。我拎着大棒，贴身保镖似的跟在格林后面。走着走着，格林猛然发现河边的浅滩上躺着一只小羊羔的尸体，没有伤口，薄薄的河水轻轻荡涤着羊羔身下的白毛，估计是失足落水后被冲到这里搁浅的。格林对死羊羔一番审查无疑点后，如获至宝，叼着一只羊耳朵，使出吃奶的劲儿把羊羔拖上岸边沙地。然后，他围着羊羔左三圈右三圈地跑着，越跑越轻快，沙滩上的小狼爪印一层叠一层，叠成了浑圆的一个圈，仿佛画了个从天而降的大馅饼。看着格林抓耳挠腮的乐呵劲儿，我也受他感染嘿嘿笑起来。

格林“画饼”的脚步一停，好像想起了什么，撇下羊羔扭头就跑……怎么不要啦？我正在犯嘀咕，格林已经神经质地向前狂奔了几十米，然后掉转身子，猛地趴下，脑袋伏得低低的，在草丛中露出一双炯炯有神的小狼眼，就像泥塑木雕一样不动了，只有两只尖溜溜的耳廓像草丛中停歇的大蝴蝶似的呼扇着。这奇怪的表现完全出乎我的意料。

格林在草丛中趴伏了两分钟，突然像被投石机弹射出来一般猛扑向羊羔，一口咬在羊背脊上，紧跟着格林就丢口了，他向后一跳，舌头猛舔上唇，像硌了牙似的。他晃晃颈毛，脑袋噼里啪啦一阵猛甩，抖抖脚爪上的沙砾，像运动员发挥失常的姿态。他绕着羊羔转了一圈，嗅嗅自己刚才咬的地方，又拱拱羊羔泡得发胀的肚子，前后看了看，像在搞研究。片刻他又转身轻快地朝着我这边跑来。我安静地看他折腾。

对白捡来的猎物，格林在狂热地演练狩猎过程。

格林在我前面几步远的地方停下了，身子和脖子一伸一探，好像在对焦。他又趴下身子，重复着刚才的蛰伏动作。这次他从胡须、脊背到尾巴尖，形成一条水平线，两眼紧盯前方，耳廓轻微转动，抬起一条弯曲的前腿欲跨未跨，在原地停顿了好几秒。我蹲下身来，这个角度刚好从他后脑勺看见两只尖耳朵中间架着黝黑的鼻尖儿，像步枪的瞄准器一样，而他的准星笔直地朝向羊羔鼓胀的肚皮。

突然，他再次一冲而出，眨眼就扑住羊羔，一口咬在羊肚皮上！鼓胀的羊肚子激射出一股细水，格林用爪子按住羊身，狠咬羊脖子，用力甩头，喉咙里还呼喝有声。

我恍然大悟，这不是狩猎吗！这个猎物跟他身体差不多大，他竟然在自己训练自己。虽然格林以前也杀过鸡，可那鸡是我给他的，而且他对鸡的兴趣远远不如对羊的狂热。更重要的是，这是格林在旷野中第一次自己找到这样囫囵个儿的猎物，虽然是靠运气白捡来的死猎物，但是他完全沉醉于像小孩子办家家一样的狩猎游戏中——这羊就是我抓来的！就是我咬死的！

然而，在他自我演练的一系列过程中，我充其量只算陪练，那么他的教练又是谁？在他身边从没有任何动物做过示范动作，这全套的狩猎动作他怎么能够完成得如此严谨而有章法？格林独自成长过程中带给我的种种惊异让我很难用“本能”“遗传”“天性”来解释。或许，随着小格林的成长，又一个狼族生存密码即将破译。我深吸了一口气，情不自禁地抬头望向了天空，薄云掩映中的太阳好像穿梭在丛林里的明黄色瞳人，和我一样满含温情地注视着格林。

蓝天下，小格林还在狂热地演练着。练完狩猎，他又骄傲地在羊羔身边打滚，把猎物的气息都沾染在自己身上。终于折腾够了，他大喘了几口气平息着自己的心跳，他已经吃了好多天的狗粮了，哪怕是腐肉也是他肠胃急切召唤的东西！他凶猛地撕扯着猎物，这是他第一次吃羊肉。河水一如既往地流，河边《狼和小羊》的故事在延续，狼吃羊需要理由吗？

格林把羊肚子掏了个大洞，首先把心肝内脏吃了个干干净净，他当然还能吃，但是忍住了，吃得太饱就不灵活了，他要把羊拖回去藏起来慢慢享用。去了内脏的羊羔轻了大半，格林叼起羊羔的后颈，努力抬高狼头，羊蹄羊腿拖在地上。格林走走停停，费了九牛二虎之力终于把羊拖回了獒场附近。

我在獒场墙外高喊老肖给我开门。那些领地狗不知从哪里冒了出来，就像一群挥不去的苍蝇，向格林围拢过来。一看格林嘴里还叼回了好吃的，狗们口水长流，一窝蜂扑上来抢羊。格林叼起羊羔迅速逃跑，白脸率众追抢，小格林叼着羊羔跑得磕磕绊绊，边跑边息事宁人地鼓动腹音，他不想打架。

白脸追上格林，一口叼住了羊腿，猛力一拽，把格林拽得连滚了几个跟斗，空壳的羊身被拧成了麻花。格林一骨碌爬起来仍旧死死咬住羊脖子绝不松口，这是他的羊羔！白脸低吼起来，格林也皱起了鼻子！一狼一狗扯着羊尸，绷紧了身子，谁也不退让。

僵持中，狗的眼睛越来越红，狼的眼睛越来越绿！一帮狗众高叫着，好像为一场拔河比赛加油助威。那只黑皮狗鬼鬼祟祟地绕到格林身后，照准格林后胯就是一口，格林惊叫一声，回身反咬，黑皮一闪躲开。格林回头再看，羊羔已经到了白脸的嘴里，白脸满脸得意地叼着羊羔，他身边一只黄色母狗欢天喜地舔着白脸的脖子和嘴，仿佛为他庆功，又拽过羊羔和白脸一起撕扯吞食。狗喽啰们摇着尾巴绕来绕去，妄图分一杯羹。

我吆喝着撵了上来，边叫格林快回去，边提着大棒轰狗。

格林不回去！他的眸子里流露出一抹阴沉的光，胡须张扬，血口半开，四肢微蹲，摆出跃跃欲扑状，喉咙深处发出一声嘶哑粗暴的低吼。已到了动武厮杀的临界点！格林毕竟是狼，狼口夺食，真是奇耻大辱。

我万万没想到格林会突然间冲入狗群，而他冲扑的第一个对象竟然不是白脸而是黑皮！别说小格林没这杀敌的本事，就算有这本领也应该擒贼先擒王，我不知道他怎么想的。

白脸反应最快，大叫着扑过来，一头就把格林撞翻在地。格林翻身爬起，黑皮早已溜之大吉。格林在狗群中漫无目标地乱冲乱咬，不时有狗被狼牙咬中，但每当格林咬住一只狗不松口，其他狗就会你一口我一口不断偷袭，像食人鱼一样在他身上狂撕猛咬！

“格林快跑！”我挥着大棒打跑一帮狗又来一帮狗！狗群咬红了眼，甚至有狗开始拽我的裤腿。

格林且咬且退，往河边逃跑，我急得猛打狗群，也往河边追！

格林冲出食人鱼一样的领地狗阵，且咬且退。

正追着，远远听见“扑通”一声水响！我脑袋“嗡”地一下，格林掉河里了！紧跟着，狗群在河边站成了一排，朝河里发出嘶哑难听的狂吠。从他们尖锐的声调中，不难感觉到，他们是在发狠地谩骂和诅咒。

我挥着大棒赶到河边，狗群一哄而散，格林也不见了。我又急又怕，大喊大呼沿着湍急的河流找了好几个小时，才终于在下游四五里处，发现格林从对岸的乱草里钻出来，隔着河向我呜呜叫……啊！他在那儿！我绷紧的心弦总算松了下来。对岸的格林皮毛邋遢，尾巴上挂着烂泥衰草，一副倒霉蛋的样子。

傍晚，回到獒场，母獒风雪细心地舔理着格林的狼毛，格林缩在风雪的怀里一个劲儿地打着喷嚏，他从没受过这么大的打击，从没遭遇过这样的围攻，也从没被狗夺去这么大的“猎物”。为什么这些领地狗就这么容不下他？输一仗，也许对他并不是致命打击，但被同类当做众矢之的，次次被追打被劫掠才是他最难过的。

然而格林安静了几天养好伤，仍旧缠着我要出去，似乎再危险都阻挡不了他对广阔天地的向往。我暗想如果格林回归，第一个要面临的敌人就是草原领地狗群，如果这一关都过不了，还谈什么回归啊？然而他现在太小，要强迫他去面对一群狗根本不可能，只有暂时回避。这些领地狗喜欢靠近人类活动，那我干脆带格林往草原深处走走吧。

为了在草原行走更方便，我特意托卓玛帮我准备了一件薄薄的夏季藏袍。

17 扎西的牧场

在机遇和无情的主宰下，贪婪和杀戮随意地交织在一起，无休无止。吃，格林早已学会，不被吃，他这才开始学习！

外面密密麻麻挤了一窗的藏獒。我来獒场一个月了，这是第一次带格林出远门，不知为什么，我眼眶有点发酸，抱着格林和藏獒们挨个儿碰了碰鼻子。

背上行囊，握着指南针，满脑子浪漫幻想的我领着一个少不经事的小狼就这样雀跃着上路了，投身于草原最美好的季节中。我们深入草原腹地，越走越快乐。

雾气缥缈，作为清凉之夜的残迹，草茎半透明的新芽上还挂着几滴霜花消融以后的露珠，但很快，当太阳跃出地平线以后，这点点水分就会化为回忆。清晨和正午宛如两个季节。日光渐强，四周白晃晃的像个幻境，草原的烈日和紫外线在云层后也没那么让人难受了，相比城市夏日里的局促、逼仄和不写意，这里至少让人神志清明。游走在荒野，当遥远的炊烟无声无息地横卧在我视线里时，“人迹”这个原本普通的概念变得比任何时候都稀罕。

小鸟儿们忙着收集草籽和虫子，把自己养得绒球一样肥肥的，掠过河面的红嘴鸥和其他水鸟为这缎带般的大河平添了几分生趣。我编结了一个花环戴在头上在水边照来照去，格林伸出小舌头舔着水里的我，把水面舔成了哈哈镜，我嬉笑着与他在草地上滚做一团，沾了一身的花瓣花粉，蝴蝶和蜻蜓绕着我俩飞。这才是一个城市姑娘梦想中的草原，人间的天堂。

终于臭美够了，我才躺在细密如丝的草甸子上休息，一只手枕在脑后，望着蓝天啃一点干粮。格林对干粮兴趣不大，嚼了两口就去追逐奔跑的鼠兔了。第一次走这么远，他的好奇心难以抑制。敏捷的鼠兔他当然追不上，现在的捕猎本能对小格林而言更像是一种游戏，他在我的呵护之下从来不缺吃的。格林越跑越远，当他终于停下来的时候，发现我不见了。他短暂地迷茫了一下，开始低头嗅着来时的味道。

一种轻微的声音从草丛深处传来，打断了他寻找妈妈的思维，他好奇地望去，那是几只长着金红色绒毛的小藏狐在草丛中戏耍，啃着半截干枯的羊蹄子。一只渡鸦在不远处踱着步，时不时地飞过来检视一下有没有可分享的东西。

从格林睁开眼睛的那一刻起，他就对他所见到的、嗅到的、听到的、感觉到的各种事物进行着区分。凡是非同类的动物都可以作为肉食，从出生到现在他已经吃过一只死老鼠，一只活鸡，和数不清的鱼，并咬死了一只和他抢食的猫，还白捡了一只小羊羔，他对自己的战绩很是满意。但在这几只小狐狸身上他嗅到和同类似是而非的味道，应该怎样区分呢？

格林在草丛中匍匐着，不由自主地又靠近了几步。但小狐狸们并没有像城市里的狗那样欢迎他，他们霎时竖起耳朵停止了嬉闹，像几团金黄的火焰般跳动着，"嗖"地一下隐没在草丛中，速度之快让格林眼花缭乱。遇到奔跑的东西，格林的追捕欲瞬间支配了他的行为，他想都没想就追了上去……但他连一团火焰都没追到。格林第一次遇到可以轻易摆脱自己的东西，让他连嗅闻和认识的机会都没有。

格林抽动鼻子嗅着空气开始辨认回来的路，妈妈的叫声也似乎越来越近。他慢悠悠地往回走，当他再次路过小狐狸们嬉戏的地方时，先前那只渡鸦正守在羊蹄旁边津津有味地啄食着。格林觉得饿了，他龇着牙试探地凑了上去。渡鸦拍着翅膀退到一边，完全无意与地面上的动物发生任何冲突，按照草原的老规矩，渡鸦应得的那份迟早会留下。渡鸦开始忙于收集散落在一边的零星羊毛，那是筑巢的好材料。

格林轻而易举得到了羊蹄子，但是精瘦干枯的羊蹄上面哪里还有什么肉啊？只能作为馋馋嘴的玩具而已，格林勉强撕下一点点皮毛、嚼碎一小块骨头吞下去就对干瘪的羊蹄失去了兴趣。格林转而饶有兴致地看着用两只脚滑稽走路的渡鸦在身边忙前忙后。这么大的鸟儿近在咫尺，这在城市中可是不常见的，格林似乎想起了以前杀过的呆鸡。在他印象中两只脚走路的鸟儿都是笨拙而无害的。而且，唔——那味道回味起来似乎很棒！一种闲来无事的优越感与好奇心让小格林伸出一个脚爪逗了逗那黑漆漆的玩意儿。渡鸦哇地一叫，吓了一大跳，渡鸦没想到这没家教的小东西这么不懂规矩，竟然打起他的主意来了，他愤怒地扑扇着翅膀腾跃起来，狠狠地啄了一下格林的鼻尖。格林疼得呜呜直叫，缩下身子在草丛里没命地翻滚。渡鸦也吓坏了，哇哇叫着赶紧飞走了。

我哧哧偷笑着，继续远远地跟在格林后面，看他对这广阔原野的慢慢探视。格林痛够了，也叫够了，开始站起身来磕磕绊绊继续向前走。脚底下不断被杂草绊住，要不就是被深深浅浅的草窝子绊个跟斗，偶尔弹过来的草秆还会抽到他刚被啄过的鼻子，提醒他刚才的狼狈遭遇。格林开始讨厌起草堆来，他对高而突兀的地方产生了向往，向着一处光秃的小土坡乐颠颠地跑去，那是一处旱獭废弃的瞭望台。

小土坡上视野不错，小格林惬意地呼吸着充满阳光颗粒的空气，享受迎面吹来的微风，一股痒痒的气流从他的喉咙里不由自主地冒了出来："莫哦……嗷哦……"他试了几嗓子，不赖！在歌唱天分上他就是这么自信。我躲在草丛里悄悄地摸出手机，找到以往和他叫声的录音，打开扬声器播放起来。虽然这声响在宽广的草原上几乎微不可闻，但格林敏锐的耳朵还是隐约捕捉到了这回答他的声音，他更加愉快地高唱起来，小狼的歌声随风飘扬着。为了将歌声传得更远，这小歌唱家昂起了头，将小鼻尖指向天空。

格林很快注意到天空中有一个小黑点来回盘旋，逐渐飞低，黑糊糊的翅膀，像是刚才飞走的渡鸦，格林立刻龇起了牙为刚才极不光彩的退场兀自恼怒不已，要是渡鸦再敢下来啄他的鼻子，他一定会给渡鸦点颜色瞧瞧！

我顺着格林的目光望去，也看见了那只风筝般大的小鸟，我摸出望远镜在天空慢慢寻找，这实在太难对焦了。我放下望远镜再看时，“小鸟”已逐渐飞低，距离很难判断，但似乎比渡鸦还大一些。“小鸟”在空中盘旋着锁定位置，翅膀的三级飞羽透过刺目的阳光呈现出薄薄的亮色。这是……？我努力搜索着脑海资料库中似曾相识的身影，隐隐有些不安起来，这种不安愈演愈烈，刹那间我的心脏一阵狂跳。不好！

突然，格林撒腿狂奔，迅速向着我的方向逃来，一种强烈的不祥预感卷着莫名的恐惧向他袭来，这种本能的恐惧不断对他呼喊：“逃！快逃！！拼命逃！！！”

“格林！格林！”我跳出长草吓得狂喊起来，一片黑影已掠过头顶的天空，裹挟着一阵大风，那“威胁物”从天而降，渡鸦般大小的身形陡然变为遮天蔽日恐怖袭来的巨魔，死神降临般迎着格林而去！金雕——草原上顶级的食肉猛禽！

金雕庞大的身影瞬间越过草场，像战斗机一样俯冲下来。他张开钢锥般的利爪，向着格林的脊背抓去。这利爪可以轻易击穿格林的头骨，巨大的羽翼扇动着死亡的气息！格林在飞奔中急忙转身，那灵活超越了他平时所有的动作，金雕偏离了目标，急拍翅膀调整扑击角度，仍旧将脚爪指向逃亡的格林。

我从没想过天空中毫不起眼的“小鸟”降落到地面以后，竟然会是巨大得令人心惊胆寒的杀手，两米左右的翼展加上宽绰的羽毛，这让单薄的我和羊羔般大小的格林在他面前显得那么微不足道。一定是格林所在的那片毫无遮蔽的小土坡让这“小猎物”尤为扎眼，对金雕而言，这无异于一份盛情难却的进食邀请函。

我发疯般地吼叫着，把手机向着金雕猛砸过去，没中！眼看格林已快被抓住了！我冲过去把手里的望远镜抡起来再砸！千钧一发之际，沉重的望远镜像流星锤一样狠狠地砸中金雕的翅膀，打折了几片大飞羽，金雕一惊连忙奋力扑扇着双翼腾空而起！那一击让他吃惊不小，所有飞禽都最心痛羽毛，就像狼最宝贵爪牙一样，他绝不会为了小小一餐美食断送飞行生涯。金雕振起翅膀迅速拉升高度。格林已经跑回我身边，我立刻像母鸡护小鸡一样罩住格林。金雕失望地盘旋了一圈，才心有不甘地消失在了山的那头。

我跌坐在地上，花环早已零落满地。格林惊恐地狺叫着扑进我的怀里，拼命往腋下钻，母子俩心有余悸抖作了一团。格林从小在城市里长大，从没遇上过天敌，幸好关键时刻他对威胁的敏感驱使他逃命——一个迅速变大的威胁物直冲他而来，必定来者不善！劫后余生的格林终于意识到了在这片陌生而广阔的原野，除了寻找到满足自己肠胃渴望的肉食，还有其他的生物也在饥饿地寻找着同样的肉食！比自己小而弱的可以被他杀死吃掉，而比自己强大的则可以反过来杀死并吃掉他！在这里，追逐和被追逐、捕猎与被捕猎、吃与被吃，一切都是那样盲目而无序，充满了暴力与混乱。在机遇和无情的主宰下，贪婪和杀戮随意地交织在

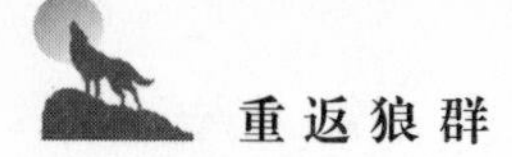

一起，无休无止。吃，格林早已学会，不被吃，他这才开始学习！

我抖着手捡回手机和望远镜，腿软得再也站不稳。一直以来我都以为只要人和狗不伤害小狼，在这空旷的草原上哪里会有什么危险存在，大意和无知招致祸从天降。只在动物园和电视里观赏过的金雕竟然就在我眼前袭击了格林。电视里出现鹰击长空的画面都会有尖利的啸叫声，而这只金雕无声无息就发动突袭了，如果格林刚才没有望天嗥叫，根本发现不了金雕。以往任何时候我对于猛禽的认知都没有此刻真切。我们对天地间充斥的杀机开始有了概念，对躲避在草原深处的狂莽生命有了敬畏之情。严酷的大自然用杀戮的事实告诫着进入这里的一切生命，你的角色只有两种选择——猎手！或者猎物！

我坐在草坪上喘着粗气平息了一会儿，突然又由衷地笑了起来。大难不死必有后福！我架上相机为这一次历险留下纪念。这已经不知是格林第几次死里逃生了。无论如何，格林还活着，还真实地在我怀里颤抖，边抖边认真地看着我，惶恐渐渐平息之后，格林将小爪子扒在我身上，努力垫高了他成长尴尬期中细长得可笑的身体，伸出柔软温暖的舌头在我唇边轻轻一吻，不为乞食，不为游戏，一种劫后余生的感激尽在吻中……

格林凑近嗅着地上掉落的雕羽，边嗅边哆嗦，风吹羽毛动，格林就慌忙后退，似乎怕那几片羽毛会飞起来咬他。金雕教会了我们警觉，告诫我们克制幼稚的好奇心，不去涉足危险的领域，因为在这荒无人烟危机四伏的草原，自己犯的每个错误也许都将是致命的。格林的步态有了明显变化，开始左顾右盼，时不时地望望天，充分调动他的视觉、听觉、触觉、嗅觉等一切可供他防身的感官来认识这个与城市截然不同的荒野。他不再单独行动，一旦看不见我就立刻嗅着味道寻找过来，而且他每走几十步总要回头看看我在不在附近。格林的脖子柔软灵活，有时我明明看见格林背对着我朝前走着，他突然之间一扭头就能将炯炯的目光射向身后的我，回头幅度之大令我瞠目结舌。罗贯中的《三国演义》第九十一回里说道“司马懿鹰视狼顾，不可付以兵权；久必为国家大祸”，其中的“狼顾”即指狼生性多疑走路时常回头看，并有传说说狼可以身子不动，脖子后转 180 度。从前我总以为这是夸张的形容，领教了小格林的回眸才知道或许有几分道理，只是不

标准的“狼顾”，目光炯炯。

知道成年后的狼脖子是否还有这样的柔韧。

无论草原带给我们多大的危险，它仍旧以难以抵御的魅力向我们频频招手。我们继续往草原深处走，远远地飘来一阵歌声，悠扬清越，也只有这草原民族的歌声才与这份广阔相匹配，像夏日凉风让人精神为之一爽。一个藏族汉子提着鞭策马奔来，稀薄的光线在他耳畔忽隐忽现，勾勒出一个飞扬的轮廓，好阳刚的身影。他转瞬就来到了我面前，隔着七八米喝住马。他愣了一下，满眼清澈的笑意："波莫以莫热！"（漂亮的姑娘！）我回以一笑："卡座扎西！"（谢谢！）他探头看了一眼躲在我身后警惕地注视着他的格林。"这个……是狼?"他疑惑地问道，"你怎么会跟狼在一起?"我笑了笑，这话说来就长了。

"我叫扎西，你呢?""李微漪。"

"汉族人?"扎西将信将疑地打量着已经披上一身地道藏袍的我，"为什么会说藏语?"

我咯咯地笑开了："我就只会那几句。"心想，还是这一个月里恶补的呢，言多必露馅。

扎西不信，又叽里咕噜地说了一大通，我红着脸摇头，听不懂了！

扎西不说了，转而用生硬的藏式普通话和我交谈起来："我以为你是附近的姑娘。"他举起马鞭指着牧场不无骄傲地说，"从这里一直到山那边，还有那条河上下都是我家的牧场，这些牛羊都是我的。"

呵，原来我走入了扎西的牧场。

"好久没见过狼了。"扎西说，"我这牧场上狐狸倒是很多，常常看见偷猎的人在山上悄悄下夹子，扒了狐狸皮卖钱。有时候连我们的牛羊都被夹断了腿，特别可恨！所以我经常到处看看不让这些人来。刚才老远看见你走进牧场，就过来瞧瞧。"

"你以为我也是偷猎来的?"

扎西呵呵地笑起来："你不是，狼都相信你。"我也笑了。

我和扎西一见如故，越聊越投缘，他索性牵来一匹马让我骑，指着前方河边升起袅袅炊烟的帐篷邀请我到他家去做客，我欣然答应。

我坐在毡房外，抚摸着跟我走了一天的格林，喝着老阿妈捧上的暖暖的酥油茶。扎西递给我一块风干肉，然后坐在旁边草地上。扎西自己手里也拿了一块风干肉，用牙撕下一条递给格林。饿了一天的格林乍闻肉味猛一口就咬上来，扎西急忙缩手，险些被獠牙刺伤。硬邦邦的风干肉条格林嚼也不嚼就下了肚。扎西瞪大了眼睛还没回过神，格林已经朝他迎面扑了过来，接近一米八的壮汉被三个多月大的小狼掀得仰面朝天。格林狂叫着撕扯藏袍宽大的袖子，抢夺他手里剩下的肉块。

扎西急得向我大叫起来。我连忙伸手抓住了格林的耳朵和后脖子的毛皮硬生生拖他下来，格林痛得惊叫却丝毫没有放弃抢夺的意思，宁愿被撕掉耳朵也要抢肉。他尖利的爪子又踢又蹬，使劲扭头咬我抓他脖子的手，野性毕露，走了一天他当然饿了。我连忙放开他的耳朵拿起自己的那块风干肉在他眼前晃了晃丢在三四米远的地方，刚一放手格林就箭一般射出去。

“你坐下，别过去。他以为你要抢他的肉。”我提醒扎西。

“我不抢，你叫他也别抢我的。”扎西把自己那份肉抓得紧紧的。我尽量忍住不笑。扎西拍拍肉上的泥土送到嘴里咬了一口，马上又吐了出来，呸呸地连吐几口唾沫。“他踩到我嘴里了，全是泥。”他使劲用袖筒擦着嘴巴，滑稽地笑着，“还有吗?”

我笑答：“没了。”其实我觉得脸上带点泥更有康巴汉子的味道，“把袖子咬破了，等会儿找阿妈借点针线我给你补上吧。”

“好。”扎西的笑洋溢在夕阳的柔光里，也只有在没有太多物质和拜金主义冲刷的原生态地区才更容易找到人最淳朴善良的一面。友善互助和包容，这在城市里何其稀缺的品德在这里却是再平常不过的。越往没有旅游开发的草原深处走，这种体验就越深刻。“在藏区是饿不死的，随便走进一家帐篷都会有东西吃。”十多年以前听驴友们说的这句话，想来是真的。

落日像赤狐悄悄爬过山头，天边的云影敛尽了最后一抹红晕，光与影逐渐交织在一起。晚风轻抚河湾，弄碎薄云与莎草在水中摇曳的身姿。月升日落，风止云收，花香草味中空气静到了极致，无边的牧草在月光下变成了淡蓝色，饱蘸月色的河流在荒原上银钩铁画蜿蜒挥洒，写不尽这亿万年地质更迭的篇篇史诗。

我还不习惯长时间待在帐篷里，加之出远门的莫名兴奋，我坐在刮着夜风的草原上惬意地仰望星空，那份清明与澄澈在城市难得一见。扎西拿个火盆撮了一盆炭火出来放在我前方，又用火钳加了几块干牛粪，温暖的火苗便蹿了上来。“草原的夜很冷，烤着火就不怕了。”扎西笑着说，火光映照在他古铜色的皮肤上很有油画感。他端过两个花盆似的大碗：“喝点酒吧，暖和!”我爽快地笑笑也不推托，来草原早就想尝尝正宗青稞酒的味儿了。

自从把火盆端了出来，冷风中的小格林立刻就注意到那温暖的感觉了，在黑暗中那份光亮是如此醒目。小格林对火一无所知，记忆中只有太阳才能给他这种温暖光亮的感觉，就像每个动物都对太阳充满着神秘感和好奇心一样，那闪动的光芒巫术般令他神魂颠倒。他一门心思地注视着那篝火，随着篝火迎风摇曳，他的眼睛也跟着一张一合。太阳可望不可即，而眼前的这个就像太阳碎片般的光亮似乎可以触摸到，在这寒夜里靠近那温暖是多么幸福的感觉啊。格林再也按捺不住了，梦游般朝那光芒闪烁的迷人东西走去。

“格林，不许去，那是火!”我看格林神色不对赶紧提醒。

“火，火……”格林脑子里梦呓般回响着我的声音，火是啥子喃？他犹豫着停脚，歪着脑袋痴迷地看着那个叫“火”的东西。天啊，他觉得那是生命中最迷人的东西，他像一只趋光的小昆虫般继续前进。我一把抓住格林的细脖子：“你不要命啦?!”眼看离火堆只有不到三米远了，格林的光明之旅却突然被我阻断，他火冒三丈，挣扎着偏要去。我很生气，死死地抓住他：“不准！烧死你这小笨蛋！”

“不准”是格林最早明白的词语之一，但这个词对毫无狗性的狼来说只是个建议，照不照做完全得看他的心情。可“烧”是什么意思？格林不明白，不明白就一定要弄明白！狼是相当好奇的动物。那像鲜红舌头一样蹿动的活物魔咒般召唤着格林，令他神思恍惚。格林更加玩命地反抗我的阻止，一遍一遍“飞狼扑火”！我几乎按不住他。

野兽不是天生怕火的吗？但从格林这么痴迷的状态看来，似乎某些惧怕也并非生来就有的，没有认识就没有恐惧。如同格林第一次对水面没有认识就大胆“走”上去一样。自然界中的野兽或许见识过夺取无数生命的森林大火，因此畏之甚深，并且通过他们的语言和教育把这种畏惧感一代一代地传递下去，让那些没有经历过火的野兽也对火敬而远之。

然而格林的身世特殊，没有人能言传于他，那就只能身教了。想起格林第一天来草原就纵身往滚烫的肉锅里跳的情景，我狠下心让扎西夹一块炭火出来，让格林体会一下，他只有真真切切被烫到过一次才能明白我为什么阻止他。

扎西小心地从火堆中钩出一块小炭火，夹起来看看还是觉得太大了，翻来找去终于刨出一个烟头大小的小炭渣，夹起来小心地放到格林跟前半米处。格林睁大了好奇的眼睛，眼前从“太阳碎片”中找出来的晶亮的小光点对他而言就像星星般璀璨夺目。格林挣脱我，一扑而上！“哧”，一瞬间格林被烧麻了，这一直诱惑着他的光亮凶狠地抓住了他的舌头。格林惊叫着甩出嘴里的炭渣却甩不掉那揪心的疼痛，这是在他最敏感的部位遭遇最特殊的痛。格林受惊的心狂跳不已，巨大的惊恐令他的好奇心彻底消失了。

水，格林本能地找水！他一头扎进我身后的大碗里，那水有种酸甜的异味，但管他呢，狼从不讲究品味，只要那冰凉的水能减轻舌头的灼热感，他就用炙烫的舌头一遍一遍卷起水来狂吞猛咽！几十秒不到两个大碗里的水都被他舔光了。然而这是他今天犯下的第二个错误——那是我们的青稞酒。

我和扎西面面相觑，静待下文……

两个酒味十足的饱嗝之后，格林的眼神渐渐对不住焦了。本来就大得不协调的脑袋此刻更变得异常沉重，几乎要把小身体坠翻。狼眼睛里开始现出几条血丝，如果不是一脸的狼毛掩盖，他此刻一定已经满脸通红了。格林的舌头一直挂到胸口，清淋淋的口水牵着细线往下滴，胸毛湿了一大片。格林咧开嘴憨痴痴地笑着，有了飘飘欲仙的感觉。这家伙的行踪更加飘忽不定，左边横着走三步，又倒向右边横着走两步，猫步和螃蟹步交替，他似乎也努力想站正走直线，可四条腿就像水母的触须一样软绵绵的不听使唤。终于，他一个趔趄倒进我怀里，醉眼迷离地望着我一个劲儿地傻笑，然后就没什么大动静了。

“醉了好，不知道疼了。”扎西乐坏了，“我们恐怕是第一个看见狼喝醉酒

青稞酒真够劲儿，格林第二天还满嘴酒气。这也许是世界上第一张醉狼照片。

的人。”

傻狼，I 服了 U！我托起格林挂在胸口的麻木舌头，抖了些消炎药粉在舌尖烫伤的地方。

第二天酒醒过后格林又是一条好汉，自己用门齿把舌头上烫起的泡泡刮破，舔了几天工夫就好了，只是他从此再不敢接近那鬼惑的火光。吃一堑长一智，所有的动物包括人都是在好奇中成长并探寻这个世界的。格林从小没少吃过好奇的亏：被画室的马蜂蜇，掉进小区的池塘，咬家里的电线，蹦楼顶的女儿墙，招惹藏獒，追撵狐狸，戏耍渡鸦，引来金雕，到这次玩火自伤又灌酒止烫……这小家伙还要经历多少的第一次才能长大呀？纪录片里说野外一半以上的小狼崽活不到来年。唉，好奇害死狼！

我在扎西的牧场扎下自己的野营帐篷住了下来，这和住在獒场的板房相比又是另一种感觉。扎西把看家狗严格管理起来，格林则和我形影不离，晚上也蜷缩在我脚边睡觉。格林到了开阔的草原，山风一吹体味顿时淡了，有时我枕着他睡觉都闻不到什么味道。他除了自己舔毛洗澡，还喜欢迎风站立抖擞狼毛做一番风浴。

这天清晨，我拉开自己小帐篷的拉链门，格林率先钻了出去，激动得在草地上蹦跳着，小狼天性见面熟，他围着扎西和他正在上鞍子的马转圈，俨然和扎西已成了老熟人。我钻出帐篷一看，草地上白茫茫一眼望不到头，所有的草茎和灌木上都凝结了一指粗的霜花，像一夜之间绽放了漫山遍野的白珊瑚，毛茸茸的霜花一碰就簌簌往下掉。我索性抓了一大把霜擦手、洗脸。霜露冰凉，沁人心脾。扎西隔着老远喊：“帐篷里有热水！”我拿出毛巾牙刷，这才发现我的小野营帐篷外面不知道什么时候搭上了一层毛毡，还牵了绳子固定在地钉上。

扎西抱着格林走了过来："阿妈昨天晚上给你搭的，这几天晚上下霜了冷得很，你的帐篷太薄，霜一下就冻僵了。"

我心里暖暖的："阿妈真好。"我洗漱完，喝了早上现挤的牦牛奶。阿妈倚在帐篷前一脸慈祥地瞅着我，又拽起我的藏袍看了看，笑着说："城里买的藏袍好看是好看，但是在牧区不管用，太薄！天要冷了，阿妈给你一件厚的吧。"我又惊又喜连声感激阿妈。扎西的妻子是个勤劳的女人，每天起早贪黑地挤奶，放牧，打酥油茶。辛苦的传统生活让她的腰背微驼，我问她叫什么名字，她总是羞涩地不说话，大约是语言不通吧。

在扎西牧场的日子里除了陪格林四处游走之外，我总是乐于参与和体验扎西一家的家务劳动：挤牛奶、打酥油、做酸奶、炒青稞、磨青稞面……最喜欢忙完一切后，喝着酥油茶和扎西一家聊天，把我对草原人好奇的问题一股脑问个够："扎西，牛耳上穿红绳是啥意思？"

"那是放生的标记，就是把本来要杀的牛羊放生，这是藏族的习俗，每年有很多人都会到郎木寺转经朝佛之后放生动物。经济条件不好的人家放一两只牛羊，条件好的能放一群呢。红绳就是被放生的标志，凡系着红绳的放生动物任何人不准宰杀，直到老死。藏族人都知道。"

原来如此，我点头喝了口茶。扎西八岁的小儿子次仁趴在我身边逗着格林。格林最容易和孩子们玩到一块儿去。扎西的妻子坐在一旁搅拌着碗里的酥油茶，笑吟吟地听我们聊天。不知道我们的汉语她是否能听懂。

听着扎西的话，我心里忽而冒起一丝若有若无的灵感："扎西，你教我说这句藏语'他是寺院放生的'。"

扎西教了几遍，我反复念记着，扎西好奇道："你学这句做什么？"我抚摸着格林，心事重重地笑了笑没回答，转而追问道："扎西，你们不讨厌狼吗？狼毕竟会吃羊的啊。"其实这句话憋在我心里好几天了，一直以来我都以为牧民和狼之间水火不容，而今，我居然能带着一只小狼住进一个牧民的家里，而且还有羊群相伴，这感觉不真实得让我现在都像在做梦一样。他们为什么就能接受狼呢？

扎西还没回答，次仁一面给格林挠痒痒一面咯咯笑着说："这只是一只小狼嘛，怕啥？而且羊倌是管羊的，狼是管羊倌的，只要你做好分内的事，狼就不会来找你麻烦。"

我心一颤，八岁的孩子竟说出这富有草原哲理的话，让我这个城里人大为吃惊。

扎西抱出一罐青稞酒笑着说："你别奇怪，那是他爷爷教他的，其实从前草原牧民对狼多少都有点敬畏，只是现在已经很难看到狼了，小孩儿家没领教过狼，所以也怕不起来。"

"那你领教过狼吗？"

“当然，我小的时候这里的狼还多得很呢。”扎西打开酒罐，看我立刻竖起耳朵向他跟前凑过来的样子，笑着讲道，“听我阿爸讲，我家从前有只母狗，特别聪明健壮，远近的牧民们都想要她下的狗崽儿。有一年，那母狗终于生了头窝小狗崽，但是头窝崽子下得少，还没等断奶，牧民们就争着把狗崽给抱走了。这母狗胀着奶头跑出家去到处找她的狗崽，叫得凄凄惨惨。阿爸没管她，心想过几天就好了。没几天，我阿爸突然发现这只母狗在领地狗群里分吃的，身边还跟着一匹大公狼，不停地绕着母狗转圈。阿爸赶跑了公狼，母狗竟也跟着狼跑了。第二天母狗回家，奶头瘪了，肚子上面全是抓痕和牙印。阿爸恨这母狗跟狼混在一起，把母狗打了一顿，拿链子拴在羊圈外面。当天晚上，阿爸发现那公狼偷跑进牧场咬母狗的铁链子，阿爸抄家伙把狼吓跑，把母狗也关进了屋子。事情还不算完，第二天傍晚，那公狼硬是带了一群狼来抢母狗，一些狼跟看家狗死掐，一些狼在墙根儿下面可着劲儿地刨洞。早些年的土房子禁不起狼刨，狼在外面吼，母狗在屋里叫，人哪见过这么不要命的狼啊，谁都不敢出去，在屋里敲盆子吆喝也吓不走狼群，亏得那时家里还有一杆老猎枪，阿爸开枪打死了一匹狼，狼群才散了。想不到刚入夜，狼群又摸进牧场里咬羊，刨墙根儿。开枪也吓不走了！一家人又恨又怕不得安宁。那时通讯落后，没法求救，阿爸看那只母狗也在屋里上蹿下跳撞窗户，心想这母狗肯定养不家[1]了，既然狼群是冲着这只母狗来的，一只母狗换一张狼皮也值了。就开窗放了母狗，狼群得到母狗以后二话不说就撤退了。”

我托着下巴，听得有点迷糊：“狼群为啥拼命抢一只狗呢？”随即眼珠一转，笑得甜蜜又陶醉，“难道公狼爱上这母狗了吗？”

“女人啊，尽想浪漫的！”扎西嘿嘿一笑指着我面前的酒碗说，“尝尝我自己酿的青稞酒。”

“我的天啊，”我急道，“你倒是快点讲啊！”

我越急，扎西笑得越得意，吊足了我的胃口才终于揭秘：“听我阿爸说，那阵子山那边打狼灭狼，有人打死了一匹吊着奶子的母狼，等他们搜到狼窝时，一窝狼崽子已经被狼群叼走了，算算日子正是那些狼来抢母狗的时候，那狗日的公狼居然把我家的母狗劫去当奶妈了！”扎西讲完，看着我一脸不可思议的表情，哈哈大笑起来。

“那……那后来没人找狼群报仇吗？”

“有什么仇啊，狼不也是被逼到那份儿上了吗？阿爸本来就不赞成对狼赶尽杀绝。正好那年我出生了，阿爸抱着我心肠就特别软，说那公狼肯为崽子拼命，也不愧是一个好狼爸。而且从那以后，狼群再也没来叼过我家的羊，给了一个狗奶妈，狼没有忘恩负义。所以我阿爸老念叨着狼不犯我，我不犯狼……凡事都给草原上的动物留条活路。”扎西瞅瞅跟格林玩得正起劲的小次仁，轻轻摇了摇头，

① 养不家：在家里养不下去，怎么养都不贴家了的动物。

“可惜啊，到我儿子这一辈已经看不见野狼了。”扎西干笑了两声，捧起酒碗和我碰了碰：“干！”

我一饮而尽，微酸的美酒散发着一股属于青涩植物的香味，刹那间向我舒展了整个草原夏季的芬芳。厚重、浓烈、微苦、回甘……仿佛是草原传统生活的真实写照。扎西的狼故事和他的青稞酒一样令人畅快而又心生酸楚。

几天后，我骑马跟着小次仁一起去放牧，格林边溜达边和鼠兔兜圈子。

次仁有我陪他放牧很是高兴，呱呱不停地说着话：“我爷爷说，以前这里是没有栅栏的，现在人多了，牛羊也多了，大家的牧场都连在一起，只能围起来了。”次仁勒马慢慢走着，手里的乌朵[①]扬得呜儿呜儿直响。牧民的孩子从小在马背上长大，生来一种不需掩饰的洒脱气质，懂事很早，七八岁就能帮家人骑马放牧，和城里骑着摇摇马扔着玩具还娇滴滴跟父母使横的孩子完全不同。

“这里的栅栏坏了哦？”我注意到围栏的一处豁口。

“不是坏的，爷爷让弄开的，四边都留着洞的。”次仁说，“这是给那些过路的野生动物一条生路。”看来爷爷的话对次仁影响颇深，当听说次仁的爷爷去年已经去世，我心里有些淡淡的伤感。

次仁一路讲着很多牧场上的故事。只是当我问起牧场上的一条沟槽的由来时，次仁笑着不好意思说。我更好奇了，仔细琢磨那条长长的沟槽，宽度不到三尺，深两尺有余，笔直地横穿过牧场，有二三十米长，显然是人挖的。但让我奇怪的是这条单独的沟槽前不着村后不着店，既不是修房子的地基，也不是用来引水的，费这么大工夫挖这条沟槽干什么用呢？我一个劲儿追问次仁：“这条沟也是爷爷让挖的吗?”

“不是，那是阿爸的点子。”小次仁雪白的牙齿笑起来特别明显，这才边笑边给我讲了这个沟槽的由来——那是扎西三年前挖的，为了锻炼牧场上的羊。因为扎西一直觉得这么多年来，羊的体质越来越弱，冻死的病死的一年比一年多，羊肉也不好吃了。于是扎西就在这两个草场之间挖了一条沟槽，羊想吃对面的草就得“跳槽”，跳过槽的是好羊，跳不过的是差羊，这对羊是个锻炼也是个筛选，好羊就能吃到更多的牧草。这看起来是个好主意，可气的是那些羊并不合作，宁愿只吃这边的赖草也懒得去跳槽，因为对羊来说那条沟槽说宽不宽说窄不窄，跳过去必须费点力气，如果跳不过去掉在沟中间还得费半天劲儿爬上来，羊可不乐意。扎西只好每次赶羊跳槽，开始几次羊被驱赶着还去奋力跳一跳，后来干脆也不跳了，反正被人赶上了也不会把他们怎么样。有些羊看见人追上来，索性往地上一

---

① 乌朵：藏族牧民驱赶牛羊所用的投石绳。用羊毛线编制，分为三段，中间为枣核形，一端顶部有套环，另一端末为鞭梢。使用时，将石子放在中间枣核形织物中，右手中指抠住套环，抓住鞭梢，逆时针方向抡甩几圈，瞄准领头羊的角后放松鞭梢，抛出石子可达百米以上，以管理羊群。

趴，赶就赶呗，反正我不跳，难道你还能把我扛过去？扎西没办法，又重新在羊圈门口挖了一条沟槽，心想着羊总得出圈吧，出圈就必须跳过去。哪知道仍旧有很多的羊懒得跳出去，待在羊圈里饿得直叫唤。扎西的妻子怕羊饿坏了，抱来饲料和干草喂羊。羊也是很聪明的动物，这么一来二去很快就明白了即使待在羊圈里不出去也饿不死，越来越多的羊学“聪明”了，坚决不出圈，吃喝拉撒都在圈里，甚至有些羊因为长期卧圈，得了腐蹄病。羊圈门口的那道深沟反而给人制造了麻烦，于是扎西就把圈门口那道沟给填平了，而牧场上的这道沟太长，填起来太费事儿，也就任它摆在那儿了。

原来这条沟是羊群的健身设施啊。听了次仁的解释，我联想到了另一个东西——曾经在朋友家里看见过的“狗跑步机”，那是给城市里养尊处优的狗狗们锻炼身体的工具。狗跑步机已经有了，羊跑步机还会远吗？

我当笑话似的给次仁讲起狗跑步机这东西，孩子新奇地喊：“我一定要告诉阿爸！”

晚饭时候，阿妈做了手把羊肉，一家人围在炉边啃着肉，还给了格林一大份生肉，扎西家的两只藏狗有主人的命令在先，不去追咬格林，这些日子混熟了对格林也就视而不见了。次仁兴高采烈地跟扎西说起“狗跑步机”的事情，扎西一家都不明白是什么东西。我有点尴尬，本来是开玩笑的话，没想到会让这一家人这么认真。我只好硬着头皮给他们详细描绘了一番。扎西听完哈哈大笑，知道次仁肯定把他挖沟的事儿跟我说了，笑道：“不行啊，羊懒了，就算有跑步机也不会跑的。而且动得多吃得多，我只分了3000亩的草场，不够这些健美羊吃。”

“3000亩，那很大了呀！”在我这个寸土寸金的城市人眼里，这已经是一块非常广阔的天地了。

“草已经不行了……”扎西割下一块血肠，放进嘴里嚼着，“我给你算算，从前一只羊一年要20亩地的好草才能养得肥，我这里300只羊就得6000亩的好草，3000亩的草连羊都不够吃，我还有200多头牦牛靠边儿站着呢！”他说着有些郁闷起来，“过去我家的草场是最好的，密密麻麻全是草，小时候阿妈带我出去还要给我拴根绳子，怕我淹没在高草里找不着了。可现在……”扎西指着帐篷外不足一巴掌高的草皮说：“草场一年比一年差，光啃这些贴地草，60亩也不见得能养肥一只羊，我现在养的牛羊如果放在当年我阿爸眼里，就全是不合格的处理牛羊！等明年开春，羊羔牛犊一下，又是一大堆，越生越愁，我只有去租草场放牧，可没人的牧场难找啊。明年的牧草还不知道在哪儿呢。”

“为什么不卖掉呢？”

“牛羊质量差，谁买？”扎西苦笑一声，“若尔盖湿地退化得很厉害……如果禁牧五年，肯定能恢复到原来的样子。可现实的逻辑是——载畜量过重，草场沙化，牛羊质量差销不出去，病死、饿死、冻死！死掉的越多，这里的牧民就越多地增加牲畜弥补自己的损失，于是草场更退化！我已经不想多养了，可我的牛羊还在以每年七八十只的速度增长……”

听着扎西的诉说，我的心情沉甸甸的。没想到表面美丽辉煌的大草原实际上却早已病入膏肓。为什么会造成这样的恶性循环，或许我也很难理解其中的来龙去脉。

过了两天，我又和次仁去放牧，扎西闲来无事也陪着我们一起转转草场。格林远远地跟在我们后面，这小家伙对这牧场熟悉了以后，胆子又开始大起来。

到了傍晚，吃了一天牧草的羊群显得懒散而悠闲，黄昏的光线把羊的身影拉得长长的，草原上一片安宁。我和扎西、次仁坐在草地上闲聊。

正聊着，地面一阵抖动，前方乱作一团，羊炸群了！一百多只羊陡然狂奔乱跑起来，羊蹄子跺得地面噔噔乱响。我们急忙站起来一看，格林不知何时冲入了羊群，张牙舞爪地冲着羊群一阵猛追。羊咩咩大叫着向我们奔来。一边的牛群则迅速围成了一圈，牛角向外，严阵以待地观望。

次仁扬起了乌朵大声吆喝，扎西迅速跨上马背跑过去拢羊群，我一边呼喊着格林，一边也想跨上马跑过去，却手忙脚乱地怎么也踩不到马镫子上。正在这时，突听扎西大喊了几声，我抬头一看，羊群已经跑到牧场中间那道沟槽前面，飞身一跃就跳过沟来！嘿，羊集体跳槽还挺壮观的。有些羊跑到沟槽前还犹豫着想绕道，回头一看狼牙都快咬到腿上了，哪容多想，跳槽！凡是跳过槽的羊，脚步顿时悠闲下来，能不跑则不跑了。

扎西停止了吆喝，勒马在沟边看着狼追羊逃，笑逐颜开。跳过沟来的羊越来越多，格林也越逼越近。突然，格林也跑到了沟边，突然出现的沟槽让他有点措手不及。他连忙腾身一跃！哎呀，差一点，前爪子过了，后爪子没爬上沟，“噗”的一声掉进了沟槽里。格林使劲扒抓了几下沟沿，爬不上来。羊群停了，喘着粗气轮番到沟前瞅了一眼，幸灾乐祸地跺跺蹄子，继续吃草。

小格林在正面上不来，望了望长长的沟槽，突然横向跑了起来，沿着沟槽助跑，看准合适的地方一冲就跳出沟来！

这边，我已经骑上马赶到了扎西旁边，他连忙冲我摆手，让我不要打扰这场游戏：“我平时怎么赶羊都赶不过去，狼一追羊就跳了！”我看扎西饶有兴致的样子，想想格林还小没什么杀伤力，追羊也只是好奇而已，于是勒马观望。

羊群一看狼跳出来了，又是一阵炸群乱跑。羊群绕来绕去摆脱不了格林，最后又跑到沟槽边再往回跳。羊也许看出了沟槽能阻止格林，只要自己跳过去就能暂时安全。如此来回跳了几次，终于有一只老羊实在跳不过去掉进沟里了，老羊哆嗦着与跳进沟来的格林对峙，咩咩叫着高声求救。老羊的求救声一传出，羊群突然就不跑了，两边的羊迅速向沟槽聚拢。

“他们要来救同伴了！”我想，心里有点感动，也担心格林会不会吃亏。

然而走到沟边的羊只是探头张望，没有一只羊表现出亮角或者跺蹄子的愤怒状，只是沿着沟边排成两行看热闹。有的羊还顺带着啃起了沟边的草，边吃边看。有的羊在后面看不到沟里的动静，就不住地往前挤，把前排的两只羊差点挤到沟里去。两只前羊愤怒回身，猛跳起来用尽浑身力气向后羊顶撞过去！三羊开打，拥挤的羊群顿时骚乱起来，有些羊瞅准空当挤到前排去，有些被顶撞到的羊干脆加入了战斗，你顶我我顶你，乱战一气！草皮横飞烟尘四起，羊角撞击的“咔咔”声听得我心里一阵阵发紧，这羊角要是顶在小格林身上，恐怕不需三两下就被顶死了。

再看看沟里的格林，他总算追到了一只老羊，兴奋地站在沟里，好奇地张望着老羊，但下一步该干什么，他也不知道。小格林伸鼻子想凑近闻闻，老羊惊悚地咩叫着退后。格林再凑上去……老羊一直退到沟槽的尽头，围观的羊也缓步跟进，继续占领最佳观众席……

我突然明白了这些羊在狼的追逐下不反抗、不绕道，反而选择不断跳沟的含意——让牺牲者尽快产生。而且，很多羊在逃跑的时候也并不跑太快，似乎所有羊抱定的一个观念就是：我不需要冲第一，只需要比最后一个倒霉蛋快一点就行了；我不需要用抵抗证明自己强大，只需要在关键时候跳过沟就轮不到我死了。这或许就是羊性法则。一旦牺牲者产生就意味着没自己什么事儿了，剩下的则是吃草看好戏。我觉得心里有点堵得慌，这只老羊在羊群中一定有很多的子女兄弟，然而……

老羊的屁股已经抵到了沟槽的尽头，退无可退了。“吐噜噜！”老羊突然大喷了一口气，浑浊的老眼迸出火星！他猛地低头亮起了羊角，对着眼前这个小天敌。格林一愣，站住不动了，本能告诉他：“危险！别招惹了！”老羊开始跺蹄子，摆出拼老命的架势。在这狭窄的沟槽里，老羊如果横角一冲，格林哪里有躲藏的地方啊？小次仁赶紧抡起乌朵，“啪！”一块飞石打在老羊的鼻子上；扎西骑马过去轰开羊群，甩起绳子套老羊；我连忙跳下沟去，抱回了格林。

次仁赶羊回圈。我抱着格林牵着马，和扎西一起往回走。扎西这时才想起什么来，恼火地说：“牧羊狗哪儿去了？”扎西扯着嗓子喊了好一阵，才远远地看到两只狗溜达着回来了。牧羊狗的作用无非是驱狼拢羊，而现在狼越来越少，羊又有铁丝网围着，牧羊犬也是“狗浮于事”，估计就“喝茶遛弯儿泡母狗”去了吧。

格林的出现，在羊群中掀起了一阵“跳槽运动”。虽然是小狼，但是对羊群来说，他们久违的天敌来了，他们有紧迫感了。我隐隐感觉到了狼在生物链中的作用。

扎西说：“以后隔几天就让小狼去赶一次羊。”

我犹豫着：“要是格林真下口咬了怎么办？”

扎西回答：“被狼咬过的羊伤好以后免疫力会增强，很少生病。”

这话我是第一次听说，但扎西说这是祖辈们流传下来的说法，不知道是不是真有道理。不过在狼追羊跳的角逐中，格林的确在有些羊的屁股上抓咬出了血口子。我看见有一只羊的伤口一直流血，害怕感染，忙把伤羊牵回圈里擦药。扎西似乎对羊的小伤小碰毫不在乎，但他对我手里拇指般大的小药瓶却很感兴趣："你这是啥?"

"云南白药，止血的。"我拽下一点羊绒毛充当药棉蘸着药粉往羊的伤口上擦。

扎西看了一会儿，笑道："这点小伤根本不用管的，再说，你这点药擦一个伤口都不够，你等着。"他翻身上马就向牧场跑去，边跑边沿路看地，俯身捡起一样东西，很快就跑了回来扔给我，是个苹果大小的"蘑菇"。扎西自豪地抬抬下巴："用我们草原人的东西吧。"

扎西教我掰开"蘑菇"，里面迸出一些烟尘状的黄褐色粉末，他把这些粉末涂抹在羊的伤口上，血很快就止住了。我惊叹一声："这是什么呀?"

"马蹄包[①]，现成的止血药，草原上多的是。草原狼有时候伤得重了也会找到这种马蹄包，把它的粉末蹭在伤口上，很快就好了。"扎西解释道。

我长见识了，又问："扎西，你不是很少见到狼吗? 你怎么观察到的?"

扎西呵呵一笑："我阿爸教的。"

看来，狼对草原人的影响还真够深的，不仅在智慧、生存、军事、环境，甚至医学上都有贡献。扎西自信的眼里流露出一种原生态的草原智慧，让我对草原先民的训导发自心底地信服起来，不知祖辈们还有多少令我们望尘莫及的生存之道。以狼为师，以草原生灵为师的草原人，他们的传统、信仰和文化，他们的勤劳与睿智，他们的艺术气息都根植于这片草原中，他们才是草原真正的一分子。

然而，狼快没了，其他野生生灵也快没了。最令人痛惜的是一种动物的消失还是一种草原传统的终结?

---

① 马蹄包：医用名为马勃，一种腐生真菌。

18 第一次捕猎的代价

自食其力并承受危险是追求自由的必然代价！如果有一天这代价是格林的生命，我还舍得让他走这条路吗？

我穿着阿妈给我的藏袍，告别了打扰一个月的扎西一家，收拾帐篷带着格林回獒场。我刚说出“皇帝、森格”，格林立刻明白要去哪儿了，兴冲冲地跑在我前面，他又可以见到他的獒朋狗友了。

皇帝是第一个迎接格林的，看着格林又长大了许多，皇帝乐呵呵地嗅着他的鼻子，伏下身来享受格林的攀爬与舔吻，母獒们纷纷围了上来，亲切地摇着尾巴，毕竟是一段时间以来打闹着成长的玩伴。黑虎默默地过来嗅着格林身上来自外界的气息，破例主动和格林碰了碰鼻子，嬉闹中，森格也情不自禁地加入了游戏的行列。

这时的格林已经快四个月大了，该学习从自然界中获取食物了，单靠投食活物和野外盲目的追逐游戏是不够的，母狼也会带回一些没杀死的猎物让幼狼们练习捕猎技艺。有没有自己猎食的能力直接决定着格林今后能不能放归。然而，我也只是从资料上看过狼捕猎的记录，一鳞半爪，缺乏实践经验，能否教会格林猎食，心里根本就没有底。

离别一个月后，玩伴们亲切地摇着尾巴迎接格林归来。

在草原上能生存下来的生物必定都是精品，例如高原鼠兔。这种鼠兔恍眼看像老鼠，却没有尾巴，仔细看像灰兔子，但耳朵又是圆的。大的鼠兔有八九两重，小的一二两。很多人把鼠兔一概称为耗子或老鼠，其实他们跟兔类更为接近。鼠兔是草原狼钟爱的主食之一，这些年来，鼠兔缺少天敌，更是繁衍旺盛，个个肥美多肉，据说今年已有两次泛滥成灾。然而鼠兔生性机敏狡猾，灵活警惕，一般出没都离洞口不远，一有动静扭头就回洞，靠近点观察都不能，要捉到鼠兔谈何容易。

我为抓到鼠兔煞费脑筋，骑着老肖给我找的马巡视了好几天，草场上平均一两米就有一个鼠兔洞，探头的鼠兔此起彼伏，像公园里“来吧，来吧，来吧打老鼠”的游戏一样，我一接近他就缩头，我一走开，他照旧出来啃草。鼠兔吃饱以后还把咬下的草茎、草根和草籽都晾晒好，搬进窝里，以备对抗严酷的冬天。放哨的鼠兔一发现周边有危险就发出尖细短促的叫声，互相通风报信。在这跑上几百步就头晕目眩的草原，没有小李飞刀的绝技和草上飞的功夫，要捉到他们很难，我打算回獒场找点适合的工具。

第二天清晨，我找老肖借了个铁錾子，和格林一起到草场上寻找猎物。很快我就瞄上一只露头出来的肥鼠兔，飞快跑过去。鼠兔经验老到，在我离他还有五六米的时候一扭头从容回洞。但我看准了这个鼠洞，抄起錾子用力挖掘起来。格林兴奋地跟过来，他也闻到了洞里的肉味，他学着我的样子，用爪子加劲儿地刨。我生怕錾子扎伤他，他刨我就歇会儿，他停我就换工。刨了好大一会儿才发现鼠洞又深又长，而且四通八达。这些家伙真是地道战高手。我颓然跌坐，不挖了。格林仍旧像个新教徒一样满怀敬仰地望着我，再探探洞口，等我教他下文。我有点内疚，真是“误狼子弟”啊。

太阳烘得草面冒烟，蚊子越来越多。我站起身来：“格林，回去吧，改天再想办法一定给你捉一只!”格林失望地哼哼唧唧起来，就是不肯走，还打滚耍赖，把身上都滚满洞口的鼠屎和泥巴。我眉头一皱不理他了，转身回獒场。格林撒泼怪叫着，死死抱定我一条腿就是不准走！还张嘴像老虎钳一样夹我的腿肚子，整个儿一混不吝。他倔我也倔，任他抱着我一条腿，硬是一脚浅一脚重，拖回了獒场，脚一蹬，把他甩落在草地上。格林翻身抖毛，满脸失落，转了个圈就到我窗下刨坑泄愤，像逛完游乐场却没有得到玩具的孩子!

我在纪录片里看过一些狼或者狐狸捉地下活动的鼠类，都是先踩点，然后竖起耳朵在洞口侧耳细听，听准位置猛扎下去，直没进半个身子，一口把大鼠叼个正着，然后拔出身子，几口嚼来吃掉。猎技好的草原狼一天能捉到一二十只。然而，我没有狼那么好的耳朵，能听到地下的声音，我也没有尖嘴利牙去扎土，这法子人学不了。如果用笼子或者老鼠夹倒是容易了，可这法子格林又学不了。

我在场子里正烦着呢，阿姐出了个主意：“你想带他抓耗子（鼠兔）啊？我们后场子多的是，打得满地都是耗子洞，藏獒踩到洞里就崴脚，可讨厌了，他要能抓到，我给他记一功！”我一听顿时眉开眼笑。

第三天，我就带格林来到了老阿姐獒场的后场，那里的鼠兔果然多！封闭起来的草场没有马匹和牦牛跟他们抢草吃，这里简直成了鼠兔的伊甸园，繁殖得一窝连一窝！真是个大显身手的好地方，在这里我一点不用担心河边的领地狗捣乱，前几天回来的时候，那些领地狗还冲格林汪汪呢。

今天我就有了充裕的时间，坐在草地上安静观察，格林懒眉懒眼地趴着看我表演。这家伙有情绪，昨天没抓到猎物他就恨得在我窗下刨了一个大坑，害得我翻窗过去的时候差点被坑崴了脚。人不能让狼看扁了，今天说什么也要逮一只来。

徒手抓一只敏捷的鼠兔还真有点考手艺。思来想去，我有了猎捕方案。我观察一只鼠兔，看他从哪几个洞口进进出出，这几个洞口肯定是连通的。确定好了，我上前堵住看好的几个洞，只留一个出口，然后蹲在洞口上方，伸出一只手一动不动做好伏击准备，鼠兔很狡猾，出洞前先只露半个头探看几次，确定没动静才会完全出来。

出来了！我猛一手插下去，截断鼠兔退路，鼠兔蹦起来一尺多高，他一落地立刻闪向另一个洞口，哪知道那个洞口被我给堵了，没等鼠兔再逃，我已追到洞前，一脚踩下去，大喊：“格林！快来！”我伸手压住洞口，挪开脚来，拨开乱草，吓昏了的鼠兔就卡在草茎和封洞的泥巴之间，活的！我两个指头拈住鼠兔后脖子把他拎起来，从头到脚有一条鲫鱼那么大，虽然不是我看上的那只肥家伙，但还是把我乐坏了，这可是徒手抓的呀！

格林更兴奋，跑过来围着我崇拜地打转，飞身一口就把胜利果实抢了去！这下格林开胃了，还缠着要，搜身似的把我闻了个遍。我把他赶开，英雄般向遍地鼠洞一指：“自己去。”

格林是何其聪明的家伙，刚才观察了半天早领悟了其中奥妙，也学着我的样子探察起洞口来。他有着先天灵敏的鼻子，不需要像我那样观察半天来猜测确定，只需要闻闻就知道哪几个洞口是一家子的味儿。很快，格林刨土堵了五个洞，然后回到最大的一个洞口去，站在洞口斜上方蹲点。我撇撇嘴，暗想这家伙还是没学到家，我可是站在洞顶正上方的呀，这样鼠兔出洞才看不见背后的埋伏。得，练习而已，反正我是兑现了抓一只给他的承诺的。

我点上一支蚊烟，静观格林的表现，五分钟，十分钟……他还在那里一动不动地守着。这时，我才偶然注意到蚊烟飘动的方向，这狡猾的家伙竟然是选择逆风埋伏，他站在洞口斜上方，气息恰恰飘在身后，看来竟是我幼稚了，我选择的位置看似隐蔽，我的气息却正好飘向洞口，难怪我捉到的只是个没经验的幼鼠兔，侥幸啊。

格林开始有动作了，他悄无声息地抬起了一只前爪，身子像定在那里一样，低垂着脑袋轻轻地偏来侧去，耳朵像雷达一样收集着来自地下的声音，我伸长脖子，地面上看不见什么动静，显然格林优先获取了地底的信息，捕猎中他的耳朵

狡猾的格林逆风埋伏在鼠兔洞口，全神贯注，这是一场耐心和计谋的PK。

比我占绝对的优势。格林的动作更加轻微了，因为鼠兔也有着灵敏的听觉和嗅觉，格林全神贯注，这是一场耐心和计谋的PK。

鼠兔露头了，格林迅速一脚踩塌了鼠兔身后薄薄的洞顶土层，瞬间退无可退的鼠兔夺路往其他洞口冲，远远看见不能进洞，立刻急转左突右闪地逃命，灵敏至极。格林紧随其后，几个转弯都没扑到，眼看鼠兔就要逃进远处另外一个洞了，格林爪子一扫，向鼠兔逃窜的右方扫起一拨泥土和乱草，自己却往左边跑去，鼠兔被泥草一惊，也看不清是啥，本能地转向而逃，正好逃进格林的大嘴里。在鼠兔绝望的叽叽叫声中，战斗结束了。格林叼着兀自在他嘴底下晃荡的鼠兔，这是个大家伙，应该有七八两重，格林抬起头来看我，得意极了。

我兴奋得手舞足蹈，见人就夸："我的格林抓到鼠兔了！"看着格林吃自己猎获的肉食，那种快慰就像自己的孩子考上了重点线！虽然我教的跟狼妈妈不一样，但只要行得通，吃到嘴才是硬道理！关键在于这胜利的滋味会更大地鼓舞格林的猎食欲望。青出于蓝的家伙，他是天生的猎手！

自从抓到第一只鼠兔，格林就上瘾了，有时候一天能抓五六只，把自己喂得饱饱的，吃不完的就带回自家獒场刨个坑埋起来。老阿姐后场子里"四世同堂"的鼠兔们大祸临头，短短四天时间，被格林吃的吃，吓的吓，余党连夜搬家，第五天就再也寻不到鼠兔的踪迹了。老阿姐乐坏了，格林却"失业"了，他巡视着冷冷清清的草场东游西荡，搜查"漏网之鱼"。

没两天，老肖兴冲冲地跑来找我，想让格林上他那边的獒场去抓鼠兔，他场子里鼠兔刨出的洞经常让狂闹追逐的藏獒们崴着脚，那些藏獒们身形笨重，一跤跌下去折了腿是常有的事儿。老肖说只要格林替他除了这鼠害，下次宰牛的时候把牛骨头和心肝肺都给格林。心肝肺那可是狼的最爱，我替格林答应了。

老肖把自家场子里的藏獒关进了笼子，格林进场果然不负众望，抓了两只鼠兔饱餐了一顿，舔完爪子洗完脸，回我窗根底下消食睡觉去了。我心里美滋滋的，格林学会这捕鼠的本领，如果真有回归自然的一天，至少夏秋两季是不会挨饿了。

晚饭后，我遇见老肖。他一看见我就竖起大拇指："这狼真是不赖，抓起耗子来比猫还能干，这下我可省心了。"

我有点担忧地说："老肖，今天去你场子里，那些藏獒叫得可厉害了，特别是最外面那只金色的，看我的眼神特凶狠！"

"哦，是他啊，他叫暴龙，你可别惹他，他六亲不认，瞧瞧仨月前给我咬的，我躺了一个月呢。"老肖撩起裤腿亮出小腿上那恐怖的咬痕。配着二十来针粗枝大叶的缝线像两条蜈蚣爬在腿骨上。我倒吸了一口凉气。

"暴龙……"我重复着这个名字，"是不是我刚来獒场的时候冲出厨房咬卓玛的那个？"

"对，就是他，那暴龙是我们这三个场子里的头号狂獒，公的，谁也惹不起，发起狂来连饲养员都不认。我是第二个饲养员了，头一个饲养员在成都那边，你见过，还记得那个老孙头吗？"

"哪个老孙头？"

"就是狼狗训育场那个烂脖子瘸腿的老头。"

我猛地记了起来，对，是有这么一个人，在成都的时候我和亦风曾经跟着老林去狼狗训育中心借小狼狗来冒充格林，当时是看到有一个看门的老头。那老头脖子上可怕的伤口一直延伸到左边肩胛，锁骨都是变形的，他的左边脸也在伤口的拉扯下怪异地扭曲着。我又奇道："你怎么知道我见过他？"

"哈哈，老林说的，他说你看都不敢看那老头儿。"

我笑了笑："出于礼貌嘛，谁乐意别人老盯着自己伤口看啊。"

老肖眉毛一挑，说："那就是暴龙咬的，那个孙老头喂了暴龙两年。"

我背脊一阵寒意："连自己的饲养员也咬？为什么呀？"在我心目中，藏獒可是最忠诚的象征啊。

"为了配种呗。"老肖撇了撇嘴，讲起了养獒人老孙头的那段故事。

几年前，老孙头牵了只母獒关进屋里跟暴龙配种，母獒是第一次配种的子狗，半天配不上，两只獒都不想成这门儿亲。老孙头驱赶了半天没用，就干脆进屋硬要上去帮忙。他埋头下去刚摸到暴龙的命根子，暴龙火冒三丈，一口就咬住老孙头的脖子和锁骨，把人掀翻，咬住就不放！老孙头大喊救命，可窗子外面看的人全都吓蒙了，没一个敢进屋救人，老孙头在暴龙嘴里杀猪一样号。暴龙一甩脑袋，咔嚓一声响，人就没音儿了。这时候外面的人才反应过来，有懂的人拿起事先就准备好的高压水龙头朝屋子里冲水！小母獒被水冲到一边不吭气儿，暴龙被冲得睁不开眼睛，丢开老孙头，凶神恶煞地扑咬高压水柱，那高压水柱就一股一股地往他肚子里灌。老孙已经躺在地上不动了，身上的血被水冲得到处都是，有人拿了一根竹竿子去捅老孙，喊他的名字。人们喊了十多声，老孙头才喘了口气儿，喊了声“妈呀”，也不知哪儿来的力气，哆哆嗦嗦爬起来，筋斗扑爬地往窗口爬，浑身血水，两只眼睛在鲜血烂肉后面瞪得滚圆，没见过那么吓人的脸，身上的血跟着湿衣服往下淌，爬一路，背后就拖出一条血河，像十八层地狱爬出来的鬼魂一样……

我听得后脊梁都快结冰了：“后来呢？”

老肖对那恐怖时刻仿佛记忆犹新：“后来老孙头爬到窗口，大家伸手进去硬拖他出来。暴龙一看，人又活过来了，扑上来又咬住老孙头一条腿，暴龙杀红了眼，高压水龙头都压不住他，他扯起老孙头的腿就往后拖，老孙头号了两声，人就绵了。外面的人又喷高压水又用木棒打，好不容易轰退暴龙抢出老孙头放在地上，气儿都快没了，两个人按住老孙脖子上一股股冒血的伤口，一松手血就往外喷。他胸口的烂肉翻得跟开花似的，暴龙就差没把他的心肝挖出来。还好老孙头抢救及时，命是捡回来了，但是腿瘸了，锁骨也断了，整张脸看不出人样，从此不敢进獒场，只能在獒场外面的狼犬训育场看大门。”

“他还敢在场外看门，也是有胆量了，为啥不回去休养啊？”

“啥胆量啊，还不是为了生活，既然没死总得挣嚼谷啊，废人一个了，还能换工作不成？乡下人命贱，獒场主跟他私了算完事儿。”

我沉吟着不便多问，转而又说：“老肖，现在这暴龙你养着，场子里还有那么些个猛獒，你就不怕出事儿？”

老肖嘴角苦涩地一挑：“我无牵无挂，媳妇也跑了，挣点钱给我闺女儿读书呀。”

我心里沉甸甸的，平日里很少接触过养獒工人的生活，为了生存，人人有本难念的经。老肖是最疼他闺女的，看见我的电脑能够无线上网，经常央着我教他用QQ，每次在视频里看见他远在东北的女儿，四十多岁的男人又哭又笑像个孩子。每个人内心都有最柔软的一块儿。

第二天一早，老肖又来找我：“我把獒都喂完关起来了，你一会儿带狼进去吧。我这会儿进城去买牛！”他冲我眨眨眼睛，意思是牛心肝归格林他记得。我点点头。

少时，老肖打开了后场子，交代了几句就和大伙儿搭车进城采购去了。我带格林进了老肖的獒场。卓玛也跟我进场子看格林捉鼠。我们穿过关着十只藏獒的大笼子，藏獒顿时沸腾般狂叫起来，吵得我心烦意乱，捂着耳朵穿过獒笼走入后场子。

八月刚至，草已经枯萎很多，密集的鼠洞变得更加明显。但是我带格林一进场，老肖家的藏獒们就一直叫个不停，加上昨天晚上格林猎杀了两只鼠兔的经历，所有的鼠兔就像得到报信儿一样一只都不出来。卓玛有些失望，无聊地玩着干草陪我坐在犬舍外的阴凉处，两人轻声聊着天。

接近十点，太阳比较毒了，格林一无所获，我看看时间打算带他回去了。我和卓玛边说话边走在前面，格林尾随在后，穿过关藏獒的犬舍，我回头一看不见格林出来，叫了几声也不见答应，一种不祥的感觉猛然袭来。卓玛说："会不会钻进獒笼里去了?"话未落音，格林的尖叫声就乍然响起，我俩叫声不好，直冲回獒场。

眼前的景象吓得我魂飞魄散，在两个獒笼之间，曾经咬伤过老肖的那只金色大獒暴龙，死死咬住格林的脑袋，往他的笼子里狠命拖，而格林身后的黑色大獒也隔着笼子伸出爪子和嘴来抓咬格林的后腿和尾巴，往自己笼子里撕扯，格林被两只大獒扯在中间凄声惨叫。

原来，格林早上抓鼠一无所获，肚子正饿得慌，经过獒笼的时候恰好看见暴龙的食盆子里还剩着小半盆狗粮，便习惯性地伸头进笼子里抢食。暴龙平素就狂猛暴戾，看见我带着一只狼进他的领地本来就恨得牙痒痒，现在格林居然还敢伸头吃他的盆中之食，来得正好！暴龙扑上前去一口就把格林的头咬在嘴里，活生生要把他拖进笼子里撕成碎片！格林剧痛惨叫，用前爪使劲抵住铁笼，后腿狂乱地扒地死撑着往后退，格林痛得尾巴也平举起来，哪知后面笼子里的黑色藏獒也趁机咬住他的尾巴，两只獒撕扯着格林拔起河来，简直是在两獒分尸。

我疯了似的急冲上前连吼带打，掰开了撕咬格林尾巴的黑獒。这边刚一松劲，暴龙顺势将格林往自己笼子里扯，我忙拖住格林不让他被拽进去，这一拽格林更痛了，脆弱的狼脖子几乎被扭断，他声嘶力竭地叫起来，像一个被卷入了搅拌机的孩子眼看将被吞噬！猛然间，格林拼尽全力一口咬住暴龙的颈侧，死死不放！我心急如焚，勇气暴涨，伸进一只手到笼子里，使劲地捶打着暴龙的头，狂叫："放开！快放开！"

暴龙不为所动，喉咙里"呜噢呜噢"的恫吓声不断，嘴里丝毫不放松，这时候哪怕是主人都难以让他松口。卓玛不知道从哪里找了块铁板，她拿铁板使劲敲打笼子想引开暴龙的注意，徒劳！身后那只黑獒的巨爪搭上了我的肩头，狂吼的气息就在颈后，若没有笼子隔着，我的脑袋估计已经被他咬牢了，寒意如冰凌般凝固着我的整个脊梁。犬舍里藏獒的叫声此起彼伏，而格林的尖叫越过狂野粗闷的犬吠，越发凄惨，声声如刀子扎在我心上！

豁出去了！我也不管暴龙的口有多快多狠，整个右臂伸进笼子抓住暴龙的耳后颈毛，用尽力气向自己面前抓过来。我的手就暴露在暴龙嘴前，暴龙随时可以一口把我的手臂咬断，但我不肯放手，死命地把暴龙的头抱住，用尽浑身力气往铁笼柱前拽！暴龙圆睁火炭般通红的眼睛瞪着我，我完全能感觉到那份令人窒息的杀气，但暴龙却死死不肯丢开格林来咬我，因为对狼的仇恨远远比对人的仇恨来得更深！

我用脚抵住笼子再使出爆发力，终于把暴龙咬住格林的大嘴巴牢牢卡在了两根铁笼柱中间，使他无法再把格林往笼子里拖拽。卓玛赶过来，用铁板挡开我身后的黑獒。我心里稍定，但是藏獒是打生死仗的，一旦咬住就是往死里咬，绝没有松口的可能，看着暴龙嗜血索命的眼神，我心胆俱裂，心下一横“儿子你忍着”，就狠抓住暴龙的头皮，掐住他耳朵把他的巨嘴往铁笼柱中间使劲卡，借助笼柱的刚性，减轻暴龙的咬合力，终于把獒嘴卡出一条缝隙，像虎口拔牙一样把格林硬生生地从暴龙口中拔了出来！肉筋断裂声、皮毛撕裂声、格林惨痛的嘶叫声，声声分明，声声锥心刺骨，痛彻心扉。

刚抢出格林，我猛然抽回右手，避开暴龙的回头一大口，他冰冷的鼻子擦过我的手腕，我的指尖触碰到了他的獠牙，险！我的手还在！我紧紧抱着抢回怀里发抖哀嚎的格林，血柱从格林嘴里、脸上涌出。暴龙大喘着气，吐出一嘴狼毛，余恨未消地瞪着我们狂吼，我急急看了看格林，他牙关紧咬，脑袋上一片血肉模糊，右眼已经被挡在一片血污之后，我连忙抱着格林快步跑回房里找药。

我和卓玛仔细检视格林的伤口，左边脸上三个深深的齿洞，其中一个咬穿了嘴，上药的时候，棉签一探直透到牙齿，虽然恐怖，但最幸运的是眼睛耳朵都没事。来草原短短一个多月就几次死里逃生，让人后怕再加后怕！我突然闻到一股臭味，走了一趟鬼门关的格林吓得大小便都失禁了。也难为他了，才不到四个月大就跟两个巨獒交手。

我一面哆嗦着给格林上药，一面强作镇定跟格林开着“劫后余生”的玩笑：“小臭狼，你真是命大，没咬着要害，没事，狼脸上带点疤才酷，幸亏你还没被咬成独眼狼或者一只耳……臭家伙，给你上药你要乖，不合作我就按你的脸了哈！”格林的狼脸渐渐肿了起来，他从没经历过这么痛的遭遇，上药时，棉签探进伤口他挣扎着，痛得眼珠子都快瞪出来了。我再多的安慰也没法止痛。

为了方便上药，我和卓玛费半天劲才把格林捆起来，让他保持镇定。这时我才发现他的后脸靠近脖子的地方还有一个更大的血洞，稍微一碰就呼噜呼噜直冒血泡，狼脸和狼脖子皮肉撕裂，肌腱爆开，要扒开狼侧脸浓密的毛才看得见。分开格林唇吻再看，他左边下面的犬牙也断了半截，剩下半截齿桩汩汩地往外冒血，染红了舌头，整个嘴里都是血泡泡，从每个牙缝里往外渗。我才放下的心又开始绞痛起来，赶忙用棉签蘸了药粉，边劝边掰格林的嘴，他反而咬得更紧，牙缝里血也流得更多了。

“格林乖，嘴张开，听话……”没用。我干脆跪在格林脑袋边，把狼头在双膝间夹紧，一手掰住上颚，一手抠紧下颚，使劲用力……终于分开一条缝，狼嘴里似乎有东西，我使劲再掰开一点狼嘴！再掰开一点！我叫卓玛赶紧塞了一块干棒骨横在狼牙间抵住，我的手臂已经完全酸软无力。定了定神才小心翼翼地揪住格林獠牙间一点像血丝毛团状的东西，慢慢往外拉扯……更多的毛团被拉出……金毛！皮！血肉！

我心里一惊，明白格林的牙齿断在哪里了。这家伙就是死也要撕下对方一块肉来！这是我可以亲手触摸到的狼性、血性和烈性！

给格林治疗后，下午放他在中场活动，他老实多了，在我窗外蜷成一团躺着，也不跟藏獒们狂闹了，很沉默。反而是这几只从小一起长大的藏獒一个个走到面前去嗅闻他的伤口，轻轻地碰他，风雪帮他舔伤口，皇帝更是跟前跟后地安抚他。

然而，身受重伤的格林一如既往地坚强，抢肉护食依旧狼性十足，大口大口的肉食和着自己的血往狼肚子里吞。

我看在眼里，纠结在心里：狼牙是狼的标志和骄傲，断牙会不会影响咀嚼和撕咬？会不会影响格林的心理？这样的狼獒之战还会不会发生？我带格林来獒场到底是对是错？为什么步步小心却仍步步凶险？狼的成长历程为什么不能像狗那样平平顺顺呢？

是了，狗可以不要自由，牺牲自由可以换来太多东西，而我们却不惜一切去换取自由。自食其力并承受危险是追求自由的必然代价！如果有一天这代价是格林的生命，我还舍得让他走这条路吗？

19 狂獒血战

接连一个星期，格林哪里也不去，他固执地守在黑虎身边舔伤，陪伴，陪伴，舔伤……格林的那份温存细致，让我无法相信他是人们传说中残暴野烈冷血无情的狼。

格林的左边脸虽然肿得跟蜡笔小新似的，但是第二天伤口就开始结痂，不到一个星期，格林的伤就痊愈了，狼的恢复能力的确厉害。暴龙的颈侧少了一块肉，溃烂得越来越重，老肖仔细检查以后从暴龙颈部的伤口里掏出半截断裂的狼牙，心疼地给暴龙又是打针又是清洗伤口又是喂药，精心伺候了很久才逐渐好转。大半个月以后老肖检查暴龙愈合的伤口，轻轻一按，暴龙仍旧痛得转头咬人。

"狼咬的伤口咋就那么难愈合啊？"老肖对此很郁闷。

"狼的唾液里有大量细菌和消化液。"我挽起袖口露出一道浅红色腐蚀状的特殊疤痕，"这是格林两个多月大的时候，我不小心被他的小狼牙给刮的，现在格林都四个月大了，这伤口的红痒还没完全消退呢。"

老肖看着伤口头皮发麻："你可得打预防针哦。"

"放心，我早打了，格林也是打完全套疫苗才带过来的。"

老肖给暴龙的狗粮里加了一点消炎药，搅拌着说："狼跟狗是不一样，自己的伤转眼就好了，咬别人的伤口却老也好不了。"

我笑了。大自然赋予了狼很多特殊的本领，富含细菌和消化液的唾液也在猎食中发挥着特殊的作用，在猎捕大型猎物的过程中，独狼往往会在猎物腿部或者肩胛这些看似并不致命的地方狠咬一口，然后就展开长达几天几夜阴魂不散的跟踪，直到猎物的伤口腐烂化脓，被伤痛折磨得丧失反抗能力后才一举杀之。

四个月的格林体态逐渐匀称，身形的成长奋起直追，原本大得不协调的头和脚爪也渐渐与身材比例和谐统一起来。格林的尾巴长出了蓬松的长毛，像鸡毛掸子一般粗粗大大的。他开始换毛了，他喜欢在草地上磨来磨去蹭掉一身的胎毛，换上硬朗厚密的狼毛，他每次跟我亲近以后，我的衣服上总是沾满一片一片脱落的狼毛。而格林一直让我担心的半截断牙不知何时已经脱落了，上下四颗新的獠牙如春笋般冒了出来。新牙不再像乳牙那么尖利透亮，却粗壮有力，牙根部浑圆坚韧。其他的牙齿也羞羞赧赧地往外生长，这是狼一生唯一的一次换牙，这小子运气太好了，獠牙正好断在换牙之前。

格林对我还有着强烈的依赖。他每天都会守在那扇泛着微光的窗子前，一对狼眼兴趣不减地看我的一切动作，等我带着他一起去旷野奔跑撒欢，这份狂放的自由是那些名贵的藏獒永远也享受不到的。格林生于荒野，他没有人类价值观的肆意炒作，他不会想象自己某天会被身价上百万地卖掉，如同藏獒一样为了迎合人类的审美价值要像健美先生那样保养、健身、美体和补充激素营养，为了避免危险和免遭外来病毒的侵扰，一辈子不能走出獒场。格林宁可一钱不值地自由流浪也不愿意身价不菲地被高贵囚禁。

只要天气允许，黄昏时我常会带上笔记本到河边记录下格林的点点滴滴，并写上今天的心情和经历，这是我在草原上除开与格林相处外最大的享受。河边也是很多动物远道取水或者鸟儿捕鱼的地方，越冬的麻雀把自己填满草籽，吃得像个大绒球，偶尔能看见一种叫做戴胜的鸟儿在草丛中寻找虫子，鱼狗和大水鸟们常常掠过水面。格林每次见到鸟都会勃然大怒，他永远忘不了小时候被渡鸦啄鼻子的痛和被金雕追捕的惊恐。格林的报复心超强，他跟会飞的东西似乎结下了永远的梁子，只要见到个头儿比他小的鸟他就一定要凶猛地冲上前，再朝着四散飞窜的鸟儿龇牙咆哮。后来他慢慢观察鸟儿的习性，总结经验，学会埋伏起来，趁鸟儿不注意猛扑上去一爪子压住某只大意的傻鸟，然后很快咬进嘴里。于是他得出了更加准确的结论——鸟儿不光可恨还非常可口。有时候格林还会利用我的走动绕到我前方埋伏，迎面扑击那些被我惊飞起来的小鸟。而格林只要见到大鸟总会缩进灌木丛中，或者迅速地躲到我身后，把尖溜溜的脑袋往我两脚间一拱，像躲在母鸡翅膀下的小鸡崽，心有余悸地死盯着空中大鸟的黑影，直到鸟影完全消失格林才钻出来。鸟儿的收获是小鱼和草籽，格林的收获是鸟儿，而我的收获就在与格林相处的日日夜夜中。

在獒场的这些日子里，经常引起我注意的就是那只叫做黑虎的藏獒。黑虎一向很沉默，但给我的直觉他其实是个内心世界非常丰富的藏獒，或许祖先狂野自由的血液在他的体内保存得最多。每次格林回到獒场躺在草地上休息时，黑虎都会装作毫不经意地走到格林附近不远的地方躺下眯着眼睛晒太阳，鼻子却深深嗅着从格林身上飘来的外面的气息，这些气息能给他无限的遐思和向往，河边湿润泥土的味道、兔子和野物的味道、新鲜嫩草汁液的味道……他能感受到格林都去过哪些地方，那些他梦里都想接触的味道。然后他的心脏就会在他沉默的胸腔里狂野跳动，尽管这是一份上帝才能触摸到的心跳。迎着风飘来的这些味道会幻化为黑虎梦境中最绚烂的场景，他的眼神会因此变得温柔而迷蒙。

什么时候悄然变化的也无从可考了，黑虎开始目送着格林每天拍开窗户欢跳着跃进我的怀里，然后和我一起消失在他目力所及的范围，到傍晚的时候，格林心满意足地回来，带着一身他所迷恋的味道。然后他再孤傲地、漫不经心地走到格林身旁，躺在下风处蹭一丝自由之息。这是他内心的一个秘密。

格林和藏獒们相处久了，一天比一天亲近起来，很多习惯也承继了藏獒的特点，最明显的改变就是叫声。没有了母语的引导，我发现他以往从电视里学来的那点狼语逐渐变调，从“欧呜……欧呜……”继而“欧！欧！”终于发出了“欧！

黄！花！花！”似狗非狗的叫声。像从小漂流海外的孩子渐渐淡忘了自己的母语，而他还模仿得不亦乐乎。我心里焦急起来，可在这没有电视没有录音的草原我怎么才能教他拾回自己的语言呢？我后悔没带复读机之类的东西来。如果什么地方有狼语教材我铁定第一个买！

“嗷欧——”我试探着冲他长嗥，格林凝神听了一会儿，啪嗒啪嗒地甩甩耳朵仍然固执地转回狗的音调：“黄！花！黄花！”格林专心致志地学着，听得我垂头丧气，格林啊，等你学会狗语，“黄花”菜都凉了。

每当藏獒兄弟们叫的时候，格林就跑来跑去观察他们的嘴型，然后就“欧呜——黄！花！”一派狼腔狗调地胡言乱语，听得黑虎和森格一愣一愣的，不知道他要说什么。

最乐的就是北面隔壁老肖场子里的藏獒了。格林一叫，他们便也跟着阴阳怪气地学起来，仿佛听到了天底下最大的笑话。仗着二十多只雄壮大藏獒的气势，声浪一波接一波，把格林的叫声淹没在下面，偶尔他们还夹杂着一些怪里怪气的狼嗥，极尽讽刺嘲笑之能。

面对这些挖苦，格林还在像个执著的小傻瓜一样不明就里地仔细揣测和学习着。风雪、小不点、森格、黑虎和皇帝终于压制不住怒火中烧，隔着铁板墙与老肖家的藏獒展开了叫骂战！此起彼伏的叫骂吼声沸腾了整个獒场，养獒的工人喝止不住干脆掩耳走避，关起门来躲个清净。

“黄花！黄花！”

“汪汪！汪汪汪！”“吼吼！吼！”“嗷呜！……汪汪！”南面老阿姐的十多只藏獒也加入了起哄的行列，三个场子里的藏獒们一面叫嚣一面向铁皮墙上狂撞猛扑，撞墙的声声巨响如同战鼓擂动更壮声威。声战和撞击持续了半个小时，铁皮墙的几个焊接处终于禁不住几十只藏獒的强力冲撞，裂开一道大豁口。老林的藏獒们与这边的獒隔着豁口见面了。

仇獒相见分外眼红，平时就飞扬跋扈的老肖家的藏獒均是身强力壮的成年大獒，以头獒暴龙为首，群起而围住断墙。藏獒战斗从不知道惧怕，哪怕以命相搏也没有退缩的可能。仇敌近在咫尺，羞辱吠叫仍像潮水一样往耳朵里灌输。黑虎怒火更盛，咆哮着扑向铁墙豁口。然而坚实的铁墙毕竟只裂开了一个不大的豁口，一个比人还重的藏獒要穿过去很艰难，黑虎的上半身冲了过去，而胯骨部分却被卡在铁墙裂缝间。

暴龙等藏獒一见对方胆敢越境出击又被困在裂缝中，顿时落井下石地涌上前来。暴龙“趁狗之危”张开血口往黑虎咬去，森森白牙直取咽喉！黑虎头一偏避过咽喉要害，耳朵却被暴龙一口咬中，剧烈疼痛之下黑虎猛力挣扎下半身，不顾耳朵被咬反口回攻，暴龙死死咬住黑虎的耳朵不放。直取咽喉和死咬不放是藏獒扑咬的两大特点。其余藏獒趁势上前你一口我一口都是狠狠咬住坚决不松口，黑虎孤军深入九死一生。

森格、皇帝这些平时极为要好的兄弟被堵在铁墙这头，眼看着黑虎受难，跳不过去更助不了战心急如焚，怒吼着用庞大的身躯夯向铁墙，格林则拼命朝墙头上跳，想越墙而过！

哐当！在森格和皇帝等藏獒猛烈的撞击之下，铁墙粗如儿臂的钢管柱终于被撞弯，裂隙猛地增大，黑虎下半身一松立时被解救，他头一甩壮士断腕般任由暴龙生生撕掉自己的耳朵！黑虎虽然少有战斗经验但是他勇猛非常，而且在老林精心的饲养下体格健壮不比暴龙差，黑虎奋起扑向眼前的一大群藏獒！顷刻间混战爆发！

老阿姐听见獒群由最初司空见惯的骂阵到惊天动地的撕咬狂啸，惊觉动静不对，大声呼救，众人惊奔向老肖的獒场。可面对藏獒群的混战谁也不敢进场子。有的人趴在墙头大喊着各自藏獒的名字，有的人隔着窗子扔石头、大棒、扫把，甚至不知道谁的鞋子都丢了过去！老肖和尼玛急得直跺脚！狂獒之战谁敢应对？

黑虎的耳朵被撕成彩条，身上伤口无数，鲜血淋漓！

“投食把他们引开吧！”卓玛吓得魂不守舍。

“开玩笑！抢起食来打得更凶！”

“只有各人拉开各人的獒！”藏獒打起仗来主人都不一定招呼得了。老肖说了一个几乎不可能实施的办法。但此刻两家的藏獒都有，谁家的人过去都是对方藏獒的攻击对象！况且几十只早已杀红了眼的藏獒开战，谁敢冲入獒阵恐怕连尸骨都抢不回来！

尼玛浑身筛糠似的发抖，豆大的汗珠挂了满脸，他不过是养獒拿工资的饲养员，虽说老板的藏獒价值不菲，但借他十个胆子也不敢越雷池半步，更不敢赔上身家性命冲入獒群中拼抢。藏獒混战更猛，老阿姐的十余只藏獒也疯狂地撞击铁墙大有参战的意图！阿姐急忙回自己场子关獒，以免新的混战发生。

皇帝、森格已借着裂隙翻过铁墙加入了混战，只要是不认识的藏獒见面就是一通猛咬，白牙翻飞，杀声震天，鲜血四溅，狗毛乱舞，没有任何战法可言，没有任何道理可讲！除了金黄的暴龙和另外几只或金色或杂色的藏獒外，所有藏獒都是黑毛，混战中很难看清哪个是哪家的，一眼望去那简直是黑压压一片地狱屠戮的景象。獒血飞溅上四周的墙面和我们观望的玻璃窗户，视线立刻红彤彤一片，再不阻止势必血流成河。

尼玛这时才反应过来应该先堵住缺口。他急忙赶上去使劲拉住铁墙，挡开自己这边还想继续往隔壁冲的风雪和小不点，我们赶紧帮忙，一人抓住一只藏獒的颈毛，拼命往笼子里拖，一只只关起来。我一手扯住正从裂隙中翻腾越界已经挤过去一半身子的格林，强拖回来关在最近的铁笼子里，随他怎么反抗撞击笼壁，锁上铁栅栏匆匆返身赶回战场帮忙。

“嗷哦……呜……”关在铁笼里无望挣扎的格林眼睁睁地看着我要离开，忽然爆发出一声凄厉狼嗥，高亢悠远！拉长的声线里尽是愤恨、恼怒、绝望与甘愿赴

大战来临之际，关在铁笼里无望挣扎的格林忽然爆发出一声凄厉狼嗥。

死的悲壮，这长声狼嗥像利箭像钢针穿透鼓膜直刺入每个人的脑海，如同暗夜里凄厉鬼哭或战火之后飘过累累尸骨的漫漫号角。高亢嗥声极尽之处忽而低沉下来拖着颤音往下落，满含着无法掩饰的哀怨、彷徨、痛心疾首却无法化解的悔恨。这久违的狼嗥让我脑袋霎时一片空白，心里猛烈震颤起来！难道他虽然缄默却一直没有忘记属于自己的声音？还是在这大战来临之际野性的萌动与投身群体作战的强烈愿望又激发出了他最古老的心声呢？

狂热战斗中的藏獒乍闻狼嗥也为之一怵。但这短暂的停留并未阻止战争的继续恶化，老肖的藏獒们出于对狼这宿敌的刻骨仇恨，转而毫不留情地朝着狼嗥声方向狂吠冲扑。声战再起！这也分散了一部分藏獒攻击皇帝和森格等藏獒的注意力。

我猛然回头，只见隔着铁笼的格林颈毛根根直立，耳朵一刻不停地向着战斗声音的方向转动，眼睛里透出杀戮之前的绿光和与此极不相称的痛苦、绝望、羞愤与凄然决绝！为我剥夺了一匹狼为群体与战友并肩战斗的权利和尊严而控诉愤恨！他逼视着我，狼牙咬得咯咯响，用他最擅长的眼神攻势等待着我给他最后的机会。

我拿着钥匙的手激烈颤抖起来，但我绝不能眼看着格林在这场混战当中白白送死。他毕竟只有四个月大，我怎么能放任他去犯死？我咬牙转身离开。

“当！当!! 当!!!”铁笼在身后被猛烈撞击着！坚硬的狼头在铁栏杆上的每一声碰撞都如同砸在我心里！格林，你要怪就怪吧！我绝不能放你！我掩上耳朵逃回獒群战场。

此时的黑虎早已被五个大公獒团团围住，满身血污，藏獒在鲜血的刺激下更加疯狂，“嗷呜”一声暴吼，黑虎的一条腿已落入了敌獒口中，撕咬之下白森森的腿骨被活活扯了出来，黑虎轰然倒地却仍旧勇猛异常，他咬住另一只金色大獒的腿死死不放。所有得口的藏獒都在拼命撕扯。森格、皇帝被敌獒团团围住不得脱身。也许对另一个群体的藏獒而言，狼可恨，亲狼之獒更可恨!!

“再不拉开就要咬死了！”卓玛猛喊着藏獒的名字哇哇大哭，除了哭她没有任何办法。

老肖奋力从窗户泼出几桶水，想让藏獒冷静下来。然而草原上没有高压水龙头，此刻区区几桶水哪里能够熄灭战火？反而让奋战的藏獒们裹在泥浆里像野兽一样翻滚，通红着两眼重拾野性般越战越惨烈。

“快拉开啊!”卓玛除了号哭啥也做不了。

老肖脸如死灰，看看对方的藏獒被团团围困顾不过来咬他，横下心来腾身一跃翻出窗户，一只一只揪住自己场子里的藏獒头皮往獒笼里奋力拖拽，被制止的藏獒杀红了眼哪里肯听主人的？有的拼命挣扎不回，有的干脆朝老肖扑咬。老肖躲闪着獒嘴，强行关押藏獒。外面一干人等捏了一把汗都无从帮忙，谁都知道那帮凶猛藏獒除了天天养他们的老肖有可能制伏外，其余任何人根本不可能取得他们獠牙的豁免权，陌生人进场只会火上浇油。

连关了十几只藏獒老肖已是累得快虚脱了，边拖着强力分开的藏獒边声嘶力竭地喊着尼玛：“帮忙!”

老肖都豁出命打头阵了，身为这边的饲养员再不能坐视不管。尼玛硬着头皮躲避着暴龙黑虎等一干仍在死掐狠咬的藏獒，把森格和皇帝一一拉回自己场子，肃清战场!

最后也是最危险的就是分开黑虎和暴龙了。

黑虎的前腿被暴龙死死咬住，骨头裸露，暴龙的牙齿已深深凿进他粗壮的腿骨中，黑虎的一只耳朵已不知去向，鲜血和泥浆混杂在一起，腥味四散。暴龙被黑虎紧咬住了胸骨，面前血泥模糊，咽喉扑哧扑哧地冒着血泡。他们各自死咬着对方呼呼喝喝地狂吼着谁也不松口，此刻就是要他们松口也难。

老肖和尼玛小心翼翼地靠近，数着一二三，一起扑上前武松打虎般跨在两只藏獒身上，从藏獒嘴角抠住两个腮帮子向后抓紧头皮耳根，咧开藏獒的大嘴，各自控制住己方藏獒的头，避免藏獒盛怒之下反口咬人。一干人等这才敢上前来帮忙。抓头皮的、压身子的、绑铁链的……把两只獒扳倒在地绑了个结结实实，准备分开后合力往后拖，老肖和尼玛各自拿起手里的铁棍，一点点努力撬开藏獒的牙齿，直撬得满嘴血肉模糊才终于分开了这对几乎要同归于尽的仇敌。

直到将所有藏獒都关回笼子里以后才算平息了这场暴乱，大家都虚脱了。老肖翻窗子回去的力气都没有，一屁股坐在泥浆里大口大口地喘着粗气。一伙人也瘫软在窗根下，满身血迹泥浆，身上淤青的、挂彩的伤口数不胜数，每个人都浑身胡乱哆嗦着一句话也说不出来!

一直到夜幕降临我才把冷静后的格林放出来，他埋着头走出铁笼，在我腿边略作停留便擦肩而过，默默地向关着藏獒的犬舍走去。我留心到他的鼻子有擦破的血痕，额头正中一块醒目的伤口像二郎神的天眼，血线从“天眼”顺鼻侧淌下，把左边的狼眼浸染得如同獒眼一样血红，或许这只狼的心有一半是属于藏獒的。铁笼子里几根弯曲的笼柱上面沾着斑斑血迹，在初升的月光下泛着冷冷清清的黑色光芒……

或许这只狼的心有一半是属于藏獒的，直到长大后格林额头上仍然有这块醒目的疤痕。

第二天早上格林没有来叫我，我知道他一时难以原谅我。我自己起来找件没有血污的干净衣服穿上，带着格林最爱吃的巧克力球轻手轻脚地走进犬舍，没有惊醒所有疲惫的藏獒。但是格林醒了，趴在黑虎的笼子里抬头警觉地看着门口，见是我进来他一声不吭，默默把头继续埋在两只前爪上，垂眼看着地面，目光凄迷而忧伤。

我走近几步，藏獒们纷纷醒来，在各自的笼中冲我摇着尾巴。我打开黑虎的笼子走到格林跟前，他淡然转头对着黑虎，显然他一夜都守在这位藏獒兄弟身边，我心里一痛，轻唤了一声："黑虎……"黑虎睁开眼睛，有气无力地喘息，被咬断的右前腿瑟缩在胸前不断颤抖着。右耳已经没了，头皮上的血混和着昨天上的药还在间或往下滴。

"你来得正好，我要给黑虎上药，你的狼死活不让我们靠近，谁也不敢惹他。"尼玛抱怨着，进来打扫着藏獒粪便。

"药放在那里，我来给他上吧。"我说着低头看见笼外地上一坨巴掌大的黑毛块，问，"这是什么？"

尼玛哈哈一笑漫不经心地踱过来："昨天打仗撕掉的狗耳朵啊，黑虎的，早上我想拿这个把狼引出来，他不但不出来还咬人！"尼玛又走近了些，格林顿时皱起鼻翼，吼吼做声，凶相毕露。

"看嘛看嘛，他还想咬我！"尼玛立刻告状。

我眉头一皱，心里腾起一阵厌恶："你出去吧，这儿交给我了。"

"你不是说只要是肉狼都吃吗？"尼玛兀自感觉不到我的反感，"这狗耳朵他咋不吃？你说狼和藏獒哪个凶点儿？说真的，养獒那么久，这么豪华的打架阵容我还是头一次见!”

“你也不怕你老板说你,”我强压怒火,“如果狼吃了藏獒肉,往后打起架来,对你有什么好处?”

尼玛嘿嘿一笑,用扫把扫起地上的狗耳朵,然后踱出犬舍去了。

我从怀里摸出巧克力球剥开糖纸摊在手心,蹲下身来递到格林鼻子前,柔声说:“给,你最喜欢吃的。”

格林不动,鼻子微微耸动着。

我不知道该对他说什么,看看黑虎的伤,眼泪吧嗒一滴掉在了地上。

格林的尾巴微微摆动了一下,慢慢伸过嘴来,用牙尖轻轻咬过巧克力吃了,他从来没有这么斯文地吃过东西。吃完巧克力,格林站起来走过几步,把脑袋埋进我怀里,头顶轻轻推了推我的肩膀。我的心像绞索一样拧了起来,抚摸着格林额头上的血口子:“对不起!”格林的尾巴轻微地摇了摇。

我找到尼玛留下的药给他俩治伤。

给格林擦药他很合作,但重伤的黑虎却很暴戾,对加剧疼痛的消炎药很排斥,我托起他的伤腿检查时,他痉挛痛吼着反口咬过来,格林赶忙凑到中间和黑虎碰着鼻子像在安慰他。黑虎右前腿自腿弯处的一圈皮肉已被撕断,露出一指长的一截白骨茬子,骨头表面已风冻干了,贴着骨头一根干枯的血管泛着青黑色,不知这腿还有没有救。黑虎头上的伤就更严重了,被撕掉耳朵的头皮部分经寒夜霜冻,感染得很厉害,加之白天的蚊虫叮咬,发炎恶化,一碰脓血就往外流淌,再到夜晚,脓血又会结成冰坨子挂在头皮的伤口上。

我小心翼翼地给黑虎去掉头皮上的血冰,抹着消炎粉和白药,他焦躁地甩头避痛,血又加剧流淌,失血过多的黑虎疼得直翻白眼。也许只有格林对这种剧痛感同身受,他着急地呜呜叫着爬到黑虎身上,抱着黑虎的头用暖暖的舌头一遍一遍温柔地为他清舔着伤口,舔化上面的冰碴。我的眼前顿时模糊成一片……

含泪处理完黑虎头顶的伤口,我找了根缝衣针烧红、压弯、消毒,让黑虎侧躺在冰冷的地上。我半跪下来,闭眼深吸一口气,狠下心来硬把黑虎伤腿上下的皮肉拽拢,勉强缝合……荒原手术,没有麻醉剂,唯有狼吻镇痛。黑虎浑身震颤,却咬紧钢牙一声不吭。

整整七天过去了,这七天里,格林只要一醒就爬到黑虎背上,轻揽獒头,舔伤除冰。接连一个星期,格林哪里也不去,他固执地守在黑虎身边舔伤,陪伴,陪伴,舔伤……格林的那份温存细致,让我无法相信他是人们传说中残暴野烈冷血无情的狼。而黑虎忍痛的坚毅与刮骨疗伤的英雄又有何异?我心怀敬仰地用相机留下了这些珍贵瞬间。

狼和藏獒本不是“天敌”,却被人为造就成了“宿敌”。我当初带着城市里无处藏身的格林来到草原,不得已将狼放入獒群中,我一直担心的是格林会被森格黑虎这些庞然大獒咬死,而今我才发现我错了。獒是忠诚耿直护家的动物,狼是群体观念极强的动物，他们有一个共同点——重情重义！獒以他们的憨厚宽容接纳了格林，格林以他的坚韧智慧取得了群中一席之地。当这个群体一旦接纳了格林，格林就是家族成员，关上门来狼獒怎么打闹折腾那都是家务事，外人想要欺上门来那绝对不行，所有的藏獒都会奋起维护这个小兄弟，哪怕以命相搏，绝不会因为被欺负的成员地位低下而置之不理，这才是团队！或许天狗和龙狗真的是可以并肩作战的一对战神，如果有一天他们各自分道扬镳，这种狼獒兄弟情不知几时能再看见。

尼玛说："这一仗打得惨，两家藏獒伤的伤，残的残。黑虎的腿也瘸了，耳朵也缺了，本来能卖个好价钱这下不值钱了，谁还来买他啊？除非拿来配种。"

对有些人而言，饲养的动物就是一个商品，只要榨干动物能带给人的所有利益，何须在意他的感情和思想？这就是他们的命运。我面无表情地听着，也无须对这些人的价值取向进行辩驳，这不是我高谈阔论所能改变的。但我知道在人们的价值天平发生重大倾斜之后，抛却血统、品相、价格与市场的干扰，有些真正的内在价值才弥足珍贵。黑虎依旧是黑虎，不同的是他在我和格林心中的地位更胜以往，这高贵的囚徒——他善良、勇敢、强悍、仗义，有一颗充满野性向往与孤傲不屈的心。他维护自己群体尊严的勇猛无畏给格林幼小的心灵以强烈的冲击！他是狼的渡魂者，当之无愧的——藏獒！

20 狼之柔情

格林的不安终于应验了，他惊慌地咬着我的袖口，怎么也不肯放。“走”字他是听得懂的，“等”他也是明白的，可这一走之后，要等多久呢？他不想我走，无论如何也不想我走，面对病中的分离他从未体验过如此惊恐和无助。

前些日子，我淋了一场冰雹。这几天头痛欲裂，咳嗽不断，我感冒了。

每当听见我咳嗽的声音响起，格林就关切地趴在窗口引颈相探，他再没心思和藏獒们玩闹了，宁愿一直守在窗外观望。我坐在小桌前写日记，格林就站起身来，把前爪搭在窗台上看看电脑又看看我；我吃过药躺下休息，格林就在窗口歪着脑袋看我睡觉，站累了就回到正对窗户的草地上像狮身人面像一样守望着。他再不硬拖我出去，也不装病骗我陪他了，我常常叫他自己出去玩或是跟藏獒们为伴，他却从不舍得离开。

一天，几声炸雷把我惊醒，草原上下起了倾盆大雨，我急忙起身看窗外，藏獒们纷纷躲进了犬舍避雨，而格林仍旧执著地站在老地方，淋着雨守在窗前，一双狼眼被雨水打得几乎睁不开。我赶紧穿上衣服，冲出去把格林抱进屋来。格林一连串地打着喷嚏，吸吸鼻子乖巧地蜷缩在我怀里，两眼直勾勾地盯着我看，好像能把我的病看好似的。我叹息着，拉过衣服为他擦干毛发。此情此景，我不由得记起小时候他第一次掉进睡莲池，我也是这样把他抱在怀里擦干的，转眼间格林已经五个月大了，不知道他是否也会记起那些快乐无忧的童年时光。

我连日来一直死撑硬扛，结果病情趋于恶化。这两天咳嗽起来肺部像装了一包水似的呼噜呼噜直响，间或吐些淡红色血泡泡，在床上躺了两天，也没吃东西，晚上的时候不敢入睡，半坐起来才能勉强呼吸顺畅些，喘气越来越难受。随身带的感冒药似乎不管用了，我无处求医，用手机上网留了个言大约描述了一下病征，想求助懂医药的朋友。

晚上亦风打过电话来，语气异常焦急严肃："那是肺水肿，你必须马上回成都！"

"我回去了，格林怎么办？我抗造，你给我寄点药过来就行！"

"命都不要了吗？"亦风火了，"在高原肺水肿要死人的你知道不！"

我脑袋嗡嗡乱响，怎么挂的电话都忘记了，迷迷糊糊睡了过去。

格林越来越不安，在我窗前来回徘徊，呜呜咽咽，日夜翘首以待。从前格林每到夜里总喜欢到处溜达闲逛或是跟藏獒们挤在一起暖暖和和地睡觉。而现在不一样了，他的心里积淀了一种感情，幼小时候的依赖渐渐被爱所取代，这种爱与日俱增像沉重的铅坠一样落到了他心底深处，一日不见我出现他心里就会沉甸甸的，而多日不见这份牵挂就越发强烈起来。狼能闻到死亡的气息，也或许我的呼吸带有肺血的味道，格林隐约有了一种不祥的预感，他寝食难安，甚至在夜里、在梦里，他都会被这种惊恐和牵挂所困扰，于是他抖抖狼鬃驱散睡意，冒着寒冷悄悄来到我的窗下，站在那里静静地聆听我的呼吸和间断爆发的咳嗽声……

好几次我在半夜里倒水吃药的时候感觉异样，猛然抬头发现格林就趴在窗上，一双绿莹莹的眼睛哀伤而关切地注视着我，看得我的心也不由自主地酸痛起来。

无论白天黑夜，为了守候我，格林宁愿选择不适和困苦，他不再四处闲逛觅食，也不再钻回温暖的獒笼中睡觉，而是坚定地卧在窗户前等上几个小时，就是为了见我一面，只要我靠近窗户他就飞奔上来趴在窗上感受一下我的亲切抚摸。

然而随着病情的加重，我挣扎起来的次数更少了，格林越发坐卧不安，他来回跑动着，爬上窗户隔着玻璃看我好几次，探着大脑袋仔细端详我。我费力地睁开眼睛看看他，他焦急的眼神就在我面前闪动，渐渐地格林的影子又迷离起来，那一双转动的耳朵时而变成四只，时而还原成两只，窗户摇来晃去天旋地转。我头痛欲裂，迷迷糊糊安慰了格林几句，继续昏睡。恍惚中窗外突然传来低沉的、半啜泣的呜呜声，然后又是一阵探寻的嗅鼻声，接着格林发出极其痛苦的长声哀嚎，长长的狼嗥悲伤地颤抖着消失，不一会儿，长嗥再次响起，充满了痛苦与凄凉，六只藏獒也随着狼嗥此起彼伏地幽咽。

我合上眼睛，泪滑到了枕边……也不知睡了多久，忽听窗口又有动静，睁眼一看，格林跳跃着用坚硬的狼头撞击着玻璃，一点一点推挤开了窗户，把脑袋伸进屋来。蒙眬中格林的眼神焦急而关切，嘴里含含糊糊叼着什么东西往屋里扔。这孩子又想扔石头了吗？但今天这种叫醒服务似乎无法奏效了。

“噗”，沉闷的落地声，不像石头，黑糊糊软绵绵的一样东西。我挣扎着撑起身来仔细一看，竟然是半只野兔！也不知是格林什么时候猎捕的，野兔前半截已经被吃掉了，剩下最肥美的后半截扔了进来，落在我床前。格林咂着嘴，在窗户上探着脑袋呜呜叫着。看到我终于醒来说话，他耷拉下了耳朵，舌头舔着鼻子温情地看着我。我深吸一口气，弥补缺氧的眩晕感觉后坐起身来。我坐在床边定了定神才俯身细看那珍贵的“礼物”：半只兔子上面裹着很多的泥土，是新从地下刨出来的，那显然是格林的存粮，埋起来以备不时之需的私房肉。这些天来格林寸步不离獒场没出去猎食，自己的狼肚子都没填饱，好不容易得来的野兔存着正是用来渡过难关的，而他却将这口存粮给了我，我的鼻子酸楚起来，泪水刹那间涌出了眼眶。

我咳嗽着扶在窗口站稳。格林趴在窗台上仰头望着我的脸，他的喉咙痉挛地抖动着，却没发出声音，他用头顶使劲迎合我的掌心，似乎极力想要表达什么，却不知如何表达。突然，他把脖子一伸，鼻子一拱，整个狼头埋进了我的腋下腰

我生病这些天，格林寸步不离獒场没出去猎食，自己的狼肚子都没填饱，却把好不容易得来的存粮给了我。

间，然后一声不吭地轻轻推动着脑袋，就这样紧贴在我怀里。我放声大哭，使劲抚摸着狼头，眼泪滚落在格林耳朵上、额头上。格林连忙伸长了脖子舔我下巴上的泪滴，呜呜慰藉地叫着，他从小就最怕看我掉泪。我知道格林对我有感情，可我万万没想到五个月大的格林竟然还会为病中的我叼来存粮。在他的狼性概念里“食物”和“活力”是紧紧联系在一起的，只要能吃就能活！平时拼命抢食护食的狼，真正到了自己亲人危难的时刻，他却毫不犹豫地忍饥挨饿，把自己的救命粮献出来。格林长大了，像一个懂事的孩子学会关心妈妈了。

他的关切、他的鼓励、他的信心传递、他的情感……都无法对我言语，然而他什么都向我表达了。怀抱着格林，我第一次感受到了狼的爱——炽烈、纯粹、舍身忘我、不离不弃，即使并非同类我也能清楚感觉到他哀伤的呼吸、碎痛的心跳……这来自人类之外的爱不带一丝杂质与污染，它像露珠一样细腻透明，像草原一样博大。狼脸摩挲着我的脸颊，狼吻亲舔着我的鼻尖额头，在这狼之爱面前，我竟然涌起一种虔诚膜拜的冲动，我觉得为格林做什么都是值得的。

“隔壁獒场正好有运藏獒的车要回成都，你可以搭他们的车，你这病拖下去很危险。小狼留在这里让老肖帮你喂他，有藏獒陪着他也不会寂寞……”在卓玛和老阿姐的一再劝说下，我终于决定搭车回成都治病。我想把格林也带回成都，然而车上载着别家獒场的藏獒，大家都怕路上出事。况且沿路那么多检查站，格林已经长成大狼的模样，根本瞒不住人，万一查出来偷运野生动物，大家都脱不了干系，格林也会被收缴。无论怎么解释，法不容情。

我忧心忡忡地收拾了几件行李，格林还在窗外老地方固执地守着，看见我到窗边来了，蹦跳着想翻进屋来看我。他疑惑地打量着屋子里我收拾好的行李——在他幼小的记忆中，我曾经收拾过一次行李，而那之后就是各自在飞机上长达六

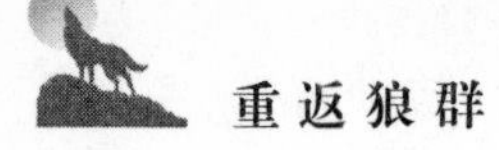

个小时的分离。在他的概念里收拾行李意味着分离和远行，格林一阵惶恐地呜呜叫着，睁大了眼睛望着我。

“我走了，你乖乖待在这里，等我回来。”我摸着格林的鼻子小声嘱咐。

格林的不安终于应验了，他惊慌地咬着我的袖口，怎么也不肯放。“走”字他是听得懂的，“等”他也是明白的，可这一走之后，要等多久呢？他不想让我走，无论如何也不想让我走，面对病中的分离他从未体验过如此惊恐和无助。他舔我的手，拼命地舔，挣扎着表达他的挽留与担忧。

众人送我到獒场门口。我抱了抱格林，给他系上铁链，将他托付给尼玛，我恳求尼玛和老肖一定照顾好格林。并告诉老肖我留下了足够的羊肉，每天足量给格林吃。

“格林乖，我很快就回来，你一定等着我。”我把行李放到了车上，格林呜呜叫着跟上来想追着我去，尼玛拽住了铁链。格林一面猛咬铁链一面央求地望着我，我柔肠百转，几乎又想带着格林走，可是病中的我根本无法照顾他，一时舍不得会害他一辈子。格林像石像一样立在原地，默不做声地注视着我的一举一动。

我深深叹口气上了车，格林浑身剧烈地颤抖着，颈毛根根紧张地竖立起来，眼圈发红，牙齿因激动而碰撞得咯咯直响。

车开了，随着距离拉远，我的心仿佛被越拉越疼，一种长期依偎的情感眼睁睁地被撕裂开来……

“莫嗷欧——”格林迸发出撕心裂肺的长嗥，混着尼玛的大声吆喝。

“狼跑了，他在追车！”众人惊叫起来。

我心灵激震，急忙回望——格林在公路上发疯似的飞奔，穷追不舍，长长的铁链在阳光下像一条狂舞的银蛇紧随其后。尼玛被瞬间挣脱铁链的格林拖摔得狼狈不堪。

“停车！快停车！”我尖叫着。

车戛然停在路中间，我一开门就滚下车去，格林急速奔来一头撞进我怀里，大口呼着气，我紧紧抱着他泪如雨下。

好一会儿，我才强打精神带着他慢慢回到獒场里，除去格林脖子上的铁链，把他送到藏獒皇帝的笼中。皇帝忧郁的眼睛看着我，低头舔舐着格林，这是素来注重威严的皇帝少有的动作。格林渐渐平静下来。我又安慰了很久，直到獒场外的车响起催促的喇叭声，我才再次起身合上犬舍的门，昏昏沉沉，悄悄离去……

21 恨崽不成狼!

格林从小没见过同类，他误以为雄壮的獒群就是他的群体和归宿，下意识地把獒的行为作为学习标杆，沾染了些非狗非狼的怪异习惯与秉性。这种变化或许从格林第一声学狗叫就开始了，格林像一个患了失忆症的孩子，带着狼的本质却在想方设法融入獒的世界。

我没想到这一分开就是整整十五天。虽然每天总在电话里细细询问格林的消息，可每到夜晚我还是辗转难眠，总感觉格林呜呜咽咽的声音就在我耳边，他的影子就在屋子的每个角落徘徊……时时刻刻、分分秒秒、经意不经意之间都牵挂着一个孩子的感觉，将我的心海里灌满了甜蜜的酸楚，格林在做什么？他是不是也一样想我？

病刚治好，我就迫不及待地赶回了草原。

隔着大巴的车窗向外望去，若尔盖已经进入了秋季，草转黄了，高原愈加缺氧，紧随而来的冬天定会更为严苛。然而这里有阳光、金草、苍原、雪山和苦苦等待我的格林……那份亲切比起回家的感觉尤胜三分。我摸着兜里专门为格林带来的巧克力，一个人情不自禁地微笑，抑制不住再见狼儿的喜悦……

下午六点左右，终于到了獒场附近，我翻身跳下车就向獒场跑去。

“莫嗷欧——”忽然间，獒场上空腾起一个熟悉的声音。

格林?!我又惊又喜，这声音不再是幻觉了，那是我第一次教他嗥叫的狼语“我在这儿，我在这儿”，那是我们最熟悉的暗号。我对狼的嗅觉佩服得五体投地，我下车以后还一声未吭，而他早已顺风闻到我的气息了。我心跳加速，拢着嘴巴高声回应：“格林——我回来了——”

“嗷欧——”

我快步如飞，正跑着，前方像一阵旋风般冲来一个身影，定睛一看，正是我魂牵梦萦的格林。我欢叫一声，心脏咚咚狂跳，还未及作出反应，激动的格林已经像一个大皮球般贴着地滚到我跟前，马上翻身把肚子亮出来，吱吱撒娇地叫唤着，抱着我的手让我摸他。我被这从天而降的惊喜轰炸得措手不及，刚把手放上格林的肚皮，他就急不可耐地翻身直扑我的怀抱，将我掀翻在地，劈头盖脸就是一阵狂吻。我还没来得及说出“想你”两个字，脸颊和下巴就被舔满了狼口水，亲得我眼睛都睁不开，更没有张嘴的机会了！片刻间，我整个人像掉进了棉花堆里，软绵绵、轻飘飘、晕乎乎的幸福感立刻将我包围……哦，格林，想你！想你！想你！十五天了，从你睁眼到现在，我们从未分开过这么久，我做梦都想抱紧你啊！

搂搂脖颈，蹭蹭脸颊，碰碰鼻子，摸摸他额头上熟悉的伤疤……无论离开多久我们彼此都不会忘记。

好不容易亲够了，也抱够了，我抹了一大把喜泪，分开格林仔细端详——半个月时间，格林瘦了，但长大了很多，比以前长出了大半个头，现在抱抱他感觉有五十斤左右，他的胎毛早已褪尽，脊背上开始长出根部白色、中间棕色、尾部黑色的长长的狼鬃，英姿飒爽的鬃毛在他背上勾勒出漂亮的肩骨轮廓。这厚密的冬季皮毛就像战袍一般威武。好一个英俊少年狼！

无论分开多久我们彼此都不会忘记，我做梦都想抱紧你啊！

看着看着，我突然发现格林薄薄的肚皮上和腿上有几丝红印子，仔细一看是几道新划的伤痕，此刻已隐约渗出血珠来。我又惊又疑又心疼，猛地想起一个问题："你是怎么出来的？"格林深情款款地舔着我的脸颊。我顺着他刚才奔来的路线看去——獒场两米多高的后墙，墙头上参差不齐镶嵌着的玻璃碴子在夕阳下闪着锋利的光芒。

"傻瓜，要是蹦得再低一点，狼肚子不就剖开了吗？"摸着格林的伤口，我的眼泪簌簌滴落在刚才嬉戏的草地上。

格林却似乎毫不在意这些小伤小痛，他耸动几下湿漉漉的鼻子，耳朵提溜一竖，眼里忽然闪出惊喜的光芒。他把尖嘴巴猛扎进我的衣兜，搜出巧克力大嚼起来。

"坏家伙鼻子还真灵！"我破涕为笑，领着他回獒场。这家伙黏糊极了，贴着我走路，走两步就抱抱我的腿，走两步又舔舔我的胳膊。

养獒的老阿姐和老肖已经开了獒场的门，伸头向外望："我们说这狼咋嗥着嗥着就蹦出去了，原来是你回来啦。你走了，他每天都在你窗户上望啊望的，唉……"

"可不咋地，"老肖接口，"你刚走的时候这狼郁闷得很，接连四五天说啥也不吃东西，一天到晚哀嚎。"

我的心一阵绞痛："尼玛电话里怎么没跟我说过？"

老肖自觉失言，尴尬地看了老阿姐一眼止住了话头。

我心里有些不悦却不便发作，问："后来呢?"

"哦，"老肖想了想说，"后来森格跟前跟后地和他玩，安慰他嘛，还跟他分吃狗粮。"

"森格?"我回忆了一下以前老欺负格林的那只大藏獒，"皇帝没跟格林玩吗?"

"皇帝被卖了，"老阿姐说，"你走的第二天就卖了。"

"啊?!"我又惊讶又失落，我走的时候可是指望皇帝能陪伴格林的，要没有皇帝我还真难放心回城，没想到我刚走，皇帝就被卖掉了，那么格林这些日子是怎么过的?我又想起了和格林有过命交情的黑虎，连忙追问："那黑虎……?"

"卖了，皇帝、黑虎、小不点都卖了，是一个买主包下的，皇帝和小不点的价钱卖得不错，黑虎是残废，搭着他俩半卖半送给处理掉的。现在你们场子的藏獒只剩三只了。"

我鼻子一酸，怅然若失，不知道皇帝、黑虎、小不点到了新主人那里会是什么境遇。而格林儿时的玩伴只剩下森格、风雪和红眼睛了。我长叹一口气，心一跳一跳地疼，我连忙进场看望剩下的藏獒们，抱紧他们的大脑袋，额头蹭着獒鼻子，连声叫唤他们的名字，三条獒尾摇得尘土飞扬。我真想找老林要那买主的地址，再去看看可怜可敬的黑虎，看看他的伤好了没有……还有皇帝，没想到临走将格林送进皇帝笼子里时，就是见到这大獒的最后一面了。这外表刚猛、内心柔善的头獒啊，想当初每天清晨趴在我窗前期待爱抚，我多么遗憾那时候甚至没有好好抱过他。

第二天一早，格林亲切的小石头就扔进窗来。我照旧收藏起沾着狼口水的石块，隔窗抚摸着格林。

窗外，再没有了皇帝魁伟的身形，也没有了黑虎独行侠一样的影子。风雪和红眼睛两只母獒据说刚配完种，要关在笼子里静养观察，因此很少放出来活动了。冷冷清清的中场院里有点没落大观园的萧条感觉，大家走的走、散的散、关的关，物是人非，再找不到当初打闹追逐的热闹光景……陪伴在格林身边的只有森格了，这一对最初的损友现在反而成了难兄难弟，互相慰藉着孤独。

几天后，獒场来了些建筑工人，运来成吨的水泥沙砖，各家獒场开始在中场里修建产房，准备迎接冬末春初降生的小藏獒。每当修产房的工人来到獒场施工，各家都会把藏獒关在笼子里，以免发生意外，格林也同样被关进了笼子。藏獒们闻到陌生人的味道，在笼子里狂吠威慑，格林居然也煞有介事地跟着藏獒们乱吠一气。

这天，老林的中场里，工人们正在往挖好的地基里码放石料。突然一阵纷乱，有人叫了一声："狗跑出来了!"我隔窗一看，格林溜出了犬舍，站在中场，摆出看家护院的气势，虎视眈眈地看着眼前的陌生工人。工人们纷纷跳过地基石堆，挥舞着铁锹吓唬格林。面对手持武器的闯入者，格林龇着牙“花花花”恶狠狠地咆哮起来，关在笼子里的森格和其他场子的藏獒也吠叫声援。我忙喊住格林，把他重新关进犬舍的笼子里。我很纳闷，格林已经比刚来獒场时长大了两三倍，凭他现在的体形断然钻不出笼子了，他是咋出来的？尼玛也闻声跟进了犬舍，看见掉在地上的挂锁，很不高兴地捡起锁嘟囔着：“准是那些工人开的！”而那些好事儿的工人还围在犬舍外面看热闹，不知厉害。

“哪个把他放出来的？”尼玛一面发着牢骚，一面把挂锁重新挂在笼门上。那锁是老式的铁将军挂锁，尼玛把锁挂在笼门上以后，转动锁体归位，虚挂着不扣死。尼玛认定是工人好奇去逗藏獒，可工人们谁也不承认自己去开过笼子。尼玛只好愤愤地说：“你们就逗嘛，被咬了我们可不负责！”的确，藏獒和狼跑出来与陌生人对峙，那绝不是好玩的，弄不好会出人命。我看着虚扣的挂锁，心里很不踏实，问尼玛：“你为啥不直接锁死啊？省得出麻烦。”

“锁死了才麻烦，”尼玛说，“天冷了，这种铁锁容易被冻住打不开，而且现在钥匙也找不到了。”尼玛反反复复跟工人说藏獒如何厉害，往死里咬人，千万别去招惹的话。工人嬉笑着说：“不就是大狗嘛，哪儿有那么凶哦，说来豁我们嗦。”遇到不信邪的人，还真没法跟他们讲道理。

我和尼玛回到厨房，刚坐下说了一会儿话，就听中场又炸了窝。

“藏獒跑出来了！藏獒跑出来了！”一个工人刚吼完，其他工人爬窗的、翻墙的，甚至还有一个钻进了刚做好的藏獒展示笼里。这次是格林和森格一前一后从犬舍冲了出来，张牙舞爪边冲边咆哮，声势夺人。在场的工人们信邪的不信邪的看见那么大的藏獒气势汹汹地冲出来，没有一个 Hold 得住的，顷刻间一哄而散。格林和森格见这群陌生人都跑得没影了，就把工人丢在中场的衣服草帽什么的全部撕咬得稀烂，然后叼着破衣烂帽在中场耀武扬威地跑来跑去。

我和尼玛惊出一身冷汗，冲进中獒场，揪住狼和獒的头皮，好不容易才把格林和森格又关回了犬舍的笼子里。尼玛火冒三丈，指着工人大骂：“狗日的，招呼不听啊！哪个放的嘛？不要命了嗦?!”工人指天发誓说没人去放狗。

我捡起地上的挂锁，摸到锁体上面一些黏黏的水迹，心里更加起疑。我把尼玛拉到一边说：“你别骂工人，他们虽然好奇点，却绝不至于敢放藏獒出来。工人手上全是土灰，而这锁上却沾的是水，这事儿恐怕另有蹊跷。”

我和尼玛将工人都请出中场，照旧关好格林和森格，把锁挂在笼门上，然后悄悄躲在犬舍外面从墙缝向里窥探。

不多时，格林靠近笼门，从铁笼里伸出鼻子，不断地触碰挂锁，直到把锁的开口调整到正对自己的方向。他埋低肩膀，抬起头来，尖尖的狼嘴从下往上叼住锁体，然后从左至右地扭头，锁体就和锁扣扭转开来。之后，格林张嘴放锁，又把鼻子伸到挂锁下方，不住地把挂锁往上顶。顶了十来下，挂锁就“啪”地掉地上了。

竟然是他开的锁！我和尼玛惊得瞪大了眼睛。我虽然一直知道格林鬼精鬼精的，但绝没想到他会用嘴鼻打开虚挂锁，对人的工具也观察出了窍门。我不由得想起了很多纪录片中狼叼来树枝石块触发破坏狼夹子的镜头，狼的分析和观察能力确实超乎人的想象。

"真他妈活见鬼了！"尼玛一迭声地说，"狼精，简直是狼精！"

格林用脑袋推开笼门走了出来，站在笼门口特工一样张望着。我赶紧制止尼玛，让他先别出声。格林竖着耳朵又听了一下，没什么动静了，他迅速跑到森格的笼子前面故技重施。他熟练地用嘴扭转了挂在森格笼门上的挂锁，让我们更惊讶的事情发生了，森格居然立刻把鼻子伸出笼子来，稳稳地垫在锁体下面，像格林刚才所做的那样把挂锁往上顶，只两下就把锁顶掉在地上，配合开锁的动作更加干净利落。开锁过程中狼獒各有千秋：狼嘴尖细，像尖嘴钳一样方便伸出笼子咬锁，且有扭转的余地，但是狼鼻梁比较窄，顶挂锁的时候容易从鼻侧滑脱，要尝试多次碰运气才能把锁顶掉；獒嘴粗大，不能像狼嘴那样灵活地伸出笼子去拧锁，但是獒鼻梁宽厚，能够稳稳当当地托起挂锁往上顶。两张嘴一旦配合，立刻取长补短相得益彰。这两兄弟是怎么配合出这种默契的呢？简直令人惊叹。

森格也成功越狱，隔壁笼中的风雪呼地站了起来，期盼地摇着尾巴，格林马上去叼风雪笼门上的挂锁，森格也凑上去大概想帮个忙，可是格林扭了好几次也没扭开锁。

"那个锁是锁死的。风雪怀孕了，没打算放她出来。"尼玛小声说。

格林还在一心一意扭锁，森格却已听到了尼玛的说话声，溜到犬舍门边一探头就发现我和尼玛正躲在犬舍外。他顿时呆傻了，像正在偷糖果的小孩被大人逮了个正着。我和尼玛见已经被发现就索性走进犬舍去缉拿这两个"逃犯"。森格夹着尾巴认罪低头，原地不动，任由尼玛拧着耳朵拽着头皮拖回了笼子。格林哪里肯束手就擒，一见我进犬舍来抓他，他撒腿就跑，在各个笼子之间绕来绕去跟我躲猫猫，坚决不回笼子，甚至跑到后场"狼急跳墙"！然而几天前他在迎接我的激奋的心情之下能跳出这两米多的高墙，现在却怎么也跳不出去了，他急得直叫唤。

我心里有点难过，想起从前在城市里由于种种束缚让他的成长空间越来越小，现在到了草原还要限制他的自由就实在不近情理了。我和尼玛商量，白天工人来施工的时候，我就带格林出去，晚上等工人走了，我再带格林回来。

我不再抓格林了，对他一招手："走吧，咱们去外面！"

格林一来到草原上，就连走路都是一蹦一跳的。打滚、蹭味儿、刨坑、追鸟、撵鼠兔……整个精神状态都亢奋不已，让我也为这些天没带他出来而感到内疚了。狼不能被关起来，哪怕所有藏獒都给他示范乖乖听主人的话待在笼子里，格林也会想尽办法自我解放。

对了，我离开了十五天，格林好久都没有练习狩猎了。明天再带格林走深走远一点，寻找猎物，他该继续他的狩猎课程了。

天气好的时候，出来活动的小动物是最多的。格林一见到满地的鼠兔就兴奋地追撵着，边撵边威风八面地“花花”大叫，我乐呵呵地看着格林，瞧他今天能逮到几只鼠兔。

格林仿佛有使不完的精力，追完这只追那只，把每只鼠兔都撵进了洞去，他跑累了就到小水沟边喝点水，然后再撵。可是追来追去直到下午也没见他抓到一只战利品。每次鼠兔一露头，他就迫不及待地大叫着扑过去，回回都扑空。格林颇为沮丧地回到我身边，俗话说三天不练手生，这家伙半个多月都没练习狩猎，技术退步得厉害呢。我拍拍他的脊背安慰他：“没事，多练练就好了。”

晚上回獒场，忙活了一天的格林顷刻间把自己食盆里的食物吃个干干净净，还把风雪吃剩下的狗粮也吃得一点儿不剩。

第二天，我们进入更深的草场，我突然发现前面不远处竟然有只麻灰色的大野兔！我喜不自胜，急忙蹲下身来埋伏。还没等我进入状态，格林就雄赳赳地跳出草丛，昂首挺胸大吼一声“花”之后立刻向野兔冲扑过去。然而野兔的反应速度奇快，一听见格林跳出大吼大叫，兔子撒腿就蹿回洞去。等格林追到洞口，只扑到一鼻子灰。

到口的肥兔溜了，格林气咻咻地望着兔洞狠狠地咆哮起来，接着一阵歇斯底里的猛挖乱刨，一副想把兔子活埋的架势。我狩猎的兴奋劲儿还没消退呢，虽然对惊走猎物也很失望，不过守着兔子洞，还怕兔子不出窝吗？我鼓励格林：“别慌，你得沉住气，别出声……”格林又把洞口使劲跺了两下，嗅着地面很快找到了附近其他的几个兔洞出口，格林又开始堵洞，呵呵，他想举一反三，用抓鼠兔的法子试试。

格林扬起鼻子测了测风向，选了个下风处的草丛埋伏起来，目不转睛地盯着洞口。我也轻手轻脚地挪到下风位趴好，不打扰格林捕猎。可是，兔子仿佛意识到危险，干脆不出来了。时间变得越来越难熬，我的胳膊腿脚都趴得麻木了，格林仍坚持着一动不动。

守着兔子洞，还怕兔子不出窝吗？我的胳膊腿脚都趴得麻木了，格林仍坚持着一动不动。

也不知趴了多久，兔子洞窸窸窣窣有了动静。我隔着草丛向格林埋伏的地方看去，格林舔着鼻尖，一双尖耳朵兴奋得乱颤，他紧盯着洞口蓄势待发！终于，兔子溜出了洞口立起身子，挺直了长耳朵左摇右摆地收集可疑声响。我和格林不约而同地把头埋低下来，沉住气，必须等兔子离洞口再远一点才有机会追击。野兔且走且听且观望，终于离开洞口有好几步远了，他开始嗅着草丛觅食，渐渐把兔背转向了格林埋伏的方向。我的心激动得快跳出腔子了，千载难逢的机会啊！

格林呼地一下站了起来，绷直后腿竖起狼毛大吼一声："花！"

我一呆，搞什么鬼？我愣神间，格林已经向野兔发动突袭！可是这还能叫突袭吗？刚跨出一步就宣战似的大呼小叫，暴露目标，野兔一听早就逃之夭夭了。

我一拳砸在地上："哎呀，可惜！"这才感觉浑身酸痛得像散了架，麻木的四肢蜂蜇般胀痛难忍。埋伏了半天，我们一无所获。格林气不打一处来，他扑腾翻滚撕扯噬咬，把兔子的窝边草拔了个精光，又像发泄杀戮冲动一样猛掏兔洞，掏着掏着，他号啕大哭般仰脖子长嗥，过了一会儿，他又突然躬下身来把尖嘴巴往兔洞里猛塞猛撞！还拿前爪懊恼地抓挠嘴巴，似乎在惩罚嘴巴，后悔自己为啥要叫，眼睁睁地吓跑了到嘴的美味！

我缓解着全身的麻木，慢慢坐起来，清理身上沾着的草籽泥沙，看着眼前的格林，心里隐约沉重起来，感觉好像有什么事情不对劲。虽然狩猎失败是很正常的事，我也并不想责怪他，可我搞不懂他为啥要叫，从前出猎没这德行啊。格林"号啕"了一通之后，沮丧地走近我，往我的背包里嗅闻找食，他嗅了一会儿没发现什么好吃的以后，垂头丧气地向獒场走去。从前可是要我千呼万唤才肯回獒场的啊，我心弦一绷——果然不妙了！

威慑骂阵，虚张声势，这是狗才用的方式，因为狗的目的在于震慑驱逐而非猎杀。格林却把这威风大吼在狩猎中"发扬光大"了。想到这里我顿时哭笑不得，虽然从前格林在成都的时候，小狗"狐狸"也是这大呼小叫的德行，但是一只小狗对格林的影响并不大，哪里能跟藏獒群的强大气场相比呢。格林在接受能力和模仿能力最强的时期，生活在藏獒群中，耳濡目染的皆为狗的行为习性，很容易效仿。榜样的力量是可怕的！格林从小没见过同类，他误以为雄壮的獒群就是他的群体和归宿，下意识地把獒的行为作为学习标杆，沾染了些非狗非狼的怪异习惯与秉性。这种变化或许从格林第一声学狗叫就开始了，格林像一个患了失忆症的孩子，带着狼的本质却在想方设法融入獒的世界。

连续数天的失败，格林对这种猎食游戏兴趣越来越淡，远远望见鼠兔，不再两眼放光、耳朵颤动、尾巴尖像泥鳅似的乱跳，而是平平淡淡地眺望，或者"花"地吼叫一声把鼠兔吓进洞里就完事。有时他象征性地追几步，一旦猎物撒腿逃跑，他就不再追了。省点儿力气吧，那玩意儿逮不着。

短短的十五天，幼时的那些猎性、勇猛、激越都到哪里去了？我总以为格林返回草原的最大障碍是没有真狼教会他如何打猎，其实不然，格林最大的问题是

不懂得生活的甘苦，没真真正正、结结实实地挨过饿。许多日子以来，我和他一样散漫，猎到了就兴高采烈地加餐打牙祭，猎不到无非是回獒场吃狗粮牛肉而已。就这样三天打猎两天剔牙，我们都没有把狩猎当成维持生存的必须，没有面临一旦狩猎失败就会对自己生命造成灾难性后果的压力。格林把追逐猎物当成刺激过瘾的游戏，成功了当然好，不成功也无所谓。这就是所有被豢养动物的症结所在。

环境造就人，环境也造就狼，一切生物的秉性都来源于他所处的环境。

养在獒群中的格林对自己的身份定位是模糊的。狼具有天才的学习和适应环境的本领，小格林学了，学歪了；适应了，但适应的不是他最终应该面对的环境！格林正站在从幼年跨入成年的门槛上，这是一个塑造狼性格的关键狼龄，虽然格林在獒群中学会了与猛兽巨兽斗智斗勇，学会了如何与之打交道，并被獒群接受，这对格林将来重返狼群，并被狼群接纳至关重要。但是，格林倘若这个时期继续留在已经没有了等级和竞争的獒群中，就会造成永远无法补救的性格缺陷。那样就再难返回狼群了。

现在，必须下狠心真正脱离人群脱离獒群，陪他进入严酷的草原，共同承担生存压力，接受大自然的筛选。没有被放逐的痛苦，就没有勇闯天涯的胆气，没有用生命做抵押的拼搏，就不具备自强独立的狼性。

恨崽不成狼！可是狼族的生存之道不是人和獒能够教他的，我心里突然爆发出一个大胆亡命的想法——去找狼群！格林只有见到他真正的同胞，他的一切身世疑问，一切成长迷茫才会迎刃而解。但是一个人找狼群会有什么结果呢？第一种可能，根本找不到狼群；第二种可能，我找到了狼群，并为他们提供自助餐，我是“主菜”。格林遇到狼群也有两种可能：被接受或者被驱逐，也有可能遭遇不幸。如果想让狼群接受格林的可能性大一点，除非找到格林的本来家族。

英雄不怕死，我当然不是英雄，光是冒出这个想法就怕得我暖手的水杯都拿不稳。虽然少女时候有过与狼群近距离接触的经历，可那时是无知者无畏，而这次却是“孤身携子投狼群”，不怕才怪！

然而，当我再次将目光投向“花花”学语的爱子格林时，我承认某些力量可以超越胆怯和懦弱。

赌命寻找一个接纳你的狼群，格林，你准备好了吗？

22 格林，咱们走吧！

不敢想象一只狼在众目睽睽中斗胆闯入这里的天葬场，出现在一群神鹰遮天蔽日的恢弘羽翼之下是喜是忧？在虔诚的天葬者眼中是神圣的象征还是邪恶的入侵？更遑论狼后面还跟着一个失魂落魄寻狼的女子。

若尔盖的严寒已经步步逼近，要想孤身一人长时间在野外生存不是仅凭一腔热情和闷胆大就能办到的事。必须有周密的计划，我尽量把我能考虑到的一切细节都写在纸上，争取为我这一冒险之举做好充分的准备。有时候，细节决定生死。

十月一日国庆节那天，老肖他们喜欢凑热闹进城去赶集，我就拜托他买了张地图回来开始仔细研究起来，努力从记忆深处挖掘，比对当初寻找到小格林所经过的地方名字，凡是觉得似曾相识的地名就圈点标注一下。

晚上，獒场里几个买藏獒的人又来了，探头探脑隔窗看獒，在屋里咋咋呼呼地说笑着。一个司机模样的黑瘦子看见我在地图上标记路线，大着嗓门问："喂，那只狼是你的吧？"

"嗯。"我瞄了他一眼头也不抬，我实在不太喜欢这个人。前些天有只羊在场子附近散步，被他一把青菜引进场子里捆了起来，磨刀霍霍。老阿姐急忙阻止。他理直气壮地说："就他一只羊在那里瞎转悠，我都问遍了，谁家的都不是。"阿姐解释说："没看见耳朵上系着红绳吗？这是一只放生羊，谁都不能杀！只能老死！"

黑瘦子拨弄拨弄羊耳朵："怎么死不是死啊？既然放生了就是无主的了，无主还怕个啥？这么肥的羊拿来放生也忒可惜了点儿。"

我最痛恨这种到别人家还不尊重别人习俗的蝗虫似的人，我可没老阿姐那么好的耐心去解释，厉声说道："无论如何，这羊不是你的，你要真想吃羊肉，城里菜市场多的是，你要买一只羊来杀也没人拦你，何必跟这放生羊较劲？"我哗地拉开院子铁门："放了他！"

有些城里人其实并不缺吃喝，可一到了乡下就总想把一些无人看管的东西据为己有，理由当然很简单：没人要的东西我为什么不能要？到后来发展为没人看管的东西我也可以要。哪怕就是棵萝卜白菜他看着都眼馋。他们居住的城市生活空间太过狭小，什么东西都是有人占据着的，到处都是防备的眼睛和严格的约束规则。一旦到了广阔的三不管空间，他们长期压抑的占有欲就像压缩毛巾见了水一样迅速膨胀。他们需要一个地方来发泄原始的占有欲望，无怪网络偷菜风靡一时，正是迎合了这种"偷盗"的心理，原本不齿于人的"偷"字陡然间变得理所应当而且充满情趣了。

"尊重民族信仰啊，别在这儿惹事儿。"同行的一个戴眼镜的中年人也出言相劝了。黑瘦子孤掌难鸣终于很不情愿地放了羊。临了还嘟嘟囔囔的："你们平时不也杀羊吃羊吗？我自己套来的羊又没吃你们的。"

后来，听说这黑瘦子还是约了两个哥们儿在无人的小河边把那只羊套来解决了，结果烤羊肉烤到一半儿，白脸那帮领地狗就被肉香招来，不但抢了烤羊，还把他们团团围住追得满河跑。

此时黑瘦子满身羊膻味还在问我："那个狼养来吃的还是剥皮的啊？狼牙送给哥们儿，行不？"

我拿铅笔的手攥紧了一下又缓缓放松开来，我哼了一声懒得理他。

一群人看完藏獒关上窗子在炉边坐下休息，拿出水果来削着吃。上次那个出言阻止杀羊的文质彬彬的中年男人扶了扶眼镜递过来一个苹果："休息一下吧，看你忙半天了。"我抬眼看看他正要推辞，他已把苹果塞到我手里："吃吧，草原上就是不好找水果，长期缺乏维生素嘴唇会裂口的。"他指指我干裂的嘴皮。我淡淡一笑："你观察很细致。"

"职业习惯，我是医生。"他斯文地递过水果刀来。

"哦，那就难怪了。"我客气地接过水果刀把苹果切成了两半，起身推开窗户，"格林，过来！"格林飞跑过来，一跃跳上窗户叼过我手里的半个苹果两口就吞嚼下去，像猪八戒吃人参果一样根本不在乎什么滋味。我关上窗户坐下来慢慢吃着剩下的一半，黑瘦子和几个好事儿的人新奇地叫嚷着："嘿，范医生你看见没有，狼还吃苹果呢！"被称作范医生的给我苹果的中年人笑着说："你还挺心疼那狼的，啥都想着他，我听老肖他们说起过狼的事了，都养了五个多月了吧？叫什么林来着？"

"格林。"至少我对这个范医生并不反感。

范医生看看我手里的地图："看你的样子打算出远门啊，去哪儿呢？"

我看看圈点得最多的地方："玛曲一带吧。"

"你怎么去啊？"

"走路。"

"呵呵，走路？那很远的哦，为什么不坐车呢？"范医生颇感意外地笑着。

"带着狼没法坐车的。"我边画着路线边回答。

"呵呵，好办。我们明天要往甘南那边去玩，顺带捎你一段？反正车子也有空位。"继而一笑，"其实我挺喜欢动物的，有只狼做伴也挺有意思，前些天的事儿不好意思，这帮家伙不懂草原规矩，我慢慢跟他们说。"

我看着地图上近八十公里的距离，仔细想了想，点点头，黑瘦子那几个家伙除了粗野一点倒也不是什么坏人。

第二天，我们两辆车七个人一只狼就结伴出发了，一路上走走停停、看看风景拍拍照片倒也轻松自在。我这才知道范医生自己开了家小诊所，黑瘦子是他的司机也是他的小舅子，另一个沉默寡言的中年人老宋是个摄影爱好者，经常往草

现在坐车已经抱不了格林了，他已从淘气的小狼长成了魁梧的大狼。

原深处跑。另一车人是范医生的朋友，做藏獒生意的，带了两个跟班儿，过来看看藏獒的品相准备冬天配种。前两天跟着黑瘦子在河边套羊被狗追的两个人就是那俩跟班，据说其中一个还曾经是拿了证的国家二级厨师，我干脆就管他叫“二厨”。

由黑河而上，草原上的公路平坦宽直，两边已成金色的牧场铺向远山，一群群棉白的羊群散布其间。忽而又一弯泛银的小溪在草原上迂回延伸，旷野中不时有几顶毡房上飘起袅袅炊烟……未被污染的空气、蓝天碧水、白云雪峰、黑色的牦牛，还有那些截然不同于南方的地貌与民居……都不时地引起满车人的赞叹与感慨！一路上黑瘦子的嘴就没闲着，似乎他开车不说话就会打瞌睡一样，我们也就听由他絮叨：“这些羊凑在马路中间舔地面，地面有啥好舔的呢?”黑瘦子把车停在路中间使劲按着喇叭。

“有矿物盐，”我淡淡地回答，毕竟一路同行我尽量不去讨厌他，“别按喇叭，他们自己会散开的。”

“嘿嘿，这些羊没人管啊，撞死两只拖回去也没人知道。”黑瘦子还在念念不忘没吃到嘴的肥羊肉。真是贼心不改，无可救药！我笑着故意圈他：“听说前几天你们在河边烤羊了?”

“嘿嘿，那个羊啊，没吃。”

“哦？为什么没吃啊？良心发现啦?”我继续笑着损他，装作啥也不知道。

“刚烤好就遭狗抢了，”黑瘦子也毫不掩饰羞耻，“哥们儿的裤子都被咬破了，可惜!”

马路上的羊散开了，黑瘦子踩一脚油门继续上路。

“哦，这样啊，你们多小心哦。”我关切了一句，暗地里肚子都快笑破了。一直沉默的老宋终于开口说了一句：“跟你说了是放生羊，吃了遭报应，有些东西还是信邪的比较好。”

“嘿嘿，问题是我还没吃到。”黑瘦子从遮光板上取下一副滑稽的墨镜戴上，“那帮狗太凶了，三十多只围上来撵得我们鸡飞狗跳，我六百多块钱的墨镜儿都跑掉了，才进城买了个这玩意儿代替。嘿，迟早回去跟他们算账，老子偏不信这个邪！”他从后视镜里看了我一眼，“听说你那个狼想放生？太可惜了吧，不如送给我算了。”又拍拍老宋的胳膊说，“现在狼皮值得了多少钱？”

我脸色陡变，搂着格林的脖子紧张地向怀里抱了抱：“你少打他的主意。”

黑瘦子哈哈一笑：“说真的，你这个狼那么通人性，卖到马戏团也能成明星哈……格林，他为啥姓‘格’呢？”

范医生冲黑瘦子发话了：“少说废话，开你的车吧！”

黑瘦子嬉皮笑脸地东张西望，我坐在后排看着他光秃秃的后脑勺在我眼前晃来晃去，望之很有几分流氓模样，真想让格林在他秃脑壳上舔一舔，或者干脆来一口帮他脑袋开几个窍。

车行至花湖景点，一车人下车稍作停留。黑瘦子自然而然地跟那辆车上的两个跟班儿凑在了一块儿。看着不远处又是成群结队的野狗优哉游哉地散着步，黑瘦子低着头招过两个脑袋，一双贼溜溜的眼睛从墨镜上方露了出来，压低了嗓门说：“咱套几只狗炖炖怎么样？”两个跟班儿齐声附和，毕竟都吃过狗的亏，又能报仇又能解馋何乐而不为？

这番话正好被我和范医生听见。范医生连连摆手：“不行，不行，这太危险了。”

“有啥危险的，抄家伙专拣那落单的打，这种山野狗比家狗香多了。”二厨把握十足。

给范医生几分面子，我不再硬碰硬地跟他们较劲，改用迂回吓唬的办法：“那你们猜猜，这些野狗又没人喂，他们平时吃啥？”

“吃啥？”

“老鼠啊，腐肉啊……鼠疫是高原多发病，没家的野狗就以捉老鼠活命，如果吃了带病毒的狗肉，染上鼠疫的可能性还是比较大的。你不怕鼠疫够胆儿就吃吧。”我漫不经心地说。

“真的假的？”三个人第一次听说，将信将疑，老宋抿嘴一笑。

“爱信不信啊！”我故作神秘，“哦，还有腐肉，运气好碰到病死的动物也捡来吃，呵呵，甚至还吃点别的……”我喝口水不说了。

“还吃啥？”黑瘦子沉不住气地追问。

我微微一笑：“我有一个朋友在这里做考察的时候，一只野狗干脆叼了个死人脑袋跑过来啃，你说他们还吃什么？”

两个跟班儿张着嘴说不出话来，黑瘦子光秃的脑壳上似乎在瞬间蹿出几根头发，极力想为他制造毛骨悚然的表情效果。我盖上保温水壶慢条斯理地补充：“要知道在藏区凡是死于天花啊麻风啊这些传染疾病的都是土葬，你们自己想去吧。”三个阴谋者面面相觑又都把眼光转向范医生，似乎自己人的话更可信一点。范医生点点头：“是这样的，野狗都没打过狂犬疫苗，不过……你们也可以碰碰运气。”这叫欲擒故纵，谁还敢真去碰这个运气？连烤个羊肉都会被狗咬的人多半运气也好不到哪儿去。二厨下意识地摸摸自己牛仔裤上用宾馆的粗针大线缝起来的口子，努力回想那天有没有被咬破皮肉。

套狗的事就此不了了之。

花湖游人太多，我在车上等候他们出来。格林在车上一直很安静，只要我在一旁他还是比较踏实安心的。我轻轻捋着格林的耳朵毛，看着他耳朵舒服地轻微抖动，想起小时候坐车还能蜷在我怀里，而现在都抱不下了，需单独坐一个位子，时间过得真快。格林已从淘气的小狼长成了魁梧的大狼。

从花湖回来，一行人就沉默了许多，也许实在是玩得累了，连啰唆不停的黑瘦子也不怎么说话了。晚饭时分我们到了郎木乡，大家要在这里住宿，我可不能带着一只狼大摇大摆地走在街上，更何况住旅店了。我找了一处冷清地点就下了车，背上行李帐篷带上格林告别大家向山里走去。

郎木乡位于甘肃、青海、四川三省的交界处，其最著名的郎木寺是一座藏佛寺。“郎木”为藏语仙山之意，传说其中一座山上有一处石岩酷似婷婷玉女，人们说它是仙女的化身，因此叫这里“仙山”。郎木寺的地貌和若尔盖广袤平坦的大草原有着很大不同，这里树木丛生，有了一些承载着高大乔木巍峨险峻的高山。据说在林荫深处还有一个虎穴，称“德合仓”，所以这地方的全名叫“德合仓郎木”，译为“虎穴中的仙女”。

天色逐渐转暗，太阳的余光即将消失在高峻挺拔的阿尼玛聊雪山之后。我借助地图和指南针简单判别了一下方向，想选一处离寺庙不太远又人迹罕至的地方扎营。格林却不等我带路就迫不及待往郎木寺后的一处大峡谷走去，我几番招呼他不回来，我也只好加快脚步跟着他走，估计这家伙在车上待久了，他急切需要活动活动。

也不知走了多久，天就全暗了下来，接着月色逐渐清明起来。格林显得异常兴奋，我却暗自后悔没有趁着天亮的时候扎营，不过现在就着营地灯和幽白的月光，我也能搭起帐篷。防水沟是不用挖的，这里雨水稀少，土地都很干燥。

我递给格林一块风干肉，自己啃完一点干粮，关掉营地灯，开始享受这无人打扰的峡谷之夜。苍松翠柏的山麓在月色前呈现出一道美丽的剪影，晚风刮过远远的几株老松，衬着乌鸦的叫声，有点“枯藤老树昏鸦”的苍凉意味。渐渐地风声也息了，鸟声也倦了，夜，静得出奇。

格林早已习惯了夜深人静陪伴在我左右，这一夜他显得特别提神。幼时的格林晚上喜欢挤在我身边睡大觉，这段时间他逐渐爱上了夜晚，喜欢在黄昏和黑夜的时候兴奋地走来走去，狼本来就是夜行动物。格林的眼睛下方长有两块白斑，那是夜行掠食动物的标志，眼下的白斑可以帮助他在夜晚的时候收集更多的光线。而在光线很强的地区出没的日行掠食动物，例如非洲狮，他们的眼睛下方往往是黑色的斑纹，用以吸收过强的光线，避免对眼睛的伤害。我特别喜欢格林在夜晚时分眼睛里闪现的幽幽绿光，像比翼双飞的萤火虫。

夜的脚步渐渐加深，气温开始降到零摄氏度以下，格林还没有丝毫睡意，我却早已眼皮打架。拉上帐篷的拉链门，只给格林留下一道可以出入的缝隙。我钻进睡袋里慢慢地进入了梦乡。梦中还听见格林悠远的叫声在峡谷中久久回荡——这是他每到一处新地方的例行公事。每声嗥叫完以后总要侧耳认真倾听有没有同伴的回应。但山谷里冷冷清清，除了偶尔惊飞的乌鸦嘶哑地叫唤着从月色前掠过，带来几分夜的神秘之外没有更多的回音。这一夜似乎做了很多梦，恍惚中一张张老人慈祥的面容满含笑意地看着我，递给我糌粑和暖暖的酥油茶，又贴在我耳边对我轻声耳语，我却一句都听不懂。

清晨，我就被一阵嘈杂声惊醒，撩开帐篷一看格林正和几只乌鸦扑腾较劲。他只要看见黑鸟就鬼火起，他永远记得小时候的啄鼻之仇！虽然当初啄他的仇鸟是比乌鸦还大些的渡鸦，但是管它呢，他就是讨厌这些长着尖嘴的黑家伙！现在格林长大了，他当然认为这些仇鸟变小了。我饶有兴致地看着，也不打扰他们。

那些乌鸦似乎一点也不怕人，偶尔还靠近啄食我昨晚掉在地上的干粮碎末。仔细看来其实乌鸦还挺漂亮，一身油亮的黑羽毛在晨光中泛着金属般蓝色和紫色的光泽。过了一会儿乌鸦突然呼啦一下散去，像陡然间得到什么命令似的向前方飞去。格林余怒未消地看着他们飞远这才过来跟我“早请安”。我搓着冰凉的手放在格林腋下取了一会儿暖，又哈着气搓热了，才收拾帐篷准备离开。

太阳还没挣扎出地平线，但它的光芒已渐渐染红了云彩，绚烂的光辉下这地方细看起来似乎又有点荒寂，透着几分神秘肃杀的气息，天空中兀鹫开始低低盘旋集聚起来，竟然聚了有几十只之多，蔚为壮观。格林低垂着脑袋认真嗅着每一寸地面轻快地走着，像受到某种神秘的召唤与指引，毫不犹豫地向前越走越快。每当一阵风吹过，他就站直身子仔细辨识风中的味道，继而再走。我有点跟不上，远远地落在后面。突然格林快速跑到一处岩石后面激动地翻找起来，只留下一截粗大的狼尾巴在石头后面兴奋地抖动着。

他发现什么了？我深深喘口气正要叫他，猛然间我闭嘴了，又抬头仔细将迎面而来的风嗅闻了几下——空气中似乎裹挟着一点点奇怪的味道，像是在焚烧麦秆又仿佛透着一点点腥腐味。寺院方向的乌鸦陡然飞起越过头顶向前方飞去，带来令人眩晕的逼迫感。一阵莫名的疑惧让我停下了脚步。我紧张地抓紧背包带环顾四周，不安感像草原上的云影一般慢慢爬上心头。

远处有隐约的人声传来，我迅速转身警惕地回头望去，心提到了嗓子眼儿！声音挺熟悉，五个人自远而近走过来，老远就听见那黑瘦子咋咋呼呼的声音在吼：“瞧瞧嘿，还有人比我们来得更早！”原来是他们啊，见到熟人，我松了口气，心里稍稍安定下来，适才的恐慌感也云开雾散。范医生已走到近处，他看见我很意外：“你怎么一个人在这里？你的格林呢？”

“在前面。”我偏头看看石头背后，这格林不知道又溜达到哪里去了。我也没太在意，奇怪地问范医生：“你们怎么也来了？”

“来看天葬啊，你不是吗？”黑瘦子抢着回答。

“天葬?”我一愣，“这里有天葬?!”我脑中所有的不安元素顿时聚集起来像一道闪电瞬间击穿我的天灵盖，差点惊厥得心脏停止跳动！糟了！我脑子里顿时呈现出格林闯入天葬仪式的画面。

“你不知道这里是天葬场?!”黑瘦子指指峡谷上方的山崖。

“格林!”我根本无心回答黑瘦子，嘶哑着嗓子低喊了一声，拼命压制住慌乱，不敢在这圣地高声喧哗。我急忙四处搜寻失踪的格林。范医生、黑瘦子等五人一看我刹那间惊得脸色惨白的样子也立刻意识到不妥，赶紧分头帮忙寻找。

这是我记忆中与格林最恐怖的一次分离，比金雕的掠食、藏獒的袭击更令我眩晕而不知所措，我生怕走错一步路，生怕碰见一个人！更怕我想也不敢想的场景就血淋淋地出现在我面前。

我早就听说过天葬是藏族人认为的最神圣的回归。他们的宗教告诉他们“人生就是转世轮回，人活着就是来赎罪的，死才是真正的解脱”。所以藏族人从不畏惧死亡，死了就大大方方地把尸体肢解成碎块，去喂神鹰，贡献作为人最后的价值……借助他们心目中的神鹰兀鹫就可以把自己的躯体带上天堂。所以一般人死而未僵时就被弯曲成弓形的胎儿状，如同生命的最初，用白布包裹，天刚亮就运上天葬台，然后所有的人离去，由天葬师处理。天葬师沉默寡言，地位极高。他们把包裹打开，将尸体绑到经幡处，开膛破肚，此时兀鹫便会蜂拥而下，顷刻间将躯体啄食干净，这就说明死者很有造化。若兀鹫不来吃，家属就很着急，赶紧焚烧衣物祈祷上苍。然后天葬师便将尸体熟练地肢解开来混以糌粑献给神鹰。

一直以来我对天葬充满着敬畏和钦佩之情却从未想过要去好奇地窥探个究竟，没想到我竟然阴差阳错被一只狼带到天葬台下安稳地睡了一夜，此番经历让人不寒而栗！有时候我不得不承认狼身上的确是裹着一团阴森森的鬼气，连格林也不例外，难怪诸多的恐怖片里总是不乏狼的角色出现。我脑袋里如有一群马蜂嗡嗡乱飞，整个世界都变得摇晃起来，我知道我的脚步一定是慌乱而跌跌撞撞的。虽然某些以狼为图腾的民族也将狼作为天葬的执行者，但是各个民族信仰不同。不敢想象一只狼在众目睽睽中斗胆闯入这里的天葬场，出现在一群神鹰遮天蔽日的恢弘羽翼之下是喜是忧？在虔诚的天葬者眼中是神圣的象征还是邪恶的入侵？更遑论狼后面还跟着一个失魂落魄寻狼的女子。

“在那儿！在那儿!”黑瘦子压低了声音喊，还是他最先发现了狼的踪迹。我像黑洞中摸索的人终于见到了一丝光亮。我慌忙跑过去。范医生等人也纷纷闻声赶来。

眼前的草丛里，格林叼着一大块带血的骨头正在狼吞虎咽，龇着獠牙恐吓着来人不许靠近，一双贪婪的狼眼翻起防备而残忍的眼神看着面前的人。

“格林啊……”我嘶哑地叫了他一声就再也说不出话来，腿软得几乎要跪在地上。不一样了，记忆中亲切可爱的格林瞬间变得陌生而遥远。压抑的峡谷仿佛幻化成一双巨手将我和格林拉到了遥不可及的世界两端。

我、范医生、黑瘦子、老宋、两个跟班儿，六个人像中了定身术一样定在原地，仿佛看到了世界上最可怖的立体惊悚片。谁也不敢乱动半步更不用说斗胆上前抓狼了。这五个大男人或许并不太怕天葬——至少他们嘴里这么说，不然不会一大早结群专门来天葬场看。客观地说来他们也并不应该惧怕格林——昨天还在跟他们形容为小狗般温顺的格林一起嬉戏，放心大胆地让他坐在后排一路同行。但是此时此刻，天葬场、带血的骨头、贪婪啃食的狼这三个元素一旦结合起来展现在面前就成了……

“你说他啃的是什么?”黑瘦子底气不足地问出了第一句话。此情此景似乎根本不需要回答，也没人敢回答，大家都心照不宣地起了一层鸡皮疙瘩，毛骨悚然。

“格林，是我。”我颤声说出了第二句。我不知道为什么会傻到对着直视的狼眼睛冒出这句废话。但仿佛格林和那根骨头相联系之后，我们之间的关系将发生翻天覆地的转变，那种熟识的亲情也将不复存在。他小时候第一次嗜血的镜头不断在脑袋里重现，从未有过的畏惧感混杂在格林似乎已经陌生的眼神里向我逼近。

“不是人骨头。”这是第三句话，也是最有用的一句，范医生扶了扶眼镜儿辨认了一下继续确认，“人身上最粗的大腿骨也没这么大，这肯定是牛骨头。”范医生的眼睛具有职业医生的犀利。我仔细一看，没错，那的确是草原上的人司空见惯的牛腿骨。

这一结论似乎给我壮起了莫大的胆子和信心，立刻帮我寻回了我所认识的小狼格林，仔细辨认，他的眼光也仿佛依旧正常。有时候在一个特殊的环境里，心理暗示真的可以主宰一切思维。我如释重负地舒了一口气，尽管还是停不住一阵阵地哆嗦，我还是试探着上前摸他的头颈。格林微微晃晃尾巴没有攻击我的意思，但是很不乐意我打扰他进食，他牢牢地咬着骨头不放，“这骨头是俺找到的”，如果平时他进食我当然不会这样强抓他，但是在这里不一样。每个人心里都阵阵发虚。

“你小心点!”五个男人敬而远之地看着。

我突然想起了背包里格林的最爱——巧克力。我连忙摸出来，又想了想，把方便面袋子中的调味盐全撒在上面，再把裹着浓盐的巧克力递到格林面前。果然奏效，格林想都不多想就放开骨头抢过巧克力吞了下去，用舌头卷着嘴唇边残余的盐粒儿。他对我没有任何的防范和不信任，尽管在众人目瞪口呆的注视下，他依旧是那个淘气亲切的格林。我摸摸他的大脑袋起身退出草丛，拿出矿泉水在他面前哗啦哗啦地晃荡，逗引着吃够了盐和糖的格林。格林立刻跳出草丛，欢天喜地地跟了过来要水喝。众人“哗啦”一声作鸟兽散，闪得远远的打量着格林沉甸甸的肚子。格林离开我们的一会儿工夫不知狂吞下了多少东西，肚子已经填得胀鼓鼓的了。

老宋这才慢慢回过神：“赶紧把他带走，被天葬的人看见就麻烦了。”

范医生带领着我一直把格林引到停车的地方。确认不再有干扰，我才把水倒

“老妈，你把我渴坏了！”

“小子，你把我吓坏了！”

在手心，格林吧嗒吧嗒地用舌头卷起水来喝着，在这四处都缺少水源的干燥地方又加上盐糖的催化，他早渴坏了。

“吓坏了吧？”范医生其实也惊魂未定，虽然做医生的人对生死要淡定得多，但是面对从天葬场走出来的狼还是觉得瘆得慌。

才上车休息了一会儿，其余四个人就出来了，据老宋说他拍了两张风景照，却没上去，而黑瘦子他们仨胆儿大的就沿着小山坡还在往天葬台爬。

不多时，黑瘦子面如土色地回来，绵手绵脚地爬上驾驶台，故作轻松地打着哈哈，据二厨说，就黑瘦子一个人爬上了天葬台。

“你看见什么了？今天有天葬吗？”大家问。

“嘿，看……看到……”黑瘦子梦游似的自说自话，模棱两可。

“你到底上去没有啊？”

“我车钥匙放哪儿了？”黑瘦子满腰包找钥匙。

“你刚才不是插上了吗。”老宋指着钥匙孔。

黑瘦子发动了汽车，忽然又强烈要求把格林换到副驾驶座的后面，理由是格林的耳朵太尖挡住他的后视镜影响驾驶。大家七嘴八舌问了半天也问不出个所以然，也就各补各的瞌睡去了。一路上安安静静没人再说话。

到一处分岔路口，范医生说：“注意前面左转哦。”他边提醒边伸手拍了拍黑瘦子的肩膀。那知道黑瘦子“呀”地尖叫起来，手一抖，方向也打偏了，“吱呀”一脚猛刹车，狼狈地停在路边。没想到他反应这么大，一车人全被惊醒过来，刚定住神就哄堂大笑起来：

“熊样儿！”

“那点儿出息！”

“就你那胆儿还上天葬台?!”

醒了也就醒了，我挪挪惊醒的格林，把他身子放平一点，展开地图铺在格林背上查看起来。当初寻找到小格林的时候还是四月里，那时碧草连天，现在早已换之以一片金黄，牧场被围栏分割成一块块的深浅不一的黄。何况草原的地势风景几乎一致，过了这座山还是一样的另一座山，很难回忆起当初的路。我依稀记得前面几处毡房似乎见过但也不敢肯定，看看地图路标大致位置就在这里，索性碰碰运气找找吧。

“前面，就那处小山坳里，我就在那儿下吧。”为避免第二次急刹车，我绝不去拍黑瘦子的肩膀。

第二次深深致谢，我带着格林告别大家开始了步行。我的目的地是当初和小格林相遇的那家帐篷，要向他们打听那里的狼的情况。在辽阔的草原上寻找一户游牧人家不是件容易的事儿，趁着天色还早，我避开大路凭着依稀的记忆边走边观望。格林走得很轻快，相对于坐车来说他当然更喜欢步行。四野茫茫，脚踏着大地的感觉比什么都好。

格林，咱们走吧!

23 空中鹰为王，地面狼称霸！

空中鹰为王，地面狼称霸，这俩家伙不是东风压倒西风就是西风压倒东风，最好是凶禽猛兽井水不犯河水。等格林再长大一些，将不再有天敌觊觎他……除了人。

经历了天葬场的惊魂一幕后，远行野外的格林猎食什么、怎样猎食成了摆在面前的一个关乎生存的大问题。摸摸背包里不算太多的风干肉和奶糖，我望着原野开始琢磨起来。

若尔盖的秋季已经开始降临，当清霜洗净了草叶上最后一点绿色，风沙就更加肆无忌惮地刮过寸草不生的沙化之地横穿原野，直吹得满头满脸都是黄尘。秋天枯黄的原野上除了鼠兔和躲在地下从不露头的鼢鼠，还真难发现什么可吃的猎物。好在早上格林吃了一肚子的东西，撑个三两天是没问题的。

为避免再次于黑灯瞎火中，被格林带到不知名的地方，我早早地就察看好了四周的环境，远远地还能望见一户人家，但我当然不能冒昧地带着一只狼去投宿，还是一个人扎营的好。我确认四周安全正常才动手扎起帐篷来，喝点水保存体力绝不做无谓的浪费。

在草原已经待了数月的我深深意识到在草原独自生活的严酷。我早已收起满腔浪漫情怀，严谨地规划我的每一步，再不像当初那样采花漫步，毫无目的地乱走闲逛。在草原上，我不用担心格林会走丢，因为他绝不会让我离开他的视线太远。

格林的活动距离是逐渐增长的：格林从小到一个月大左右是在离我五米距离内活动，如果我突然不见了，他就会迅速躲藏起来等待我再次出现找到他。两三个月大的格林，其活动范围扩大到一百米以内，我试过很多次在他埋头啃骨头的时候悄悄躲起来，他啃着啃着发现我不见了，就不再被动地等待，而是毫不犹豫地丢下骨头，焦急地用鬼哭狼嚎的腔调悲鸣着到处寻找，那样子比街头走失的幼儿盼望亲人的神情还令人揪心！不过，他每次哀嚎之后都能准确地耸着小鼻子沿着我走过的路线找到我的藏身之处。有一次在郊外，亦风蒙住格林的眼睛背过身去，让我特意绕了两个大圈再藏起来，放开格林后，格林迅速嗅着地面也依样画葫芦地绕了两个圈把我“捉拿归案”。事实证明他很多时候的追踪的确是依靠嗅觉指引。四个月以后在草原上，格林总是在不超过五百米的范围内活动，远了或突然看不见我了，他就会嗅着气味听着我呼唤的声音找回来。

现在格林半岁了，身形已经有了大狼模样，嗅觉也更加成熟。昂首而立，风中传来的味道足以告诉他很多不为人知的秘密。他再也不担心我会甩掉他，因为凭着他超越普通狗百倍的敏锐嗅觉，我休想再从他鼻子底下逃走。如果我再绕来绕去地躲在灌木丛后面，他会直接走到我面前看着我小儿科似的鬼把戏，或者干脆翘起尾巴蹲好马步，在我躲藏的树丛前面拉泡屎——“我让你躲！”新鲜狼粪近在咫尺的恶臭真是惊天地泣鬼神！我很快就狼狈地钻出来，放弃了这种低智商的躲猫猫。

格林的快速成长是令人欣慰的，但成长也会带来烦恼——小时候一两只鼠兔就可以填饱格林的肚子，一块风干肉也可以让他小小地满足一番，可现在的他一顿至少可以吃下五六斤纯肉。这么大的胃口要填满真不是件容易的事。记忆中，我几乎每天都在想方设法给狼儿子找肉，存肉，再找，再存……难以想象一个狼妈妈要养活一窝小狼是多么艰难的事。

第二天一早醒来我和格林就开始了捕猎。忙活一天，除了一只鼠兔，格林几乎一无所获。为避免影响格林，我离他远远地跟着，用望远镜看他捕猎。时近黄昏，格林陡然兴奋起来，撒腿狂追。我抬眼一看，金黄的草场上飞窜着一只白色的兔子，格外显眼！太好了，格林加油！可是那只兔子却一跃而起，在我们的瞠目结舌中飞上了半空……“兔神啊?!”我用望远镜套住一看，满腔希望化成了泡影——那是一只飘飞的塑料袋。

格林还是第一次遇见这么令他费解的“兔子”，他望着天空出神。我向他走过去，想安慰安慰他。他却仍站在原地死盯着天上看，一直看……那神情有点不对劲呢？我顺着他的目光向天上望去，太阳的光辉中隐隐约约有个影子闪动。妈呀，又是金雕！真是螳螂捕蝉黄雀在后。

格林撒腿就跑！

“躲起来！躲起来！”我惊呼，哪怕躲进灌木丛也好，可是这附近哪来的灌木丛啊？“快回来！到我这儿来！”我边喊边跑边摸家伙去搭救格林！

格林像没听见一样，不但没跑过来，反而飞也似的朝一处开阔的缓坡下冲，金雕在半空中紧随其后。我挥舞着望远镜急冲……扑通！我一脚踏进鼠兔洞里，闷头一跤摔得眼冒金星。一抽脚，拔不出来！完了，完了！来不及了！我绝望地瞪大了眼睛，扯着嗓子喊叫，企图吓跑金雕！

坡下，格林就像放风筝一样“牵着”金雕飞跑。近了！更近了！我仿佛听到了金雕扇动羽翼的声音，“呼——呼——”每扇一下都仿佛抽在我心尖上。金雕算准了扑击角度，快速俯冲下来，我“啊”的一声，热血冲头，再也喊不出声！眼看金雕离格林的头顶只有两三米高了！整个世界瞬间没了声息。我几乎预见格林被掠上天空的死亡时刻。

突然间，格林猛一刹车，急掉狼头，反向跑了几步，伏低身子，亮出獠牙，正对着金雕扑来的方向。眼看就要得手的金雕万万没料到格林会突然停下“倒车”，金雕不敢正对着极具攻击力的狼头冲扑，伸长鹰爪也够不着狼背。正如所有的飞机都没有飞行倒挡一样，俯冲的金雕哪里有急速倒飞的余地?!

呼——噗……金雕冲出好几米才狼狈“坠机”，扑起一地的烟尘草屑……

啊，他居然脱险了！“格林，快回来！快回来！”我扯着嗓子高喊。

格林不回来。他早就憋了一肚子的气，紧抓时机绕到金雕背后，一脚踩住金雕的尾羽，另一爪子瞅准机会左一爪子，右一耳光，“让你丫敢惹我！”真是落地的鸟王不如鸡！坠机的空军被狼欺！金雕粗短的脚爪行走能力远不如鸡鸭灵活。金雕拖拉着翅膀扑扇地面，挣脱尾巴，转身啄狼。格林后跳几步，绕开他的爪喙，又去叼咬他的翅膀尖，叼住就扯，咬紧就甩！尽管金雕扑打着翅膀尖叫威吓，却仍像被当街臭揍的毛贼，一点讨不了好去。眼看格林又要上来抓尾羽咬翅膀，金雕慌忙扑打着翅膀急跳几步，收拾羽翼振翅飞逃。格林见好就收，一旦金雕升空就绝不再挑衅了，只龇着牙望天防备，他清楚敌人的优势。

这小滑头还有这手?! 我急忙脱鞋，从鼠兔洞里拔出脚来，光着一只脚丫赶到格林身边。金雕已经消失在太阳的光晕里。只有地上几根折断的羽毛还在风尘里摇晃。

我一把揽过格林，眼睛鼻子耳朵，一个零件不少！倒着毛捋了几把，没伤！“你还真能耐?!”我惊喜交加，在他脑门上使劲亲了一口，长长松了口气。低头瞅见地上的羽毛捡起来细看，羽根到羽梢约尺余长，羽根透明，羽管有铅笔般粗细，羽片凌乱不堪，上面沾着格林的唾沫，两根羽尖楔形的应是飞羽，略微平整的一根大约是尾羽吧。我把羽根放在鼻下一嗅，有淡淡的猛禽腥味。格林还在紧盯着天空，直到被阳光晃得一个劲儿打喷嚏，他才慢慢放松下来。然后，他一口抢过我手里的羽毛，扑在地上，嘴爪并用一阵撕扯，仿佛余恨未消。

扯着扯着，他“嗷”地叫了一声，转头照着自己的尾巴猛咬一气，又倒头在斗雕的地方来回打滚，仿佛做了件令他极度懊恼的事情。我也突然反应过来，他刚才光顾着斗雕报仇了，竟忘了那金雕虽是天敌，却也是一大坨肉啊。适才格林完全可以从背后一口咬断金雕的脖子，他却错失良机。唉，或许这小笨蛋毕竟年幼，对金雕的尖爪利喙还有所顾忌吧。格林扭着身子在金雕羽毛上蹭来蹭去，似乎要永远记住这个味道！

嘿，你打赢了，该像英雄一样引颈长啸了吧……他不，他起身抬起下巴，掉过屁股，后爪子在草地上一阵扒抓……扭头瞄了一眼被他埋起来的金雕羽毛，走了。

放跑了金雕，格林失望之余还算安心，毕竟昨天的饱餐还够他消耗一下。想起昨天群鸟聚集的天葬场那顿美美的大餐，格林的眼睛放出希冀的光辉，狼舌头挂出了嘴边。他回头望去，依稀还能望见来时的公路，他乐呵呵地转身开路。

“你想都别想！”我一把揪住狼尾巴，“我可不会陪你回去！”相处久了，这家伙肚子里打什么主意我门儿清。说话间，我觉得嘴角有点咸咸的，伸手一抹——鼻血，但是今天这一跤摔得真值！我看到格林已不再是当初的小狼崽，他不再一

味寻求我的保护，他可以骄傲地站在蓝天下草场上，他不怕了！他有这个智慧和胆量把握自己的命运。虽然他和金雕缠斗的时候，我也为他狠捏了一把汗，不过我相信如果往后还有不死心的猛禽想要打他的主意，他一定会有更从容不迫的应对方式。经历就是一种财富！

空中鹰为王，地面狼称霸，这俩家伙不是东风压倒西风，就是西风压倒东风，最好是凶禽猛兽井水不犯河水。等格林再长大一些，将不再有天敌觊觎他……除了人。

24 铮铮狼骨

我理解了为什么中毒的母狼临死都要撕碎皮毛，不让自己的皮再落入人的手里，用亡夫的味道去引诱母狼怎不叫她痛彻心扉？

时间总是恶作剧似的和肠胃的消化赛跑。

打了一天猎，白费体力却几乎一无所获，我们终于放弃了在这个贫瘠的牧场上狩猎。我拆下帐篷打包背上，向昨天看到的那户人家走去。格林的步伐轻快省力，而我要背着背包走就上气不接下气了。格林走走停停“狼顾而行”地等着我，有时候还转到后面拱拱沉重的背包，看似帮忙，实则添乱。

“在这儿等我。”离帐篷不太远了，我冲格林比了个停止手势。狼天生睿智，他是猎人，从同伴的肢体语言、表情甚至眼神去读懂对方的意图是群体合作的基础课程。格林能在第一时间领会我的意思，而不需要像驯狗一样教他。

我走到帐篷前伸脖子望望，好像没人，我再走近两步叫了一声：“有人吗?”帐篷后窸窸窣窣有了响动，接着“汪汪”狂叫声乍响，蹿出一条大黑藏狗，横在我面前龇牙咧嘴地吼起来。这家人的狗没拴！我吓了一跳缓缓后退几步盼望着主人快出来。突然觉得脖子后面森森冒凉气，也不敢转身，机械地旋转着脖子往后看了一眼，这一看不要紧，残存体内的勇气顿消——身后十几米处不知道从哪里冒出来的两只金白色大藏狗，一边一只无声无息地包抄上来，两双恶狠狠的眼睛像刚从十八层炼狱新鲜出炉的火炭，闪着令人丧胆的红光。天啊，来的时候怎么没注意到他们藏身的狗洞？咬人的狗是不叫的，越不叫越可怕！你根本无法猜测他想的是什么，他会从哪边攻击。

“见了狗千万不能跑!”从小前辈们就教过我，况且《孙子兵法》云：“敌不动，我不动!”我手无寸铁地被包围在三条大狗中间紧张地咽着唾沫，硬着头皮不敢动。这家主人怎么还没出来啊？我又补叫了一声：“有……人……吗?”这声音颤抖得像从坟墓里爬出来的冤魂叫唤。屋里还是没反应，金白藏狗开始狞笑着显露出牙齿来，包围圈逐渐缩小。我再也稳不住了，那些前辈有没有体验过藏狗的厉害？不跑方便狗咬吗？眼前这些藏狗也不知道有没有读过《孙子兵法》，没法儿多想了，大敌当前“孙子”才不动！我撒丫子夺路而逃，三条狗立刻狂追起来，我吓得魂飞魄散：“救命啊！救命啊!”

“汪!”草丛中潜伏的格林突然跳将出来暴喝一声，向狗群猛冲，阻断追兵。三条狗一愣之下紧急刹车转而将格林团团围住，迅速对这个吼着狗语的怪物进行遗传学上的分类。那只大叫大嚷的黑藏狗转到格林后面去嗅他的屁股——嗯……

有点似是而非的狗味儿。

“汪！汪汪！汪汪汪!!”那两只沉默攻击的金白藏狗开口了，瞪着火眼金睛，吼声中充满威胁和试探，似乎在问：“你到底是什么？如果是狗对个暗号，如果是别的休怪我不客气。”

格林学着他们的样子绷直后腿，竖起颈毛，露出一点点牙齿，准备动作完毕，张开大嘴搜肠刮肚地寻找那个狗叫的标准音，但刚才情急之下吼出的那两声却怎么也寻不回来。格林喉咙呜里呜噜憋了好一会儿，终于在众狗的声声催促下蹦出两个字：“黄花!”

完了，彻底穿帮！三只狗气得几乎当场晕厥，这入侵者竟敢冒充同类戏弄他们！狗们狂吼大叫着向格林冲来。

“快跑!”我大叫着抓起地上的一个个干牛粪向狗打去，但那些不痛不痒的牛粪除了吓狗们一跳，让他们转过头来吼我两声之外，几乎没什么作用，狗对同类的仇恨远比对陌生人的仇恨来得急迫。他们撇下我，一心想抓住那个学狗叫的怪物扒他的皮！撕他的肉！喝他的血！断他的喉！

格林奔跑的速度奇快，但是动作上却非常省力而协调，他明明以四十码的速度在行进，可看起来却给人以闲庭信步的感觉，让人不由得想到《天龙八部》里的轻功绝学“凌波微步”，只有从后面拼了老命追赶的狗的动作上才知道那速度之快。三只狗在后面歇斯底里地追赶着，使出了浑身解数，看得出他们每跑一步都付出极大努力。而格林却总能悄悄地溜走，毫不费力，就像一个幽灵一样在前面穿行。狗想追上狼谈何容易，眼见扫把似的狼尾巴就在面前咫尺之遥，张大狗嘴就是咬不到。然而敌众狼寡，格林想要甩掉三只狗却也比较麻烦，始终处于被追击的状态。其中几次，格林想停下来做好迎战的准备动作——绷后腿、竖颈毛、吼叫、龇牙！但往往一套动作还没完成，狗就已经追到他身后猛撕猛咬！格林寡不敌众，挡住了前面的狗嘴，防不了后面的偷袭！一会儿工夫格林的唇吻、肩胛、脊背和后胯就被狗牙咬破，鲜血直流，连连吃亏转身逃跑。三只狗乘胜追击，像苍蝇似的黏在他屁股后面，还大有呈扇形包抄的趋势。

我追不上他们，连忙朝人影晃动的帐篷跑去，急急喊人救命。好半天钻出来一个八九岁的小男孩，语言不通，我傻眼了，急忙指着狗和狼手忙脚乱地比画着。

突然格林转变了方向，像受到某种神秘的指点一样，他放弃了平原的路线转而往一处陡坡冲去。他逃跑的路线选择很是狡猾，急奔上坡再急冲下坎儿！狼族千百年来由于经常要捕捉岩羊、山羊、斑羚之类善于在悬崖峭壁上攀援行走的动物，因此练就了过硬的上陡坡下陡坎儿的本领，能轻盈地从八九米高的陡坎上跳下去，稳稳当当地落在下一级的岩石上又不停顿地往下跳。柔软的腰肢让狼极富弹跳能力和应变能力，狼爪子生就宽大，抓地极其稳当。格林也许并不知道祖辈们如何练就这一本领的，但他继承了这份先天优势并在关键时刻灵光乍现般用了起来。

危急时刻，狼族千百年来遗传的先天优势在格林身上灵光乍现。

差距立时显现：上坡时狗只有爆发力却没有狼持久的速度和耐力，在陡坡面前畏缩不前，左顾右盼挑选容易落脚的地段。格林轻快地跑上坡，狗们笨拙地爬上坡。再急冲下坡时狗爪子比狼爪子小得多，如同高跟鞋和登山鞋的天壤之别，在干燥的沙石坡上狗们连连打滑，卷起一路尘沙。金白藏狗还好一点，只会狂叫不休的黑藏狗就远远落在后面了。在狗们连脚跟儿都站不稳的下坡时分，格林猛地转身猝不及防地杀了个回马枪，向最先追上来的金白藏狗咬去。金白藏狗一愣万万没料到格林能在高速奔跑中猛然转身回击，狠狠一口正中肩头，金白藏狗惨叫一声滚下坡去。余下两只狗顿时腿软了，连滚带爬地滑下斜坡，在一片尘灰里冲着斜坡上稳稳站立的格林愤怒地嚷嚷。

初战告捷，格林及时悟到了突袭的重要性，他静静地站在坡上不再威胁嗥叫，也不再龇牙，他学会了让自己的进攻意图深藏不露。

听到狗的惨叫狂吠，加上我半天的比画，小男孩终于明白了我的意思，大声叫回了他家的狗。三只藏狗虽然跌得狼狈，可毕竟把狼赶到了离家很远的地方，他们把尾巴摇得像纺车一样，带着胜利者的骄傲回小主人身边邀功了。

格林这才从斜坡上下到草地，站在远远的地方看着我，弯下身来舔后胯和爪子，我知道他受伤了。狗追赶我的时候格林完全可以自行逃命或者远远看着一声不吭，可他却勇猛地冲出来了。这次战役中他咬了藏狗一口，藏狗咬了他 N 口！虽然并没像传说中的英雄那样打败敌人，可是，他就是我的英雄！

孩子用铁链把狗们拴了起来，我才回到格林身边把他抱回了帐篷。其实他没受太大的伤，也完全能走，只是此时此刻我就是想抱他——像小时候一样抱抱他。

怀里，大狼格林蜗牛般滑稽地蜷缩成一团、他的腰肢天生柔软，两只后爪子都翻过肚子蜷到了脸旁边，尾巴就搭在鼻子前面一扫一扫像羞涩的面纱。

我给格林各处伤口撒上白药，除了后胯部的伤口略深之外无甚大碍。这些伤在狗身上或许得休养半个月，但以狼的恢复能力几天就愈合了。格林婴儿般乖巧地躺在我怀抱里哼哼唧唧地舔着唇吻，用丝绸般滑腻湿润的鼻尖碰我的脖子，目光刻意的温柔而谄媚，脉脉含情，一波接一波地向我放电。

“少来哈，你已经长大到可以保护我了，还发嗲呢。”我笑骂道。但我终究还是受不了他肉麻的眼神攻势，给了他一块大大的风干肉。格林把干肉叼在嘴里特意从拴住的三条藏狗面前绕了一圈，再回到帐篷前面大口大口地嚼得吧嗒作响，恨得狗们上蹿下跳地狂叫，把铁链扯得哗哗响。小主人生气了，呵斥着捡起小树枝夹头夹脑地向狗头一顿好抽。格林过瘾地嚼一口肉看一眼狗，耳朵无限享受地竖得笔直，就着敌人的惨叫声吃肉。狗们挨了主人暴打训斥，气得狗眼喷火干瞪着杀千刀的狼却再也不敢出声。

大草原的孩子其实并不怕狼的，因为真实的狼就生活在他们身边相安无事，绝非城市里娇滴滴宝贝儿们从来没见过狼却对狼怕得要命。从抱着格林进帐篷开始，孩子好奇的目光始终没有离开我们俩。我很想问问关于小格林身世的线索，由于语言不通无从问起，只是相对傻笑。唉……再往草原深处走语言关确实是个问题。深深的失落和遗憾中我突然想起了画画，就像掉下悬崖的鸟儿猛然想起自己还会飞！我赶紧拿出纸笔画上几个方框，一格格连环画式的画起了格林小时候的故事，孩子饶有兴致地看着挤到我身边，伸着小脑袋往画纸上凑，几次被舞动的铅笔戳到鼻孔嘻嘻哈哈地笑起来。他长着两颗挺逗的虎牙，笑起来超可爱。

一会儿工夫，数月前捡到小狼的过程就画在一格格画面里。我指指画格里的小狼崽再指指格林，孩子认真地点点头。

“我找他们。”我指指画里的帐篷和老人，把手掌遮在眉毛上做了个孙悟空似的瞭望寻找的动作。孩子顿悟，眼睛明亮起来，叽里咕噜地说了很多话，拉着我的手跑到帐篷外面，指着夕阳下山的方向兴奋地比画着。话虽听不懂，方向却有了。

黄昏时候，这家的大人回来了，同样是语言不通，但他们很热情。虽然见一只狼在家里很有点意外，但看格林亲近人的样子又听小孩拿着画纸兴奋地讲述，他们很快就接受了眼前的客人和“客狼”。

孩子的阿爸也仅仅会几句似是而非的生硬汉语，他指着画里发现小狼崽的帐篷：“南卡。”

我指指帐篷外的蓝天：“南卡？”我粗陋的藏语基础只略略知道“南卡”是天空的意思。

孩子的阿爸摇摇头指着自己：“巴桑”，又指着我，“微漪”，再指着画里的老人，“南卡！”

我恍然大悟："你叫巴桑。这个帐篷是南卡的家？"

"喔呀（是的）！"巴桑如释重负地完成了第一步沟通，很是高兴，用藏语对女主人吩咐着什么，又对我说，"明天，找人带你去！远！"

我欣喜若狂，没想到这么容易就找到了线索，看来格林那顿狗咬真没白挨。

孩子还在拿着我画的小狼连环画颠来倒去地看，爱不释手。我索性提起笔来给他画了一幅肖像送给他，他如获至宝地扬着画纸找他的阿妈去了。

傍晚时分，主人家热情地留住我吃饭。奶茶、糌粑、血肠、手抓羊肉，主人似乎把家里最好的东西都拿出来了。格林作为另类的客人在帐篷外也没少吃，他照例在敢怒不敢言的狗面前大快朵颐，不过饭后狗们也得到了主人公平的犒赏。灿烂的夕阳下，男女主人一脸红光，透着善良和憨厚。语言上的障碍似乎并没有阻隔快乐的传递，男主人喝过几碗青稞酒就豪放地对着帐篷外的格林竖起大拇指："狼！好！"转而又对着我，"你！好！"一屋子人笑颜如花。我如若不是第二天清晨就要带格林早起赶路，真愿意和他们多喝几碗，一醉方休。

流浪一般的游牧生活和物质上的艰苦，并没有使他们愁眉苦脸。在广阔的草原上，在同大自然融洽地相处中，他们活得那么惬意和乐观，特别在心理上远比我们这些城市人要健康宽容。高寒和贫瘠，造就了生命的坚韧与刚毅，也演化为最动人最本质最纯善的美。

晚上，为了看护牛羊群照例是要放狗的，为了不再发生狗狼纠纷，我把格林拉进我的小帐篷，实行宵禁。格林连续两天都吃得饱饱的，正犯着懒呢，他老实地待在我旁边消食，也没打算出去惹是生非。

我把一条粗大的铁链子放进包里收好，这是白天的时候男主人送给我的，男主人在头顶做了个挥舞铁链的动作，对我说："狗多，防身！"又指指格林，"狗咬他！"他提醒得对，草原上看护着羊群的狗与吃羊的狼当然是不共戴天的仇敌，我一路沿牧场寻过去，这样的意外肯定会频频发生。一个女子一匹狼，所到之处人见人怪，狗见狗惊！如果格林是条狗就好了，大摇大摆地带着走上公路也不会引人注意。我趴在睡袋上枕着一只手看格林睡眼蒙眬的懒样，百无聊赖地玩着他的大尾巴自言自语："谁叫你是夹尾巴狼呢？扎眼啊。"格林抖抖尾巴打了个大大的哈欠继续睡觉。

一种只属于蒙娜丽莎专利的微笑突然在我嘴角洋溢开来，我摸摸口袋里的透明小橡皮筋，趁着酒意蒸腾，一种搞怪的想法挠得我心痒痒。我马上翻身坐起来开亮手电筒捧起格林的大尾巴仔细研究起来。捋出尾巴尖几撮不显眼的毛开始细心编结。格林清醒过来扭过头想看看我到底在他尾巴上瞎折腾啥？我屈起指头在他鼻子上轻轻一弹："躺下，不许动！放心，你老妈虽然剪毛技术蹩脚，编辫子却是拿手好戏！等着瞧吧。"格林乖乖地躺下了——其实他是懒得理我了。

我在他尾巴尖编出几根牙签粗细的小辫子，又在尾巴根部也挑出几撮长毛编成同样的细辫子。我略略喘口气舒缓一下编得发麻的手指，最后把狼尾巴向上翻卷起来，把事先编好的三组细辫子又编结在一起，用透明小橡皮筋扎稳……

易容术历时一个半小时终于大功告成，我兴奋地整理着格林向背部卷曲起来的蓬松的翘尾巴，以艺术的眼光左瞧右看。俗话不是说"翘尾巴狗夹尾巴狼"吗？今天狼尾巴也翘得跟朵花儿似的了，看他们咋分辨？这下可以鱼目混珠招摇过市了。拍拍手上残余的几根狼毛，摸摸被青稞酒熏得绯红的脸颊，我得意非凡，梦里摸着格林的尾巴都咯咯笑醒好几次。

转天一早，格林就迫不及待地钻出帐篷，先奔去拽着小男孩的裤腰打了个招呼。男孩转头一看他的尾巴顿时乐坏了，摸着大狼头哈哈笑着连声叫阿妈来看，母子俩笑成了一团。格林从帐篷出来时也发现自己似乎有点变化，虽然摆尾巴的时候有点一拽一拽的很别扭，但是当他翘着卷尾巴趾高气扬地走过三只藏狗面前时，狗们都搞不懂了。三只狗面面相觑：怎么昨天明明白白一只夹尾巴狼，今天摇身一变成翘尾巴狗了？而主人还在笑呵呵地抚摸他，这世界到底怎么了？三只狗跑上来前前后后地嗅了一通汪汪大叫："伪狗！你瞒得过主人可瞒不过我们。"主人笑得更欢了，虽然狗们很不服气地龇牙咧嘴，但他们有主人的命令在先，还是不敢斗胆下嘴，谁也不想率先找抽。

我笑着钻出帐篷来，孩子见了我很亲热，蹦跳着过来牵我的手。女主人笑着说了好些听不懂的话，指指帐篷里，做了个喝酒的动作，再双手合十放在脸侧做个睡觉的姿势。肢体语言真是放之四海而皆准的语言，我立刻明白了，豪爽的男主人昨天喝得高兴，今天是断然起不来了。

临近中午，马蹄声响，一个黑黝黝的年轻人来到了帐篷前，看年纪约莫十八九岁。他潇洒地下马拴缰绳，三条狗都摇着尾巴迎了上去，显然是熟识的客人。女主人迎上去，似乎等那人很久了，并转头连声招呼我过去，小男孩也雀跃着冲我招手，哦，这可能就是带路的人了吧。我赶忙走过去，一面掏出速写本和画笔准备新一轮的沟通。

年轻人瞅了一眼跟在我身后的"狼狗"格林，愣了一下，随即笑逐颜开："你就是那个找南卡阿爸的人?"

"啊?!"年轻人一口流利的汉语让我如遇知音，准备好的速写本也用不上了，"是的，是我。"我高兴极了。

年轻人爽朗地笑笑："多吉曲丹，叫我多吉就可以了。巴桑让我带你去。"

我感激地点头介绍："我叫李微漪，这是格林。"

多吉指指格林："这个是……狼吗?"他有点吃不准："这个尾巴……?"

我笑得眼睛眯成了一条缝："我把他的尾巴给卷起来了，不然带着狼走太扎眼，怕吓着人。"我撩起被长毛遮住的狼尾巴根部给他看。多吉一阵兴奋地伸出手来想摸狼背，格林忽地一转头，他急忙缩回了手，紧张得交替搓着手背，任格林嗅嗅他的袍子："这真是狼。"他定睛看了看狼尾巴大笑起来："给狼扎尾巴，亏你想得出来。"他乐得直不起腰："你别说，就这么一看还真像条狼狗，草原上的人打老远判断狼和狗就是看尾巴，这能糊弄人！绝对！”

女主人和孩子虽然听不懂我们的汉语，但看表情动作也猜出我们在说什么，呵呵地跟着笑。格林则不断反身扭头去追他别扭的尾巴。多吉又和女主人用藏语交流了一会儿，转身牵了两匹马过来说：“走吧。”

“好嘞！”我背起早就收好的帐篷，跟主人家告别，女主人拉拉我的手示意我等等，少时从帐篷里扛出一个大麻袋来，热情地说着话。格林早迎上去蹦跳着咬麻袋。

多吉翻译说：“她说送你两只羊腿，路上你们都可以吃。”

难怪格林那么激动，我拽住格林的狼鬃不许他乱抢，再三谢过女主人，摸摸身上却没有什么好东西可以回赠，心里着实过意不去。我摘下脖子上的项链送给女主人，她笑着连连摆手，指指已经挂在帐篷里的那张小男孩肖像，翘起拇指说着藏语。

“她说，不用客气，你昨天的画就是最好的礼物了，他们很喜欢。”多吉翻译着。草原深处的人们确实淳朴而重情，金银对他们而言只是身外之物，况且这种柔弱细致的项链并不符合他们豪放的性格。这种慷慨的情谊在萍水相逢的城市人中已很稀有了。我在帐篷外为他们拍下很多照片：“下次我过来的时候一定带给你们。”女主人很高兴帮我把背包麻袋都在马背上捆好，挥手告别。

策马扬鞭向西面的山麓进发，格林对麻袋里的羊腿念念不忘，一路紧随。马儿当然不乐意后面跟着一匹馋涎欲滴的狼，他翘尾巴的伪装瞒得过人却瞒不过动物的慧眼，只要格林一靠近，马儿就长嘶一声，抬起后腿尥他一蹶子警告他“离我远点儿！”格林不敢轻举妄动，展开凌波微步跟在后面，反正马也甩不掉他。

我听说多吉在成都读大学，也是碰巧国庆回家来，顿时有了半个老乡的感觉，亲切了很多。他的嗓音很好，高兴起来了就朗声唱上几句，看来小伙子心情不错。

“多吉，你讨厌狼吗？”我问。

“不，”多吉瞅了一眼跟在身后的格林，笑答，“我喜欢狼，我觉得他们聪明，很抱团儿，只要是狼群的一员谁都不会丢下。”

“哦？”我觉得多吉的回答里有故事。

多吉勒慢了缰绳，望着天上飘远的一朵云彩，回忆也像云一样悠缓：我小时候见过狼。有一年冬天，雪下得特别大，正是狼最找不到食的时候。我跟着我阿爸和四个阿叔从县城骑摩托回自家牧场，路过一处垃圾填埋场，远远看见雪地上有像狗一样的动物在动。一帮人就骑着摩托停在一处地势较高的路段细看——是狼，两只大狼、三只七八个月的半大小狼。这五只狼趴在一个挖土机挖出来的填埋坑边，排成纵队，两只大狼在一头一尾，三只小狼在中间，每只狼都叼咬着前面一只狼的尾巴，像猴子捞月似的牵成一串，每只狼都用脚爪死死抠抓住雪地站稳，最后面那只大狼则背对深坑趴下，把尾巴垂挂到坑里。而坑里面似乎有什么东西一直在往上蹦跶。阿爸看得最真切：有只半大小狼掉坑里去了！估计这一家子狼冬天找不到吃的，公狼母狼就带四只小狼上垃圾场碰碰运气，哪知道一只小狼失足掉进了深坑里。三米多深、四五米见方的坑洞边缘尽是滑不留爪的冰雪，小狼根本爬不出来。

几个阿叔乐坏了，这正是天上掉狼皮的事。他们有的拔刀、有的抄着修车的扳手、有的抡着锁车的铁链，一路猛踩摩托车的油门冲过去，大声吆喝着赶狼！狼群急了，个个冲人龇牙，最前面的那只大公狼公然迎着铁链往摩托车上扑，一副掩护家人的样子。趴在坑边救援的母狼一个劲儿地摆着尾巴呜呜催促，坑底下的小狼更着急了，拼了死命地往上跳，却总是叼不住母狼的尾巴。五个大男人越冲越近，三只小狼也耐不住了，纷纷松嘴放开同伴的尾巴，跟着公狼龇牙抵抗。对峙中一只小狼被铁链甩打在后腿上，估计当时腿就打折了，他疼得翻来滚去地叫唤。母狼立刻就冲上来拼命护崽。大人们眼看得手，吼喊得更厉害，骑车甩着铁链上前围剿。这时候公狼发出一连串奇怪的吼声，所有狼像得了命令似的，立刻后撤，跑得远远的，钻过了围栏才回头望。阿爸当时大喊可惜，他说要不是牧民的枪支都上缴了，这群狼一个都跑不掉！

大狼在山坡上嗥叫了几声，坑里面剩下的小狼就安静下来不叫也不跳了，死死盯着围拢在坑上面的人。这时大家才发现这个坑太滑太陡，就是人也不好上下。大人们用铁链试着抽打了几下，小狼低头躲闪着，根本打不着！刀和扳手就更派不上用场了！半大的狼已经极具攻击性了，人不敢轻易下坑。不一会儿，天就暗下来，开始刮起了白毛风。我冻得直喊着要回家，大人们看雪下得紧了，只好先回去，约好明天一大早带根长大棒和绳索来打狼。

第二天一早风雪停了，地面积了厚厚一层雪。大人们全副武装再去打狼的时候，谁知坑里的小狼已经不见了。坑边几米范围内只有一层薄薄的新雪，新雪下全是狼的刨抓痕迹。坑里堆了半坑的积雪，呈一个斜面集中堆在坑的一边，坑里的雪上踩着一圈圈的狼足迹和刨痕。大人们很失望，懂行的人勘察着现场说：这群狼太狡猾了，算好了我们没趁手工具也抓不住他们的狼崽，先保存实力不跟人硬拼，趁着下雪天把小狼给救了。怎么救的呢？这就像一个填雪的工程，上面的狼群把坑口的所有积雪全部推下坑去，坑里的小狼则把雪全部堆刨在一个角落，不断踩实压紧，填积成一个斜坡，然后一圈圈助跑，顺着堆积的雪坡冲出坑去。阿爸顺着斜坡下到坑里又指着一些大狼爪印说：大狼也跳下来帮忙了，没准儿还给小狼做了堆雪示范呢。

“你说这草原上还有哪种动物比狼更聪明？”多吉讲着这故事竟然露出自豪的笑容，仿佛那是他的智慧壮举。“我就是喜欢狼！这群狼是又可敬又可叹又可怜……我的网名就叫雪狼。”他对我说，更像是在对自己说。

是啊，狼在狩猎中、领地争夺中、捍卫家族成员的斗争中个个都是足智多谋且能慷慨赴死的狼勇士。格林为了我，即使敌众我寡，也毫不畏惧，铮铮狼骨，宁折不屈。

“对了，拉登是你什么人?”多吉冷不丁儿地问道。

“啊?”我还沉浸在多吉的狼故事里呢，乍逢此问很是摸不着头脑，“什么人都不是啊。怎么了?”

“哦，没什么。”多吉微微一笑，“我也知道这只小狼的事儿。但没想到他还能回来。而且长这么大了?”多吉感慨地说。

“哦?你怎么知道的?”我一直以来对格林童年的遭遇耿耿于怀。

“狼找不到吃的，不掏羊咋活?我们这里的人已经很久都没看见狼了，以前盗猎猖獗，狼都快被打绝了，有人还剥了狼皮卖。草原没狼还叫什么草原啊。”多吉骑在马背上望着莽莽苍原有点伤感，又接着说，“那时候能看见一只狼，南卡阿爸很高兴，逢人就说起狼来过的事，结果小道消息传得快，没几天又被一些盗猎的人知道了，就在南卡阿爸牧场外面偷偷下了夹子，把公狼给打了。我还看见过那狼夹子上有好大一只被咬断的狼爪。”

我低头看看格林，黯然神伤。唉……格林，那是你的父亲。

“那只母狼和一窝小狼的死就更让人惋惜了。那几天南卡阿爸不在，偷猎的人就打着除害的名义上山投毒，完事儿后用公狼的皮去扫清地上的痕迹抹掉人味儿。母狼能闻不出来吗?阿爸回来知道后，带着牧民上山去，差点跟偷猎的人打起来!”

“哦?”我不知道竟然还有这事儿，当初阿爸却只字不提。我顿时理解为什么中毒的母狼临死都要撕碎皮毛，不让自己的皮再落入人的手里，用亡夫的味道去引诱她怎不叫她痛彻心扉?

“阿爸坚持说不能在神山上杀狼，硬把活着的小狼带了回来，但是那些小狼都吃过奶了，接二连三地死，只有一只被母狼压在身子下面的小狼估计没吃到奶，阿爸说这只狼崽能活下来就是天意。阿爸信佛，因为这件事情他一直耿耿于怀，他觉得当初他不到处说起狼偷羊的事情，就不会给这窝狼带来灾难了。”多吉一口气讲完，策马前行。

难怪那时候南卡阿爸寡言少语，问他多次总是不愿细说，对我这陌生人也有些戒心。我这时才明白了临走时阿爸对我说过的话：“……如果能救他一命，也算我对母狼赎罪了。人和狼都是不得已啊。”

我夹紧马肚赶上几步：“那些偷猎的人到底是哪里来的?是藏族人还是汉人?”我话一问出口立刻就后悔起来，如果我们是同一个民族倒也罢了，如今我作为汉人对一个藏族小伙儿如此一问，无论如何答复都将是一个难堪的答案。

“这些年来草原上来来往往的人太多了，诱惑也太多，在经济利益驱动下，都看着眼前的好处，谁又能保证自己的民族一个败类都没有呢?”多吉的回答很客观，并没介意我的无心之失。我赶紧岔开话题：“这么说那些小狼可能是喝了奶水中毒死的?”

“估计是。”多吉回答：“唯一活着的那只被一个叫拉登的女孩子带走了。”

“拉登?”我抠着脑袋，怎么对不上号？难道找了半天又错了？

“对啊，拉登，奇怪的名字，阿爸说那个女孩儿辫子特别长，本地都很少见。欸，你要不认识她，那这狼哪儿来的?”

长辫子又对上号了，我咬着嘴唇心里直犯迷糊……

猛然间我想起了一件事儿，我留在草原照顾小狼崽的日子里，有一天傍晚我坐在帐篷外梳头，沉默的老阿爸第一次开口说话了：“藏族人晚上是不能梳头的。”

我赶紧收起梳子：“阿爸，我不是藏族人呢。”

“哦。”老阿爸点点头，“像我们草原人。”

我呵呵一笑：“那阿爸就给我一个藏族名字吧。”

老阿爸认真地思索半晌说：“拉泽（美丽的）或者洛登（智慧的）都是好名字，你选吧。”

“呵呵，懒得选了，”我调皮地笑着：“我都想要，干脆各取一个字叫我拉登好了。”

…… ……

忆到这里我恍然大悟，没想到当初一句不经意的玩笑，认真的老阿爸却一直记在心里。我慨然感叹一声，拔掉簪子泻下一头长发，回马而立：“我就是拉登。”说这话的造型和感觉特牛特怪异，话一落音我就笑出声来。

“啥?”多吉不明白。我忙把来龙去脉告诉了多吉。多吉笑开了：“哈哈，我说姑娘家咋叫这个如雷贯耳的名字，原来是这么回事啊。不过，也亏得这名字太好记了，我才能记到现在。”多吉高兴地喊了两嗓子，又想起什么，转头对我说：“你知道我是怎么知道你的吗?”

“不是南卡阿爸说的吗?”

“对啊，可是他本来什么都不肯说的，但是我五一去看望他的时候，他拿给我一个手机，非要叫我帮他给拉登打电话，”多吉忍不住又笑了起来，“等我充好电一看，那是个空手机，什么号码都没有，名字又古怪，我说阿爸被糊弄了，他却坚持说他看人不会错。”

“哦，是个红色的手机吗?”我忙问。

“对!”

“那是我的，我把卡抽出来了，哦……”我刹那间明白了，当初我原想用什么东西去交换格林，阿爸却这也不要那也不要，只拿着手机看了看，我自然以为他喜欢的是手机，就取出了自己的卡删除了记录，送给了他，这才心安理得地带着格林走了。没想到这位质朴的老人却拿着这空手机在莽莽草原上一直等待着我的来电。我仿佛看见老阿爸的身影，在帐篷前遥望神山，口念经文、手摇经筒、怀着虔诚与期盼的心情日夜守望着平安的消息。我暗暗后悔，那时候在我的概念当中一物换一物这是城市人理所应当的做法，可在老人的心里却是一份难以用价值

交换的生命的嘱托。此时想再见老阿爸的心情更加迫切，我要回馈他的信任，我要让他看到他托付给我的小狼格林——这迟到了半年的平安消息。

一位哲人说："我们走得太快，是该停下来等等自己的灵魂了。"这是对生命最初的审视。什么时候人们开始行色匆匆，忙到不再去理解与思索，忙到不再留意身边的点滴真情……很多人叹道：要让现代人感动太难了，或许感动本身已经很难了。在这拜金主义浪潮的冲击下很多东西都变了味。人们开始麻木，开始怀疑，有了欺骗与利用，有了隔阂与交换，甚至感情与生命也不能在交换中幸免。

在草原——远离尘嚣的草原，蛮荒的大地，我找回了一件人们或失落已久的东西——生命中最单纯的感动与真诚。

25 陷阱！

我挑起捕兽夹送到格林眼前。格林，我要你永远记住这一刻！记住今天摆在你眼前的冰冷铁器！记住那震惊四野的声响！！记住你今生最大的天敌——人！

曾经有感于一位女作家十余年前的一篇名为《草原之路》的散文，她写道："草原深处其实没有路，因为草原上根本就不需要路。在草原上行走，只需要方向。方向便是草原的路。平坦而辽阔的草原，手随便往哪儿一指，就是路了；你往哪儿走会走不过去呢？无论是夏天还是冬季，路在草原根本就不是个话题，路在草原那地方，是一种随着你的脚步而无限延长的地毯。……草原之路是随时可以被修改被矫正的呵，那是世上最古老最原始的路的形式，草原的自由是被草原自由的路所决定的……如果有一天，草原上的路被笔直坚固而不可随意更改的高速公路所取代，那么我们将不再拥有自由的草原。"

我小时候对草原的认识停留在教科书中红军过草地的描述里，到处是泥泞的湿地、到处是陷人的沼泽。那时候想如果有一条路能安全地通过草地那该多好，没想到仅十年时间，这条安全之路就"美梦成真"，随路而来的却是席卷草原的社会变迁，这时候我才分明感受到了一种可怕的人为之力。

骑马走在草原上，无论走得多远都能够隐隐约约看见那道高速公路刺眼地躺在视野中，像草原腹地的一道刀痕。从前可以随意被矫正的像一条条柔韧血管一样的草原之路已经僵化，外来文明和一批批游客像病菌一样顺着硬化的动脉蚕食着草原老人的器官。

仅从规矩的路就已经让我感觉草原的自由在丧失，而现在我与一只野狼结伴同行更是无路可寻。我尽量远离公路，捡拾残存的自由感觉，但是走着走着，这些小小的自由之路就被无处不至的围栏割断。虽然，我凭着一种热情和执著带格林来到了草原，但是狼群在哪里？他的家在哪里？我们的路在哪里？

我和多吉骑着马有说有聊地走着，不久后，望不到头的围栏就挡住了去路，马过不去了，眼前是一座高山。

"我就送你到这里吧，翻过这座山就可以看到一条小路一直通向南卡阿爸的家，虽然险一点，但这是最近的路，你要抓紧时间，现在快入冬了，很多牧民都转到冬季草场去了，还有的搬回了定居点，你只有碰碰运气看了。"多吉勒住马回身说。

我看看眼前还有积雪的高山有些犹豫，便往山侧面望去。多吉看明白我的为难："如果绕路走就算骑马都还要两天，而且围栏更多马过不去，更重要的是狗更

狼群在哪里？他的家在哪里？我们的路在哪里？

多。小狼的伤还没好呢。”

我看看一路默默跟随的格林。的确，虽然他恢复能力强，毕竟还是需要几天时间休养，如果再遇到狗的围攻估计凶多吉少。回想一下当初寻找格林的时候的确花费了三天多的时间，若不是在路上耽误了太多时间，格林的兄弟姐妹说不定还能多救活几只。时间太重要了。我咬咬牙，翻山！

多吉帮我从马背上卸下沉重的背包递到围栏那头，我取下麻袋背上，从围栏的一个洞里钻过去。走了一天的格林终于逮到一个机会，趁着我侧身低头钻栅栏的时候猛咬住麻袋，刺啦撕开一个洞，洞里露出一截羊蹄来，他立刻咬住羊蹄死拉硬拽起来。

“坏家伙！”我被拖住卡在围栏的洞里进不去出不来很生气，“我数到三再不放开打你啦！三！”

“啪！”我扬手一巴掌就打在狼屁股上。格林“嗷”地叫了一声，放开羊腿龇起了牙，我趁机钻了过去。格林别扭的尾巴想夹进肚子下面，又被辫子卷曲着夹不下去，我才想起刚才那一巴掌可能刚好打在他后胯的伤口上，急忙隔着围栏抚着他的头道歉。格林这才收起獠牙盯着我：“就是嘛，昨天还在为你拼死战斗，今天为了一条羊腿就打我一巴掌，什么世道？”

多吉哈哈一笑：“你看看他，很会找机会呢。”

我笑着塞回破洞里的羊蹄子说：“他是机会主义者。”我把麻袋揪起来挽个疙瘩重新背好，跟多吉告别。小伙子牵过我那匹马关照说：“我给你留个电话，如果有什么事还可以找我。”想了想，解下一个小巧的佩刀，“这个给你留个纪念吧。”我微笑着接过佩刀，多吉终于忍不住说：“我能抱抱他吗？一路上都没敢摸。”

我呵呵一笑，隔着围栏接过多吉手里的缰绳，帮他牵住马。多吉惴惴不安地

向格林走近，半蹲下身。格林目光如炬地盯着多吉，颈毛奓了起来，用鼻子嗅着多吉的衣襟，狼嘴离多吉的脖子近在咫尺。多吉担心地看了我一眼，我鼓励着："放心，他懂你。"正在这时，格林突然用冰凉的狼鼻子在多吉紧绷的脸颊上杵了一下，仿佛在戏谑："紧张不?"多吉"哎哟"一声，随即明白了格林的恶作剧，如释重负地伸出双臂抱住了狼脖子，人和狼的脸轻轻一贴。

多吉激动地站起来牵回缰绳说："这是我生平第一次抱狼！我会记一辈子!"

我目送多吉骑马牵马，渐渐跑远。爱狼的小伙子，来日有缘成都再见。

格林钻过了围栏，我拍拍他的脖子，吸气提神，开始爬山。

山上很荒凉，除了偶尔几株灌木丛几乎没有什么特别大的树，还有就是大片的沙石斜坡让负重的我连连打滑。更糟糕的是，天气也来凑热闹了，刚才还阳光普照，突然就阴云密布起来，风呼呼地刮着，陡坡上可无法扎营，如果下雪连躲的地方都没有。我东张西望无计可施。格林站在山腰上嗅嗅空气深深地看了我一眼，转身向山侧的几块岩石走去。直觉和格林的眼神告诉我这次跟着他走没错。

很快转过几堆岩石，一个不太深的大山洞出现在眼前，足够我躲避风雪。我欣喜若狂，连忙趁着天还没黑在附近收集一些牛粪灌木枯枝想办法生火。雪纷纷扬扬地下了起来，温度陡降，再冒雪翻山是不可能了。山上的牛粪不多，羊粪又细又小太难捡，我看看远处还有一丛干枯的灌木，拔出佩刀准备上前割一点回来生火。

猛然间，我犹豫了，心里升起了一种异样的感觉，这种感觉让我条件反射地停了下来。我警惕地用目光搜寻了一下格林。格林也停止了四处巡查，此时正一声不响地站在一块岩石旁边，头颈向前紧张地伸出，轻轻耸着鼻子分析空气中的每一丝味道，耳廓转来转去收集响动。他的专注反应告诉我"我的感觉没有错"，野生动物对不明了的状况总是明智地害怕，这点让人类自愧不如。我感觉自己似乎在被盯梢。其实这种感觉上山的时候就有，有那么一两次我甚至觉得自己从后背到后脑勺的每根毛发都在被莫名的东西满怀恶意地嗅闻着。我几次停下来朝四周看，因为对自己的视力绝对自信，所以在没有看到什么危险之后，我放心地继续上山。那时候我觉得"被盯梢"的感觉可能是路途过于劳累加上登山缺氧的眩晕感觉造成的，甚至还归咎于昨晚的青稞酒。但此时这种感觉又出现了，而且尤其强烈。

我握紧了佩刀，虽然看不见任何东西来证实这种不安，但我很重视自己的第六感。和狼一起野外生活的种种经历告诉我：忽略任何一种警告都是荒野生存中所忌讳的。我感到一阵害怕，有一道充满敌意的，冰冷尖锐的目光穿透了厚厚的冲锋衣直抵后脊梁。格林像化石一样纹丝不动，警惕而不紧张，他的目光转向了我刚才即将前往的灌木丛，似乎那是味道的来源。我埋低了身子慢慢挪动到附近的岩石后面大气也不敢出，就这样僵持着。

天色逐渐转暗，灌木丛前似乎有一些晃动，我掰了一块手里的牛粪轻轻扔了过去，没有动静，除了晚风轻轻地吹动了灌木一下，它重重叠叠的阴影在最后一丝诡异的光线中一动不动，那个我一直凝视或想象出来的东西像雾一样消失了。格林已放松了警戒开始舔他昨天被狗咬的伤口。为了消除疑惑，我特意跑到灌木丛后面看了一眼，的确很正常。

我继续收集干树枝，居然还捡到几根比较大的干燥木棒，大概是哪个经过这里的牛倌儿或羊倌儿遗落下来的吧？这个顶事儿，我高兴地抱柴回山洞。格林正在洞口嚼口香糖似的嚼着一只鼠兔，呵呵，看来他也小有收获。我解下捆在身上的麻袋——为防格林偷吃羊腿，收集柴火的时候我一直把麻袋背在身上。

从格林出生一个多月时跟我争夺地位，到以后多次的试探与较量，我和格林之间早已建立了一种明确的等级关系，这和狼群中的等级关系类似，如果群体没有面临生存和繁衍的危机这种关系基本不变。维护住这种等级关系在狼群中是至关重要的。也是出于这种等级规则，格林不敢公然以下犯上来抢夺属于我的肉食。

我和格林这对另类母子的情况比较特殊，虽然也有着等级的感觉，但更多的是一种莫名的亲情和平等的伙伴关系，他从小就会利用这种亲情和疼爱软缠硬磨地达到他索要食物的目的。有时候也会反过来给我一些食物，比如他吃东西的时候往往剩一点给我，或者兴冲冲地把从垃圾堆里找到的骨头给我叼回来，当然，我无法享用他的慷慨。基于狼崇尚智慧和力量的天性，时时向他展示觅食能力和领导能力是非常必要的。他会像一个新教徒一样用崇拜的目光观察、学习。当然，随着他年龄的增长，他的猎食能力和危险感知能力已经远远超过我了，儿大不由娘，当小公狼长到七八个月时，母狼也往往会将他赶走让他自食其力。不知道格林离开我时会是什么样。

火苗终于蹿上来了，当第一缕烟飘到洞外时，格林赶紧站得远远的，看着腾腾冒起的红光，他的眼睛被映照得闪闪发光。自从第一次认识了火，他就对这个曾经灼伤他的东西敬而远之。烤了一会儿火，天就黑了。我拿出一根羊腿削下一大一小两块肉，先把大块的扔给格林，然后用佩刀挑着剩下的那小块肉在火上慢慢炙烤，算是我的晚餐。

肉香四溢，可惜最后一包调味盐在天葬台的时候撒在格林的巧克力上了，没盐的羊肉尝了一口也不错。吹着还烫嘴的烤羊肉，那种被监视的感觉又袭上心头。我摘下羊肉把佩刀握紧在手中，把火加得高了一点，这种同样的感觉频频出现让我深感不安。我下意识地朝格林那里看去，羊肉早吃完了，格林却不知去向。孤独使这种不安更加强烈起来，我伸手挡在眼旁避开火光对视力的影响，借着清幽的月色向洞外张望。

要是在白天，我不会害怕，太阳能给人壮胆，我还是第一次在荒山山洞里过夜，想不到白天看起来那么辉煌壮阔的草原，在夜里会变得这样阴森恐怖，连迎面刮来的风都带着一股使人心惊胆寒的阴气，夜的草原是野兽的世界。

山洞外的斜坡下远远有个黑影子在晃动，我心跳加剧，摸出望远镜仔细辨认。

依稀能看出是个毛茸茸的大动物正在地上狂抓乱挠，但黑暗之中无法分辨，只感觉那怪物好像分不清头尾。突然那个怪物停了下来，两道犀利的目光穿透望远镜直向我看来。我心里一惊取下望远镜定睛再看。没错！即使不用望远镜都能看见那对灯泡似的眼珠子在月色下闪着幽光。这黑影显然注意到我在看他，他并没有因为被发现而隐藏起来，反而用一种怪异的步伐一高一低鬼魅般向我住的山洞蹦跳过来，那种跳跃的步伐顿时让我想到中国的僵尸、美国的异形、埃及的木乃伊！我张大了嘴却一声也喊不出来，就是喊了也没用，在这荒无人烟的地方只有超人和奥特曼才能来救我。

一种前所未有的后悔和惶恐掌控了我所有的神经，我边发抖边冒汗，哆嗦着掏出手机给亦风打电话——这恐怕是城市女人在危险来临前的条件反射。然而手机没信号，更深的绝望和害怕袭来，我深深后悔自己孤身来草原的冒失，这大半夜遇上的东西一定来者不善！不管是来自动物的威胁还是人的威胁，如果今天死在这荒原野外恐怕几个月都不会有人发现我。

黑影越跳越近，那鬼火一样的目光随着跳动的身形拉出长长的光带，我啥也不怕就是怕鬼！我不敢再看，拼命向火堆后面躲！脚步近了，更近了，就在洞口了……我一手抓紧了佩刀，一手拉出铁链准备拼死一搏！所有的神经都绷紧了，心提到了嗓子眼儿！

那让我紧张的东西终于出现了，像从地平线上冒出来一样现身洞口，幽幽地站在火光背后一动不动，我眯着眼睛透过火光看去——这不是格林吗？这分不清头尾的怪物竟然是被我卷起了尾巴来的格林。这种卷尾巴狼的造型我自己看着都不适应，真是自作自受，我整个人像散了架一样放松下来，铁链哗啦掉在地上："你吓死我了……装神弄鬼！"我长长地吐了一口气，这才发现自己一身冷汗把内层衣衫都弄湿了，料峭的山风刮来，冷得我瑟瑟发抖。我没有狼那种多年在血腥生涯中磨炼出来的胆魄。突然很想回家。

格林柔和的目光看看我，并没介意我的紧张，而是定定地望着火光出神。"你怎么了？"我觉得他今天有点异样。格林对我的问话无动于衷，他沮丧地低头舔舔爪子又似乎看了看麻袋，仿佛在下着莫大的决心。他是想进洞来又怕火吧？我心里纳闷。

然而格林待了不到一分钟，好像豁然开朗似的一扭头又走入了黑暗中。这小子到底要干什么？我爬到洞口极目望去，他照旧高一脚低一脚地走到刚才黑影的位置，之后一阵轻微的响动。格林继续在那里装神弄鬼地折腾着。

反正也看不清楚，只要不是鬼就行。我重新聚拢胆气，捡起防潮垫子上早已冷透的羊肉烤热吃起来。

一块羊肉下肚，增添了一分暖意。尽管我产生了一些非理性的模模糊糊的预感，但随着刚才被格林吓出的冷汗，似乎害怕的感觉都流失了很多。我睡意渐浓，在天葬场都能睡下，在这里还能更恐怖吗？我脑袋发沉，汹涌的睡意在冰冷的空气中难以抗拒，但我没有钻进温暖却束缚行动的睡袋，而是坐在山洞最里面裹上最厚的衣服，靠在洞壁上睡觉，最后干脆把睡袋也打开裹在了身上，手里捏着佩刀，这样如果真有危险随时可以跳起来拔刀自卫。

夜，静极了，篝火吐出最后一丝无奈的青烟，灭了。蒙眬中格林暖暖的身子靠了进来依偎在我怀里，为我瑟缩的身体添加了一片温暖。

清晨，紫黛色的山峰上露出半个太阳，霞光驱赶着残夜的阴暗。格林的大脑袋还搭在我腿上懒洋洋地眯着眼，他半边身子沐在晨光中，半边身子沉浸在山洞的阴影里。狼喜欢昼伏夜出，早上犯懒倒也正常，不过我们该赶路了。我推醒格林，起身收拾行李。格林不情愿地站起来，打着哈欠用狼的方式翘起屁股蹬直前腿放松筋骨，再绷直后腿俯卧撑似的伸个懒腰，一瘸一拐地向洞口走去。

"你给我站住！怎么搞的？"我很纳闷，一夜工夫成瘸子了？我赶紧把格林拉回来检查他的脚爪，爪子上有几个深深的血洞，还扎了根大刺，几乎穿透他厚厚的脚掌。我忙把刺拔出来，给他擦擦伤口，上了点白药。看看那根蹊跷的刺，我想起昨晚的情景来。为了释疑，我跑下山坡来到昨晚发现鬼影的地方仔细查看。一块奇怪的新鲜残骸静静地躺在地上，确切地说那是一张带刺的背皮，可能是刺猬的背皮，上面隐约一点血迹已经在一夜的风露中结了浅浅一层霜。

联系昨晚的怪异情景我猜测着：没吃饱的格林四处夜游，不知怎么就遇见了这个倒霉的刺猬。但刺猬也不是好惹的，遇到危险马上蜷缩成一团，把柔软的腹部裹在尖刺的防卫中宁死不张开。格林连连受挫也奈何不了这个刺球，狼爪子反被那些尖刺扎了个透，这才有昨晚他一瘸一拐跳回山洞时给我的一场虚惊。这小子本来长得就鬼鬼祟祟，又编起了卷尾巴，一跳一跳地蹦上来，黑灯瞎火的谁知道是个啥？可他后来是想到什么办法最终搞定这份带刺儿的消夜的呢，这对我始终是个谜。眼前的刺猬已被啃得干干净净，如若不是难以下咽的刺皮还剩在沙地里，我恐怕永远都不会知道昨晚发生了什么事。唉，可怜的格林，辛苦半天刺猬能有多少肉啊。

我突然又想到昨天被人盯梢的感觉，难道是灌木丛中一只小刺猬就让我如此神经过敏吗？毕竟被暗处的目光注视总是一种很不舒服的体验，前思后想我决定回去把背包里一件灰黄色的外套换上，与环境的颜色相融，像一个荒野动物一样把自己隐蔽起来。

我爬回山洞边一看，格林趁我不在正使劲偷吃麻袋里的肥羊腿，此刻见我回来就翻起眼睛，龇着牙将两只羊腿一起紧紧搂在怀里，唯恐被人抢去似的，大口撕下羊大腿的精肉猛吞。唉，我一路带着香喷喷的羊腿始终对他是个引诱，川谚道："砍了树子免得老鸦叫。"也罢，你要吃就吃吧，吃饱好赶路，我也省得再背那死重死重的麻袋了。我边穿衣服边等着格林进食。格林敞开了肚子狠狠地吃起来，似乎他也感觉到吃了这顿，下一顿不知道是什么时候了，他啃得很狡猾，不照着一只腿啃，而是这个一口那个一口净拣好肉吃。

五六分钟后，格林的肚子就胀得翻了起来，他不得不趴下来克服地心对他肚子的引力，继续勉强自己再吃一点，但速度明显慢了下来。不一会儿，一只羊腿啃得只剩白森森的骨头，另一只还有一些挂在骨头上的碎肉，他这才心满意足地仰躺在地上，把沾在脸上的肉屑与血丝舔得干干净净，用后爪把还有些肉的羊腿蹬到了我面前。

“你都啃成这样了还给我干啥？”我哭笑不得，“休息一下准备走吧。”

格林见我不领情，慢吞吞地翻身叼着羊腿出去了，过了一会儿又回来，叼起剩下的那根啃得只剩骨头的羊腿又往外走，我知道他又藏肉去了，这家伙一点儿也不会浪费。我耐心等待格林埋藏完，这才招呼他上路。

我在前面大步流星地走着，半天不见格林跟上来，回头一看他挺着大肚子像喝醉酒一样软绵绵地走了几步，就干脆躺倒在地上懒洋洋地望着我，媚眼如丝。真要命！我怎么把这事儿给忘了，狼进食的时候简直可以用疯狂与亡命来形容，可这大量的食物一旦吃进肚子里，狼就像虚脱了一样没精神，必须休息消食，何况他爪子上身上都还带伤，他愿意勉强走上几步就不错了。我连哄带拖劝不动，只好抓住他两只前腿搭在双肩上，让他趴在背包上面，托着狼屁股把他背了起来，继续赶路。

爬过山顶已经中午了，背上的格林扭动起来挣扎着要下地，我如释重负地放下他，坐在大石头上休息。但很快我觉得格林神情不对，我赶紧俯下身来躲在岩石背后，顺着格林的眼光看去，远远的好像有几个人在山脚下抡着锄头挖地，附近还停着一辆皮卡。

“原来是发现了人啊。有人就可以问路了，呵呵，格林编起来的卷尾巴还没解开，说不定冒充狼狗还能搭一截车呢。”我美美地琢磨着拿起了望远镜。很快我就放弃了搭车的想法，因为这辆车没有车牌，这是搭顺风车的大忌。随后我发觉那些人的举动很是诡异，既不像牧民又不像游客，开着无牌的车到这深山里鬼鬼祟祟地挖地也是让人费解的事，我不由得想起了自从上山后的不安感觉。在草原行走的这些日子里我始终陷于一种矛盾中——既盼望遇到人，又害怕遇到人，这是一种源自本能的盼望和惧怕，因为我永远也不知道自己会遇见什么样的人。从格林的表现来看也很异常，他一直以来是不怕人的，然而这次他选择了沉默、潜伏，他的眼神惴惴不安，流露出一种我从未见过的畏惧和仇视，这是为什么。跟着感觉走是相当重要的一课，我相信我的感觉，更相信格林的感觉。我拉上灰黄色的外套帽子，让自己和面前的岩石色彩更加和谐，继续从望远镜里仔细观察这些人。

皮卡车上一个司机正在抽着烟东张西望，一个身穿灰色外套的男人戴着厚手套，用一个红色的铁罐子往一个显眼的旱獭洞里倒进了一些白色颗粒状的东西。另一个高个子也就是刚才拿着锄头挖地的人随即抱来一块石头堵住旱獭洞口，然后用挖起的泥土盖在石头上把洞封死、踩实。一个身材相对矮小的男人（我姑且称之为矮个子）正拿着望远镜在山上搜寻，当望远镜投向我这边的时候，我的心

脏狂跳起来，赶紧埋下头缩回岩石后，同时一把按下格林还在观望的脑袋。我调整了一下呼吸，悄悄拿出铁链套在格林脖子上，我已经隐约感觉到这次遇到的绝非善类。格林毕竟经历的人太少了，他是一只对人没有戒心的狼。

平静了几分钟，估计矮个子的望远镜已经移开，我才抱住格林的脖子轻轻地探出头去。格林的身体有点哆嗦，他很少这样紧张，但我此时无法照顾他的情绪，扣紧了铁链不让他轻举妄动。

山顶的视野相当好，又没有大树木的遮挡，那些人的一举一动尽收眼底。此刻他们在矮个子的指引下离开刚才堵住的旱獭洞，步行到更远的一处浅草里折腾，无法看清他们在弄什么，但是高个子从车里抖出了一样让我血脉贲张的东西——狼皮！我明白格林的仇视与惧意从何而来了，这是一帮盗猎者！

灰外套戴着手套的手小心翼翼地接过狼皮，在浅草周边不规则地拖动，一直把人经过的痕迹都抚平，留下属于狼的味道，又仔细检查了一下四周，看样子很满意。他打个手势，几个人一言不发地退回停车处，卷起狼皮收进布袋子里，把工具收好放在后面的车箱里，盖上一块旧毡子，又凌乱地堆了些杂物在上面，收拾停当就开车走了。

我摸出指南针对了一下刚才的浅草位置，看好附近的石块灌木丛和其他显著一点的标志，因为从一目了然的山上盲目下到四处都差不多的草场上再寻找很容易迷失方向。在山上看来很近的距离，可能步行起来却需几小时。皮卡车开远了，最终消失在视野里。我脑子里嗡嗡的一片眩晕，心跳始终无法平息，我不知道他们会不会再返回来查看，但是要破坏盗猎陷阱的愿望如此激烈，让我整个手都因冲动而颤抖。格林也在抖，他的每一根毛发都透露着心底的惶恐与怨愤。

我大约在岩石后待了有一个小时，四周再无动静，身体也已经发麻，才牵着格林站了起来。眩晕略定，我的思路开始慢慢清晰，用指南针确认了一下方向，才向山下走去。先去寻找那个被堵住的旱獭洞，那是我目力所及最显眼的地方，在一个隆起的土堆上，那是每个旱獭洞都会有的瞭望台，但此刻看起来更像是一座死气沉沉的坟墓。

旱獭，也就是土拨鼠，当地人叫他“雪猪”，是草原上常见的像森林熊一样靠脂肪越冬的冬眠动物。春天到秋天常三三两两地在他们修筑的瞭望台上时而抱着爪子直立观望，时而嬉戏吃草，圆滚滚的憨态可掬。到了冬季他们就往地下打十几米甚至更深的洞蛰伏起来，饿了就靠舔舐爪子上的脂肪维持生命。旱獭是草原狼的主食之一。早些年若尔盖草原上的旱獭很多，人们曾经把旱獭和老鼠、野兔等并归为草原之害进行灭杀。但很快人们就发现旱獭是个好东西，獭油可以祛风除湿，爪子泡酒药用堪比熊掌，獭皮可保暖，獭肉鲜美，于是不少好野味的人竞相购买品尝，药材商、皮货商也大量收购，这给昌盛一时的动物带来了灭顶之灾。现在草原上的旱獭已少之又少，只有少数高山上才可以看到，如今已被列为保护动物。当下正是秋天草枯的时候，旱獭专吃草籽积累一身的肥膘准备越冬，很多食客当然对旱獭馋涎欲滴。而此时旱獭冬季夹绒的皮毛也已经换好，正是毛皮商人竞相购买的上等货色。

听扎西说过，在老一辈牧民的心目中，旱獭是他们监测草场的地菩萨，当草质不再好时，旱獭会举家搬迁。他还说一些盗猎者会用一种叫做“磷化铝”的挥发性毒药毒杀旱獭，只要把药丢进旱獭洞里再把洞口用土块石头压实了，毒药一挥发，旱獭洞就成了毒气室。旱獭们被熏得受不了了，就拼命往洞口挖土想出来，但洞口被沉重的大石头压着，凭旱獭再能打洞一时半会儿也挖不通出路来，就被活活熏死在洞口。有多个洞口逃生的旱獭还可幸免于难，只有一个出口或是出口全被堵死的旱獭就无处可逃了。这种盗猎方式悄无声息，既不容易被人发现又省时高效。头天下午偷偷摸摸下药堵洞，第二天瞅个没人的机会不紧不慢挖洞收獭子就行了。还有那些狼夹子，无论夹住狼或是狐狸，那珍贵的皮毛对他们都是不小的收获。

扎西说他发现了几次这样的盗猎现象，但我从未亲见。今天我孤身一人还带着一个偷猎者们人人觊觎的狼在这荒凉高山远远遭遇，我心里既愤慨又紧张。格林卷尾巴的狼狗伪装只能瞒过不相干的人，却绝瞒不过贼眼尖利的盗猎者，而且即使格林就是狼狗，盗猎者们也毫不在乎，因为他的皮照样像狼皮。毕竟现在真正的野生动物少了，有些无家的野狗遇上这些人也会被悄悄打死扒皮，然后把毛皮染色冒充野生动物皮卖。扎西曾经跟随十几只兀鹫的指引在河边上看见了一堆被扒皮后丢弃的野狗尸体，苍蝇纷飞恶臭难当。信仰佛教的藏族人是不杀狗、马、鸟、鱼这些对他们有特殊意义的动物的，但如果面对信仰金钱的人就毫无办法了。

旱獭的“坟墓”已遥遥在望，格林显得比我还激动，绷紧了铁链拼命往前拉，铁链勒得他舌头都伸了出来，还是不顾一切地往前挣，他此刻的力气已完全可以和我较劲。我生怕还有其他陷阱威胁，扣紧铁链不放松，仔细看着路走到旱獭洞前。格林抓刨着新盖的泥土，我使劲把他拉到身后，用脚踢开泥，翻起压洞的石头，深深的洞里冒出一股淡淡的臭味，格林大口喷着鼻息连连后退。

“害怕就对了，你一定要记住这个味道。”

格林犹豫地后退着，对不了解的东西明智的害怕是野生动物最具保护力的本领。一瞬间他忘记了铁链的存在撒腿就往有着狼皮味道的那片浅草方向跑去。我冷不防被他拖得摔了一跤，铁链差点脱手，我赶紧扣紧链子爬起来拉住他，我理解他对同类气息的渴望，但这里由不得他乱跑！我四处看看想找个木棍之类的东西，但荒野莽莽连大树都没有，哪里找寻木棍啊？况且在这盗猎者光顾过的地方岂敢乱走半步？谁知道还有没有别的致命陷阱。

格林还在挣扎着，为防止他再次从手中挣脱，我把铁链的另一端死死地捆在腰上扣牢，本来就不长的链子环腰一周后将我和格林拉住紧贴在一起并步而行，坚固的铁链将我们的命运也紧紧连接在一起。我解下捆扎在背包上的相机脚架，把它拉长暂且充当探路棍，对照着指南针像工兵扫雷一样且探且走。

走着走着，格林的头突然埋低下来嗅着地面。应该近了，我举目四望，没错，刚才记住作为方向标记的岩石就在左面不远处，从山上看那似乎是些小石块，走到面前才发现是一大堆杂乱的岩石，若不是格林警醒，我差点错过。我更加小心翼翼地边探边走，格林不再向前狂挣而是仔细地嗅着味道……

都快走到岩石前面了我似乎有点迷糊，明知道狼夹子就近在咫尺，观察地面却难以发现，用相机脚架侦测也一直没有触发。我手心开始冒汗，如果踩上去，这钢铁的兽夹也完全可以把我的腿骨夹断，我害怕了，左顾右盼后想撤。

紧张中，那种被注视的感觉又出现在背后。难道盗猎者并没有真正离开，而是绕了一周以后又回来躲在一个幽暗的地方观察吗？此刻难道他们正以嘲弄的目光默默地等待着格林一步步走入陷阱吗？难道矮个子的望远镜早就发现了躲在山顶岩石后面的我和格林，故意当着我的面设下这个陷阱吗？那我岂不是正在引导格林走上一条死路吗？如果真是这样，一个女子是无论如何斗不过四个盗猎者的，只等着那陷阱铿然触发，唯一具有攻击力的格林将被完全卸除武装，而我和格林将无一幸免。我汗流浃背，猛然回头向四周所有能隐蔽敌人的地方张望，努力让自己安静再安静收集周边所有的声音。我的手向佩刀摸去，尽管这短刀对远远潜藏的敌人毫无用处。我仿佛是一个进入了斗兽场的角斗士在众目睽睽之下等待着死亡来袭的一刻。我第一次听见了那呼呼的草原脉搏声，我努力让自己在深重的怀疑与惶惑中相信那是我听得过于专注时自己的血液循环声。

我感觉到紧贴着我的格林有了动作，他把头转向了右边，紧系的铁链让他无法前行，但他冷峻地看着右边四五米外的杂草地面，难掩的激动与疑惑在眼神中不断纠结，鼻孔缓缓张合深嗅。我顺着格林的目光观察右面的草丛，似乎没有太大的特别之处，但我相信格林不会没来由地注视一个地方。我缓缓蹲下，抱住格林的颈项安抚他，摸到脚边一块牛粪捡起来朝那地方扔去……没有动静，牛粪太轻了。我看看身边没有可捡拾的石头，摸出怀里的佩刀又扔了过去，佩刀扑哧一下扎入了土里，刀柄微微颤动，也没有触发什么机关。但是，这块土地肯定不正常——在这十月刚过的草原，严寒已悄然逼近，零度以下的低温早就让枯草下凝结成了冻土，一个轻轻抛掷的佩刀没理由能轻易扎入坚实的冻土，那地方肯定被扰动过。我仔细看看上面的枯草都没有根，是被撒在上面的，那状态很像是格林平时埋藏剩余肉食的情形。

我拿起相机脚架点击地面，抱紧了格林一步一步地试探着挪过去，同时注意周围还有没有类似的伪装。我用脚架轻轻拨开地面上的枯草伪装，露出松松的浮土，是这里！我拿脚架用力戳去……

“当!”尖厉的铁器碰撞声在寂静的草原上霹雳般炸响，掩埋夹子的浮土像节日焰火一样被弹起来老高，一个沉重的捕兽夹已把金属的相机脚架咬合得严严实实。

格林被惊得像蚱蜢一样跳起来，直往我腿间躲。铁链勒得他眼突舌伸。我极力缓解铁链的缠绕，再一看狼夹子，把我惊得头皮窜麻——金属的相机脚架已被狼夹子打弯。我用力挑起脚架，带出埋在浅土中大约六十厘米长的铁链，铁链下方是一个类似武侠小说中飞贼爬墙用的那种倒钩似的铁爪。我倒吸一口冷气，我知道有一些捕兽夹铁链的另一端是固定在一段树桩、石头或者其他无法挪动的东西上的，但是草原上没有树木，盗猎者显然更熟悉在草原猎狼的方式，也更明白狼被捕时的做法：当狼被兽夹滞留原地感觉一点逃跑的希望也没有的时候，会坚决断腿逃生……而这种不固定的倒钩既能让狼拖夹逃跑，又能沿路钩住一切障碍物阻止狼跑远，利于追踪。

这个陷阱诱饵的设计也非常狡猾，盗猎者将狼最爱的腐肉浅埋于地下，铺土、盖草、一路扫上狼的气息……比那种放在地表面上让狼望而生疑的诱饵高明得多。腐肉的味道足以诱狼，且埋在地下不会招来兀鹫、乌鸦这些不相干的动物叼食，破坏陷阱。陷阱的猎取目标明确针对嗅觉灵敏的狼和狐狸。在狼看来那陷阱就像是一个同类的藏食点，即使不吃也会上前查看是哪个同伴留下的味道。盗猎者对狼的行为方式的熟知程度让我惊讶，他们的智慧与狡诈在对付动物上无所不用其极。

看着兽夹，格林狼眼圆睁，挣扎着后退，他原本柔顺的狼毛乱得一团糟，被铁链缠过的地方还绞在一起，被狗咬的伤口绷裂出血，他拼命地扒着枯草与沙石，脚掌上被刺猬扎过的血洞破裂，踩出一个个触目惊心的血爪印。他的狼毛不住抖动，大口地喷着鼻息，他的鼻子因为不停抽搐而变成了锯齿状，舌头像红蛇一样伸出再缩回，耳朵耸立，眼放仇光！除了被火灼伤的那次，我从未见过他如此惊恐的神情，而这惊恐背后包含了所有凶狠恶毒的诅咒与深深的仇视！猛然间，他大张开嘴，爆发出一声长长的、心碎的哀嚎……他的嗥叫声中包含着自己的孤独与恐惧，包含着对失去皮毛同伴的哀悯，包含着所有过去的忧伤与悲苦，包含着对将要到来的苦难和危险的担忧——这是前所未有的悲音，在他出生的草原上，他扯开了嗓子拉长了怨音放声大哭……这是他有生以来第一次用祖先们的声音、用流淌在血液中的，比他短暂的生命更为古老永恒的哭腔穿透茫茫天地，哭尽草原狼族们在这冷风吹拂的广袤草原上悲凉的命运，那份苍凉凄惶让雪山上风卷云涌，让蓝天下每个生物都为之黯然神伤。

我挑起捕兽夹送到格林眼前。格林，我要你永远记住这一刻！记住今天摆在你眼前的冰冷铁器！记住那震惊四野的声响!！记住你今生最大的天敌——人！

天色已晚，我不敢再逗留，好不容易从狼夹子中取出脚架，再用脚架拨出扎在诱饵上的佩刀，割下一小片内衣，把格林磨伤的前爪包扎了一下，我们就匆匆离开了那个地方，寻找多吉指引的通往南卡阿爸家的小路。

我带着格林一路无语，格林平时轻快的步伐变得很沉重，不知是脚掌上的伤口疼痛还是心上的伤口难以弥合，或者……身心俱伤。

周围的景色开始依稀熟悉起来，随着草原上绵延的小路，南卡阿爸的家应该

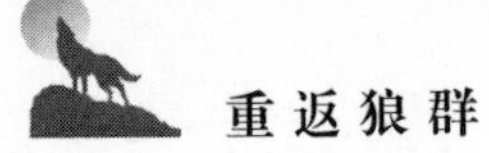

就在附近，但此刻我却丝毫没有了带格林归家的坦然。捕兽夹如同牢牢夹在我心上一般无法解除，夹得心一路淌血。月色昏黑，四周暗沉沉的，我解开套在格林脖子上的链子，让他在安全的小路上轻松而行。

月亮闪烁在黑云后默默地看着我和格林匆匆赶路。我几次回头看格林，心疼他受伤的身体和淌血的脚掌，但他不再朝我撒娇耍赖也再不要我帮助，他坚定不移地小跑着，不知疲倦，似乎他就是为在旷野中奔跑而生的。他有着祖辈们留给他的钢铁般的身体和意志，即使伤痛、即使疲倦，那遗传下来的坚韧品性也会给他带来无穷的力量。跑！向前跑！

…… ……

星光闪烁，隐隐听见河水声了，记忆中从南卡阿爸的帐篷再往前走就是一条湍急的大河湾，而河水的声音如此之近，分明告诉我："你已经走过了……"

我回头四顾茫茫没有一点灯火，也没有任何帐篷的影子，一种难以排解的孤独感铅压心头，压抑得我说不出话来。翻山越岭走了整整两天的路，阿爸的牧场上却人迹杳然。

已经深夜一点了，拖着疲惫的身体游走在黑暗中，我的满腔希望如落进了冰窖，冻得我大脑都麻木了。我苦恼地抱着头坐了下来，心情低落到了极点！管他什么地方，管他任何的野营讲究，此刻都没有用了，环顾暗沉冰冷的荒野——东、南、西、北，往哪里走？任何地方都一样……我突然什么都不想做了，只想躺下，什么都不想了，只想号啕大哭……我抱着头啜泣着，任凭呼出的空气在我睫毛上肆无忌惮地结成了霜花……在这荒无人烟的大草原上，地狱般的星空下，一个人号啕痛哭！

格林闷声不吭地走过来趴下，把脑袋放在我腿上安静地看着我，似乎那是对我最好的安慰。他那只伤爪上包扎的布条不知遗失在哪段路上了。我擦擦泪眼想看看他的伤，于是伸出一只手，格林也正好伸出那只伤爪（至少我当时还以为是

格林静静地把伤爪放在我的手心，用他的伤抚慰我的伤，他是我荒野里生死相依的唯一伙伴。

巧合)，手爪相碰，一股暖流在诧异中传递过来，瞬间暖热了我的心房。我没有握住他的“手”，我放平掌心，他却并没有拿开，静静地把伤爪放在我的手心，用他的伤抚慰我的伤，用他那似乎能够洞穿一切的眼神深沉而温柔地看着我……我眼睛再度湿润了。善解人意的格林啊，他读出了我心里的悲哀与绝望。他用他能表达的方式给我鼓励，他是我荒野里生死相依的唯一伙伴。

从此，每当我们挫折孤单时，每当我们落寞伤悲时，甚至每当我们终有收获时，每当我们欣喜若狂时，拍手就成了我们心灵相通的暗语。

夜深，格林照旧对月长歌，但今天的歌声中又多了几分苍凉……多乖的小狼，在城里受尽憋屈，本想带他到了草原应该展开一个美丽的童话，哪知回归梦落到了这般境地。

26 狼山、狼洞、狼渡滩

喝完水的格林往往会站在河边望着自己日渐成熟的影子发呆。而每当夕阳西下我们就在河边静静地守望黄昏。我可以坐在这里，看河水潺潺流过，感觉自己融入其中，什么都可以不想，也可以什么都想……这就是人们向往的自由吗？

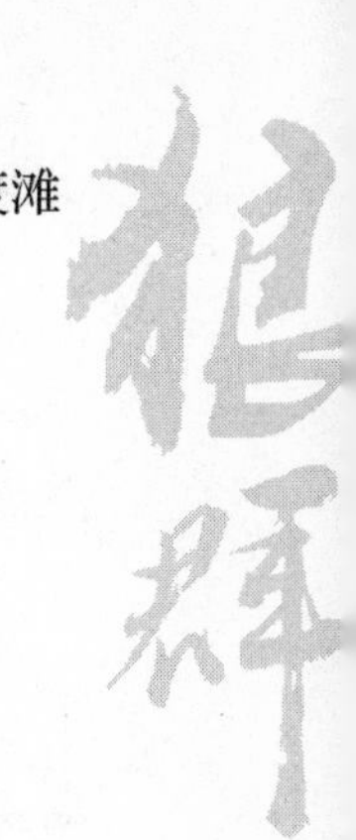

我是被冻醒的。清晨第一缕阳光射穿我的帐篷，它丝毫没有为我带来温暖的感觉。帐篷外白茫茫亮得出奇，下雪了？我拉开帐篷一看，呀！整个无人的大地上铺洒了一层素白的轻霜，宛若新娘的头纱。起伏的山峦像用圣洁的百合与茉莉精心装扮的教堂。银霜覆盖了成片的鼢鼠土丘，竟似无数的白鹿静卧莽原，霜凌攀结的草茎枯枝成了美妙的鹿茸。昨晚幽暗的地狱一夜之间变成了最纯净的天国！我踮起脚尖走上这世间最精美的地毯，这静谧的天国里只有我一个人踏入，哦，还有格林，那匹快乐的小狼，仿佛这繁霜净化了他一夜的伤悲与仇怨，又让他回到了童年的快乐时光。我从背包中拿出厚厚的藏袍裹上，只有这样我才觉得自己是个草原人，才不破坏草原赐予的天堂美景，任何刺眼的野营装束都是一种唐突。我坦然接受呼啸的寒风侵蚀我的脸庞，也感恩于梦幻般的景色带我回归生命的本源。我愿和所有牧民一样在草原的深处扎根，聆听草原生生不息的心跳与脉动！

格林张大了嘴巴，在霜原上如醉如痴地急冲锋，仿佛心都要从身体里跳出来一样，粉红的舌头快乐地垂在胸前。我刚把相机对准了格林，他就发现了我，亲热地叫唤着，像刮过草原的风一样带着满腔的爱意向我奔来，一路的霜花在他身

格林像刮过草原的风一样一个纵身就跳入我怀中，仿佛要把胸中所有的激情与依恋全部传递给我！

后化作迷蒙的白色烟雾。他一个纵身就跳入我怀中，把我扑倒在地，他忘情地亲舔着我的脸颊，疯狂地咬着我的手指，仿佛要把胸中所有的激情与依恋全部传递给我！爱，如满地繁花般倾情绽放！经历了这么多的事，格林仍能保持一颗纯净如霜原的童心，愿他永远快乐无忧！

当太阳腾上地平线，清晨那如梦似幻的洁白仙境就化成了淡淡的记忆。傻闹了一早上，此刻格林安静地趴在旁边看我收拾整理，其实我真不想再这样每天拆装帐篷，可是早上我看了一下周围确实没有任何人家，这里的草场也被牛羊啃得只剩草茬子和一些不能吃的剩草。原本以为可以安定几天的打算现在落空了。这里的牧民已经搬迁去了冬季草场，我想起多吉跟我说过让我抓紧时间的话，不过估计我早来一两天也不见得能找到人。我想到对面的山坡上望一眼，毕竟山坡上看得更远一些，说不定能看见哪家没迁走的帐篷还在。我是特别不愿意走回头路的，所以还是背上帐篷走的好。

平日里我收帐篷，格林总喜欢凑上前来调皮捣乱，但是今天他很安静地趴着，头放在两只前爪上若有所思。我在帐篷边忙活，他就把头转向右边看我，我去河边打水，他就把头转向左边看我，狼鼻尖像个指南针一样忠实而准确地指着我的方向，始终不让我离开他的视线。自从被狗咬伤又见识过狼夹子以后，他这样的表情就时时出现。他明白他需要伙伴，他像一只单独的眼睛，需要另一只眼睛的帮助才能分辨事情的真相，而我也一样。

终于收拾停当，我拿着药瓶走到格林面前给他的伤口再检查一下。刚翻开一只脚爪，格林就猛烈地挣扎，把脚爪抽出来，我以为我弄疼他了，但是格林跑了起来，向左面的山麓冲去！山梁上迅速闪过一道影子消失在山背后，一丛灌木在无风的山梁上不规则地抖动着——刚才似乎是一匹狼，几天以来一直被跟踪注视的感觉得到了证实。一旦知道了是一匹狼，我反而没有了恐惧感。我知道独狼是不会轻易袭击人的。我只有一个念头——追！

我背起背包，跟着格林奔跑的方向爬向山梁。这个山没有来时的高，山上积雪不多。两小时后，我好不容易爬上山梁，向山背后一望，我被眼前的景致惊呆了！

一直以来草原就没断过给我的惊奇，然而这般壮丽的景象仍然让我目瞪口呆：一道绵延近百米宽的厚重冰河从弧形的山脉中间破壁而出。它并不是平时所见的那种平平展展躺在地面的河道，而是由山脉中日复一日渗出的冰雪层层浇筑而成的冰瀑。在这山洼里，太阳难得消融冰雪，这宁静的冰瀑便以一种流动的姿态积聚成隆起的河川，像一条巨大的苍龙在四面金草的群山间沉睡，它延伸的尾端被雾包裹着。弧形山脉形成的回弯中弥散着融霜的味道，那气息让人仿佛置身云端。少顷，太阳无垠的光辉铺泻开来，薄雾渐渐散去，空气如同浸泡在溶液中的钻石，奇迹般澄澈。

格林已经踏着猫一样鬼魅的步伐滑行到了冰河对面的山头朝我张望，这小子跑得可真够快的，这距离够我背着包爬一个小时的了。我欣赏着冰河的壮丽景观，且走且停地绕过冰河沿着山脊前行。格林一刻不停地来回巡山。

当我终于气喘吁吁地走完这道山脊，太阳已经很高了。格林在山腰上的一处灌木丛中激动地蹿进蹿出像有所发现。我小心翼翼地沿着四十五度左右的陡坡慢慢滑下山腰，靠近灌木丛观看。

格林的面前，呈半包围状的灌木丛中，隐约现出一个凹洞，还未照射到阳光的积雪封堵了大半个洞口，正在艰难地消融，积雪上没有动物扰动过的痕迹。

格林激动地把大脑袋凑上来舔舔我的脸颊，又掉头撅屁股、翘尾巴使劲扒着洞口的残雪，似乎想清理出一条进洞的路。是洞里有什么东西吗？我安静地等待着，格林忘乎所以地挖着积雪，他半个身子都钻了进去，拼命地刨雪挖洞，雪片四溅。刨了一会儿，格林退出身子休息一下看着我喘口气，眼睛里尽是兴奋难抑的光辉，这和他刨坑抓猎物的神情完全不同！他用前爪搂住洞口的积雪往山下扒拉，似乎嫌那些雪堆在身后太碍事阻挡了他的工程。他又钻进洞口，越挖越快乐，越挖越疯狂，到最后简直无法停歇了！积雪很松软，应该是山风吹进来积累在这里的，洞口越挖越大我也越来越惊讶——这是狼洞啊！我立刻加入了格林的行动，帮他把身后刨出来的积雪一个劲儿地往山下抛撒！

不一会儿，我惊呆了——清理出来的洞口大得足以钻进一头小豹子，洞口推出来的沙土平台有一张双人床那么大，趴在平台上向里张望，半尺之内洞道迅速收紧变窄，洞内幽深结实，溢出一股被雪水润湿后的淡淡土腥味，伸进洞里的灌木树根下，像门帘一样结着老旧的蛛网。一张不知何时、不知何处飘进去的龙达①纸片悄悄停歇在洞中蛛网上，告诉我这个洞已经很久没有主人进出了。洞口边上还有一些被推到一边用沙土掩盖起来的不知多久以前的狼粪，在这冻土坚实的高山上这是一个要历经多少年才能挖成的大狼洞。

格林推出最后一堆雪，欢叫一声，一头就扎进洞去，很快他又被什么东西抓住一样尖叫挣扎起来，原来是伸进洞口的灌木树根钩住了他编结起来的翘尾巴，牵绊了他进洞的路。格林气急败坏地退出来，怨恨地蜷起身子追着尾巴猛咬，我赶紧手忙脚乱地帮他解辫子。此刻的格林焦急烦躁得好像要把心都挖出来一样，他猛然转过头咬住尾巴狠狠一扯，我惊叫一声，那三股辫子立刻迸着血花，生生地从他尾根扯断，翘起了几天的狼尾终于垂挂下来！我还没从惊痛中回过神，格林已迫不及待地再次钻进洞去！他一刻也不能等待，洞里只剩下一条平直抖动的狼尾，很快，那条尾巴也消失在黑暗中，就此没了动静。

我呆呆地坐在洞口，是什么让格林如此激动而迫不及待，这里难道是他曾经的家园？我回忆着多吉对我说的每一个细节，回想着这狼洞到南卡阿爸牧场的距离，越想越像，到后来几乎肯定了自己的猜测。我为这一猜测而震惊，我一直以为格林像所有人类的小孩一样对幼年记忆是模糊的，况且那时候他还没有睁眼。

---

① 龙达：藏语，一种两寸见方的纸片，藏民“撒龙达”以祈祷平安祝福安康。

然而狼的嗅觉与听觉比视觉醒得早得多，小狼崽能够在未睁眼的时候就分辨出是母亲回巢或是天敌来袭，知道自己应该迎接乞食还是妥善隐蔽。我第一次见到小狼时，他也是在所有让他不安的气息和声音中保持着本能的警觉和装死，可见他对味道和声音的感知何其敏锐，直到听见我呼唤的时候才向我扑来，从此记住了我的味道。那么他能够循着自己曾经熟识的味道找到失落的家园也就不足为怪了。

我不知道洞有多深，格林还在洞里无声无息。

为了证实这一猜测，我用很久都没用过的母狼唤子的声音趴在洞口呼唤："呜……呜……呜……"刹那间洞里骚动起来，格林像箭一样射出洞来，他的动作快得超乎想象，两只狼眼放出无比灿烂的光，那种光只在我生病归来与他重逢时看到过，但此时这双狼眼更加炽热，仿佛为此刻他已等了几个世纪，他亢奋地竖起了耳朵追逐母狼声音的来源，他每一根狼鬃都激动得抖了起来，他激情澎湃，做好了一切迎接久别亲人的姿态……

然而，格林立刻发现了发出呼唤的是我！顿时，他脖子和肩膀上的毛都竖直起来，被戏弄的感觉让狼眼喷火！一股难以遏制的狂怒和绝望涌遍全身，他也许没有意识到自己在咆哮，但那异常凶猛的狂烈咆哮声已响彻山谷，一个暴怒的生命像飓风一样携着摧毁一切的愤怒向着我、向着山谷、向着山前绵延数百里的草原、向着破碎的家园怒吼狂啸！吼声越过冰河，似乎将那只沉睡山间的冰龙都要惊醒！这是他唯一的一次失去理智般地冲我咆哮……紧接着那啸声由怒吼转为了哀嚎，他扬起口鼻对着蓝天，对着山顶猎猎飘扬的经幡，对着空荡荡阴冷冷的狼洞声声哀嚎。他闭上了眼睛，一任这哭腔拖曳着长长的尾音在山谷中久久回荡……直哭到肝肠寸断……直哭到声嘶力竭……

格林像一个在战乱中流离失所的孤儿，懂事后重返故里寻找失散的亲人。然而家园安在？亲人安在？

格林终于筋疲力尽，狼吻颤抖着再也发不出声音，像失去了所有精神支柱般颓然跌卧，狼眼中的火光熄灭了，露珠般清凉的眼睛蒙上了一层重重的灰色，泪水涨潮一样漫上来，那悲凉失望的眼神让我的心绞痛无比。他像一个在战乱中流离失所的孤儿，懂事后重返故里寻找失散的亲人。然而家园安在？亲人安在？

我深深后悔起来，此时此刻在荒凉废弃的狼洞前我的那几声呼唤是如此的残酷。他还是一只未成年的半大小狼，对他来说无论是荒野的呼唤还是人类的呼唤都敌不过母亲的呼唤，狼子归来，而他真正的母亲却永远不会呼唤他了。

格林软绵绵地卧在狼洞前一动不动、目光呆滞，我也坐在洞前的平台上，默然无语，不知道该怎样去安慰这个狼世界的遗孤……

我放弃了再寻找南卡阿爸的念头，格林已经舍不得离开那座故居的山脉，对他而言家已找到，尽管空无一狼。对我而言寻找格林的亲人比寻找任何人都重要。我决定留下来陪着他，在山坳对面扎营，每天陪他上山巡视、打猎，或是坐在狼洞前幽思。格林俨然把这里视作了他的领地，每天都会四处巡查，在一些灌木丛旁边留下尿迹。但是他现在还是屈着后腿尿尿，不像大公狼那样翘起一条后腿来做记号，或许还要再大一些的时候吧。

为了饮水，我常常会提着小帆布桶下山来到大河湾边上，喝完水的格林往往会站在河边望着自己日渐成熟的影子发呆。而每当夕阳西下我们就在河边静静地守望黄昏。我可以坐在这里，看河水潺潺流过，感觉自己融入其中，什么都可以不想，也可以什么都想……这就是人们向往的自由吗？有人说拆开“盲”这个字，就是目和亡，眼睛死了，所以看不见，如此想来拆开“忙”莫非是心死了？可是眼下人们都在忙，为名，为利，却很少停下来聆听自由。不敢想如果人心已死，奔波又有何意义？聪明的古人把很多哲理和秘密都嵌在了文字里，等着我们去破译。

从黄昏一直到夜晚，我就这样陪着格林。喜欢低头嗅着地面走的格林突然发现了新大陆——在一处宽阔的河湾中，水流较为缓慢，一轮朗月映在水面，清晰明亮。格林浑身巨震，像中了魔法一样愣在河边紧紧盯着水里的月亮，狼眼发出奇异的光亮。那神情就像他第一次见到火的惊异和迷恋，甚至比那还要着魔千百倍。他全神贯注地盯着河水中的月影，像梦游一样走了过去，刚走几步就踏入了水中，冰水把梦幻中的格林一惊，他连忙抬起爪子抖抖水珠后退几步，仍旧死死地盯着月影发呆。水中的月亮随着波浪不规则地扭动着，时而破碎成万千碎钻，时而聚合成亮晶晶的一团，分分合合，光怪陆离。

夜风吹，月影乱，格林显得焦急异常，又不敢下水，他急忙沿着河往上跑，唯恐那团光影消失不见一般。他歪着头看着河面，脚步匆匆，但无论他跑快还是跑慢，水中那一轮月亮却始终在他前方，追赶不上也无从接近。当他跑到河流湍急的地段看到月影支离破碎时，他就会急躁地在河边直跺脚。当他跑到水流较平静的河段，月影恢复完整时，他就会放慢脚步在河边徘徊，时而嗅嗅水面，时而张开嘴巴发出“呜呜”的几声幽咽。

格林终于寻找到了一处风平浪静的河面，那玉璧般的满月静躺在水中。“欧——欧——嗷——欧——”格林涌起一阵原始的冲动，他迷醉地嗥叫了起来，鼻尖惬意地指向了天空。突然他的嗥声戛然而止，他发现自己追逐的月亮竟然在天空中也有一个。他诧异地看天，看水，再看天，再看水。他伸爪子碰了碰水面，光迷影乱；他人立起来，向空中蹦跶了几下，天空的月亮触不到、碰不碎，哪一个才是真实的本质呢？格林迷茫着，坐在水边上看下看，若有所思。这是他第一次对月亮如此认真。

月色下，草尖上悬挂的每一滴露珠都反射着月光，成片的晶莹随草亮天涯。一阵润风拂过，仿佛能听到玲珑叮咚的滴水声。格林的身形坐得挺直，他的轮廓也被月色勾勒得清晰明亮，狼鬃像银针一样在身侧颤动。月光、流水、狼歌……亘古不变的原始浪漫。狼和他所痴迷的月亮之间是不是真有着某种神秘的联系呢？

格林还在陶醉放歌，我还沉浸在随意游走的遐想与文字中，看着月色狼影，我的精神突然一提：坐立在水月边唯美的狼身剪影，夜风中飘飞的银色狼鬃，拖在身后粗大的狼尾巴，是那么强烈地让我联想起了一个字：“龍”！一匹“立”于“月”边长嗥之狼的真实描摹。左边“立月”会意，右边象形——张口仰望的尖耳狼头、横飞的狼鬃、拖曳的狼尾无一不具。这是古人藏在文字里的又一个秘密吗？这最初的“龍”字究竟是怎么来的呢？“龍”和“狼”在远古的文化变迁中有联系吗？

日子像梦一样飘过，我渐渐发现狼山位置的绝佳之处。这是附近山脉中最高的一座山，与我来南卡阿爸牧场时翻过的那座山相连，绵延望不到头的山脉都可以作为狼的领地。山上没有围栏，山顶一处庄严的经幡昭示着这是藏族人心目中的神山，除了见过一个僧人虔诚地登上山顶，在经幡下垒上一小块刻着真言的石碑之外，我再没见过有其他人来。人们对这神山都满怀敬畏，也正是这种宗教信仰才留给了狼最后一片领地。

站在狼山之巅极目远眺，数百公里的广阔草场尽收眼底，牛羊在金黄的冬季草场上悠闲吃草。山前是一片浅滩，上面积着一层薄薄的冰雪，十几只早早飞来越冬的大天鹅在雪中时而整理着洁白的羽翼，时而将优美的头颈埋在翅膀下休息。轻巧的天鹅在薄冰中并不担心格林的打扰，而格林也从不去涉水冒犯这些雪中仙子，自然的相处是那么和谐而美妙。当来年山坳里沉睡的冰龙在春季悄然融化，那雪水将使这片浅滩变成水草丰茂的湿地，每次看见格林曲曲弯弯渡过薄冰暗结的浅滩，映衬着远处飞渡的天鹅，我都觉得像奇幻舞蹈般唯美。我把这一大片浅滩湿地叫做“狼渡滩”。

狼渡滩沿线山腰上大大小小的旱獭洞、野兔洞数不胜数。如果这些洞都有旱獭、野兔，那么足够狼家族享用不尽。丰富的猎物、临近的水源，这是最理想的狼窝之地。可一直以来我也很困惑，狼山附近这么多的旱獭春季一出头可都是狼的美食，为什么格林的父亲还要无视眼前的美食长途跋涉到山那边，在狼妻育子的关键时刻舍身犯险呢？

现实很快就告诉了我答案……

一天清晨，我跟着格林沿着狼渡滩外缘的山梁巡山时，他突然嗅着地面跑到一处旱獭的瞭望台上刨土，我近前一看，浑身血液倒流。旱獭洞被新土填得严严实实，那是显然的人为痕迹，与数天前盗猎者的做法一模一样，看新土上结的霜花，这应该是昨晚动的手脚了。我生怕其中冒出残余毒气，赶紧推开格林，捂着鼻子小心翼翼地扒开压洞的石块，清掉浮土向洞里看去：旱獭的每个地洞都是下落洞，几乎垂直下落的洞道设计是为了快速地逃脱，而此刻洞口一个灰扑扑的头镶嵌着上下四颗大门牙在浮土的阴暗处显露了出来，但没有任何声息，洞里还残留着一股难闻的臭味。我趴下身子努力伸手进去摸索，抠住那几颗大门牙用力拖拽。一个胖乎乎的灰棕色旱獭被我拖了出来，了无生气地躺在洞口，肚子胀得鼓鼓的，雌性，大约有十斤。一般情况下旱獭是雌雄分居，若是雌性旱獭，洞里应该还有小旱獭，我向里看去，獭洞很深我够不着了。格林一番嗅闻探视，竟绕过我的阻拦匍匐钻进洞去，少时，拖出一只小旱獭。格林深吸一口气像潜水一样再钻进洞去，这家伙竟然知道憋气?!

一会儿，两只小旱獭也摆在了洞口，有七八斤，应该是去年生的小獭子。小旱獭紧闭着眼睛，爪子蜷缩着躺在旱獭妈妈身旁，一家三口，身体已僵硬却还保持着向外挖掘的姿态，覆巢之下安有完卵。我不由得想起了电影《辛德勒名单》里的场景，这种毒气熏杀的方式的确省事高效。我抬眼望见山腰里十多个獭洞都遭遇了同样的劫难，如此高效的猎杀，来年哪里还能剩下旱獭呢？

我懊恼地奔上山腰，沿路破坏被封堵的洞口，格林则钻进洞去掏獭子，我一口气把所有的洞全部翻开。突然格林尖声惨叫起来，糟，难道还有狼夹子?! 我急忙赶过去，格林正拼命地从一个獭洞退出来，而他的鼻子上紧紧咬着一只大公旱獭，格林痛得又蹦又跳。我赶紧掐住旱獭的头使劲掰开他紧咬的牙齿，格林终于解脱出来，他的狼吻已鲜血直流，痛得在地上拼命打滚，狼爪抱着鼻子惨叫连连。旱獭在我手中却并没有挣扎，我小心地松开他，旱獭软绵绵地爬了两步就再不动弹，兔子一样的眼睛里渐渐褪去了最后一点光芒。

或许这个洞是最后被盗猎者下药的，也或许剩下的药量不足，而这只雄壮的公旱獭在满洞毒气中顽强坚持到了天亮。当洞口翻开，格林毫无防备地屏息进洞时，旱獭奋起生命中最后一点力量给入侵者狠命一咬，他誓死捍卫着自己的家园。我叹了口气，捧起了这只英勇的公旱獭，我不会因为他伤害了格林而怨恨他，更不会因为旱獭是狼的猎物而抛弃对他们的敬重——每个顽强的生命都有他值得赞叹之处。

我安抚着疼痛稍定的格林，检查了一下他的鼻子。我估计盗猎者很快就会回

来收取猎获，此地不宜久留，我快速集中起格林拖出来的六只旱獭，解下一根鞋带，穿过所有旱獭紧咬的牙齿绑成一串扛在背上，迅速向狼渡滩撤离。只要进了那片软泥薄冰湿地，盗猎者的车是绝不敢深入的。

我片刻不敢停留，一口气跑回扎营的山坳，那是个隐蔽的地方，除非穿过狼渡滩，否则绝对看不到我的营地。这里不会有人来，我可以放心大胆地留下帐篷和沉重的负担，陪格林轻装巡视领地。但是今天营地似乎有点不同，开始我只是隐隐感觉异样——我发现用于充电的太阳能板被扣了过来，但以为是风大没太在意，因为急速逃跑的激动还没平息。

我坐下来喝水休息，解下佩刀动手剖旱獭。格林不住地舔着流血的鼻子，并没有急于上来抢吃旱獭，经过上次的认识他记住了这个异常的味道。我把旱獭的皮扒掉，掏出肺部和肠胃，集中起来准备深挖填埋这些可能有毒的部分，剩下的肉和心肝可以留给格林食用，这也算是还给自然了。

把一只旱獭清理干净，我立刻扔给了格林，但他似乎心不在焉，而是东张西望地耸着鼻子深吸空气，我以为是他鼻子受伤的缘故或者是因为旱獭太臭。旱獭肉的确恶臭难当，特别是内脏和腋下的腺体奇臭无比。当我从背包里找袋子装废弃物，顺便给格林找白药抹鼻子上的伤口时，我猛然发现营地里严重不对了——我的背包是撕开的，里面所有留作备用的风干肉全部不翼而飞，干粮也所剩无几，只留下一些残渣散落在包里，背包上的咬痕与格林相似。有狼来过！凭着对动物行为的了解和在草原独自生活数月的经验，感觉就是那匹跟踪我的狼，而且他还在附近。我不动声色也不抬头，既然大家都好奇就认识一下吧。我沉住气摸到相机，拢在背包里揭开镜头盖，做好随时拿出来抓拍的准备，然后慢慢坐下来斜着眼睛瞟格林的神态，他是我最准确的情报员，这次我要一抓一个准儿！

格林专注的目光直直地盯着对面山头夕阳照射的方向。方位锁定！我迅速掏出相机朝着那山头一阵连拍！狼影一闪，像往常一样消失了。

我回放照片，放大搜寻……在这儿！就是他！一只鬼魅大狼的影像已明明白白定格在画面中。我狂喜得“呀”一声叫，蹦起老高！抓到你了，大灰狼！我手舞足蹈，抱起格林飞旋了好几圈！野狼啊野狼，我满草原找你呢，你却送上门来了，真是狼魂保佑，我仿佛看到了送格林“回家”的希望，这叫天随狼愿啊！看来带着狼找狼太对了。自从告别多吉带着格林翻山开始，这野狼一定是沿路跟踪着格林这“狼不狼、狗不狗”并且违背常理和人亲近的同胞，这人狼伴侣让野狼大惑不解。最初他可能对踏入领地的入侵者有些敌意，但随着对格林同类气味的认识和对我的观察，他的敌意慢慢减退。毕竟格林还没到竞争领地的年龄，属于半大小狼，格林的尿迹会清楚地告诉他这一信息。狼天生爱幼崽，一旦消除了敌意，剩下的就是好奇与困惑。我想起在解除狼夹子的那天，山麓上凝视我的目光或许就是他吧。

狼，这曾经在荒野叱咤风云的顶级掠食者在人面前却是谨小慎微的。他怕人，因为人是狼最可怖的噩梦。

一番兴奋完，格林试探着嗅闻了一下旱獭，用疑惑的目光看着我。我点点头，他立刻大嚼起来。只要是我给他的一定是安全的，他对我绝对信任。

我又连续剖了五只旱獭，累得腰也直不起来了。太阳转斜，山风渐冷，弧形的地平线延伸得很长很长。那匹狼好奇盯梢的目光又若隐若现了，浓重的旱獭味对他怎不是个强大诱惑？他连我的营地都斗胆窥探，看来是很饿了。我会心一笑，留下一只清理干净的大旱獭扔在营地外几十米处，想了想又摸出一块大白兔奶糖放在旱獭身边作为见面礼，那是我预防低血糖救急的东西，也是格林的心爱零食，这大狼应该从来没有尝过奶糖的滋味吧。

入夜，格林长久以来的对月高歌终于有了回应：远方的山梁上突然传来了一声嗥叫，空灵、悦耳，穿过无数的朦胧与悠远，拖曳着的回音飘荡在山谷。格林激动的声音更加高亢缠绵，充满无边的向往与喜悦，仿佛这珍贵的回答为他生命重新注入了新的希冀。

我坐在帐篷边熄灭所有的灯火静心倾听，他们的声音穿过荒野回荡在耳边，那就是最美的音乐……

还剩下四只旱獭，一天给格林一只，我也能过几天悠闲的日子。但狼的口粮是有了，我的口粮却没了。站在山顶打望，离大河湾对面不远有一条公路，我能看见最近的一户人家就在河与公路之间，他们的牦牛也散放在河边，我需要找他们买一些吃的。

绕过很远的一座桥往大河湾对面走，格林在雪地上踏着像霹雳舞一样轻巧的滑步跟在我后面，他很少走入有人居住的地方。他远远地绕过牦牛群，吃饱了旱獭的格林无意与牦牛为敌，然而他突然发现了两只肥大的野兔，格林见了兔子，天生的猎捕本性难以控制，他立刻追逐起来。但是追了十多次都空手而归，两只兔子从各个洞口此起彼伏地露头，把没经验的格林调戏得摸不着头脑，格林气得绕着兔子洞团团转，乐得我咯咯笑，想起了那首儿歌："小兔子乖乖，把门儿开开……"最让我高兴的是格林又有了抓兔子的兴趣和信心，而且这次他没发出半声狗叫，看来我带他离开獒场是对的。

任格林跟野兔子周旋，我离开他去牧民家找吃的。这家人很友好，我买了不少糌粑、油饼、血肠，以及一条羊腿、几块风干肉、小半包盐，还有一棵难得的大白菜。想到晚上能吃上蔬菜卷烤羊肉我高兴极了。

我沿路捡了很多的干牛粪，砍了些沙柳枯枝。晚上，在营地升起一小堆篝火，把砸来的冰块围在火堆边，融化的冰块会形成一个湿润的水圈，可以预防火势蔓延。我边烤着羊肉边把昨天在河边洗的袜子挂在火边烘烤。说到洗这袜子的经历真是不堪回首，冰冷刺骨的河水冻得双手简直没了知觉，我简单搓了两把就扛不住了，赶紧跑回来把手摸在太阳能板上取暖，当我感觉到烫的时候，手已经像烤面包一样肿了起来，粗壮得吓人，指头都没法弯曲。看到晾晒在帐篷外的袜子就

更恼火了，我原以为高原的太阳一会儿就能把它晒干，到了晚上，我的手实在太痛，偷了个懒没收，谁知道第二天袜子就冻得硬邦邦直挺挺的，像两弯回旋镖。

那匹大狼也常常幽灵般远远出现在我的视野里。他从不轻易接近我们，可我感觉他对我身边的格林有着巨大的疑奇。他不再刻意地躲开我的目光，虽然远，我仍能感觉到他剑一样凌厉的注视。他能长久地直勾勾地盯着我，直盯得我血液发冷，但是如果我拿起望远镜或者照相机，他就会立刻消失，格林也追他不上。

多疑是竞争性动物不可缺少的性格，狼更是如此，这里的盗猎者那么多，狼当然深深忌惮手拿仪器的人类。我一直怀疑大狼和格林之间是否也有着一定的血缘关系，这种血缘的气息将他们用彼此的好奇紧紧维系在一起。为了不让格林与这唯一可能的亲人失之交臂，我不再用相机之类的器材去打扰这匹大狼对我们的探询与侦察。在营地周围、在狼渡滩、在沙石地我发现过很多不属于格林的新鲜爪印和狼粪，显示这一带还有不少狼出没。我会收集这些狼粪，晾放在营地周围，让营地沾染一些野狼的气息，也让格林更加熟悉狼群的味道。格林喜欢在野狼的留痕上打滚做记号，当他在灌木丛边嗅到野狼的味道时，总是异常激动地四处寻找。

这一天终于等到了，我在营地缝补着被荆棘剐破的衣服，山梁上一阵骚动，我抬头一看，一只狐狸正和大鵟抢食。这可难得看到，我忙摸出相机拍了两张，再一看位置突然想起那是我几天前埋下的旱獭内脏，不知道他们怎么找到的，我生怕旱獭内脏中的毒性未消，正想大声吆喝驱赶，却发现那只大狼就站在山腰上冷冷地看着这场争斗。我知趣地收起相机以最不具威胁的姿势坐下，闭嘴观察。

格林已悄然而迅速地跑了过去，狐狸和大鵟立刻丢下食物各奔东西。大狼转过头居高临下威严地看着格林。大狼半蹲着身子，身体紧紧缩起，尾巴又硬又直微微上翘，脚步异常小心地落地，每个动作都表现出既威胁又友好的复杂心理，这是肉食猛兽相遇时所特有的带着威胁性的僵持。格林夹紧了尾巴，耳朵紧贴着后脑勺，放低了臀部，用他作为小狼所惯有的臣服姿态呜呜叫着一点点向大狼凑过去。这一对照我才吓了一跳，那只狼的体型竟然足足比格林大一倍，再看他翘起的狼尾，难道他竟然是个狼王？可是他的臣民在哪里呢？为什么总是看他形孤影单？我想起盗猎者们埋藏的狼夹子，想起他每晚嗥叫声中的困惑哀愁，想起他探寻我的营地找寻食物，难道他也曾痛失至亲？难道连狼王的生活也如此艰难？

大狼转动身体，始终不让格林绕到他的后方，他皱起鼻翼挺立狼鬃，发出威胁的低声咆哮，牙齿急速紧咬磕出啪啪声响。我开始为格林捏把汗，但我无法参与其中，这是狼族内部的事情。

格林更努力地表达他渴望被接纳的意愿，他呜呜的声音更加柔和而真诚。他埋低头部，肚子贴着地像鳄鱼一样爬行着凑到大狼跟前，像对父亲般恭顺，接着格林把头放偏，缓缓地侧身亮出了整个肚腹。他仰躺在大狼跟前，将脖子和脆弱的腹部呈现在大狼嘴下，用他曾经受伤的那只前爪轻柔地伸出去抚摸着大狼的唇吻。这是狼家族最为臣服的肢体语言，大狼当然明白这一表达，他谨慎地低垂着头，用鼻子深深嗅闻这来自人类世界的狼孤，思考着要不要接受这带人味的孩子，或是当成狼族的叛徒张嘴一口咬断他的咽喉。大狼向我投来极富深意的目光。

时间一分一秒地流逝，我听到自己紧张的心跳与格林呜呜殷切的呼唤声合为一体。

格林的真诚总算得到了回报。多日以来的试探和观察，大狼似乎觉得我们并无恶意，他犹豫着伸出一只脚爪轻轻放在了格林的头上。这仿佛是一种认可，格林高兴极了，翻身起来嗅闻大狼的嘴巴，大狼禁不住格林如火般的热情，终于和他相互理解地碰了碰鼻子。他们友好地交流着，有一点紧张、有一点不适应、有一点尴尬。大狼虽然认可了格林，但显然还不习惯在一个人的面前放松自己的警惕，虽然格林围着他激动得又蹦又跳，又亲又舔，但他总是时不时地看我一眼表示他对我还有所戒备。

从大狼的动作和眼神中，我感觉我的存在和观望始终让他觉得浑身不自在。过了一会儿，大狼不紧不慢地向山梁背后跑去，跑几步又回过头来看着格林：他似乎是要去一个地方，而他希望格林也跟着他去。格林紧跟上前亲切地叫着，围着大狼打转，转上两圈之后向我的营地跑几步也回头看着大狼，格林竟然天真地希望大狼能够跟他一起留下。大狼愣住了，他的表情由诧异迅速转成了愤怒，狠盯了我一眼，阴沉着狼脸，掉头就走。

格林失望极了，急忙追着大狼的背影翻过了山梁……两个身影一消失，我不知道格林还回不回来，我心里纠结起来，很想喊回格林！

突然，山梁背后传来大狼的怒声咆哮和格林的尖锐惨叫。糟糕！我拔腿就往山上追。跑了没多远，就望见山梁上冒出一对尖耳朵，格林小小的剪影出现在山脊线上。他望着大狼离去的方向发了一会儿呆，然后默不做声瘸拐着回来了。看着那去而复回的熟悉身影，我的泪终于落了下来。

大狼咬得很深，伤在格林的肩胛上，皮开肉绽。我用完剩下的所有白药才给他擦完伤口，一定很疼，格林没有一点反应，眼神悲哀而惆怅。我痛心地抱过格林，把他的头枕在我的腿上，轻轻抚摸着他粗壮的脖子、他宽阔的额头、他挺直的鼻梁，还有他身上那些大大小小的伤……看来回家的路还很漫长。格林啊，我可以抚平你的伤口，却如何抚慰你的心灵？

“格林，我们是不一样的。你终究要离开我，回到狼群中去……”我忍不住泪眼婆娑。话虽如此，可感情毕竟是自私的，我打心里舍不得格林走，离别真的来临了，又欲舍还留。

格林把爪子放在我手心，双眼随着我的抚摸伤感地闭上又睁开，渐渐模糊……

27 我在草原，我饿……

深秋以后，食物越来越匮乏，除了难抓的鼠兔，很难发现其他的东西，我不确定到了冬天是不是一点食物都找不到了，这种担忧越来越重。

一星期过去了，旱獭早已吃完。我找牧民买来的干粮被我分成一小份一小份的，每天计划着吃，仅能保证最低生活需求。生存压力之下，格林的觅食能力逐渐增强，他不再耗费过多的精力用于玩耍嬉闹，他睁开眼睛的时间几乎都在觅食、存食和巡视领地。给我的感觉就像穷人的孩子早当家一样，没有了固定的三餐，他必须自食其力并且精打细算地维持生计。

我每天都远远地跟随着格林，尽量不打扰他作为狼的正常生活。我记录他每天都有些什么猎获，有时他一两天都找不到猎物，就会挖出自己储存的食物，如果他自己的存粮都没有了，我就把我省下的口粮分给他。但深秋以后，食物越来越匮乏，除了难抓的鼠兔，很难发现其他的东西，我不确定到了冬天是不是一点食物都找不到了，这种担忧越来越重。格林明知我这里有干粮，但他已极少像小时候那样软缠硬磨地向我索要，而宁可每天磨炼自己的猎食能力。仿佛他也明白了“若想自由，必先自立”。他在为食物奔波和在忍饥挨饿中表现出来的韧性和顽强让我折服。格林成了抓鼠兔的高手，运气好的话还能抓到一两只鸟，但即便如此也远远不足以靠这些猎物过冬。格林常常望着牛羊群出神，可他毕竟是一匹落单的小狼，没有群体的帮助他不敢贸然捕猎大型动物。

有一天，格林发现了一只低空盘旋的秃鹫。格林似乎将这种光脑袋的鸟与某些事物关联了起来，他顺着秃鹫飞去的方向，张开鼻孔捕捉着空气中的味道粒子，又像得到了某种启示。他加快脚步绕过狼渡滩，我怕格林再吃猛禽的亏，捏紧铁链跟上……翻过一座小山，天空中聚集了大群的高山兀鹫、秃鹫和其他食肉鸟类。大鸟们纷纷在一片山脚下降落，黑压压的翅膀覆盖着某种大东西。格林看看巨鸟群，又权衡了一下自己的力量，亮出狼牙，满怀信心地冲了上去。猛禽们顿作鸟兽散，地上一具已被啃食了一半的牦牛残骸从纷乱的翅膀下暴露出来，啊哈，格林中大奖了！秃鹫们不甘心，不断俯冲下来驱赶格林，乌鸦也见缝插针地蹿上来，边抢肉渣边叼着狼尾巴往后拽。格林大吼着左右扑击，赶走剩余的大鸟，把威武的狼牙咬得啪啪直响。我也挥舞着铁链上前呐喊助阵！直到大鸟们都逃回空中，格林才扑在牦牛残骸上狼吞虎咽起来。对于已经饿了两天的格林而言，这真是上天赐予的飨宴。空军是不愿意在地面与陆军起冲突的，眼看美餐被饿狼霸占，他们只好靠边站，渐渐飞散，最后两只兀鹫恋恋不舍地在上空盘旋。乌鸦却是不死心的，他们聒噪地围在格林身边，趁他不注意偷啄一些碎肉残屑。

这牦牛残骸足够格林饱餐半个月，他懂得了一种叫做机遇的东西，他牢牢捍卫着自己的食物，这半个月的时间里格林也不回我的帐篷了，他就守在残骸旁边，吃饱了睡，睡够了吃，过着“无饿不作”的日子。如果有别的动物妄图分享他的美餐，他一定会怒吼着将他们赶开或者咬死加菜!

我每天爬上山头用望远镜观察格林，或者走近去探望他，边画速写边陪着他。格林并不介意我靠近他的食物，甚至拍下他进食的样子，他会骄傲地站在骨架前，昂首蓝天下，显示着他对猎物的绝对占有权。有时他吃饱了也会踱步过来亲昵地陪着我，或是煞有介事地看看我的画，似乎要指点一番。

狼、兀鹫、乌鸦都是草原的殡葬工，格林能利用兀鹫指引找到腐肉充饥，这无疑又给我注入了莫大的信心。或许在动物园中经人类驯养几代的狼野性会有所退化，但是格林是第一代的原生狼，他携带的野性潜能毫无褪色，加之他也在草原的自由环境中磨砺长大，自食其力，我不太担心他的食物问题了。冬天是狼的季节，只要舍得跋涉寻找，必定有更多类似这样过不了冬的弱羊病牛会成为他的食物。

一个月时间转瞬即逝，格林依旧夜夜跑上山梁呼唤着他的同伴，但那晚惊喜的回答却再也没在山间响起过。只有一次格林巡山的时候，在狼渡滩边他常留记号的地方找到一只用狼的方式掩埋着的完整新鲜的小羊。周围的软泥上留言般地踩踏着一圈大狼的爪印。我试图跟随这些脚印，然而它时而没入草丛，时而消失在光滑的冰面，时而前后相对地重叠在一起，我转悠了半个狼渡滩，最后却回到最初发现脚印的地方。格林已经吃饱了肉，默默地走到一边消食，他似乎早已读懂了“狼族留言”，并不再去做无谓的寻找。

又一个星期过去，小羊吃完了，连羊头骨都被我砸开，取羊脑花和着最后一袋碎方便面，像拌沙拉一样做了格林最后一餐。

现在，格林已经三天没有吃到像样的食物了，他的肚皮瘪得像撒了气的轮胎。而我也饿得浑身乏力，上次买食物的那家牧民不知道什么时候也转场了，我后悔没有提前再到那牧民家多买些吃的来储备。没有了食物来源，我把背包最底下散落的饼干渣滓都抠出来吃得干干净净。我急切地盼望着格林能有所猎获。

这天，他终于发现了猎物，当看到格林扭头示意的眼神，我立刻停了下来，悄悄坐低看他狩猎。这已经成了我们的默契。

上次格林伏击野兔时，我看见他专注的猎手神情，心里腾起一股骄傲感，实在忍不住拿起相机抓拍了一张格林的伏猎照。单反相机的快门声惊动了野兔，格林迅速回头龇牙，匆匆射来责备的目光，立马冲出追击野兔，但是已经晚了，就差那么一点点，兔子逃匿得无影无踪。狩猎失败，格林转回来以后无明火起，咆哮着冲扑过来把我掀翻，抢过相机一阵猛咬！我内疚极了，冬季觅食艰难，一旦发现猎物，格林必定全力以赴奔袭擒拿。这不再是游戏而是生死攸关的角逐，我再不能因为贪图一张珍贵照片就挫败格林的猎捕。也是从那时起，格林极其讨厌带噪音的相机，只要有相机对着他发出咔嚓声，他非抢过来咬碎不可！

格林对我龇着獠牙一番警告发泄后，稚气未脱的狼脸上浮现出沮丧的表情。他举目眺望野兔遁逃的方向，情绪低落，步履沉重，走几步就绝望地哀叫一声，那惶恐惊悸的样子，像遇到了灭顶之灾。这和从前完全不同：在獒场“锦衣玉食”的日子里，抓不到猎物对小格林的生活不会有任何实质性的影响，那时候没有压力也没有动力，没有饥荒也不懂苦楚。

从前总认为狼的凶残源于贪，走进孤独的狼世界，我才深深体味到狼的甘苦：对现在的格林而言，一场狩猎的失败，意味着饥饿与灾难的阴影笼罩头顶，意味着死神一步步逼近。当他饿得眼睛发绿的时候，狩猎成功就抓住了一线生机，狩猎失败就丧失了活下去的希望。猎手和杀手有着本质的不同，当我也像狼一样想方设法捕猎的时候，我发现我行为的驱使语言不是凶相毕露狞笑着的“我要杀”，而是乞望地祷告着“我想活”。我每一次看到格林猎捕的表情都是专注而虔诚，平静而渴求，却从没有任何恶毒、阴森、凶悍、残暴、满怀恶意或者眼放仇光！狼或许比人更加感恩于他得到的食物。

感谢上苍！格林这次终于有所斩获——是一只鼠兔。食物虽少，但格林愿意把它与我分享，对待亲人，狼性是无私的，在这荒野中，也只有母子相依才有共同存活的可能。格林是狼中之人，而我成了人中之狼。我学着分吃狼食，总是肚子痛，那是半生不熟的肉和虚弱的肠胃严重冲突的结果。然而即使多吃一口，对于草原上巨大的体力消耗，也是杯水车薪，饥饿的感觉从没停止过。

相机、电脑、钱、银行卡……我抱着这些贵重的身外之物号啕大哭一场后，把它们都留在了营地，除了可能救命的手机，我不再耗费体能，背负一丁点重量，当生命濒临困境的时候，很多平日里异常珍贵的东西都失去了意义……

几天前，我还抓到过两只鼠兔烤着吃了，现在是越饿越抓不到猎物，更帮不上格林的忙了。我知道凭我的能力，根本无法应付若尔盖的冬天，人，进化了，也退化了。我试过在公路上拦车求助，可路上几乎看不到车，也没有哪一辆车会不明就里地为我停留。我绝望透了，捧着手机这唯一的希望，终于想到向远在成都的亦风求援：“我在草原，我饿……”

超市、餐厅、火锅、大排档仿佛存在于另一个世界中，我奇怪那个世界的我曾经有过挑食和减肥的念头。做人，真是太幸福了……

“风过草原，漪在哪里？”亦风的信息从天外飞来。他竟然接到我的电话就连夜出发，第二天就赶到了草原，几经周折终于找到了我。我又哭又笑地扑到他怀里，好久没见到人了！亦风刚拿出一只烧鸡，我一闻到味儿，抢过鸡就开始撕啃！看着我一头乱蓬蓬的头发沾满花茎草籽儿，脏兮兮泛着高原红的脸，一身的狼爪印和泥土，还有贪婪的吃相，亦风眼圈红了："你们俩到底谁野化谁啊？……格林呢？"

我塞了满嘴的鸡肉，向狼山方向一指……

我们来到了狼渡滩。我长唤了一声，格林猛然从山腰上抬起头来凝神谛听，我领着亦风继续走近。亦风看着山腰上的大狼格林，惊讶道："天哪，长这么大了！他还认得我吗？"

"喊他吧，他肯定记得你！"

亦风走上前去深吸一口高原的空气："格——林——"期盼的长唤冲破草原的宁静，山腰上格林的身影为之一振。

"格——林——"亦风的呼唤再次响起，在山谷里回荡，叠加在第一波的声浪中。

格林应声冲下山来，以极潇洒的动作飞奔向我们。

"狼来了！"亦风的声音有点发颤，饱含了期待、向往、久别重逢的激动和一点点心虚的复杂情绪。毕竟迎面奔来的已经是一匹大狼，如果没有过去亲密的感情经历、没有我的鼓励垫底，他几乎有转身就跑的念头了。

亦风没有勇气再迎上前一步，却更加舍不得退后半步，又喜又忧，又怵又盼，紧张地钉在原地。眼睁睁地看着格林跑近了！更近了……越来越清晰的热烈眼神顿时打消了亦风先前的顾虑。眼睛是心灵的窗户，动物有没有敌意从眼神就能感受出来，解读眼神是每种动物的本能，人也毫不例外！转瞬之间格林已奔到亦风跟前，亦风大胆地伸出一只手，抚摸了一下这熟悉而又陌生的大狼头，连声呼唤着格林的名字。

名字是对上号了的，基于这一点，格林略带勉强地接受了这一记爱抚，但是先前的热烈眼神中罩上了一层茫然。他顺嘴溜上去咬住亦风的羊皮手套，甩头一撕就拽开了一道豁口。亦风连忙放开手，心底一凉："他忘了？"看着格林与他擦肩而过向几十米后的我冲来，亦风怅然若失。饥饿的格林早就看见了我手里的烧鸡。

突然，格林眼神大变，前进的脚步明显滞涩下来，好像有什么东西从他的脑海深处猛然浮现，这儿时记忆的砰然撞击震得他如梦初醒，浑身的狼毛都激动得奓开来。他一个急刹车，烧鸡也不抢了，掉转狼头就扑向亦风！错愕中，格林直接撞入了亦风的怀里，粗大的狼尾巴疯狂地摇摆着扫起一地的枯草，迫不及待的热情舔吻让亦风几乎透不过气来！格林每一根竖直的狼鬃都不顾一切地狂热颤抖着，俯首帖耳，吱吱依恋的叫声热切地传达着他久别的思念！这还不过瘾，格林干脆一个翻身躺下来，撒娇地使劲扭动腰肢翻滚着，两只前爪亲昵地抱起亦风的手掌放在他仰面朝天袒露的肚子上，如同儿时一般祈求他的爱抚。于狼而言，这是最顶级的欢迎仪式！

亦风感动极了，抬头努力眨着蓄满热泪的眼睛，使劲抚摸这阔别已久的野孩子。嘴里不断重复着一句话：“他还记得我！他还记得我!”男儿有泪不轻弹，似乎也再没有更好的语言能代替他此时的激动心情了。我见此情景心里也不禁颤抖起来，狼有着最丰富的肢体语言，这最单纯的感情表达比任何华美诗词都更具感染力。

是的，跨越物种的界限，穿越时间与空间，格林还清楚记得，在他孱弱幼小时代人类中的亲人，有时狼比人更记情。这份炽热的狼情让亦风也为许久不曾陪伴格林而歉疚起来。

跨越物种的界限，穿越时间与空间，格林还清楚记得，在他孱弱幼小时代人类中的亲人。

亦风有哮喘，加上初到草原的高原反应，暂时不适合在野外过夜。一个多月的“野战”告一段落，我和格林也急需休息。商量了一下，我们决定暂时回獒场休整一段时间。我本想把遇见野狼的事告诉亦风，又怕他多余担忧，就忍住了。

帮我收拾帐篷时，亦风还在回味重逢瞬间的情景：远远呼唤的那会儿，格林是隐约感到那声音耳熟的，但他离开亦风时正值成都盛夏季节，亦风的穿着很单薄。如今亦风来到严寒的高原包裹得像粽子，兼且捂着帽子戴着手套，等到格林循声跑近了，一时无法将这“粽子”与记忆中瘦削的亦风联系起来，所以神情漠然没太大反应，等到擦肩跑过，那熟识的父味顺风袭来，他才骤然将亦风从记忆深处挖出来，赶紧回头认亲!

亦风长长地叹口气说：“其实别说是他了，就是在我的记忆当中，格林仍旧是当初那个调皮捣蛋让我一手就能握住嘴巴的小绒球，转眼他就长成大狼了，若不是你领着他，若不是这名字的维系，在草原上碰到，我绝不会认出他就是咱们的小格林。”亦风用手比画了一下：“当初就那么小一坨。我把他抱在怀里翻开肚子揉来揉去，好像都还是前两天的事情。”

我笑道：“你现在也可以把他揉来揉去啊!”

“免了吧。”看着眼前把烧鸡骨头嚼得咔嚓脆响的大狼，亦风还是难以适应地摇摇头。

我们把帐篷和所有东西都扛回了车里，亦风抽出一长根香肠让格林大吃特吃。这次他带来半车的压缩饼干、方便面、香肠、肉脯……亦风的到来让我精神上为之一松，疲惫感劈头盖脑地砸了过来。亦风开车把我和格林送回獒场的路上，我抱着格林睡着了。

开着开着，亦风突然把车停了下来推醒我："快看，那是什么在跑?"我定睛一看，好几只麻灰麻灰的野兔，如果不跑动还真不容易发现他们。我拿出望远镜套住兔子细看，有一只钻进了兔洞！还有一只在草地上跳来跳去啃草。我心里一喜，先别打草惊兔，回獒场养足精神，明天就带格林来。

刚回到獒场，格林就迫不及待地找森格和风雪去了。

第二天清晨，"哗啦哗啦"一阵爪子刨窗声之后又是咚的一声响，亦风烦躁地翻了个身，抓被子蒙上脑袋迷迷糊糊又睡过去，直睡到十点过，亦风才再次被一阵嬉闹声吵醒，他揉揉因为高原反应而涨痛的太阳穴，起身向窗外望去：草地上，格林、我和三只大藏獒正在一起翻来滚去地玩耍着。太阳照得藏獒黑亮的皮毛黝黝生辉。格林兴高采烈地张着大嘴蹦来跳去，舌头快活地挂在嘴边，他蓬松厚实的冬季皮毛已完全长成，颈背的狼鬃在奔跑中极富动感。我在狼獒群中一会儿被风雪扑倒，一会儿又跟格林一起合力把森格掀翻在地，嘻嘻哈哈玩得不亦乐乎。亦风嘴角泛起笑意，他眯起了眼睛，把窗帘拉开一点欣赏眼前的美妙景致。

我在狼獒群中与他们嘻嘻哈哈玩得不亦乐乎。

我伸腿跨过森格的后腰，趴伏在他宽阔的后背上，双臂轻轻环过森格的脖子，让我的体重尽量均匀分布在他身上，然后小心翼翼地把双脚抬离了地面。呵呵，森格驮起了我，但刚走了两步就趴下要赖了，这家伙！我有点怀念从前的头獒皇帝，他能像匹小马一样驮着我走上一大圈呢。

这时候，森格发现了躲在窗子后面的陌生人亦风，一跃而起朝他狂吠起来，紧跟着风雪和红眼睛也饿虎抢食一样扑向窗口。亦风手忙脚乱地关窗，藏獒们通红着眼睛，以排山倒海之势撞得窗户咣当直响摇摇欲坠，仿佛脆弱的小板房都要被他们推翻一般。亦风连退几步跌坐在床沿上，格林也挤在其中凑热闹，他就喜欢瞎起哄。

我拽着藏獒们的耳朵把他们巨大的脑袋推开，扒开窗户笑道："没事儿，几天就熟了，别看他们个儿大，实诚着呢。"

看着狂叫不休的藏獒，亦风心有余悸："你快进来关上窗，格林我不怕，藏獒我还是怵得慌！"

我挤开拥上来捣乱的格林和藏獒，翻窗进了屋子，回身把探进来的大脑袋们一个个推出去，关上窗子笑嘻嘻地坐在亦风旁边。亦风可不愿意挨着我："野丫头，换衣服去，满身的藏獒口水。"

"有他们的味道，他们才喜欢呢！"我翻开包袱找出棉袍，又顺便掏出一小块饼干和一块黑糊糊的东西递给亦风。看他拿在手里仔细端详的样子，我神秘地扬扬眉毛："尝尝！是风干肉！"

亦风用牙齿撕了一小块肉条就着饼干嚼了起来："嗯，挺香，有点意思。"他突然想起什么，嘴也不动了："你还没洗手吧！"

"呵呵，要嫌就别吃，这里没那么多讲究，缺水，你以后就知道了。"

"缺水？不可能吧。"亦风叼着肉嘀咕，他无论如何没法把中国最美的湿地、黄河的源头与"缺水"一词联系起来。

"是的，缺水。缺少可用的水。你别看獒场外面就是河，那水之浑浊比你喝的咖啡还浓。快吃吧，吃完咱们就出发。"我边裹上棉袍边说。

亦风点点头，知道我要抓那窝兔子去了。他嚼下最后一口风干肉和饼干，拎起窗前地上的暖壶倒水喝，顺脚踢踢暖壶旁边的石块："哪儿来的石头啊？"

我伸脖子一瞅，乐了："那是格林的 Morning Call，给你也来了一块儿？"

"Morning Call？叫醒服务？"亦风越听越迷糊，拿着电动剃须刀边刮胡子边捡起石头，顺手拉开一条窗缝把石头扔了出去。猛然间，一个大狼头从窗底下跳将上来，一口叼住亦风的衣角，使劲往窗外拖。亦风"啊"的一声旋即反应过来是格林，马上调整记忆中格林的大小转换情绪："坏小子，吓我一跳，在这里埋伏着呢。"

"他平时都爱守在窗外。这会儿想拉你陪他玩。狼的玩性大着呢。"我笑着整理厚重的棉袍，拉下右边袖子系在腰间。

格林认同的眼光忽闪忽闪继续"邀请"着，看着格林的大长嘴，亦风搞怪劲儿上来了："小子，多久没刮过胡子啦？"伸手握住格林的狼嘴，拿剃须刀比画着，格林吓了一跳，赶紧退出窗外。亦风趁机关窗。格林失望地哼哼了两声，趴在玻璃外面看。

"你看他像不像小时候被关在阳台上的感觉？"亦风总是在和格林小时候做着对比。

“不一样了，现在他那一面拥有更广阔的天地，我们才是被关起来的。”

“对了，我昨天就想问你，他脑门儿上的疤是怎么回事？跟二郎神似的。”亦风隔着玻璃仔细端详格林。

“那是他小时候撞铁笼子留下的，以后慢慢跟你讲。”我充满怀念地笑望格林，“准备走吧，让他留下跟森格叙叙旧。今天就咱俩去。”

亦风这才注意到我的装束，笑道：“你还真像个藏族姑娘。”

28 别把小狼不当猛兽！

格林已经能够更加残忍地对待生命，在这弱肉强食的世界他为自己战斗过了，他的牙齿曾经咬进敌人的肉里，他的舌头尝到了敌人的热血，他变得更加大胆更加勇猛，他藐视一切劲敌，他不再一味退让。别把小狼不当猛兽！

据说兔子的视力有个缺憾，他们的眼睛长在两侧，中间隔了一个宽阔的鼻梁，就像人用一只手掌覆盖在鼻梁上产生的视觉感受一样，前方正中是个盲区。所以兔子也必须偏头侧目才能看见正前方的东西。由此想来，《守株待兔》的故事或许就是由于疾跑中的兔子看不见正前方出现的树桩而发生的“交通意外”。格林有一次抓住野兔，也是从正前方发动突袭，而那兔子还来不及侧头看就被格林一口拿下。不知道那次是不是巧合。

野兔的第一天敌是鹰，所以他们每次出洞首先会站起来警惕空袭。野兔的第二天敌是狼和狐狸，他们会竖起耳朵，并偏转脑袋分析地面的风吹草动。随后清理一条快速逃生的通道，野兔喜欢走他们清理出来的老路。我看准野兔的必经之路，悄悄丢下一把新鲜菜叶。我并不停留，拉着亦风回到了车上。接连三天都如此，只丢菜叶不抓兔子，带着望远镜，每天早中晚各去看一次，摸清野兔活动的时间规律。在这枯草季节，嫩绿菜叶对野兔的诱惑极大，虽然野兔狡黠机警，但几天的食诱，足以让他们放松警惕。把菜叶扔得一天比一天离兔子洞远，引诱兔子“出远门”可以为格林赢得更长的追击时间。有我帮忙，格林的成功率会大得多。

第四天终于要下手逮兔子了，亦风从没见过格林狩猎，很想把这过程记录下来，并一再保证摄像机没有快门声，不会惊扰猎物。

我们和格林一起往野兔出没地进发。我远远看见草丛中似乎有野兔动静，就赶紧停下，转而向左绕行到另一侧下风处，轻声嘱咐亦风原地留下不再跟随我和格林，亦风看看四周几乎纹丝不动的草叶，压低声音问：“你怎么知道这里是下风？”

我拉过亦风的食指吮了一下，再把吮湿的食指竖立在空气中，悄声说：“手指比较凉的一边就是风来的方向。”

亦风略微惊讶：“你怎么知道这些的？”

“饥饿教我的。”我嘘了一声，示意亦风闭嘴静候。我埋低身子轻手轻脚跟着格林潜行。

我的前方，格林扬起胡须，湿漉漉的鼻子一耸一耸地测着风向，悄无声息地绕过灌木的枝枝蔓蔓，寻找杂草之间的空隙穿越，丝毫不去晃动长草，他柔软的脚掌避开那些容易折断发出声响的枯枝杂草，像鱼一样无声无息地游向兔窝边，很快找了一个潜伏的地点。我悄悄爬到格林身边，这个位置真好，正对着野兔狭窄的逃路，那些菜叶子显然已经被野兔光顾过了，好几片啃得缺缺丫丫，或许正是我们刚才来的动静打扰了野兔进食，要等野兔再次出洞，需要耐心。

草原安安静静，除了远处一些不相干的牛羊偶尔平和地叫两声，几乎没有了其他动静……

格林耳朵一挺，头埋得更低了，我也埋下头来，死死盯着洞口。洞里窸窸窣窣有了声音。一只野兔出来了，站在洞口，支棱起耳朵，把脑袋偏来转去地观望，清理洞口的杂草。又出来一只！两只兔子一前一后顺着老路继续找他们没吃完的菜叶。当兔子放心地捧起菜叶啃食时，格林弩箭般朝兔子激射出去，一路上滚起一片褐黄色烟尘。兔子偏头看的一秒钟里，格林已冲出了八九米！兔子尖厉的报警声中，一只火速穿过一道土丘凭空消失了，另一只则在格林的追击下慌忙寻找逃路。糟，野兔想回洞！我马上爬起来，边叫着“格林”边飞奔截断兔子的退路。野兔没料到还有一个伏兵，急忙转向奔出几十米！眨眼间格林已追了上去，吱吱几声惨叫，兔子便软绵绵地悬挂在格林嘴下晃荡了。格林惯性地前冲了好几米才站定下来，他叼着战利品迈着轻快的胜利步伐特意叼到我面前显摆。

目睹格林日益精湛的追猎技巧，动作娴熟利落，咬点又狠又准，我喜不自胜。

突然，我注意到不远处的草丛中，一个活物嗖然冲回另一个洞里去了。格林显然也注意到了，抬头意味深长地观察了一会儿，埋头继续享受他的美味。

逃跑的是只老兔子，他骤然遇到险情知道难以迅速逃回洞去，索性兵行险招，转过土丘虚晃一枪就立刻隐藏在枯草里，利用保护色一动不动。老兔子知道狼一旦抓住一个猎物就再没心思找他的麻烦。危险过后老兔子才火速撤离。我编着跑散的发结暗暗佩服老兔子的机智。

亦风兴高采烈地扛着摄像机过来夸道：“真是好样儿的！”格林微微一摇尾巴表示对亦风的认同，继而又发出恐吓的声音表示那兔子是他的。亦风呵呵一笑：“放心吃好了，我不会抢你的。”架起摄像机给他留了个纪念，就在距离我们五米远的地方坐下——这个距离大家都比较踏实。亦风摘下帽子理理头发重又戴上，说：“这家伙，小时候就是这护食德行。”亦风的眼睛笑得眯了起来：“其实只要留心观察，相处久了，他什么都能让你明白，狼的语言真的很丰富。”亦风回味地看着天空飘浮的云彩：“还记得他和我相认的情景吗？好缠绵热烈的表达啊。我想如果一天他能找到‘梦中女狼’，那狼语一定能表达最动人的情话。”

格林很快吃饱了，整只兔子一点毛都没剩下，狼肚皮胀得把腰都坠弯了。他在干草上擦干净嘴巴，一步三摇地走到亦风旁边“小心轻放”地躺下，亦风好久没替他揉肚子了。

最后一抹金红渗入地平线，整个世界被浸没在一片湛蓝群青之中。没有高楼、车声和汽油味。露气草香中深呼吸——整个肺透明了……躺在草甸子上仰望斗转

亦风上次给格林揉肚子时，他还只是毛茸茸的一小坨，现在已经不敢认了。

星移，有种不真实的漂浮感，分不清天与地的界限。远处狼家族的呼唤声奏响了星野的安眠曲。在世界的这个尽头，我们享受着最纯粹的生命之乐……

踏着星辉，我们慢慢散步回獒场，亦风恋恋不舍："干脆别回去了，就躺在这星空下睡觉，把格林的狼伙伴招一群来，哥儿几个喝一盅再对着月亮唱狼歌，挤在一起又暖和，怎么样？"亦风有时候妄想起来浪漫得一塌糊涂，我笑着不置可否。

"这次你来，会耽误生意吧？"最浪漫的时刻，我却问了最不浪漫的话。

"呵呵，傻瓜，人如果没了，挣钱来干啥？"亦风展臂揽住了我的肩。

转天清晨，亦风早早醒来靠在床头上，死盯着窗户等待格林的"飞石叫醒服务"。等到九点过了，藏獒在外面来回游荡，就是不见"服务生"。有藏獒在，亦风也不敢开窗户，就敲敲小屋的泡沫隔板："喂，听见吗？"

"听见，啥事儿？"我在隔壁忙着泡方便面。

"格林今早上怎么不见呢？"亦风问。

我把窗户拉开一条缝往外张望。森格、风雪、红眼睛三只藏獒一拥而上讨要吃的，格林不在其中。我翻窗进场子找了一大圈还是没见格林，心里很纳闷。这家伙会到哪里去呢？想了半天也琢磨不出来。只好和亦风在獒场等待。

直到晚上格林也没回来，亦风急得坐立不安："这里离人居住的地方很近，不会被当成野狼打了吧？"

"牧民没枪，光凭棍棒是很难打到他的。"

"可是格林对人完全没有戒心啊！"亦风更着急。

我咬着嘴唇看着窗外格林一贯守候的地方，一咬牙，套上厚外套，拿起电筒就往外走。亦风急问："你去哪儿？""找他！"

"不行，天黑危险，站住！"亦风连声喊着。我已经走出门去，亦风急忙抱起外套，从门后抓上一根防身的打狗棒，紧跟着追了出来。

夜色渐沉，两人徒劳地在荒野寻找着，呼喊着。素来对藏獒和野狗心有所忌的亦风壮起胆子提着打狗棒护卫在我身边，驱赶着跑近狂吠的领地狗。我们冒着寒风一直寻找到大半夜也找不到格林。天空下起了纷纷扬扬的大雪，四野更加昏暗，手电筒的光也仅能投射到五米之外簌簌落地的雪片上，其余就什么也看不见了。寒冷的气息不断凝结，混沌中只听见彼此拉风箱般缺氧的呼吸和领地狗的狂吠。心也和冻土结成一体。

“回去吧，我们在这周围引来那么多领地狗，就是格林回来了也不敢靠近啊。”亦风忍住心痛劝我。

“他在没人的草原上溜达，我不怕，可这里离人太近了……”我急得掉泪。

亦风拽出内层衣袖擦掉我的眼泪，拨掉睫毛上的雪花，柔声说：“放心吧，格林会没事的。他那么聪明一定能躲过人。”亦风拉开外套把我裹住：“先回去吧，雪下大了。”

我脑袋里的灯泡一下就亮了：“雪！太好了！有雪就有踪迹!”

清晨，气温比头几天陡降了十多度。白雪铺了一地，并不厚实却足以盖满山野。朝霞把雪面渲染成淡淡的粉红，晶莹滚动的颗粒在积雪光洁的表面上闪闪烁烁，缀出满地的银沙。晨风卷起未落稳的雪粒，像轻烟薄纱般掠过旷野，又在背风的另一处坠落，将一片素白又勾勒出贝壳内层般柔和的肌理层次。偶尔几株凋零得只剩至密枝干的孤树分割着太阳的光环，在这片晕红而洁白的地面上投射出淡蓝色的影子，这是冬雪后若尔盖草原羞涩的面容。

松软的积雪在脚下咯吱作响，我和亦风开始踏雪寻找格林的踪迹。獒场周边除了雪后觅食的啮齿动物足迹、牛羊马蹄印、领地狗爪印外一无所获。

我们驱车几十公里来到格林最有可能去的狼山领地。步行至狼山脚下，我们发现了零星的狼足印和新鲜的狼粪。但那些狼爪印却不是格林的。格林小时候左前爪受过伤缺一小块，他的爪印我再熟悉不过。我伸出手掌认真地比量着爪印的大小，足有十一厘米长，比格林的爪印大得多，而且爪尖长而锋利，应该是跟踪过我的那只大狼王!

我描述那只大狼王比藏獒小不了多少，亦风有点毛骨悚然：“我们快点离开这里吧?”

“放心，只有一行足印，独狼是不会来攻击两个人的。”

“但是狼窝在上面啊，说不定那个狼窝是他的，我们侵入了他的领地!”

“现在不是产子季节，狼不进窝。而且大狼对我们挺友善的，他很熟悉格林和我的味道。”我心中一暖，似乎看见的不是威胁而是一个老伙伴的联络信号。我指指旁边的一丛灌木，爪印经过处，几点淡黄的尿痕冻结在雪面和灌木枝上，如桃胶那样透明，我说：“格林也常在那里做记号。我们在这里住了很久了，还吃过一次大狼的留食，他能接受我们。”

亦风稍稍放下心来：“可我还是第一次来呢。”亦风紧了紧手套，拾起一段狼

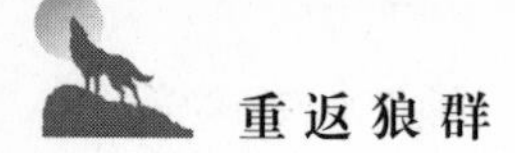

粪掰开细看，里面全是纠结一团的黑色长毛和骨钙碎末。

“这是牦牛的毛。”我放眼雪原上的牦牛群，喃喃地道，“冬天到了，狼群要集结了。”

“格林会找他们去吗？”亦风满怀希望。

“或许吧，但我们现在还没发现格林的踪迹呢。”我神情黯然。

“走！”亦风一拍手抓起背包背在背上，“我想起一个地方！”

“哪儿？”

“昨天的兔子洞！”亦风止不住兴奋！我精神为之一振，赶紧起身跟上前去。亦风刚走了几步突然停住脚步一笑：“我得给狼王签个到。”亦风顽皮地眨眼向灌木丛狼尿冰滴走去。

我们开车找到兔子洞附近已经是傍晚了。昨晚下的雪已经化了大半，只有些没被太阳直射的地方，积雪还东一片西一片慢吞吞地融化着，兔子洞阴暗处的积雪上清晰地留着野兔只有出去没有进来的爪印。

“这里，这里！你快来看?!”亦风站在一个小土坡旁边兴奋地喊着，我连忙跑了过去。

在兔洞附近一个小土坡背风处的雪窝子里，风刮过来的积雪仍堆了十多厘米厚的一大片，中间一团七十厘米左右的不规则椭圆形草窝子却没有一点积雪，草面已被压塌，顺顺地贴伏在地上，草窝子前方清晰地留着一行弹射而出的狼爪印，正是格林的。

我看着干燥无雪的草窝子皱起了眉头：“这个痕迹好怪，只有从雪面跑出去的，没有从雪面走进来的。除非他在下雪之前就在这里了。”

“难道他在这儿冰镇了一夜？受伤了吗？”亦风问。

我皱着眉头不说话，这痕迹实在令我费解，我需要更多的线索。但再往前积雪已化，只能从零星散布的雪片上看到一些模糊的爪印。很快几滴凝结在残雪堆上的新鲜血迹和纷乱的擦痕引起了我们的注意，顺着血迹四面望去，亦风猛然发现一个拱形铁器，惊呼一声：“捕兽夹?!”

“糟了！”我的心顿时被猛砍了一刀，长久以来的噩梦竟然成真了。我头晕目眩地跑过去看：一个锈迹斑斑拱形弯曲的铁器死气沉沉地躺在草丛中，一小截铁扣在旁边若隐若现。我看得血液凝固，哆嗦着双手东摸西找寻来一截枯枝往捕兽夹中间试探——沉！枯枝一下折断了。亦风连忙递过他的打狗棒。我呼噜着酸鼻子，拿打狗棒用力去挑捕兽夹。哗啦一阵声响，捕兽夹被全部挑起，形状怪异两边拱形的夹口各自分开似乎并未一触即发，更奇怪的是，捕兽夹后面还拖着一片花里胡哨的烂麻布和一段皮革，还有一小块朽木连在上面摇摇欲坠，似乎这东西埋在这里已经很久了。我呆住了，脑袋里的问号翻泡泡似的往上冒，我再仔细一看：“这不是烂马鞍子吗？”

“啊？是吗？我也没看清楚。”亦风一脸无辜。我又气又急，一把鼻涕一把泪，捏着拳头把亦风一顿暴打：“没弄清楚你瞎吼啥呀？吓死我了！”

亦风抱头连连申辩：“我也没见过捕兽夹呀，看见血迹就产生联想了，你不也没看出来吗？”他赶忙握住我挥舞的拳头：“不是就好啊，哭啥？快找格林要紧。”

关心则乱！经适才一场虚惊，彼此的手都已经冰凉。赶紧趁着最后一点时间，兵分两路，我沿着爪印的大致方向，步行寻找。亦风开车远远跟着用对讲机彼此联系。

夕阳斜照，足迹的前方，獒场已遥遥在望。我心里漾起一阵奇异的第六感，拿起对讲机：“亦风，你快回獒场，格林铁定回去了！”

“收到！”

不久，亦风快乐的声音从对讲机传来：“别找了！他真回来了！”

我如释重负地奔回獒场，扑面而来的凉风也变得轻快起来！

亦风的车停在獒场后面大河边的草场上，他笑眯眯地靠在车门边，架着摄像机，镜头前赫然是流浪归来的格林。

格林嘴里叼着半只麻灰色的野兔，左突右闪躲避一群迎上来抢食的领地狗。再一看趾高气扬的狗头领——又是“白脸”这家伙！这群领地狗在獒场外横行霸道惯了，找食儿的时候各自散去，找事儿的时候蜂拥而上。有时候还分成小帮派为抢母狗起点内讧，严重属于有组织无纪律的“黑帮”。此刻，领地狗们看见格林居然又叼着一只肥野兔从他们眼前走过，一个个馋得口水直流，争先恐后地扑抢着，飞起的狗唾沫溅了格林一身。

亦风一面专心致志地调着焦，一面对我说：“瞅见没，敌众我寡啊，看你儿子怎么过关。”

“兔子哪儿来的？”我还没从寻回格林的惊喜中回过神来。

“你猜呢？”亦风意味深长地一笑。我恍然大悟，接连两天格林失踪的线索顿时在脑子里融会贯通，又问亦风：“你不怕狗了？”

亦风用脚尖磕了磕靠在车边的木棍，又朝狗群抬了抬眉毛：“他们还顾不上招呼我。真想咬我，我还可以往车里一钻，让他们啃轮胎去吧。”

我哧哧笑着，绝不说这帮狗还真会咬车胎，免得吓着亦风。此刻，我们虽然看见格林被狗拦住，却没有太担心，这帮狗不过是想要兔子而已，争食夺肉那是动物之间的正常矛盾。而对于我们来说毕竟把格林找到了，我俩心底的石头总算落了地。

亦风道：“你看那些狗少说十多只呢，可惜没有章法，纠缠好一会儿了，都为着各自的利益拼抢，要是有点狼的合作精神，四面包抄起来何愁抢不到？”

“狼是狼，狗是狗，生存理念不同。”我顺口说着，眼睛一刻不离开格林。这傻小子，逮到兔子儿口吃完不就得了？干吗还剩半只叼回来惹事儿。

格林还在跟领地狗们周旋，现在的他有使不完的精力、用不完的耐力和强大的肺活量，要躲开几只狗是小菜一碟。狼的这些先天优势气得狗们汪汪直叫，干脆霸道地堵住他的去路耍起了流氓："不留下买路钱休想过去！"

格林不想跟这些邻居打架，何况对方狗多势众，自己从小就没有打赢过他们。格林牢牢叼住自己的战利品，耐着性子摇摇尾巴，领地狗们不让！低头绕道走？还是不让！狼和狗就这样僵持在了原地。领地狗们渐渐围拢上来，格林的退让并没有取得他们的通行证，反被认为是软弱可欺。从前被抢存粮倒也罢了，这次可是格林自己在雪中蹲守一天一夜的战利品，岂能拱手相让？

一阵高亢霸道的狗吠，白脸咬开几个包围的徒众挤上前来。有几只狗舍不得放弃尝鲜的机会仍旧不知好歹地拱到前面来，白脸转身就是一顿猛咬，那几只藏狗悻悻地退到一边，舔着伤口咽着口水心不甘情不愿地看着。白脸昂首上前一步展示着他的土霸王地位，等候着格林"上贡"。格林万般无奈地衔着兔子，扭头向我们投来求援的目光，他像一个在家门口受了莫大委屈与欺负的孩子。

"我去帮忙！"看格林已经被包围了，亦风收起摄像机扔回车里，手开始去拿打狗棒，护子的勇敢劲儿上来了。

"不许帮！如果连自己的食都护不住还是狼吗？"我按住木棍不准亦风上去。半个多月前狼山上的大狼临走时的狼咬一直深刻印在我脑中，那是强烈愤恨——格林身为一匹狼却对人过度依赖。我不可能保护他一辈子，要重回群体成为真正的狼，格林还有太多东西要学。

"要是被咬伤了呢?!"亦风不能眼睁睁看着格林挨咬。

"回去擦药！"我咬着牙不再说话，厉目回视格林，不接受他的告状求援。既然是狼，就不该幻想正常公平的生活秩序，狼是没有保护神的，只有赤裸裸的弱肉强食。

白脸龇起了牙齿，绷直后腿，竖起颈毛发出最后的通牒，从小在狗群中长大的格林当然知道那是进攻前的准备动作。格林轻轻摇动的尾巴渐渐平息下来，放弃了最后的和谈。对两个不同物种来说，食物的竞争就是生存的竞争，水火不容！其他的藏狗们停留在七八米开外的地方散乱地围着，也不前进也不退后，时不时地伸后腿挠挠痒痒等着看好戏。我的手悄悄地伸进怀内摸摸袍子里的铁链，汗从手心渗出。

白脸奇怪格林为什么还不缴"兔"投降，他又向前了一步，与格林几乎鼻子碰着鼻子了，交错的犬牙就在格林的眼前晃动。格林静静地直视着他，似乎没有任何反应。白脸一头雾水，"这小子吓傻了吧？"众狗一片哗然爆发起讥嘲的吠叫声，这是骄傲自大的催化剂。白脸看看木然不动的格林，抵不住鲜美的兔肉近在咫尺的诱惑，仗着狗群的拥护，理所当然地伸嘴就去接收"供奉"。

白脸一口咬住兔子往后抢夺，突然感觉嘴上一松，铆足了劲儿去抢的力量全坐了回来，踉跄几步，一个跟头四脚朝天摔翻在地。"怎么这么容易抢到？"白脸还没反应过来怎么回事，左后腿一阵钻心剧痛，被骤然松开兔子的格林猛扑上来一口咬住，狼头狠命一甩，白脸整个身体被甩飞起来，“咔嚓”声中狗腿已被生生咬断。格林快如闪电的突袭连一声警告都没有。白脸重重地摔在冻得结结实实的地面上，痛得他发疯般地狂叫起来，兔子也叼不牢了。离他最近的藏狗黑皮瞅准机会，箭射上来夺取了他的口中食。剧痛之下的白脸哪里顾得上抢回兔子，他翻卷过身来就朝格林咬去。而格林一咬即放绝不恋战，此时已退到一边冷冷地盯着他的手下败将，似乎刚才闪电般的攻击根本没有发生过。从上一次和巴桑家的三只藏狗交战以后，格林就太明白突袭的重要性了，如果一只没有防备意识的狗在还没有明白发生什么以前就被撕破了肩膀，或者耳朵被撕成彩条，那么这只狗就已经不战而溃了。

白脸在地上撕心裂肺地嚎叫着，这戏剧性的结果令围观的狗群大出意料，一片鸦雀无声后才从惊愕中猛醒，纷纷冲向黑皮抢夺兔肉，把他们曾经的领袖甩在一边任其凄声惨叫，威风扫地。只有一只黄色母狗驻留在原地看着白脸，两腿瑟瑟惊魂未定。

格林迈着轻柔的步伐，像移动的影子一样跟上狗群，瞬间就闪到了黑皮眼前。黑皮一个急刹车，差点儿就撞在狼身上，诱人的兔子仍在黑皮嘴下晃荡。一群狗蜂拥而上地抢夺着，谁也无法停下来享用野兔。

格林气定神闲地立在黑皮面前。黑皮躲闪着群狗的扑咬抢夺，他从喉咙中发出了含糊不清的威胁声，但这勉强从兔肉后面发出的混着口水的恐吓声早淹没在纷乱的狗吠声中。黑皮起初还指望狗弟兄能帮他，可黑皮是自私的，其他的狗友们同样如此。黑皮终于明白嘴里这个兔肉是个祸根，张不开獠牙，吼不出声，活活将自己置于众狗的撕咬当中。黑皮自忖力量不及惨败的白脸一半，在狼眼的逼视下，唯有逃跑。眼看身后已经被自己的同伙围得没有退路，黑皮咬紧兔肉横下一条心，仗着自己速度上的优势旋风般绕过格林左侧奔逃!

但为时已晚! 比快，黑皮哪里是格林的对手? 两道狼眼的绿光一闪，格林已经到了黑皮眼前，森森狼牙直取黑皮脆弱的咽喉! 黑皮还以为格林跟狗一样是冲着兔子来的，下意识地转头护住兔肉，右脸却已整个暴露在狼牙之下。带着白脸血腥味的狼牙瞬间割开黑皮的头顶和脸颊，黑皮的眼前一红，耳朵轰鸣声响。黑皮到底是冲出去了，但是自右边头皮往下带着一只耳朵连同半边脸却不见了，撕下来的头皮被下巴上几缕细毛摇摇欲坠地略作挽留后，就永远告别了这张恐怖的脸，一两秒钟鲜血便汹涌而出，抢来的野兔掉落在草丛中。黑皮痛彻心扉地嗷嗷惨叫着跑开，像刚从地狱窜出来的恶兽，那凄厉的嚎叫让人忍不住掩上快被尖叫刺穿鼓膜的双耳。黑皮在墙根一堆残余的积雪上拼命打滚，用冰凉镇住他的剧痛。一时间漆黑的皮毛、鲜红的热血、惨白的雪堆拼叠出一幅刺目而惨烈的画面。

我和亦风对视一眼心下凛然，虽然希望格林保住战利品，可也从来没想过他竟下如此狠口。和狗比起来，狼的攻击更迅速! 更狡猾! 更凶残! 充斥着最原始的血腥暴力与残酷反击!

余下的一众狗还在狂热地争抢落地的野兔，对同伴的惨状丝毫不以为意。格林这才龇着牙，用刚才连伤两狗的积威把野兔护在爪下，左咬一口右咬一口，快如闪电。受伤的领地狗们呜呜叫着，纷纷逃离战场远远“叫骂”，没吃到苦头的狗还围着格林周旋，敢叫不敢冲。

我掏出铁链用蓝布带将链头紧缠在手上。“上吧!”我把打狗棒递给亦风，“小心!”

亦风手心冒汗，狂吼一声，握紧了棍棒迎上前去驱赶溃不成军的领地狗。我扬手把铁链在头顶抡得哗哗作响，大叫着向格林冲去。围着格林的领地狗们一见格林有了帮手，而且铁链来势汹汹，夹着尾巴一哄而散。

格林护着野兔留在原地，狼牙狼脸上全是血迹。他卷起舌头，舔着獠牙和嘴唇上的血腥，狼鬃竖立，进攻的状态还没完全松懈下来，适才黑皮被咬掉的头皮和耳朵就鲜血淋漓地摆在我面前脚下。格林的狼眼中迸射出残暴而冷酷的光芒，我突然感到一阵陌生的畏惧。

“他是格林，我的格林。”我心里对自己默念了三遍才缓缓收起铁链，试探着叫了一声格林的名字，声音有点发颤。

“吱吱，呜呜”，格林从喘息未平的肚子里挤压出两声亲昵的回答，眼睛里放射着兴奋难抑的光辉。他温和的目光让我顿时释然，随即一种自豪感包裹了我的身心——他赢了！我蹲下来抱着格林的脖子，他的心脏还在狂跳不已，身子抖个不停。是因为激战后的情绪还是重逢的喜悦，抑或是终于捍卫了尊严和食粮的自豪？或许都有吧。对格林来说现在的世界好像不同了，变得更加广阔，他也变

在这弱肉强食的世界，我的格林为自己战斗过了，他赢了。

得更加自信，有了一种英勇无畏的眼神，一股生命的豪情从体内涌起，这感觉在之前的日子里从未有过。格林已经能够更加残忍地对待生命，在这弱肉强食的世界他为自己战斗过了，他的牙齿曾经咬进敌人的肉里，他的舌头尝到了敌人的热血，他变得更加大胆更加勇猛，他藐视一切劲敌，他不再一味退让。别把小狼不当猛兽!

格林嗅嗅面前满是狗牙洞的半只兔子，伸下巴轻轻舔了舔我的脸，温柔而依恋。我心中既甜又酸："谢谢你，格林，我先收着，留给你下顿吃吧。"我领受了这份狼的馈赠，解下手里的蓝布条拴着兔腿，拎在手里沉甸甸的。艰难的日子里，给相依为命的老妈留食已经成了他的习惯。狼的家庭观念很重。

我忙着拴兔子的时候，格林却愣愣地立在一边，望着远处发呆。顺着他的目光看去，在刚才战败的首领白脸身边，那只黄狗还守在一旁帮着他艰难地站立起来，白脸的后腿已经断了。自身的骄傲与可悲的团体让他一败涂地，但是他还没有完全众叛亲离，黄狗温柔地舔着他的伤腿，用温暖的鼻梁轻轻承托着他的脖颈。黄狗的腹部微微隆起似乎孕育着生命的信息。

我突然有点心酸，如果没有这场战役，这对狗首领夫妇或许生儿育女享受着至高的荣誉，而今这些荣誉随着白脸断腿的遭遇将从此不再。虽然我曾经怕他们追我咬我、恨他们横行霸道，知道从今往后这片地方也会清静许多了，但此情此景我无论如何也幸灾乐祸不起来。

白脸还在艰难地挪动，努力保持着他曾经的威严，黄狗用身躯作为他的依靠。格林呆望着他们若有所思，眼神落寞而哀伤。我心里一阵难过，捧起格林的脸，在他宽大的狼头上轻轻一吻，像他小时候那样，我似乎很久没有这样做了。我隐隐能感受到格林内心的寂寞和渴望，却不知该如何弥补。

"走吧，格林，咱们回家。"我拎着兔子，格林跟在身后几步一回头地进了獒场。

月黑风高，獒场外偶尔传来一两声领地狗凄凉的吠叫，不知道是不是白天战败的领地狗在哀嚎。我悄悄走到窗前贴着玻璃向外望去——格林在窗外老地方卧着，他睡得很香，应该正做着胜利者的梦吧。

亦风躺在暖暖的炉火旁辗转反侧，喃喃地说："他能在雪窝子里趴一天一夜等待伏击，他攻击敌人快、准、狠！他已经是一匹狼了。"我能理解亦风的感觉，毕竟他记忆中的小狼突然变成眼前的大狼，又目睹格林骤然彰显出的狼性一面，亦风的担心不言而喻。

我回到炉旁坐下，心事重重地烤着火。荒野的确是孕育野性的温床，这次带格林远行回来，他变化很大。格林在我心目中一直是需要我保护的小狼形象，可忽然之间我见识到了他的另一面——深藏不露的杀伤力和临敌时的烈性。下午，面对与狗群搏斗后的格林，有那么一瞬间我感觉不认识他，甚至有过片刻的惊恐畏惧。虽然格林看敌人和看我的眼神迥然不同，但这种畏惧来自我最原始的反应，毕竟我直观地见识到了他是一只有能力杀死我的猛兽。我从前总看到格林对我温柔有加的一面，却忽视了他拥有的野性力量，这种野性让人不得不敬畏。难怪千百年来狼的食肉秉性与他的智慧和性格会引发人们对狼的感情走向两个极端：要么敬仰崇拜到极致，把狼神化；要么切齿痛恨到极致，把狼妖魔化。因为真实的狼的确是一种复杂的生物——既冷血狂野又热烈温柔，既贪婪自私又能慷慨奉献，对仇者睚眦必报，对亲者以命相爱，既多疑又多情。狼的爱不容易付出，一旦付出必是掏心掏肺的。

“格林找回野性不正是我们希望的吗?”亦风说。

“是啊，狼最值得尊崇的是天性，如果一匹狼连狼性都泯灭了，那还是狼吗?”

第二天觅食的时候，我们在河边发现了黑皮的尸体。格林远远地看了看，淡然地走开了。

生存竞争是残酷的，生命本身就是一种搏斗——为自身继续存在而搏斗。格林已经懂得这一点，从今以后他只遵循弱肉强食的自然法则，这是谁都无法阻挡的。

狼，野性不必掩饰，贪婪无须伪装，他冷对人们的憎恨与诅咒，长歌声中，独步荒野……

我对亦风细讲了遇见野狼的情形，我们下决心，再上狼山，一定要让格林重返狼群。

29 在獒场休整

白脸护着妻子远去的背影微微回头，用极其复杂的眼神看了格林一眼，转身走了。格林轻轻地叹了口气——雪后清冷的空气中，那缕深重的白雾从格林的唇吻长长呼出，我仿佛感觉到了格林内心的孤寂与感叹。

一大早，亦风就帮老肖守在獒场门口，边刮胡子边等着送水的车来。獒场的人从不喝河里的水，送水就成了一件大事。

草原缺水？说来可悲。这里是中国最美丽的湿地，而且我们就在黄河源头的水边住，按说是最纯净的高原风水宝地了，可是这里的水质实在难以恭维，腐殖质含量极高。我曾与亦风沿着黑河走下去，河面上烂塑料袋、方便面盒、烂衣破袄、女士皮包、用废的药物、游客的零食包装……各种各样的垃圾随着流水浮浮沉沉地且停且漂，显然河面污染早非一日之功。看得我们心里堵得慌……人真是最脏的！自然界任何动物都不会制造垃圾，动物们消耗资源都是取于自然，还于自然。例如狼捕食猎物，吃剩下的还有别的动物进一步消耗，最后被细菌完全分解，甚至狼的尸体也还给自然中别的生物，这个循环过程完善干净。唯独人制造得出难以降解的垃圾，甚至连人类自己都成了自然界很难消化的负担，死后只好付之一炬。

河水不能用，獒场的人们又打起了地下水的主意，费九牛二虎之力打了一口井，使泵抽水上来用。那水完全像咖啡的颜色，而且许久都无法沉淀，用来洗手手裂口，洗衣服衣服全染成黄色。水里还漂着白色泡沫和死耗子之类的，洗东西都恶心，更别说拿来饮用了。盖好盖儿的井水里哪儿来的死耗子？我们分析了一下，草场上的鼠兔和鼢鼠实在太密集了，尤其在这一带，平均一米见方的地上就有三四个鼠兔洞或者鼢鼠丘。这一口井打下去，有的直接打到鼢鼠的“家里”去了；有的鼠兔在地道里散着步，不知此路已断，“咕咚”掉水里了；有的鼠兔或许往井的方向挖地道，施工过程中发生了透水事件……井水里隔三差五有几只鼠辈遇难也就不足为奇了。这口井打得人也窝火，鼠也窝火。

獒场的人们只好远距离地从外面买山泉水来喝，每次拉一车过来，几家人各自用桶分装了，存放在炉子边暖和的地方避免结冰，几大桶水用一个星期左右，尤为珍贵。至于洗澡，那简直是奢侈的想法。我从前扎营的狼渡滩的小溪水算是好的了，但我仍需用纱巾叠成若干层，覆盖在水桶面上过滤腐殖质，并且生火烧煮。然而在气压不足的高原，即使沸腾的水，也能伸手进去摸一摸，要完全消毒杀菌是做不到的，只能让自己慢慢适应水土。

入冬以后，每晚零下二三十度的低温早把獒场的水管冻破，水泵无法抽井水

了，平时用剩下的水还得存着冲厕所，一点不敢浪费。有时候厕所冲不下去，窘得人无计可施，因为下水管道也封冻了，只好烧开水冲厕所。几个留守獒场过冬的工人没事就聚在一起，讨论如何解决这个入冬以后每天都要面临的“当务之急”。

如果草原之水都被垃圾污染，这里的动物又该上哪里找水喝？

有人说：“干脆去野地解决算了。”

另一个说：“不成，上次在外面被野狗追，害我提着裤子满山跑。”笑得大伙前仰后合。草原的生活是很具体的，冬天会给这里的人增添很多的恶作剧，学会不去抱怨也是一种快乐。

烈日、狂风、雨雪、冰雹，无不考验着这里包括人在内的各种生命。严苛的草原上除了草啥也不长，除了牛羊，啥也不产，所以草原上的饮食是相对简单而朴素的，过久了方便面和酱油饭以及储存的土豆为主食的日子，大家一提到肉，口水流得要拿盆子接。老肖到处打听，终于找到一个肯卖羊的羊倌儿，我找这羊倌儿买了一只一百五十斤的大公羊，打算养一段时间，宰了给大伙儿打牙祭，也给格林储备肉食。

老肖刚把大羊牵到后场子，那羊看见草地上丢着个死牦牛头就发狂了，照着老肖屁股狠顶了一下，拖着绳子跑了。老肖只得捂着屁股关了后场门。

却说那牦牛头本是河边的领地狗们不知道从哪个牧场里拖出来的，一群狗分赃不均正围着大吵大闹，被格林循声找去直接没收了，领地狗们气得吹胡子瞪眼，可一个个都像在地上生了根，谁也不敢上前找格林的麻烦，只敢围成一圈鼓眼瞪着格林干号，我怕让人看见招眼就干脆把牛头捡了回来，扔进后场。格林抢那牛头本来就是醉翁之意不在酒，借题跟领地狗们打堆闹腾而已，我把牛头捡回来给他独享，他反而没了兴趣，光把牛舌头掏来吃了就回森格的笼子边睡觉去了。

先前老肖牵羊进院的动静早激起了格林的好奇心，他阴魂一般地尾随老肖穿过犬舍，见老肖关门后，他又从侧墙的铁栅栏破洞里神不知鬼不觉地钻进了后场院。格林很快发现了躲在墙角巷道里的大羊，他乐坏了，学着老肖的样子，叼起地上的羊绳子牵羊。古话虽说“顺手牵羊”，但羊也并非傻到被一匹狼“顺嘴”也能牵走。格林牵来牵去牵不动，反而把大公羊给牵冒火了，公羊冲出巷道来大

格林有样学样，“顺嘴牵羊”。

发羊威——顶、撞、踩、踏，招招摄魂夺魄！踢、蹬、尥、蹶，式式索命攻心！流星锤似的羊蹄不停地向格林身上招呼。格林讨不了好去，干脆打起了消耗战，没日没夜地折腾着羊，不让羊吃，不让羊喝，甚至不让羊躺下休息。只要被格林盯上的东西一定非他莫属，有的只是时间的问题。

格林跟羊耗上了……

大伙儿都劝我“把狼叫开，不许他抓羊”。我苦笑一声，狼不是狗，从古到今就没有人能够命令狼。即使对格林而言，我的命令也只是个参考，采不采纳全看他的心情。狼和羊属于历史遗留问题，谁拿着都没辙。

入夜，月朗星稀。一声清晰的狼嗥从后围场响起，声音悠长而热烈，焦急而期盼。我推窗细听，果然是格林的叫声，似乎在呼唤同伴寻求帮助，声音中兴奋的感觉更胜于焦急，透出一种胜券在握的成就感和亟待协作的绵长意味。一声之后停顿了几分钟，只换回了远远几声狗叫。第二声之中的邀请意味更加浓烈了，犬舍里的藏獒们开始不安地吠叫起来。那一夜格林悠长的狼嗥声时时响起，不忍打扰，睡梦中闭目静听，自从大狼抛下格林愤然离开，好久没有听过格林这样纵情的呼唤了，那声音在静夜里听来如同天籁。召唤群体共同猎食这是格林原始本性的展露，这种本性比他度过的岁月和呼吸过的空气还要古老。这才是草原最纯净的声音。

第二天早上，老肖爬上墙头偷偷瞅一眼，回来说：“还守着呢，狼睡着，羊站着，羊身上落的全是白霜，估计这一夜没合眼。”

第三天，老肖爬墙再看以后，回来直摇头：“不行啊，羊这样饿下去几天就掉膘了。”

格林连着嗥了两夜，藏獒们也跟着叫了两夜，弄得大伙儿都睡不好了，大家一商量，这羊是买来吃的，迟早都是个死，早些宰了让羊死个痛快，总比被格林耗死的好。要真是被狼咬得七零八落，人就吃不成了。主意一定，我便和尼玛、老肖三个人分工去抓羊，经过两天两夜的饥渴和罚站，直立的羊腿都快被冻成冰棍儿了，大公羊再也不像第一天那么雄势，三个人加上一只狼一起去围追堵截那只羊。

宰羊的时候，大家怕出事儿，让亦风把格林关在后场子。眼看守了几天的羊

却不让他参与最后的猎杀，格林气得直蹦高，飞檐走壁地往墙头上蹿，急得亦风拽住狼尾巴大叫："你们快点，这小子能蹦出去！"

我和老肖一人抓一只羊角，尼玛在前面拖绳子才终于把这只大羊拖到了河边……

宰羊之后，大伙儿把格林应得的心肝内脏和大量碎肉先留在了河边。亦风一打开紧闭的铁门，格林早就等不及冲出来收拾战场了。他抢过心肝和剩肉这些最易吞噬的软肉嚼都不嚼就狼吞下肚，眨眼间狼肚子就鼓起了一大团，这些心肝内脏是羊的精华部分，格林对这一分配很是满意。我把宰后的羊砍成两半，一半给各家分了，一半作为格林的存粮。

河边的领地狗们看着格林狼吞虎咽，个个馋涎欲滴。终于有两只狗大着胆子凑上来想拖一根羊肠子跑。正在进食的格林哪里容得他们放肆，闷声不响地弹射出去，左右两口快如闪电；刹那间左边狗的背皮被活活撕下一块来，鲜红的狗肉在冷风中腾腾冒着热气，右边狗的脖子鲜血直流；疼得两只狗嗷嗷惨叫着跑开了，血在身后滴了一路。格林大声咆哮起来，狗群惊恐地散开再不敢放肆，站得远远地望着羊肉咽唾沫。

"格林开始树立他的威信了。"亦风这样说。

"至少他不要再受欺负就好，有些残暴是逼出来的。"我微微一叹。

格林大口吞食着羊排的动作突然停住了，发出了严正警告的威胁声，因为又一只胆大包天的狗出现在他的食物面前，并一点点地凑了上来，犹豫地看着格林面前的羊内脏咽着唾沫。格林竖起了颈毛，龇着牙恶狠狠地盯着来狗："还有一个不识好歹的家伙？"

但是，格林止住了，狼性法则中雄性不与雌性斗，面前出现的是一只母狗，她是领地狗群曾经的骁勇领袖白脸的妻子。不同的是她的腹部已不再隆起，取而代之的是挂在肚子下面两排干瘪的乳房，她曾经光滑如缎的毛色已不再润泽，搓衣板似的肋骨随着她的走动若隐若现，那衣食无忧的日子已随着白脸的败落而不复存在。她现在是一窝小狗的母亲，不能让待哺小狗挨饿的母性本能驱使着她向前。她的脚步因害怕而微微颤抖，但是那些羊内脏像对她施了魔法一般，白脸远远的制止声也似乎丝毫没有传进她的耳朵。

格林的颈毛慢慢平息下来，最后柔和地贴在了脖子上，狼牙收起了寒光，眼前的场景仿佛触动了他内心的隐痛。他看了她一眼，不再恐吓地低吼，缓缓地退开了两步，让濡滑的羊内脏暴露在他俩中间。原本等待着格林残酷的撕咬也要抢到一口食物的黄狗眼里闪现出难以置信的惊喜和深重的疑惑。白脸一瘸一拐艰难地边走近边冲格林龇着牙，但走到十余米远就再不敢向前了，格林的异常平静也让他不敢轻举妄动。他比谁都明白，当初打不过格林，现在残废以后就更不是格林的对手了。但对爱侣的担心和哺育幼子的强烈愿望驱使他拖着瘸腿嘶哑着声音警告格林。

黄狗已经靠得很近了，她的眼睛一刻不离地死盯着格林的举动，每一根神经都高度敏感，每一根毛发都散发着无限疑虑。她小心翼翼地向羊内脏靠近，格林一个轻微的鼻息和眼睛的眨动都会让她下意识地惊跳起来躲闪，生怕面前的暴狼又会毫无预兆地发动凶狠致命的突袭。当她的牙齿尖端终于够着腥香的羊内脏并把一大团羊肚羊肺拖到自己跟前时，她终于相信这是真实的了。她顾不上狂吞的冲动拖着内脏就往白脸的方向跑，也许伴侣的身边才是她认为最安全的地方吧。

馋极了的领地狗们眼看黄狗拖出一团羊内脏，便一哄而上地抢夺，白脸连连咬翻几个跑在最前面的狗，护着自己的妻子回窝。众狗不敢追撵，毕竟白脸以前的积威还在，牙口也依旧锋利。狗群撵了几步就转回来，继续望着格林面前的剩食流口水，期待格林也能对他们小以布施。

白脸护着妻子远去的背影微微回头，用极其复杂的眼神看了格林一眼，转身走了。

格林轻轻地叹了口气——我原本不想这样表述，因为我之前从来没有看见过狼会叹气。但是在雪后清冷的空气中，当那缕深重的白雾从格林的唇吻中长长呼出时，我仿佛感觉到了格林内心的孤寂与感叹。

格林从剩余的肉食中挑出一大块羊排肉叼在嘴里，走开了。留下身后一群领地狗欢呼着，乱哄哄地抢夺残羹剩饭。

回到獒场，亦风兴高采烈地晃悠着手里的羊头递给格林："小子，留着饿了的时候啃。"

我纳闷极了："格林都吃饱了，留给那些狗的东西，你还带回来干什么？"

亦风神秘地说："被狼收拾出来的羊头骨可是一件有特殊意义的艺术品啊。过些天等他啃干净了我要收藏的。"默了一下又有点遗憾，"好不容易宰只羊不给格林存着吃，干吗便宜了那些领地狗？"

我叹口气在草地上坐下摸着格林鼓鼓的肚子说："那也是格林的分配啊，那些狗再讨厌总归是他的伙伴嘛。"或许只有我能走入格林的内心世界，触摸到他深藏的那份孤独。他需要同类的陪伴，虽然这种陪伴充满了敌意、威胁与贪婪，但那毕竟是一种陪伴，能满足他对群居的需求。随着年龄长大，他眼里的孤寂和深沉越来越多，也只有和我们在一起的时候，他的眼光才会变得像天使般澄澈透明、纯真而顽皮。

吃饱喝足的格林显得特别懒散，他惬意地伸展着四条腿，慢悠悠地凑到我跟前趴下，我招呼他："睡过来点啊。"格林一点不想起身，懒眉懒眼地趴着，撅着屁股用后腿蹬地，像推土机一样把身子推到我手跟前，用大脑袋来迎我的手心，我屈起指头敲着他的脑袋："懒家伙，走几步会累死你啊?!"格林舒服地享受着我的笑骂，在他的耳里那是最动听的蜜语。

冬日暖阳下，我俩依偎着，睡意渐渐爬上来。我枕着格林暖暖的肚子，听着他均匀起伏的呼吸沉沉入梦。格林儿时的情景似乎就在昨天，他像个小绒球似的

冬日暖阳下，我枕着格林暖暖的肚子，沉沉入梦。

爬在我肚子上，咂吧着小嘴紧闭着双眼做梦，小小的身子随着我的呼吸在肚子上一起一伏……而今他已长大，像个大狼的样子了。随着他的成熟，我知道不可避免的分离即将到来，我突然是那么盼望时间过得再慢一些，格林成长得再慢一些，多想就这样陪着他一直走下去……

转眼亦风在獒场待了有一个多星期了，逐渐适应了高原的气候。他常开车回到狼山领地巡查。他在狼山斜对面的一处山坡上发现了一个约四米见方废弃已久的破土房，不知是放牧人临时的驻扎地还是上山挖虫草的人过夜的地方。亦风高兴坏了，他在郎木乡附近收购来一些舟曲灾后撤下的轻质建材，每天蚂蚁搬家似的拖上去，又悄悄请县城里不相干的工人去修缮了那个小屋子，还装了一扇彩钢门和木头框的玻璃窗。在屋子上方掏了一个洞，引一根烟囱下来，放了一个铁炉子在小屋中央。他秘密地弄完这一切，才带我来看这个观测点。我既兴奋又诧异，小屋虽简陋，却比帐篷强多了，遮风避雨，走的时候还可以拆掉，没污染。能不能抗雪压不知道，不过亦风搞过建筑设计，我相信他。推窗望去，对面的狼山和山下的草场一目了然。

他颇有成就感地调侃着说："瞧瞧，咱有一所房子，面朝草原春暖花开，过两天我适应了高原气候，咱就和格林过来。"可是，亦风的肠胃并不争气，仍旧不能适应这里的河水，喝一次胃疼一次，晚上只能回到獒场休息吃饭喝水。高原上生病很难寻医问药，过不了水土这一关根本没法野外生存。毕竟在草原深处的荒山上孤立无援的生活是一件既诱人又吓人的事情，食物？饮水？野兽？疾病？任何一个环节没考虑到都可能致命，更遑论零下20度的气温，一夜就可以把人冻成冰雕。去那里，是需要勇气和技术保障的。

那座草原小屋也成了我们又盼又怕的梦想之地……

30 再闯狼山！

如果错过这个冬季，格林就只有两条路——要么成为孤狼游走荒原，饿死！冻死！被人打死！要么被我们带回城市，囚禁笼中，生不如死。总之，这一辈子就毁了。

随着几场大雪的降临，若尔盖雪原越显厚重。格林的觅食变得越发艰难，带着他走上几天也找不到食物是常有的事。晚上一无所获的格林回到獒场靠分吃些藏獒的狗粮过日子。冰雪封路，外面的补给渐渐跟不上了，有限的肉食留给了怀孕的母獒，狗粮的储备也不多了。

我和亦风为格林存下的羊肉早就吃完了，以前卖羊给我的羊倌儿也不知去向，其他问到的牧民又都不肯卖羊。我只好把我们的干粮和方便面饼都拆开来填补格林的肚子。几公里外人类的垃圾填埋场是格林自己找到并常去的地方。狼的肚子是为肉而生的，但极端情况下只要能找到的他什么都吃，哪怕那些东西的营养价值极低，他也会用强力的胃液去榨干它最后一滴养分。挑食不是狼的权利。

有时格林会在垃圾堆中惊喜地发现一些干骨头，便用强有力的牙齿嚼碎饱饱地吃一肚子，再兴冲冲地叼一块回来给森格。但吃惯狗粮的森格却无法享受格林的慷慨，于是格林会在场子里刨一个坑，埋骨存粮。幸运的话，格林也能在垃圾场捉到老鼠。

但是，狼的胃像是一个无底洞。狗粮、面饼和垃圾对狼而言消化得太快，出外跑上半天肚子就瘪下去了，饿得格林猛吃冰雪来安抚强烈抗议的肠胃。狗粮也不能像肉食那样提供足够的热量。到晚上气温骤降至零下二十几度，地上的冰雪冻得格林牙齿打战，他交替着抬起两只前爪，卷起毛茸茸的尾巴覆盖在冰冷的脚爪上。

饥寒交迫的格林，有时只能猛吃冰雪来安抚强烈抗议的肠胃。

看着长身体的格林温饱都成了问题，我和亦风心急如焚，只好把格林留在獒场，冒着冰雪开车到县城的市场去等着买肉。

在冬季的草原，非不得已我们不敢动用车，也是由于冰雪断路，加油站

的汽油接济不上，车里仅存的小半箱汽油显得尤为珍贵，原想留着带格林回领地时用，现在也顾不到那么多了。适应城市跑动的车在高寒和缺氧情况下，不是半天打不着火就是开着开着在暗冰的路面上打着旋儿熄火趴窝，非常危险。开不动，又不能丢下车步行，原本便利的交通工具变成了最大的累赘，出行举步维艰。在笔直荒凉的公路上一旦出状况，即使等上半天也不见得能有一辆车出现，出现了也不一定能帮忙。两个人冻得头脑麻木，瑟缩在车里避风。矿泉水冻成了冰坨子，在怀里暖上半天才能勉强喝上一口。

由于早就过了旅游旺季，少有游客，若尔盖的冬天显得冷冷清清，县城多数的店铺都关张歇业，远离县城的草原就更看不到人了。我们走走停停好不容易挨到了县城，等了很久终于等到杀牛人，买到一只几十斤重的粗壮牛腿，还采购了一麻袋土豆、一麻袋萝卜，又买光了一个小店里的所有方便面、肉干和压缩饼干。我们欢天喜地地带着口粮回獒场。

与格林从小一起长大的藏獒伙伴中，黑虎、皇帝、小不点早已被卖掉，剩下的三只藏獒里，风雪和红眼睛怀孕了。养獒人怕母獒动了胎气，特意修了带暖气的产房把她们关起来静心养胎，再不让出外活动。要知道如果能生下两窝品相好的藏獒，那就是不小的收入。唯一剩下能陪伴格林的就只有森格了。

森格作为獒场的种狗，常常被工人牵出去跟千里迢迢送来的母藏獒配种。每当森格被冰冷的铁链拽拉着消失在铁门后，格林就焦急地绕着栅栏来回转，朝着渐渐关闭的铁门"黄！花！嗷——"地猛叫着。从小一起长大的伙伴们一个个离开，这在格林心中形成了一种畏惧，他总担心自己这最后一个兄弟也像黑虎和皇帝那样从他的生活中永远消失。当再也听不到森格任何回音以后，格林失落地走到母獒"风雪"的产房外，嗅闻门缝里那深重而寂寞的鼻息声。之后他默默地趴在门前的雪窝子里，直到鼻尖上身上都落满雪花，直到冰雪再次消融，空空的场子里除了寂寞什么也没有。我们隔着窗子看着这一切摇头叹息，却也毫无办法。

我和亦风商量了一下，獒场的食物也不多了，狼的食量太大，与其坐等挨饿，还不如带着格林再闯狼山。我把我的想法告诉了亦风：

第一，从季节来看，春夏季是狼分居带崽的季节，各家狼护崽和地盘观念特别重，不会接纳陌生成员。唯独冬季是狼群集结的时候，这个时候狼群的宽容度最大。他们需要新生力量的加入，依靠集体合作猎食越冬。冬季入群，也最能历练狩猎本领。

第二，从年龄来看，格林现在八个多月大，半大小狼不会跟大狼竞争地位，狼群乐于接受这种既能参与猎食又懂臣服的成员。一旦格林性成熟了，大公狼都会排斥他。如果错过这个最佳入群年龄，格林很可能成为一匹孤狼，而孤狼很难生存半年以上。

第三，从食物来看，夏季是食草动物的季节，看似"食物"多，但这些"食物”却是一年中最具活力的时候，难以捕捉。并且夏季里熊和猛禽等肉食竞争者也多，腐肉难寻，孤狼反而容易挨饿。唯有冬季才是狼的季节，竞争者少，冻死的牲畜又为狼提供了很多唾手可得的食物，无论集体打围也好，寻找腐肉也罢，狼群的力量肯定比我们强。

第四，从生活习性来说，狼是喜欢群居的动物，而格林所有的伙伴都没有了，他急需找到属于自己的种群，不能再在狗群和人群中迷失身份了。

第五，从外界干扰来看，春夏秋都是若尔盖的旅游旺季，人太多太杂了，人类活动对野生动物的干扰是复杂而不可预知的。格林不懂怕人，万一他接近游客，后果将会如何？

亦风表情凝重地听完我的分析，点头道：“是这样，如果错过这个冬季，格林就只有两条路——要么成为孤狼游走荒原，饿死！冻死！被人打死！要么被我们带回城市，囚禁笼中，生不如死。总之，这一辈子就毁了。”他沉默了一会儿忽又神秘地笑着：“我再给你补充一个第六吧。你不是说公狼一年就可以性成熟吗？这个，女朋友……可以有了，这家伙前两天抱我腿来着。”

我脸一红：“该不是受森格的影响吧，这段时间藏獒不是老在配种么，可能那气味对他也是种刺激吧。”

亦风笑得更神秘了，套着我耳朵悄悄说：“我看过了，还没长熟呢，欠点儿火候。”

“讨厌！”我通红着脸一把推开亦风。

我们估计了一下亦风车里剩余的汽油，决定先到扎西的牧场，我们需要找扎西买羊，更需要向扎西这位原生牧民多学些草原生存技能。成败就在这个冬季，再苦再冷再险，为了格林重返狼群，咱们再闯狼山！

第二天一早，我们把收拾好的行装放到车里。我又想起一样东西，从房后拎出一个鼓鼓囊囊的大狗粮袋子硬塞进了后备箱。亦风问我里面装的什么，我不说。

森格被拴在了中场院的墙柱子边。我拿出链子轻轻套在格林脖子上。格林睁大了眼睛看着我和森格，似乎瞬间感觉到这次离别将不再回来了，他猛然挣脱链子跑回森格面前，从小相伴的一对兄弟默然无语，相互碰了碰鼻子……我走近他俩，喉咙像噎了钢钉一样疼痛。我慢慢跪下来，一手搂过格林，一手抱着已长得像雄狮般的森格，把他们并在一块儿，用额头顶着他俩的鼻头轻轻摩挲——人、狼、獒今天能够头鼻相抵，今后却会走向不同的命运，狼也许会回归荒野，生死难料；我或许会回到城市，坠入纷忙；森格的未来又将如何？我闭上眼睛喃喃地说：“这可能是我们三个最后一次抱在一起了吧……森格，我的憨大个儿，如果我们还能再见面，我一定记得我还欠你一块儿巧克力……”

产房的门缝里传来深重的鼻息和呜咽声，风雪和红眼睛关在产房里，她们和格林连最后告别也不能够了。我知道每年獒场都会处理掉一些品相不好的小藏獒，不知风雪和红眼睛的孩子们能有几个幸存得下来。我想起了河边的领地狗，我隐约明白了为什么白脸要一而再、再而三地组织狗群围咬獒场的人——几个月前，白脸也将为犬父，当他目睹同类幼崽被抛尸河边时，那种悲愤可想而知。

我深吸一口气，重新拴上铁链拽了拽格林："走吧……"格林一步三回头地跟我出了场门。森格形只影单留在了中场院里，飘飞的雪片渐渐模糊了他的身形，寒风中传来森格挣扎铁链的哗哗声和他婴儿般细弱的哀鸣……

狼和藏獒本来是草原文化中最经典的部分，在原始游牧时代，狼、獒、人相生相克，相依相伴，狼保护草原，獒保护牧民和羊群。狼和藏獒本是同根生，这对传说中的战神，短短几十年后却各自走向了不同的命运：狼的悲剧是被人恨，灭种剿杀！藏獒的悲剧是被人爱，机器零件一样地生产囚禁！人类的恨和爱都演化成了一场灾难！我们能做什么？到底什么才是最重要的？一匹狼的生命？一只獒的遭遇？还是一种草原传统的消亡……

狼杀绝了，獒被囚了，人啊，还要怎么做？

…… ……

我们终于到了扎西的牧场，扎西和老阿妈见到雪中来客非常高兴，连忙拴起狗来，远远地走出帐篷迎接，牧民淳朴的热情让凝在我们心中的寒冰渐渐融解开来。

扎西看到蹦跳下车的格林惊喜得眉开眼笑："嗬！格林长这么大了！"扎西赶紧拿出一大块羊脖子举得高高地冲格林喊："这次可不许抢哦！"不抢才怪！格林腾空一跃扑倒扎西，抢过羊脖子来，叼得远远地大快朵颐。扎西从地上爬起来，拍拍满身雪花大笑着："他还是这德行！"

我笑着声明："至少这次没踩到你嘴里。"

扎西哈哈大笑起来，亦风一路阴云密布的面容也浮出了淡淡笑意，快乐真的是最富有感染力的东西。扎西和初次见面的亦风握着手，盛情邀请我们进帐，又抱出一大罐青稞酒，一定要跟亦风喝上几碗。阿妈把酥油茶、糖、油饼、血肠、羊排摆了一桌子。扎西的妻子依旧羞涩少语。只是不见小次仁，一打听才知道他去城里读书了。

我们围着火炉喝着酒，吃着血肠，身上渐渐暖和起来。扎西问起我们此行的目的地，我们才舒展的眉毛不禁又凝成了一团，对扎西说起了格林的事情。

扎西看向帐篷外。格林吃完羊脖子，正在雪地上陶醉地擦嘴。扎西说："把他放到我的草场去吧，我不会打他。牛羊我多的是。"

我和亦风很感动，但却摇摇头："总不能因为你善良，就指着你的牛羊吃吧。"

"那有什么啊！"扎西的脸被青稞酒熏得黑里透红，"就这么定了，留下！过不了冬的弱羔子病羊老羊都给格林。"说罢硬是倒酒，一桌人喝了个痛快。

次日清晨，我钻出帐篷，就看见格林绕着羊群优哉游哉地散步，那闲散神态就像一个退休的老大爷在视察他的菜园子。我远远地叫他一声，他淡淡地回头瞄了一眼也不理会我。清早出来吃草的羊当然不喜欢一只狼在旁边看他们野餐，几只大公羊摆好架势拿犄角对着他："够胆放马过来！给你点颜色瞧瞧！"格林也并不靠近，只要羊一发威，他就夹着尾巴知趣地退到一边，俨然一只牧羊犬般趴在草丛里打着哈欠。羊群吃着草开始走动了，格林也慢悠悠地站起来，伸个懒腰远远跟着，再选一处草丛趴下休息，半眯着眼睛看羊。起初一些羊吃着草还时不时警惕地抬头看格林一眼，后来看格林一直无所事事地趴在雪地上晒着冬日暖阳，羊也就渐渐习惯了格林的存在。羊们抓紧时间扒开雪地埋头吃草，毕竟冬天里气候严苛，白天吃草的时间很短，牧草太少太金贵，营养价值又低，必须大量的进食才能勉强填饱肚子。

我又喊了好几声，格林还是充耳不闻，亦风问："他在干啥呢？好像没见过羊似的。"我不置可否，抬眼看见扎西骑上马，忙问他："你要去哪儿啊？"

"去城里，给牛羊配针药，顺便想办法给你们弄点汽油回来。"扎西回答，亦风连忙感谢。我一听扎西要抓羊打针，立刻表示要帮忙，扎西大笑着不干，理由很打击我："你不认识羊，也抓不准，要是让你瞎抓一气，你能给一只羊打五针。"说完，用头巾遮起笑脸，把脑袋包得严严实实只露出两只眼睛，勒紧缰绳一夹马肚子，绝尘而去。

一直到下午，格林就像迷上了电脑的小孩子，一心一意守着羊群。亦风拿望远镜打望着："你看格林多老实，只要他吃饱了就和羊群相安无事，呵呵，牧羊狼。"

"他上次吃过羊的亏，天知道他在琢磨什么。"我总觉得格林老实起来反而不正常。

时近黄昏，用铁链拴在木桩子上的看家狗欢快地汪汪叫起来，扎西回来了。他提着小半桶汽油递给亦风："汽油少得很，就找到这些。"亦风连忙接过来致谢。

两个现代人困在草原里没辙，还需要牧民骑马去帮我们找汽油，亦风摇头苦笑。

我们三人进帐喝茶，夕阳渐斜。帐篷里，数扎西的笑声最爽朗："你们呀，太依赖车啦，我也有摩托，可我不爱用它，车这玩意儿看起来好像是你在驾驶它，实际上却是它在奴役你。一旦趴了窝，啥办法都没有。我的马儿能耐苦寒，懂感情，有灵性，这草原上哪儿都能去，关键时候还救过我一命，车能行吗？上高原就趴窝的车太多了！车会用马的名字，马从来不屑用车的名字……"

"是啊，出自人手的东西的确不如出自自然之手的东西牢靠。"我咂了一口青稞酒，笑着打哈哈，但心里却觉得扎西的话颇有道理。

亦风笑着接话："扎西，你说得没错，那的确是奴役的开始，但是我们已经没救了，你还能蹦跶两下，只要你们还只是走路、骑马、游牧、靠天吃饭，你们就

是自由的，等有一天你们也需要汽油、钞票、房子和其他东西的时候……一切都结束了。呵呵！”

正聊着天，羊群突然像炸了锅一样狂奔起来。我们赶紧出外看，格林“狼入羊群”，冲得羊四散逃跑。牧场里来了一只敢公然杀羊的狼，羊群一片惶恐。扎西家的两只大狗眼睁睁地看着狼发动袭击，狗瞪大了眼睛发狂地挣着铁链，差点把铁链那头钉在地下半米深的木桩子连根拔出来。

短短十秒钟的追逐，一只中等个儿的羊已经被格林拖住后腿甩翻在地，羊挣扎着想翻身起来，格林从背后绕过羊角，照着咽喉准确地咬了下去。牺牲者已经产生，狂跑的羊们重新恢复了平静，逐渐聚拢在一起，心有余悸地望着掠食者，羊腿不停地发颤。我们连忙跑过去看，格林还死咬住羊脖子毫不放松，喉咙里咕噜咕噜大口吞咽着汩汩流出的羊血，他翻起眼睛以胜利者的骄傲和护食的警惕盯着我们。

“这是那只瘸羊！”扎西看看羊腿叫着，“他可真会挑！”

果然，那羊的一只后腿关节肿大，挣扎的时候腿都蹬不直，奔跑起来肯定影响速度。格林这家伙白天跟着羊群那么久，原来是在分析情况，观察哪只羊容易得手，然后耐心保存体力，等到傍晚羊都放松了戒备，走也走累了、吃也吃胀了的时候，才向他早就看好的目标发动突袭，以最快的速度、最小的体力消耗瞬间解决战斗。

扎西掩饰不住兴奋地说：“我还是第一次这么近的距离看到狼杀羊的全过程。太厉害了！”

我对亦风使个眼色，亦风领悟，忙拿出一沓钱塞到扎西手里。

“干什么?!”扎西像摸到火炭一样甩开亦风的手，表情从惊讶立刻转成恼怒，“你也太小看我了，还当我是朋友吗？”亦风尴尬地立在当地，我还欲说和几句，一看扎西像受了莫大感情伤害的样子，立刻闭嘴了。我知道扎西性格豪迈，没有那么多虚伪的推辞。

夜里，守着战利品，心满意足的格林坐在牧场上，鼻尖指着星空，嘴巴卷成筒状引吭高歌，天生的哭腔中多了一份成就感与自豪感——他猎杀了第一只羊。

亦风放下帐篷布帘，忧心忡忡地说：“这样不行啊，这家伙尝到甜头了，要真把这儿当大食堂就麻烦了。”

我点头道：“这只大羊足够格林吃上一个星期的。我们抓紧这一个星期时间向扎西和阿妈多学习一些生存技能，争取早日再上狼山。”

这一个星期大雪不断，格林居然又找到了一头早产的死羊羔，他把羊羔拖到大羊残骸旁边，美滋滋地守着自己的冬粮，瞧把这小子乐的。不过我们该走了。我把羊羔和他吃剩下的大羊骨头打包装车。亦风清点了一下物资——几大箱压缩饼干、方便面、矿泉水、牛肉干之类。临走时阿妈又装了一大背包的风干肉和油饼，再三叮咛保重。扎西硬捆了一只大羊放在车子后备箱，说：“吃的不够了就回来!”我们感激地握手告别。

再次驱车来到了领地附近的大河湾，我们惊喜地发现河面已经结冰。格林率先踏了上去，我们提心吊胆地试探了几次也终于踏上了冰面，这才发现我们的担心纯粹是多余的，冰面厚实得牦牛群都能通过!

对于在成都平原长大的我来说，何时见过这么厚重壮观的冰河啊?我跟格林在冰上扑来滚去傻闹一气。格林在结冰的河面轻快地滑行，一看到冰面上有东西就凑上去嗅闻撕扯，那是随河漂浮的垃圾在冰面上停滞封冻。

“你快看格林的脚印!”我高兴地指给亦风看。格林像幽灵一样游荡在冰河面上，平坦的积雪把格林足迹的特征存留得一清二楚。格林轻快小跑的时候，两只后爪能准确地落在前爪印上，排列成整齐的一路，像受过训练的专业模特所走的猫步，动作极为协调。由于格林抬脚幅度都不高，雪面被带出一路拖痕连在脚印后方，像一串排好队的小蝌蚪，只有在转弯的时候小蝌蚪才偶尔分成两行，这时格林前爪缺少一个指头的痕迹就清晰可见。

亦风一路跟在格林后面仔细观察，又对照另几行我指给他看的狗爪印，啧啧称奇：“嘿嘿，我现在也能分辨格林的足印了。狼爪印可比狗爪印大得多啊。格林的脚掌就像雪地靴一样，非常适合雪面跑动。你看我的一只脚印就陷下去十厘米深，而他四只脚落在同一个点才只陷下去五厘米深。脚掌宽度和体重的比例非常完美，压强最小!如此看来，体重蹄儿小的牛羊陷在雪地里跑不动的时候，对狼却最有利。”

亦风又对照了一下格林和狗的两种爪印，说：“都是犬科动物，为什么爪印的差别就那么大呢?格林的爪印能排成一排，而狗的爪印却是两行散开，各走各的。”

“这要从骨骼结构来讲了。”我好不容易逮到显摆的机会，“狼的胸骨很狭窄，所以他的脚步往往能并到一起，厚实的雪面下覆盖着什么永远是未知的——可能会有荆棘或者空洞，狼跑动的时候踩踏同一个落点，每一步都能减少对陌生雪面的踩踏。跑动过程更安全。”

亦风嘿嘿笑着狡辩道：“那如果一个落点踩到一根刺，不是四个爪子都被扎了吗?”

“你就知道贫!”我笑着团了一大把雪向亦风扔去……

河面一旦封冻就节约了一个多小时的路程，但车子却开不过河，我们只能下车步行。河对面就是狼山，雪后的狼山在阳光的照耀下显得更加壮美，山前是开阔的狼渡滩，许许多多黑点散落其间，那是一群牦牛在吃草。

我们带上睡袋、干粮、相机、太阳能蓄电池和营地灯等装备，其余东西暂存车里，需要时再来取。还有一只狼和一只羊，咋办?如果不牵着走，必定发生流血事件。我们考虑再三，还是由我拽住格林，亦风牵着羊上山，两个人分别控制住这对冤家。

离开扎西牧场时，格林虽然吃过了羊羔，但冬天里的狼存粮意识很重，即使吃饱了，见到唾手可得的落单羊还是会忍不住猎杀，对他而言咬死摆在眼前就放心了，可海拔近四千米的高原上扛一只一百多斤的大死羊上狼山，谁有这体力啊？

我们开始步行了，果不出我所料，格林腆着大肚子也忍不住绷直了铁链朝羊那边抓挠，他拗不过脖子上的链子，干脆人立起来，两只前爪像擂动战鼓一样拼命鼓捣。而羊也毫不含糊，“春风吹，战鼓擂，一只小狼谁怕谁？”羊低头亮角一遍一遍地朝狼顶过来，“来啊，羊爷爷戳你两个透明窟窿！”我和亦风只好铆足了劲儿一路劝架一路进入狼渡滩。

刚走上狼渡滩，眼尖的亦风就发现了几行新鲜狼足迹，那当然不是格林的。

“看来真有狼来过。”亦风摸了摸腰间的相机，发现狼迹的兴奋已经让他忘记了应有的惧怕。

我立刻站住不走了，一脸严肃地对亦风说：“你别太高兴，这野狼可不是你养的格林，而且他们接不接受格林还是一回事，更不会对我们夹道欢迎，一定要保持警惕才行。进了狼的领地，绝对不能大呼小叫，因为狼的听觉超级灵敏。”

“好。”亦风立刻压低了声音。

我见亦风能够接受我的“教育”，又和他约定了好几点注意事项：不再过多呼唤格林的名字了，让他渐渐淡忘人的召唤；不冒失地拍摄野狼，以免被狼误认为我们手持武器；我们在领地停留期间如果生病受伤必须马上撤离，避免引发潜在的危险，因为狼有攻击弱者的天性。

从进入狼渡滩范围，嗅到同类的味道，格林就停止了跟羊的较劲，埋头嗅着地面一路向领地方向猛拽铁链。我看见格林转移了兴趣，就放开链子任他在狼渡滩巡视。

一路上，我和亦风再没说话，在高原行走相当于平地负重四十斤，况且亦风和我还各自背着不下四十斤的沉重背包，又牵着一只羊，这简直是高强度的体力活儿。两人闷声不响地行路，能把气息捯匀就不错了。

我们埋头苦行了很长时间，亦风就地坐下休息，大口喘着粗气，刚抬起头来望着前方就傻眼了：“呃？”

我也愣住了，刚才光顾着走路，竟没注意到一条崭新的铁丝围栏横穿狼渡滩，向左直达狼山，向右一直绵延到目不可及的远山！我倒吸一口凉气，才离开半个多月的时间，狼渡滩这最后的清净地也被围上了围栏！我们惊讶地沿着围栏一直往狼山方向走。

走了一个多小时后，铁丝网仍旧一眼望不到头，围栏还渐渐多了起来，还有一处砖砌的牲畜围场。我和亦风没法指望绕行了，不得已两个人抬起一百多斤的羊，翻过围栏，往狼山领地继续走，心情瞬间变得沉重起来。

最荒凉、狼踪迹最多的领地都已被人迹覆盖，围栏内的草原像被剃了头，我不知道狼还能去哪儿。

铁丝围栏跨过狼山山顶，从神圣的经幡旁边穿过，标志着这座神山也终于变成了人山。站在领地，悠闲吃草的牛羊近在几十米外，蜿蜒于狼山之间的壮观“冰龙”上全是滑稽溜冰的绵羊和星罗棋布的牛羊粪，美丽的狼渡滩中安静越冬的天鹅已不知去向。牛羊踏碎薄冰踩在原本清澈的浅浅雪水中，搅和起一摊摊烂泥。天堂变成了澡堂，仙境化作了险境。

我们目瞪口呆，我不相信原以为最荒无人烟的草原深处会变得如此“繁华”，狼最安全的庇护所变成了最危险的禁地。格林原本隐秘的狼洞与最近的围栏相距不过一百米，遮蔽狼洞的灌木丛在牛羊拥挤踩踏中早已东倒西歪，这个几十年的老狼洞洞顶已被踩塌一大半。满地的牛羊粪便和蹄印下狼踪全无，狼最后的领地也丧失了。

格林徘徊在狼洞前久久不愿离去，他呜呜悲鸣着，一个劲儿地刨开塌陷的洞土，一次次往洞里试探张望，那神情就像大地震后在废墟中拼命挖掘亲人的孤儿一样。家园破碎，格林不顾一切狂舞的爪子在污浊的泥雪纷飞中挖出了一道道血迹。我无法相劝更不忍再看，转脸靠在亦风肩上，泪湿衣襟。在这人类割据的领地，我们再也没有了归家的坦然。我的大脑一片空白……格林，我们还能去哪里呢？

良久，我和亦风才垂头丧气地回到狼山对面亦风搭建的观测点前。观测点的小屋门上被人用牛粪和土块画了一个大叉，这可能是驱逐令吧，但我们已无心理会这些。

“扩张得太快了，跟半个多月前我来的时候完全不一样，看来这里已经被人作为冬季牧场了。”亦风说着，把羊拴进屋里，回来陪我坐在房前雪地上。他看着对面山腰上还在狼洞前固守的格林，问我：“你觉得狼群还会来吗？”

我失望地摇摇头，心头竟然有种无家可归的凄凉：“我不知道了，这是我和格林找到最荒凉、狼踪迹最多的领地，也是我寄希望最大的地方，最后的安全地带都失去，我不知道狼还能去哪儿。”

“真是无处不到，光秃秃的狼山能有多点儿草啊？连这里都要放牛羊，人快把草原给压垮了。”亦风连呼吸都沉重起来。

在这种高寒草甸上，只有牧草一种初级生物，这是一切的命根。草原最主要的三级生物链中，初级的牧草、次级的食草动物、高级的掠食动物，哪一个环节缺失了都是致命的。而眼下的草原生物链，初级和高级两个生态环节都在缺失，次级的野生食草动物也不见踪影，唯有牛羊牲畜漫山遍野。当人们陶醉于牛羊成群的幸福感中时，是否想过任何人工饲养的动物都只具物的外形而丧失物的本质与精髓，人工饲养的数量再多，也不能说明这个物种繁荣兴旺。自然是竞争的自然，而这种竞争法则被人类篡改了。

人类总是繁殖对自己有利的生物，消灭自己讨厌的生物，却忽视了自然是不会轻易地创造任何一个生命的——

狼，猎食老弱病残的牛羊和繁殖过快的食草动物，完成自然法则中对物种优胜劣汰的筛选，保证最优质基因的延续，避免物种退化；

狼，严格控制鼠类、旱獭、兔类等动物的过快繁殖对草场的危害；

狼，清理消化散布各处的腐肉和生物垃圾，避免疾病和瘟疫暴发；

狼群，在冬季共同围捕的大型猎物，其剩余狼食可帮助鹰、兀鹫、狐狸、熊等肉食动物熬过食物匮乏的严冬。狼是草原掠食动物中的当家人，所有动物都不同程度地依赖于狼。

狼，不是草原的害兽，自然界最可怕的不是“兽行”，而是“人为”！过度放牧、鼠虫肆虐、气候变化、开沟排水，造成草原沙化的四大原因中哪一个不是人为之灾？

格林静静地站在我眼前，目不转睛地看着我。狼瞳人里棕黄色的丝丝缕缕纠结成一团枯草，在狼洞守了一下午，格林终于回来了。我们相对无语，耳边只有呼呼的风声和雪砂滚动的细碎声响。

呆立半晌，格林默默地走过来，把头一低，埋在了我腋下。我叹口气，拍着他的脊背，轻柔地说：“我知道你难受，回来就好，我们共渡难关吧。”

“对！”亦风鼓励道，“以后再给你找个狼洞！”

夕阳沉没在远山后，两个人一只狼坐在若尔盖草原的无边星空下，倾听草原的心跳……草原是有生命的，狼的存在是草原自然循环中对过度放牧唯一的自我修复和抵抗，如果连这点自身的抵抗能力都没有了，草原的生命也将灯枯油尽。可是眼前的草原畜牧泛滥、盗猎猖獗，在人类的贪欲和占有欲下，还有谁能尊重自然的安排，给狼留下生存的余地呢？

“若尔盖”的意思是“牦牛喜欢的地方”，可是光秃秃的草原还称得上“若尔盖”吗？狼群还会回到这狼山上来吗？

31 狼山上的日子

羊抽搐着跪在了血泊中，他的肚肠紧紧地缠在前蹄上，绊住了复仇之路。格林连滚带爬地站起来，余悸未消，小心翼翼地绕到跪着的羊背后，看准羊脖子，谨慎地咬了下去……

亦风在观测点小屋的第一夜是最难熬的……

第二天太阳还没出来，亦风就钻出他的睡袋，逃命似的冲出小房子，对着草原大口大口地做着深呼吸。格林立刻迎上前去蹭蹭他的腿，继而朝拴在屋里的羊探头探脑地张望。

“你没事吧？”我急忙跟出屋去，顺手带上房门，免得格林乘虚而入。

亦风闭上眼睛深呼吸：“我做梦都没想过要跟羊睡在一个屋里，太臭了，这一夜憋死我了。”亦风捶着胸口吐气，巴不得把肺泡里最后那点压底儿的膻味也敲出来。可是没有办法，只有一间屋子，狼和羊必须分开，羊没有狼那么抗冻，所以只好把羊关在屋里了。

我有过在这一带宿营的经历，虽然太阳穴也像要爆炸一样疼，干燥的鼻腔每吸进一口冷空气都火辣辣的，但我还能坚持下来，有时候女人的适应能力往往要强一点。可亦风是第一次在高原野外过夜，加之他有轻度哮喘，这一夜够他受的。窒息！头痛！心发慌！新炉子第一次不好使，后半夜火就熄灭了，屋子里迅速降温。亦风像烙烙饼一样翻来覆去，他口干舌燥，想起背包旁边还剩了半杯水，他摸黑端起水来，仰脖子一倒，谁知那半杯水早已结成了冰坨子，硬邦邦地砸在亦风的鼻子上，鲜血直流。这会儿，亦风的鼻子已经肿得油亮油亮的了，我也没法给他擦药。

“我们真要在这儿待下去吗？”亦风呼出的气息全部在眉毛和前额的头发上凝结成白霜，似乎一夜之间苍老了许多，估计我也一样。冬天的狼山真不是活人的地方。

“这才只是个开始。”我说。

亦风拍拍头发上的霜，为彼此鼓劲儿：“行，那就好好生活吧。”

狼山上夜晚寒冷荒寂，昼夜温差甚至可以达到二十五度，但是白天阳光充足。太阳能板的发电功率并不大，必须先满足营地灯的充电照明，多余电量省着用，很难为所有器材充电。而且由于海拔高、温度低，一些器材的电池无法正常工作。还有很多现实问题陆续出现。

温暖是第一个要解决的难题。在城市中，这是很容易满足的事情，可在狼山上就成了一种奢望。我们开始了最原始的野居生活。亦风按照扎西教的方法，收集了许多泥草，调水混合着牛粪，仔仔细细地把小屋每个透风的缝隙都填补上。我们带的炭有限，我每天捡拾干牛粪储存起来做炉火的燃料，夜里入睡前再用炭渣为炉子封火，这是个技术活，不能让炉火烧旺燃尽，更不能让它在夜里熄灭。扎西对我说过一种叫做沙柳的植物，这种植物生存能力强，能固沙保水，但是每三年必须平茬一次，否则会死掉。狼渡滩周边便有不少这样干枯的沙柳，我时常下山砍一些沙柳枯枝用作在室外烧烤肉食的柴火。

水，是生存的必须，下雪的时候我们收集干净雪水，如果没有积雪，就只能到河里取冰雪，在炉子上融化以后再沉淀、过滤、烧开。开始，亦风还总是水土不服，每天喊胃痛气喘，到后来竟然慢慢适应了，抓把冰雪就着油饼都能糊弄肚子。只是亦风的胡子越来越长，他的电动剃须刀不知是冻坏了还是没电了。我把佩刀抽出来，三下五除二磨得寒光闪闪，掰过他的脸来要帮他刮胡子，他瞪大了眼睛连连摆手："不要不要，胡子留着可以保暖，不然容易冻掉下巴！"他说的是真的假的？

小屋里的布局非常简单，窗户向东，门向北，屋子正中是火炉，东南角堆放行李、器材和食物等，西南角放水和柴火，羊拴在西北角的门后面，东北角窗下先铺了两层防潮垫，又在防潮垫上摆放充气床垫。可是，当第一天亦风正猛踩着充气泵为床垫充气的时候，格林看见凭空胀起来一个大垫子，新奇得很，就冲上去又蹦又跳又打滚，像玩蹦床。我和亦风看得正乐呢，谁知格林玩着玩着突然狂性大发，张开狼爪照着床垫一阵猛抓猛咬，在充气垫上掏洞，我赶紧把这捣蛋鬼拉开，幸好没咬破。为防止他再抓咬气垫，亦风抽了下面的一层防潮垫，转而铺在了床垫的上面。有了避风的小屋，有了融融的炉火，更重要的是有了亦风的陪伴和分担，比当初我孤身带格林上狼山的时候好过多了。草原小屋虽然简陋，却像个家了。

最初，我们有扎西给的风干肉和油饼，还有萝卜和土豆。暂时没有为食物发愁。我曾经有过被狼探营，吃光所有干粮的经历，因此我把一部分食物和几箱压缩饼干留在车里不动，以防万一，亦风同意，说："那些东西最抗饿，当我们开始吃压缩饼干时，就表示存粮开始亮红灯了，得想办法找吃的。"我摇头道："现在就得找吃的，到了食物短缺的时候再想办法就已经晚了。"我和亦风分工，我当狼倌儿，他当羊倌儿，分开放。虽然只有一只羊，亦风也做起了牧民。

这天，奔走了一天的格林几乎一无所获，我和格林都饿坏了。我沿路捡着牛粪有气无力地返回观测点，路上哪怕绕几步都能捡到的牛粪，我都觉得没力气去多走那么几步。格林也没精打采地跟在我后面。

我好不容易爬上山，喘口气一看：观测点小屋不远，羊在半山坡上啃着草皮，亦风捧着一本书，盘着一条腿半靠着坐在旁边，羊绳子接长了好几截拴在他的脚腕儿上，太阳晒得他的胡子茬都是金灿灿的。我哼了一声，这家伙真会想招儿。我陪狼跑了一整天也没找到食，他倒好，家门口就能放羊。

亦风嘴里叼着一根儿细草茎，半眯着眼睛看见我一个人上来了，老远就问："收获如何?"我颓丧地摇着头，回答的力气都没有了。

亦风笑道："我比你好得多!"说着很得意地拽起绳子显摆他的智慧，"这截儿是牵帐篷的，这两截儿是你的鞋带儿，这截儿是背包儿上的……你看，拴我脚腕子上，羊吃完了这块草我站起来走几步，再往地上一躺，高原缺氧消耗大，节省力气就是节约粮食。"

"净是馊点子!"我瞪了他一眼，扔下捡来的牛粪和枯枝，坐在草地上揉捏着酸痛的腿。抬头四面张望到处不见狼影。我支嘴道："快找点吃的，我和格林都饿惨了。"亦风刚站起身，突听羊大声惊叫起来，我俩回头一看，格林不知从什么地方猛然跳出来，照着羊脖子就要下口。羊大吃一惊，转身就逃。亦风的脚腕被羊绳子一拖，顿时拉了个大劈叉，他急叫："快抓住格林！快!"

羊刚躲过了格林当脖子的一口，羊头又猛地后仰，被亦风的绳子牢牢牵住，羊当然拖不动这老爷们儿，于是围着亦风绕圈躲避，低头亮角，威胁格林！我惊呼阻止，上前就抓狼，可猎物当前哪里喊得住!

羊被拴住很是被动，格林不会错过这个机会，他故意扑上去，引逗羊来顶他，羊往前一冲，羊头就被绳子拽住，羊脖子一仰，门户大开！格林乘虚而上，张口就咬向羊的咽喉。我惊得手足无措：这边狼羊在激战，那边亦风被羊绳子捆绊。我生怕羊绳勒住亦风脖子，吓得心惊肉跳！眼看绳圈越来越小，我扑上去，拽住两条腾空的狼腿，硬把将要咬上羊脖子的格林给拽了下来。格林眼看好事被阻，咆哮着一百八十度回腰，张嘴就向捣乱者咬来！我立刻抬起手臂挡脸，另一只手仍旧拽住狼腿不放。说时迟那时快，一阵钻心剧痛，手臂已被格林狠狠咬住，虽然隔着厚厚的冬衣，仍旧挡不住狼牙的强力穿透！痛得我大喊："格林放开！是我!"

听到这声音，格林一愣，误伤?！我手臂上的疼顿时松下来，但他马上又狂扭身体，吱吱尖叫地抗议起来，好像说："大战当前，你拖我后腿?!"格林边挣扎抽腿，边叼着我衣袖就往一边扯，但力道明显轻多了，再不是先前杀伤性地狠咬。格林扭头龇牙，对我怒目而视，又是气愤又是不解。挣扎间，亦风已挣断羊绳子上来帮忙。羊突然觉得头顶的绳子一松，欣喜若狂，奋起羊蹄向格林冲过来，亦风慌忙扑上前，又死拖住羊绳子。羊眼看就要冲到仇敌面前了，突然头顶一紧，又被拖住，羊身在惯性下横飞起来，甩得瞬间掉了个头，后蹄差点踩在狼头上。格林惊叫一声，更疯狂地反抗，拼命蹬腿，冲我咆哮起来，似乎在怒斥："差点被羊欺到头上，这就是你拖我的后果!"

这边，羊也发威了，挺起羊角，直接朝亦风狂冲过来，亦风急忙跳到一边，躲开羊角，收紧绳子，嘴里大喊："你没事吧?!""快，快把羊关进屋!"我死死拽住狼腿。亦风迅速收拢绳子，抓住狂暴的羊角，把羊拽进屋，牢牢拴住，跑来帮我。我这才松了手，格林一个翻身爬起来，气得直哆嗦，两眼直勾勾地盯着我，仿佛质问："你倒是给我一个解释先?!"

“你给我记到……”我上气不接下气，“休想对这羊起打猫心肠（方言：起歹心）！等你娃断了粮就晓得了！”

“咱们也真是，非养一对冤家较劲。”亦风同样喘不过气来，“羊本来就是狼的菜！干吗不让他吃？”

我躺在草地上，完全散架了：“现在还不行，格林有现成的吃就不努力打猎了，趁现在还能抓到鼠兔，必须让他靠自己！不到山穷水尽不能动这羊！这是救急的！”

“可怜的家伙，快过来。”亦风冲格林招招手，“你妈说得对，以后谁给你现成的羊吃？”

格林气愤地别过狼头，丝毫不领亦风的情。

我觉得手臂痛得发麻，撩起厚重的衣袖一看，手臂已经一大片淤青紫涨，亦风吓了一跳：“怎么咬成这样？”

我转了转手臂前后看了一下：“这算好的了，亏得是我，要是换了别人，骨头都咬断了。”我虎着脸喊格林：“你给我过来！”

格林高昂狼头，大步走开，背对着我坐了下来，狼鼻子喷着气呼呼的鼻息。

我忽地站起身，捋着袖子走到他面前，整条乌青的手臂亮了出来：“这谁干的？”格林愣了一下，伸鼻子嗅嗅，高高竖起的耳朵转动了几下，慢慢向脑后收拢终于服帖下来，他缓缓低下头去，歉意而委屈地翻起眼睛望着我。我继续摊着伤臂，一脸阴沉地看着他。少时，格林轻轻挪动身子，夹着尾巴向我凑了过来，喉咙里呜呜哼唧着，像个犯了错的孩子。

“一定要教育！”亦风心疼极了，“敢咬家里人了，这还了得！”

格林更谦卑了，俯首帖耳地凑过嘴来，舔舔我的伤臂，呜呜吱吱越叫越可怜，干脆翻过肚子躺在我脚下，歪着脑袋乞怜地看着我。我狠不起来了，慢慢蹲下。格林扭来扭去地展现着他可爱的一面，博取我的谅解。

“撒娇就算啦？绝不能手软！”亦风不吃这套。

我咬着牙伸手欲打，突然，格林伸出爪子牢牢地印在我落下的手掌上。我一呆，心猛地颤抖起来。顺从的格林温柔地望着我，眼睛清澈得像蓝天下的两滴露珠，这拍手的记忆让所有的温情经历潮水一般涌上我心田。我叹口气，轻轻握住格林肉嘟嘟的大狼爪揉捏着，无奈地抬眼看看亦风，摇了摇头。亦风苦笑一声，心里也软了：“他能看穿你的心。”

我们仨分吃了一些油饼和风干肉简单对付完肚子，坐在屋前休息，太阳渐渐斜了下来。亦风想到我手臂的淤青，还心有余悸：“你这袖子起码也有三厘米厚，上下就六厘米，这样的缓冲下来怎么还能咬得那么重？如果是狗，塞一嘴的衣服根本咬不动了。瞧这伤得，简直像液压钳夹过的！”

“狗能跟狼比吗？”我笑着拍拍格林的脊背，“差别大了。这还只是刚开始就被我及时喝止了的力量，你想想狼发动攻击时，瞬间咬合的力量该有多大？如果

这力量再加上冲击力和狼甩头的力量又是多大？成年狼的咬力至少是家犬的两到三倍，如果抛开体型差异，单比咬力，藏獒都不是狼的对手。这小子才半岁的时候，跳起来跟我抢一根牦牛腿，我没让他得逞。后来我把牛腿扛回屋里老觉得软绵绵的，剖开一看，中间的腿骨已经断成三截，而牛肉上只有两处咬痕。狼啊，是进化完美的掠杀机器。”

亦风感叹着，摸狼头的手顿时多了几分敬畏，看着格林的牙，突然让我们想起了狼牙棒，凶猛的野兽多的是，为啥不叫虎牙棒、豹牙棒、狮牙棒，偏偏要叫狼牙棒？可见狼牙的凶狠和杀伤力在古人心目中是占有特殊地位的，尤其对游牧民族而言，狼更是战神一般的角色。而狼牙棒最早就是由北方游牧民族传入中原的。

就这样，一个人放羊一个人放狼，同时到处查探野狼的踪迹。不知不觉半个月的时间过去了。我原以为，只要格林一来，留下狼的气息或者半夜里一嗥叫，不出几日野狼就会像当初那样现身。然而我们期盼的野狼却一直没有出现。我和亦风越来越不安，不知道他们还会不会来，什么时候来。在这样严酷的环境下，我们能坚守多久？我们更严格地计划起食物来，把所有剩余的肉食集中起来分成若干小份，每次一小份肉拌上干粮，作为格林打不到猎物时候的“低保”。到了万不得已的时候，我们还有一头羊。

随着天气越来越寒冷，旱獭冬眠、野兔难寻。山上是别指望有猎物的了，我远远跟着格林一直走到大河湾的空旷地才见到鼠兔的踪迹。鼠兔没有在雪下活动的能力，积雪覆盖的时候，就待在洞里吃储存的干草，偶尔几只耐不住的鼠兔跑出来，在雪地上特别明显，但这些家伙离开窝边从不超过五米。格林猎捕时也越来越注重细节，有时他甚至会把鼻子轻轻插进雪里冷却鼻息，以免呼出的白气惊扰猎物。

我跟踪记录了格林的大多数狩猎情况。刚来的第一天，格林捕获了两只鼠兔；第二天格林捉到了三只鼠兔；第三天，无收获；第四天，捉到一只大野兔；第五天从兀鹫那里抢到一块死牛残骸，守着饱食了三天。第八天，想打自家羊的主意，被我赶出家后，狠刨一处鼠兔洞，令我意外的是，他从洞中捉出来的不是鼠兔，而是一只浅棕色的小鸟，还没扑腾几下就被格林吞吃掉了，没看清楚那到底是什么鸟，根据一片残羽猜测像是褐背拟地鸦。第九天至第十二天，在狼渡滩边缘地带猎获十余只鼠兔，第十三到第十六天，无猎获……

每当格林有猎获时，我们都为格林感到骄傲。虽然他常常挨饿，但已能够脱离我的协助独立捕猎了。我们急切盼望着狼群的到来。然而日渐稀少的鼠兔填不饱狼肚子了，格林老是斜眼儿瞟着不远处的牛群，舔着嘴唇找机会跃跃欲试。牦牛群一看狼来了，可不像羊群那样溃散逃跑，立马围成一圈把小牛犊护在中间，牛角一致冲外，摆好牛阵！格林绕了两圈儿实在瞅不到机会只好灰溜溜地走开，继续搜寻鼠兔。

独狼对峙群牛阵。

随着积雪覆盖，冬草枯败，牧民原本在山头啃草的牛羊也像飞蝗一般渐行渐远。狼山更加荒芜。格林每次狩猎无果回来，就死盯着羊琢磨，饿得直吞清口水，再眼睁睁看着我们把羊安全地关回屋子。

亦风终于耐不住性子了："这都半个多月了，狼还来不来，是不是早就转移了?"亦风提出干脆去主动寻狼，我坚决不同意，极力说服亦风：我们人单力薄，既没有追踪设备，又没有后援补给，如果再脱离了小屋这个立足点，冬季在草原瞎撞一气危险性实在太大；当初我们刚来狼渡滩就发现过狼群足迹，证明他们仍旧在这一带出没，只是不肯露面。在相互并不十分了解和信任的情况下，我们在明他们在暗，越找越找不着，反而加深狼群的怀疑和防范。可能会干扰到狼群冬季的正常集结甚至让狼群感觉到有威胁存在，引发他们的攻击行为。我们既然已经驻扎在狼的领地之内了，能做到的就是尽力正常化的生活，安全地坚守狼山，只要消除了狼的安全顾虑，他们迟早会现身打探的，因为有格林在这里。说不定我们在商量找狼的时候，狼群就在某处盯着我们呢。

我一番分析说得亦风汗毛直立，他瞪大眼睛向四周扫射了一圈："照你这么说，合着我每天是在一群狼的眼皮子底下，就我一个人放着一只羊?！要是哪天他们围上我了，主菜配菜都齐了?！"我不再回答，看着亦风紧张地摸出一支烟来，点烟的手有点颤抖，然后是长时间的沉默。自从上了高原，他很少抽烟，我知道直至这一刻亦风才初次体会到了上狼山来的恐惧感。我静待着他对我说出撤退的话，我一点都不会为此感到意外和怨愤，我也暗自下定了再次独自留守的决心……

然而，抽完四支烟以后，亦风缓缓用手指在地上抠了个小坑，把烟蒂都塞埋进去。他盯着我的眼睛看了好一会儿："你不走，我不走!"说完，他唤过格林使劲抱着，任他舔着下巴和手背，刻意在自己身上蹭留了更多的狼味。我喉咙发紧，眼眶泛潮，很想说声谢谢，可我说不出来，也不必多说了。

隔天一早，亦风就从车里找来工具，围着小屋检查，把所有他认为不牢靠的地方又统统加固了一遍，此后每天，亦风照旧钻出屋子大口换气，格林照旧向屋里探头探脑看羊，羊在屋里照旧跺着蹄子亮角威胁格林。之后，我照旧放狼，亦风照旧放羊，所不同的是亦风再也不把羊绳拴在脚腕上了，放羊也再不走太远，他随时带着望远镜四处张望，他总是把对讲机优先充电，每次我出去的时候嘱咐我一定带上。每天傍晚回来，格林和羊照旧水火不容，我俩照旧劝架调停，只是再没有像那天一样激烈的战斗了。

狼山上的日子固然艰苦，但有了格林就充满了期盼。有时我也背着画板陪着格林东游西荡，画他吃食的样子，画草原纯净的雪景。如果发现有止血的真菌"马蹄包"，就会收集起来，以备不时之需。格林总会陪伴在我身边，舔舔我的手背，嗅嗅我的画板，仿佛也很珍惜这相伴的日子。有时格林会待不住又不愿意独自巡山，就软缠硬磨地咬着我的画板非要拉我跟他走。我踏着湿滑的雪坡上山，若是走得慢了点，格林就绕到我背后，拱我推我催促前行。亦风说他放羊的时候从望远镜里依稀看见沿河一直向下似乎有人家。我有一次站在山梁上，遥望雪白的冰河面上有人在凿冰取水，还有一次我和格林抓野兔追到河边时，突然发现河对岸有人在远远观望。我急忙带着格林迅速撤离，因为难以预料牧民对狼是什么态度，所以实在不敢轻易接触他们。

格林是自由惯了的，一到晚上就倍儿精神，四处游走，他越来越展露出夜行动物的特征了。只要能吃饱，他比我们耐寒得多，半夜溜达完回来，自己扒个雪窝子钻进去就暖和了，每次他的雪窝子都选择在背风的地方。夜里格林的猎获似乎比白天多一点，我偶尔能看见格林在小屋不远的一个雪窝子里埋下他夜晚捕捉来的存粮。

几日后的一天下午，格林凭着敏锐的嗅觉，在大河湾的坚冰下找到一头冻结在冰块深处的死猪残骸。残骸旁边有许多动物光顾过的痕迹，其中居然还有不少新鲜的狼爪印，我心里一阵狂喜！急忙在对讲机里喊叫亦风，亦风匆忙把羊拴进屋，扛着摄像机飞奔到大河湾。两人趴在冰面上拍摄分析比对狼爪——至少有三只以上的大狼，两只略小一点的狼，最大的狼爪印仅略小于成年人的巴掌。冰面上留有新鲜狼粪和狼打过滚的痕迹。看情形，他们的状态很放松，狼只会在自己认为安全的地方打滚。格林努力地掏啃着冰下的冻猪，把能挖得动的内脏冰块抠出一些来，嚼得咯吱脆响。之后他反复嗅闻同伴的爪印，也在那些狼打滚的地方蹭擦滚动，显得很开心。

我和亦风握紧了彼此的手，狼群的确还在，格林还有希望！我们多日来的坚守终于有了意义。我们沿着狼迹去向开始追踪，然而上岸后摸到草丛中，足迹就诡异地消失了。我们返回河冰上，看见狼爪印旁边兀自随风滚动的雪砂，不肯放弃这次机会，但心里明白再度追踪只能使狼群跑远，不如留下格林，让格林去追寻同伴的指引。我们一步三望地回了小屋，从炉膛里掏出两个早已烘烤熟的土豆，碰了碰“豆”，要是有酒真想痛饮一通，庆祝这最令人振奋的一天！

格林直到第二天凌晨才回到小屋旁。我们继续关注狼群动静，但是狼群再没有出现，死猪残骸周围的狼足印也渐渐被雪覆盖了。

严冬的脚步加深，鼠兔越来越难找了，格林没日没夜地寻食，一两天找不到吃的也是常有的事，实在饿坏了就回来和我们分吃干粮。长期单调的食物吃得亦风听见“干粮”两个字就反胃，常常以给格林留着为借口，啃两下就不吃了，想念成都的火锅是他每天饭后的主要话题。白天里，紫外线依旧很烈，拾柴打猎时，我的脸既被风雪冻红，又被太阳晒痛，冰火两重天。烈日和风霜给了我两抹高原红。

羊还是半饥半饱，格林也半饥半饱，回家以后他们连掐架的精神都没了，形式化地走了一圈就各自散开。到了晚上，格林和羊的夜半歌声也照旧：狼在外面唱“我饿……”，羊在里面和“霉……”，听得我俩直摇头。我摸摸包里，抖出最后几块风干肉，从窗户里扔给格林。

早上，一片金色阳光，没有格林的 Morning Call，我开窗一看，他不在……虽然平时格林也经常早起外出，可是今天我心里涌起一阵紧张和失落，他走了吗？

羊顶着门要出去吃草，羊倌儿亦风匆忙戴上帽子手套就开门放羊。

突然，门外羊叫人喊，乱作一团，我赶紧往门口跑去。

“格林在门口打埋伏！”亦风冲我大叫。只见羊拖着半截羊绳，踢蹬着后腿狂奔起来，格林紧随其后，一场追逐战开始了。羊的一条后腿显然已被咬伤。

“他咋知道我要放羊呢？”亦风很郁闷。

“羊迟早要出来，说不定他埋伏不是一会儿了。”我心里一喜——他还在。

“劝不劝架？”亦风问。

“劝不了了，格林已经饿了很久，今天这只羊他是志在必得了。”我看着格林追羊的身影，心里更多的却是一种莫名回荡的甜蜜，仿佛只要孩子在身边，怎么折腾都是好的。

羊腿已经受伤了，怎么对付这只羊，格林心里有数。格林很清楚这只大羊跟他以前遇到过的头羊有得一拼，正面攻击他根本不是对手。于是他一早就埋伏在门后，羊刚出门还没回过神，格林就发动突袭咬伤一条羊腿，现在不快不慢地驱赶着羊满山跑。羊腿流着血终究支撑不住，这顿饭迟早是他的。这一口也是一箭双雕！格林知道我们护着羊，先咬了那口，伤羊过不了冬，我们也没法再拦他了。

从格林的眼神里就能看出来，羊肯定是保不住了，但我们可以吃狼食了。

我索性坐了下来："羊是肯定保不住了，但今晚可以吃狼食了。"

我和亦风坐在山头上看格林折腾，从这山到那山，从那山又回到这山，羊跑不出去的围栏倒是帮了格林不少的忙。来回跑了一个多小时，羊终于支撑不住了，脚步明显慢下来，羊舌头伸得老长，大口喘着粗气。格林从背后迅速绕到羊侧面，看准位置，跳扑上去，像个大邮包一样挂在羊侧腹部，张嘴就咬！

我和亦风"啊"的一声喊，毕竟养了那么久的羊，还是于心不忍，突然又希望羊能脱逃，就像平常掐架一样，有惊无险。羊剧痛之下，飞起一脚踢在狼腿上。格林从羊身上掉了下来，就地滚了一圈，吐着满嘴羊毛一瘸一拐地站了起来。我们的心揪得更紧了，狩猎是有危险的，我们更不想格林受伤。格林瘸行了一会儿，步伐渐稳，看来没受什么伤。他并不急于再上前噬咬，抖抖狼毛跟了上来。羊还在跑，身上渐渐抖出几条绳子，越挂越低……

"怎么那么多羊绳？"我纳闷。

亦风抓起望远镜一看，叫道："不是羊绳，是羊肠子！"

我一惊，再仔细看去，羊的左侧腹竟然被狼牙豁开一个大窟窿，血和着热肠子一路往下掉，很快就缠在奔跑的羊腿上，几个踢绊，羊就跌倒在地。颠簸之下，羊肚子上的破口一发不可收拾，内脏一涌而出。我虽然知道狼弑杀之血腥，但亲眼看见格林在我面前豁开奔跑中的羊肚子，让羊自己踩出自己的内脏，还是觉得心里直发毛。

羊像一个大棉包一样倒在了地上，鲜血染红了雪地。格林跑上前查看，围着羊顺时针绕了两圈，又反时针绕了一圈。独自杀掉了比自己重三倍的猎物，格林亢奋而骄傲，这种骄傲让他一改平时先破喉嗜血的作风，面对这个曾经威胁他多次的对手，他要在羊活着的时候将他生吞活剥。他绕到羊脑后，一口咬住羊耳朵准备生撕下来……这一举动大错特错！任何生命都不容轻视！垂死的羊借着饿狼撕耳的力道猛地站了起来，拼尽最后的力量，踩踏着自己的心肝向狼顶了过去！要与狼同归于尽！

格林万万没想到肠肚流了一地的羊还能站起来，他大吃一惊，躲闪不及，被羊结结实实顶了一下，这一下顶得他仰面朝天，最脆弱的狼肚子亮了出来。眼见羊角又朝着格林肚腹冲了过去，格林惊叫着来不及翻身。我惊恐地蒙上了眼睛。

“咚！”一声闷响，没了动静，我惊讶抬头，亦风张大嘴巴，伸手把我的脸拨转过去——羊抽搐着跪在了血泊中，他的肚肠紧紧地缠在前蹄上，绊住了这复仇之路。羊角离正在挣扎而起的格林仅差毫厘。

格林连滚带爬地站起来，余悸未消，再不敢大意轻敌。他小心翼翼地绕到跪着的羊背后，看准羊脖子，谨慎地咬了下去……

“这羊真是好样的！坚强！”亦风边烤着羊腿边称赞。我瞄了一眼他烤得正带劲儿的“羊坚强”的腿，一声不吭，亦风却还在自顾自地嘀咕：“其实羊并不弱呀！”

是啊，白天的场景也给我留下了深刻的印象。如果狼和羊一对一地 PK：狼有牙，羊有角；狼有爪，羊有蹄，势均力敌，羊决不比狼弱！羊是狼的菜？司马迁在史记中写道“猛如虎，狠如羊，贪如狼”，把虎、羊、狼这三者相提并论，从而有了“羊狠狼贪”的成语，可见羊也不是什么省油的灯。从格林见识过的两只独羊来看，一只羊可以很猛，连格林都屡屡吃亏，可是一群羊就不想战斗，只想逃跑，谁跑最后谁倒霉。一旦狼杀死一只羊，其他羊便继续吃草，他羊的生死与己无关。羊从小生在牧场上，长在皮鞭下，忘了还有自由拼搏这回事，忘了锋利的羊角还可以对付敌人，只在交配的时候才与同胞打得不可开交，外战外行，内战内行。相比之下，一匹狼成不了多大的事儿，而一群狼却势如破竹。为什么？

夜深了，北风透过门缝窗缝钻进来呜呜呼啸着，气温始终在冰点以下徘徊。

“醒醒，喂，醒醒！”亦风整个儿人裹在睡袋里，像条大毛毛虫一样从防潮垫上爬过来，用嘴往我脸上吹气，“快醒醒……你听……格林今晚的声音好像不一样……”

我侧耳细听，格林在近处嗥叫，声音渐低时，远远似乎有回应，不像是山谷回声。我翻身就跳起来，挣出睡袋，推开窗户再听。果然，北风中连续几声清晰的狼嗥从远山传来。我立时想起了几天前在冰面上发现的狼足迹。狼群回来啦?!我们在这里守了二十多天了，终于等到了第一声野狼嗥，格林的呼唤终于有了回应，有野狼，格林就能重返狼群！但这远远的狼嗥可能来自几十公里外，他们是格林的血亲吗？他们会来带走格林吗？

亦风也钻出了睡袋，披衣走到窗前。我一笑：“你不怕了？”亦风把窗户略关小了一点：“还好。”

这一夜，我们兴奋得再也睡不着，也不敢打扰格林的嗥叫，希望那狼家族的回声多一点，再多一点，这里有你们的小狼啊……我裹着厚衣服坐在窗边，和亦风背靠背静静地倾听若有若无的旷野狼歌，那是野性的荒原上最美妙的音乐。

32 狼烟四起？

我围着火堆转圈，把火堆之外引燃的草统统踩灭扒开！像巫婆跳神一样不停地祈祷：狼烟快出来吧……直到火堆燃尽，才看见格林慢条斯理地出游归来。他嗅嗅狼粪灰烬，又看看我们，搞不懂这些人到底在想啥。

一大早，我和亦风把昨天烤好的羊腿和一块羊排分份、包好，每天取一小块夹着压缩饼干吃。格林等不到我们，就独自出巡去了，似乎有我们守着那头死羊他很放心，也或许他还有别的事情要做。

我和亦风分好了食物，就在山头上坐着，你望我我望你，没有羊放了，也暂时不担心吃的了，野狼那边也没什么动静，这时候哪怕有个事儿做也好啊，人就是这样，一旦吃饱就开始无聊起来。我看见昨天捡来的柴薪牛粪还有很多没用完，我猛然想起了一件事，眉飞色舞地问亦风："想不想点狼烟?"

"行啊!"亦风一拍即合，"咱们分头捡狼粪?"

"不用!"我一阵风地跑回小屋子里，拎出了一个塑料口袋。亦风打开一看，惊讶坏了，里面全是狼粪。我得意道："车上还有更多呢，记得那个大狗粮袋不?快陪我去拿。"

亦风恍惚记起是有这么一个大口袋，离开獒场的时候，我神秘兮兮地拎来装在后备箱。他当初还以为是狗粮，没想到全是狼粪！亦风无语了。

话说这些狼粪的收集是有缘由的。

几个月前还在獒场的时候，一天，我正和獒场的工人们在厨房揉糌粑。听见窗户外面咚咚闷响，我伸脖子一看，格林顶着我窗子下面的铁皮墙，蹭着屁股，又享受又难受。

"他到底咋了?"我很纳闷。因为几天来格林的动作一直很奇怪，经常走着走着突然坐下，翘起两条后腿，前腿撑地走路，把屁股蹭在地上像溜滑梯一样磨着走，或者把后屁股往铁栏杆上撞，总是一副如坐针毡的感觉。

"屁股痒吧。"尼玛的话说了等于不说，问题在于格林为啥会痒啊?

"大便没擦干净，每次替他擦擦就好了。"老阿姐说。

"笑话，狼在野外谁替他擦屁股?"尼玛皮笑肉不笑。

"对啊，也没见哪只狼拉屎还带手纸的。"大伙儿也不赞成这个说法。

老肖干咳了两声，招呼我："先吃糌粑，吃完我再跟你说。"

我"哦"了一声，不再问了，以免影响大家的食欲。可我心里还有一些疑惑解不开，看见格林现在的样子，这些问题又一股脑地涌上心来。

从格林小时候开始，他的粪便就像搓成条的泥丸子，黑黝黝的。那时候我一直在观测小格林的身体状况，对他拉黑色粪便的问题我和亦风就琢磨了很久，传说中的狼粪不是灰白色的吗？为此，我还专门翻看了《狼图腾》中对小狼粪的描述，书里描写狼洞前的新鲜小狼粪是“筷子般粗细，约两厘米长短，乌黑油亮，像中药蜜丸搓成的小药条”。我对照了一下，是那么回事。我想既然原生小野狼粪也是黑色，那么格林应该算正常的，或许要等长大以后才会拉灰白色狼粪吧。小格林一直健康活泼，我也就没在这问题上太较真。

后来格林长大了许多，但是粪便却仍旧不是灰白，而是和藏獒一样的金黄色或者黑褐色。我原以为这是狼粪太新鲜的缘故，要等风干以后才会呈现出灰白色来。于是，我连续收集格林的狼粪，分时间顺序摆放在前院的墙头上风干，每天都去看颜色。可是等了一个多星期，所有的粪便都风干，却仍旧是呈咖啡色或者黑棕色。

是不是白天干了的狼粪又被夜露打湿了？我不甘心，用火钳夹了一块最早捡的狼粪拿到火炉边烘烤，烤得绝不可能再有一丝水分，但狼粪仍旧不泛白。这可是货真价实的“狼制造”啊。为此我一直很困惑。格林倒是对我成天到晚跟在他屁股后面收集粪便的奇怪嗜好感到很新奇。有时候他制造完了看我没注意，他就站在大便旁边冲我“嗷”地一声叫，俨然在吆喝：“喂，收粪的，还不快来捡？”

我对搜集来的狼粪颜色、气味、大小、形状、分量等都做了详细的记录，发给成都的亦风，让他帮我咨询动物医院的兽医朋友，看这些“产品”都正不正常。兽医大笑着称这记录为《屎记》，又让亦风带话说：你就别操心太多了！

尽管大家都觉得没必要较劲，可我就是觉得想不通，为啥我的狼拉不出“狼粪”？

现在，格林又这么奇怪地磨屁股，到底是为啥？我真的“杞人忧粪”了吗？

大伙儿吃完糌粑，老肖又喝够了酥油茶，这才抹抹嘴招呼我：“把你那狼带出来吧。”

我打开门，把格林放到前场，蹲下来抱住狼头安慰着，让他别动。老肖弯下腰，左手握住格林的尾根部翻起来。格林肛门周围都红肿了，甚至有血流出。老肖掏出一张纸巾直接贴住格林后部，以右手拇指和食指按住挤压，挤出一些淡黄色牙膏状的东西，奇臭无比且带有刺激性气味。老肖替格林擦干净，抹了点清凉消炎的药膏。格林摇摇尾巴，表情舒坦多了。

“好了。”老肖站起来说。我捂着鼻子，好奇地问：“那是什么？”

老肖呵呵一笑，让我帮他舀上一瓢水洗手，边洗边说：“是气味腺的分泌物，排不出来就会堵塞、发炎。狗有时也会这样，但像格林这么严重的还很少。”

我刨根问底：“为什么会排不出来呢？”是啊，狗发炎了，人可以替他清理，可野外的狼如果也像这样发炎流血了，谁替他们挤压擦药啊。

“大多数狗不需要清理，自己就能排出来的，关键看他吃的东西适不适合他。”

“格林每天吃的东西都很好啊，又营养又全面。”

“太精细了不一定就真的合适，他是一匹狼，却每天吃狗粮，能合适吗？”

我恍惚悟到点什么，老肖进城的时候托他扛了半只羊回来，特别嘱咐一定不能扒皮。我每天连毛带骨砍下一大块给格林，有意让他茹毛饮血。两天后格林果然不再“溜滑梯”了。四五天后，格林竟然拉出了标准的灰白色狼粪，风干后轻飘飘的，掰开来看时，羊骨渣消化得只剩骨灰，羊毛像被强力榨干并且脱脂一样纠结成死死的一团，风一吹就断成碎节。

我这时才深切体会到每种动物的肌体构造都有它的道理。拿肠胃而言，狼的肠胃天生就是消化骨肉皮毛的，而且就连气味腺也绝对与这种食性配套。气味腺在狼的肛门两侧，它分泌出有刺激性的气味腺液，这是狼的“液体身份证”，每个狼家族都有其独特的味道。狼与狼之间见面，会互相闻对方的屁股进行分辨，嗅的就是这身份证。随着狼每次排便或者在标志物上蹭擦的时候，这种味道就会标识出这只狼的领地范围，它可以让两公里外的狼都能辨别出来。

狼嚼骨吞肉咽皮毛，拉出来的狼粪必定是结实的毛团和干燥的骨粉，这样粗质的粪便有足够的压力压出狼的气味腺液。然而格林长期吃狗粮和精选的牛肉，强力的消化液无用武之地，绵软的粪便也趋向狗化，带不出狼性身份了。狗和狼同宗同祖，也有这种液体身份证，但是被人驯养千百年以后，大多数狗的肠胃已经弱化，早已适应了狗粮饭食的生活，气味腺也退化了，粪便不需要多费力就可以压出“身份证”来。虽然人很难辨认，但这种软弱的狗性身份证和强硬的狼性身份证在他们灵敏的鼻子里肯定有着天壤之别。

格林身体的每一个微不足道的细节都标志着他野性难泯。从那以后我尽量让格林猎食和食腐，我也一直收集他的粪便观测健康状况。甚至在狼山领地扎营时发现的所有野狼粪也成了我收集的一部分，谁知天长日久积少成多竟然有了一大袋干燥狼粪。最后离开獒场时都舍不得扔掉。

此刻，亦风陪我行至河湾那头，从车上取出那袋狼粪。看着亦风已经被我震惊坏了的样子，我颇有成就感。

回观测点的路上，我一想到马上要在山头点燃狼烟，就兴奋得脸放红光。亦风像个大哥哥一样陪在我身边，虽然明知道我很多时候爱瞎折腾，但他也由着我，很少批评我不干正事什么的，用他的话来说：这世上本来就没多少正事，只有自己想做的事和不想做的事。如果你对想做的事认真了，那就是正事了。

看我像娃娃一样兴致勃勃的样子，亦风乐呵呵地：“你别怪我扫你兴啊，狼粪是烧不出什么烟的，这点《狼图腾》里的陈阵早就试过了。”

“这我知道，但没有亲自验证过的事情说服不了我。依我的看法陈阵才收集了多少狼粪啊？小半书包而已，我这可是三个多月的粪量啊！再加上狼山积攒的野狼粪，合起来十多斤都有，陈阵的根本没法比。也许他就是失败在量不够上。”眼

看山头在望，我信心满满：“他有他的看法，我有我的道理——狼粪的成分是什么？骨粉和毛团！骨是含磷的，而磷本来就是很奇妙的东西，能自燃鬼火，既然狼粪中有含磷的成分，又有干毛团助燃，狼烟的说法怎么就没道理呢？”

亦风听了我的分析，有点心动了，走着走着又疑道：“磷的燃点低，夜晚才明显，如果仅用磷的燃烧来解释，为什么不叫狼火而叫狼烟呢？而且古书里说它是冲天的黑烟。”

“狼的消化道和胃液都特殊啊，不然凭什么《本草纲目》都会有记载？也许就像猫屎咖啡一样，磷经过狼肠胃的强酸化合后就会有烧出黑烟的奇妙效果！而最关键的还是磷的分量要足！”我拍了拍大口袋。亦风的好奇心完全被勾出来了，他赶紧跟上几步问：“那等会儿烧狼粪的活儿是……”

“当然是你干！”“唉，我就知道……”

观测点外几十米远的山头上，我监督着亦风把枯草柴薪堆架好，然后一把把掏出干狼粪放在柴堆上。惨白的狼粪里细密紧致的毛团紧裹着一把骨粉，看起来像龙须酥，又或者像一把把刚收获的蚕茧。有些狼粪落地就轻飘飘地在地上滚动，有些已经压成了粉碎毛渣，一掏出来就随风化白烟。袋底的狼粪更是天长日久压成了灰末。亦风掀开袋子张望了一下：“这些灰灰就不要了吧。”

“不行不行，那才是精华，磷就在骨灰里面。”

亦风索性把口袋底拎起来，把骨灰全倒在柴火堆上。柴火加狼粪像个大雪堆一样摆在面前，很有烽火气势。我和亦风激动得心怦怦直跳，敢问有几个人能看到这么壮观的狼粪堆？我赶紧递给亦风一盒火柴，他便点燃一把干草，生起火来。

这堆火比昨晚纯粹的柴火难燃多了，特别是最后那些骨灰附着在柴草上，像干粉灭火的原理一样，相当阻燃。这些我想象中含磷的骨灰不但没有磷的易燃效果，甚至没有蓝光。

风吹走一些骨灰之后，亦风终于把柴堆引燃了。火苗在骨灰下挣扎了好一会儿终于渐渐旺起来，最先燃烧的是那些粉碎的毛渣，挂着火星顺着火苗轻盈地往上飘，还挺漂亮。很快，一股蛋白质的焦煳味钻入了鼻孔，和火烧头发的味道一般无二，其中还混杂着有点刺鼻的狼臊味儿。估计是狼粪上的“液体身份证”被烘烤出的味道吧。

一缕缕黄白烟冒出来了。有门儿！我激动地拍着手：“接下来是见证奇迹的时刻！快拍下来！”

亦风“哦”了一声，顺手把火柴夹在腋下，开始调照相机，等待狼烟！

火堆中的狼粪燃起来很艰难，狼粪慢慢转成了黑炭状，死气沉沉地不着火。火堆开始还冒起一点黄白烟，后来干脆白烟都不冒了……亦风的手举酸了，我的脸烤烫了……当柴堆燃起熊熊烈焰的时候，狼粪也终于全部烧了起来。然而，没有冲天的黑烟冒出，只有一点点湿草燃烧的水汽白烟，夹杂着些许毛发燃烧的淡淡青烟和浅棕色烟雾，在烈焰的蒸腾下若有若无，升上两三米高就被山风吹散了。

远不如农民焚烧秸秆的烟气，也不如熏制腊肉的柏枝烟，甚至不如农家炊烟。

火苗开始蹿到了一人高，站在火堆对面的人看起来都有了些朦胧意味。周围的野草烤干了，开始噼啪作响，大有入火的势头！我涌起一阵恐惧感：星星之火可以燎原，我这一大堆火要是在草场蔓延开来，后果不堪设想！我越看越心惊肉跳，赶忙跑回屋里，把昨天亦风打回来的一桶水拎到火堆边，心里才稍稍安定了一点。

我围着火堆不停地转圈，把火堆之外引燃的草统统踩灭扒开！像巫婆跳神一样不停地祈祷：火快烧完吧，狼烟快出来吧！

狼粪已经烧成了明火，像一块块红宝石忽闪忽闪，狼烟仍旧没有出现。火倒是越来越小，快要灭了。我拨出几块燃烧的狼粪，一离开火堆，狼粪很快就熄灭了，可见狼粪完全是被动燃烧。狼粪不但不易燃，而且大量的骨灰还阻燃！重要的军事报警选这玩意儿烧不是自找麻烦吗？按照亦风刚才老半天才点燃柴火的速度，一个个烽火台的传信下去，恐怕外敌散步都到京城了。

火堆快燃完了，我们翘首以盼的狼烟看来是没戏了。被风吹开的灰烬散落在周围地上，像结了一层白霜，草木灰落得我们一头都是，我失望地松了一口气。我和亦风已经被烘烤得满头大汗，甩甩头发拍拍肩上的草灰，开始脱外套。

突然间，“哧”的一声爆响，将灭的火堆中回光返照一般猛腾起一丛火焰，红中带蓝，蓝中带紫，像瞬间绽放的莲花，紧接着火堆上果然腾起一股黑烟！

“狼烟！狼烟！狼烟！”我咋咋呼呼地叫着猛拧亦风的胳膊。

狼烟转瞬即逝，升得也不高，但的确是明显的黑烟！

“看见没？看见没?！真的有狼烟，古人没瞎说！原来狼粪要烧完的时候才会冒烟！我就说嘛，狼粪总会有他的奇妙之处。”我一连串地喊着蹦着惊讶着，热血沸腾！

我又有点搞不懂了：“这烟也太少了吧？是不是狼粪不够？你说咱们要收集多少狼粪才能烧出黑山老妖那样的冲天大烟？可是，都要烧完了才冒烟不是贻误战机了吗？这是什么道理呢？”

亦风一直插不上话，这会儿终于开口了，他挤出一点笑容：“你兴奋完了吗？”

“嗯，完了。”

“烧出狼烟的事儿你还是忘了吧……”

“为啥？我还要写进《屎记》里呢。”

亦风指了指胳肢窝，尴尬地笑笑：“我刚才脱衣服的时候不小心把火柴掉进去了……”

我一愣，定睛细看火柴灰，像当头一瓢冰水，浇得我心里拔凉拔凉的。火堆吐出最后一点淡烟气，灭了。我用脚撩开灰烬，地面被我烧出一个叉状的大裂口，仿佛为我的实验结果评分了。

几个月的收集付之一炬却白高兴一场，为啥狼粪烧不出狼烟？十斤狼粪烧成

了灰甚至不如最后一盒火柴的黑烟明显。火柴也是硫黄和磷的成分，这么多狼粪多少也有点磷吧？是不是我们的烧法不对呢？或者需要把狼粪中的磷提炼出来？不过，那要多少狼粪才能提炼出足够的磷呢？磷燃烧能冒黑烟吗？如果不能，还不如直接烧硫黄油脂之类更省事。又或者，狼粪的纠结毛团是否在燃烧烽火时是做吸附油脂之用呢？不过，与其去收集那么多狼粪来吸附油脂，为啥不直接牵一只绵羊来，剃下一身的羊毛那不比狼粪里那点可怜的毛发多得多吗？我和亦风讨论来讨论去，没一个理由站得住脚。

争论中，亦风听我说到古人云“狼粪烟直上，虽烈风吹之不斜”，他终于忍俊不禁：“我孤陋寡闻了，就算是火山喷发也只是烈风吹不散的浓烟，我从没见过什么烟能烈风吹不斜。你见过？况且古代上万个烽火台哪儿找那么多狼粪啊？”

被亦风这么一笑，我也不吭声了，有些“古人云”还真值得推敲一下。

唐代《烽式》规定，警烽的传递速度“一昼夜须行二千里”。假如以十里一个烽火台，两千里内二百个烽火台来算：一个烽火台仅用十斤狼粪，这次信息传递就需要两千斤狼粪。而一匹饱食终日的狼一天也最多两泡粪（拉稀除外），一泡粪不足三十克，一个星期的干粪量不足一斤，而且散落漫山遍野不易收集。我守着一匹狼，一个月的收集也仅仅三斤多，这还多亏格林通力合作几乎没落下一泡。如果要收集两千斤狼粪，至少需要六百六十六匹狼纪律严明保障有力，一个月的“爱国粪”全部充公上缴，才够一次烽火之用！征“军粪”比征“军粮”更要军需处长的命。而古时烽燧遍布全国，仅敦煌市境内已经发现古烽火台及残址一百三十多座，估计全国不下数万座烽火台，这么多的烽火台，除了有警时须施放烟火之外，无警亦须每日施放“平安火”。如此大量需求足以带动狼粪贸易，甚至引发全国最大的能源危机，进口狼粪势在必行！如果遇上战事频发的年代，恐怕把全中国的狼拉得荡气回肠也拉不够烽火之用。

狼烟真是狼粪烧的吗？狼何以取得“狼烟”冠名权的呢？

最早对“狼烟”一词做解释的是晚唐志怪作家段成式的《酉阳杂俎》：“狼粪烟直上，烽火用之。”晚唐是想象力极为发达的年代，而段成式的作品写的又多是些仙佛鬼怪飞天炫惑的事情，韩湘子成仙、吴刚伐桂就编入他的《酉阳杂俎》。《酉阳杂俎》中有段成式自己写的，也有道听途说的。《四库全书总目》对其评价是“多诡怪不经之谈，荒谬无稽之物，而遗文秘籍，亦往往错出其中，故论者虽病其浮夸，而不能不相征引”。段成式的确对有些稀奇古怪的东西做了解释，但这解释不排除有望文生义的成分。段成式家族世代为官，其父段文昌更是官居宰相，其解释也不排除有统治阶级的避讳，不直言狼烟就是警告“狼族进犯之烟”，因为狼来了，人是不怕的，羊怕！故而以狼粪烧出之烟代替“狼来了”之烟，以免人心惶惶，很多解释都是为了更好地统治。

而段成式“狼粪烟直上”之说立意新奇，附和他的人越来越多，狼烟之说也越传越玄：有人说狼粪烟“虽烈风吹之不斜”，有的人干脆证明“狼骈胁、肠直，

其粪烟直，为是故也”（意思是，狼烟之所以直是因为狼肠子是直的）。以后诸多附和甚至包括《本草纲目》的记载大都类似，无非更加绘声绘色而已。谁也不愿意再说狼烟只是艾蒿、茎叶、苇条、草节或其他燃料烧出来的烟，因为真相远远没有谣言听起来刺激……

如果这些“古人云”都是真的，那么我们将面临生物学和物理学的两大难题：其一，直肠狼何时灭绝的？其二，烟柱被烈风吹不斜的原理是什么？

狼烟到底是真的狼粪烟，还是古人的一个大忽悠？一个简简单单的问题，一旦传作古人云就似乎成了坚不可摧的真理，遍地的专家学者引经据典各执己见。可叹啊，你争或者不争，狼粪就在那里……值得深思的却是，十几亿国人，为什么就没人去烧呢？

老先人的一句话，引后世争得狼烟四起，坑孙啊……

直到火堆燃尽，才看见格林慢条斯理地出游归来。他嗅嗅狼粪灰烬，又看看我们，搞不懂这些人到底在想啥？

悠闲的日子很快就画上了句号。大约十天以后，羊吃完了，生活又开始紧迫起来。终于到了吃压缩饼干的时候了，然而除了十天前那远远的一阵狼嗥之外，狼群仍旧没有出现，仿佛那夜的声响只是我们的幻觉。我们的情绪更加低落，我甚至怀疑自己当初的判断太草率、太理想化了。找不到狼群就只能带格林回去了，然而回到城市温饱是不愁了，可已经有过自由体验的格林还在城里宅得住吗？野狼不来我们又该怎么办？

“回去吗？”亦风问。我皱紧了眉头闷声不答，双手却把他的手臂抓得紧紧的。

亦风咬牙叹口气：“那就再等等看吧……”

我和亦风清点着车上的存粮，肉食是一点都没有了，土豆萝卜也早就吃完，只剩下为数不多的压缩饼干、油饼、青稞面和糙米茶。这些我们在城里碰也不愿意碰的食物，在这里却弥足珍贵。

亦风在后备箱的角落发现了一个苹果，不知道啥时候滚落在车箱里的。他欣喜若狂，赶紧拿来给我吃，我也舍不得，两个人你推我让好半天，我终于拗不过亦风的坚持，捧起苹果来啃。刚啃了一口就发现不对劲了，隔着手套感觉不到这苹果被冻得结结实实，一口下去惊得我牙齿阵阵冷痛，我忙松口，却发现苹果已经拿不开了——我的上下嘴唇都粘连在冰冻的苹果上，一撕就出血。我只好忍着痛向嘴唇哈气，又用舌头一点点润舔被苹果粘连的部分，好一会儿才把嘴唇解脱出来，已经冻肿了。亦风也没料到会这样，他把苹果捂进怀里，像孵蛋一样夹在腋窝下，等到苹果孵化了一圈，两个人才一点点分着啃。等又啃到苹果里的冰坨子了，就再用塑料袋把苹果包起来，又孵，最后一块苹果不忘带回去给格林。

亦风说压缩饼干热量很高，可那玩意儿我一天吃一块就撑饱了，却从没见产生多大热量。没有肉食、没有菜蔬、没有油水，在高原根本无法抗寒，而且新陈代谢都出了问题。不敢多吃，吃完压缩饼干必须大量喝水，饼干一发胀，能落个水饱。长期靠干粮过日子，我们的手脚开始浮肿起来，嘴唇和手掌脚跟都在开裂，虎口更是裂得拿东西都使不上劲儿。亦风开始还能调侃几句“嘴里淡出鸟儿来了，有只耗子路过也好啊”。到后来我俩简直不能提吃肉，一提吃肉就走不动道了，饿得恨不能啃自己的大腿。有时看见格林嚼东西，我们就禁不住咽口水，那眼睛痨得就像看着隔壁邻居吃肉，我们吃素挨饿一样，那种馋肉的饥荒感觉不是用理性能够安抚的。

一天我捡牛粪时，无意中看见格林藏食的雪窝子里露出一点点毛茸茸的兔腿，我的两只脚就像焊在了雪地上再也挪不开步子。藏食点就像一个强力的磁场，拽着我上前。我扒开雪窝子，露出一只野兔，兔头被啃掉了，但身体是完整的，我饥火上涌想也没想捡起兔子就走。刚走了几步，心里突然纠结起来，这是在偷窃自己孩子的存粮啊！这冰天雪地里，格林猎食那么艰难，我怎么下得了手？我转去重新把兔子塞回雪窝子，这下我却更迈不动步了。格林也曾经要给我兔腿，可我从来没有领受过，现在领受一次应该也不为过吧？我的理智可以克制，但身体的强烈渴求却令我无法抗拒。这兔子拿还是不拿，我蹲在雪窝子前面，脑袋都要抠烂了。

我一咬牙拎起兔子来，念叨：“老天爷来决定吧，如果兔子指向我，我就拿走，如果兔子指向雪窝子，就留给格林。”说完呼地一下把兔子扔向半空……噗，兔子掉下来，前腿指着雪窝子，后腿指着我。我猛咽了一口唾沫，就这么决定了，一人一半。我生怕“老天爷”改主意，抓起兔子就朝屋里飞跑。

我像脱袜子一样麻利地剥掉兔皮，割下兔子的下半身，熬了一锅兔肉汤。看着锅里那星星点点的油珠子慢慢冒了上来，感谢老天、感谢格林赐给我这顿肉。

亦风背着一捆沙柳干茬子回来了，老远就听见他的脚步声在雪地上跑了起来。他气喘吁吁地推开门大喊：“我闻到肉味儿了！”

等不及汤冷，两个人就迫不及待伸手进锅，各抓了一条兔腿啃起来。能啃得动的骨头全嚼碎咽下去，咬不动的那根大腿骨也被嚼得像甘蔗渣一样。我舀了两勺青稞面拌进兔子汤里，煮成了糨糊一样的汤粥，加上一点点盐，尽管是没有任何配料配菜的“裸烹”，两人却从没吃过这么好吃的肉粥，一气儿喝了个底朝天。

我俩安抚完了肚子，又后悔起来。格林咋办？这娃娃要发现我们偷了他的存粮会不会撒泼？会不会生气？更重要的是，他万一饿了，这半只兔子够不够吃？

我和亦风大眼瞪小眼，终于想到一个主意，把兔皮筒子重新翻过来，把压缩饼干和着剩下的兔肉一块儿填塞在里面，重新扎好，像做填充标本一样。然后重新把这“饼干兔”埋回藏食点。

傍晚的时候，格林回来了，我趴在窗户边老远望见格林干瘪的肚子就更自责起来。格林径直走向藏食点，他的脚步慢了下来——狼很善于感知周围的变化。

格林围着藏食点绕了一圈，看着周围雪地上除了我的脚印再没其他痕迹，他想了想，又低头用鼻子嗅了嗅，都是熟人的味道。他松了口气，伸鼻子拱开雪窝，用牙尖叼住一点兔皮，把兔子拖了出来。忽然，格林满腹“狼”疑地盯着面前的兔子看，沿着兔身从上至下地嗅了一遍，他猛地抬起头来看向小屋。我赶紧埋下头，不一会儿我再把脑袋探上窗户的时候，格林还在盯着我这里，我想他一定发现我了。

格林挪开了目光，继续观察兔子，至少格林相信我是不会害他的。他终于忍不住饥饿的催促，叼起了兔子，甩着狼脑袋抖掉兔肉上面的残雪……格林刚把兔子抖了几下，里面的压缩饼干就噼里啪啦掉了一地，格林一愣，直挺挺地栽倒在雪地上，三秒不到，他就赶紧爬起来，风卷残云地吞掉了所有兔皮肉和饼干。

我和亦风愧疚极了，虽然以前也分吃过格林咬死的羊，但这次的狼食吃得极不光彩，而且，偷吃就偷吃吧，还做手脚，就像借了谷子还了糠，害得人家差点昏厥。

不过，我们也是担心格林吃不饱啊……

晚上，格林在屋外绕圈，挠完窗户又挠门。我和亦风琢磨着，他该找“小偷”算账了吧？这屋子里一定还残余着浓重的兔肉汤味道。我俩白天做了亏心事，半夜最怕狼敲门。

格林平静地进屋来，耸了耸狼鼻子，像往常一样亲昵地卧在我们身边睡觉，直到这时，我们才惭愧地放下心来。

天还没亮，格林就拱开门出去了。亦风歉疚地拿出两块压缩饼干，连包装一起埋在格林藏食的雪窝子里。但是接连几天雪窝子都再没被动过。按狼的习惯，藏食点一旦被发现，就绝不会再用了，格林自小也是如此，藏食的时候非常警惕，绝不泄露天机。这个点也是我碰巧发现的而已，格林大概基于对我的信任，并没在意，谁知“家贼难防”。

数日后，一天凌晨，亦风摇醒我：“外面有动静！”

我一骨碌爬起来，借着淡蓝色的光线向外看去。

格林在雪窝子藏食的老地方一个劲儿地刨着，他的身边放着一只夜晚刚猎来的野兔，那兔腿似乎还在微微踢蹬。格林刨开雪窝子，拖出我们埋的压缩饼干放在一边，叼起兔子塞进了雪窝，很快用鼻子推回雪，盖在雪窝子上，还用爪子各处压一压，好像在给保险柜上密码一样。

格林忙完这一切，转头望向小屋。虽然隔着窗缝子，我仍然明显地感觉到那双明黄色的目光穿透窗缝，极富深意地看了我一眼。

格林看了一会儿，埋下头嗅了嗅我们的压缩饼干。他用一只爪子踩住饼干，用尖牙撕开塑料包装袋，拖出压缩饼干大口吞嚼起来。吃完两块压缩饼干，格林舔舔爪子上的饼干末，甩甩头颈，迈着狼步轻快地下山了。

我披上棉袍，抓起望远镜，跟了出去。我从望远镜里一直看着格林的身影下了山，走到狼渡滩的一处小水沟边。他埋下头，大口大口地喝水……我的镜头被泪模糊了……

从那以后，格林像个起早贪黑养家的孩子，那雪窝子俨然成了我们的家庭冰箱。我们往里面埋饼干，格林往里面埋肉。虽然格林的肉食也并不多，有时好多天也没有一只完整的猎物能埋下，但这已足够了，我会把猎物剁碎拌上青稞面或者糙米茶煮成一大锅，让一家三口都能混个饱。格林每次都会把我剥下的猎物皮骨和内脏甚至残血都舔吃干净，而我们情不自禁有了这样的习惯，从内心里感激每一餐来之不易的食物，虽然没有饭前祈祷的形式，但干干净净吃完就是最好的感恩。想想自己从前的人生，想想现代人灯红酒绿的生活方式，大多数人和食物之间毫无尊敬可言，谁又能感受一下狼性生命对食物最质朴真实的珍惜呢。

过上了这样的生活，我才隐约体味到了，为什么格林从小到大，每次见我回来都会报以激情决堤般的欢迎仪式，因为对狼而言生存不易，觅食艰难，亲人的每一次外出都有可能面临着殊死搏杀、猎人、陷阱、天敌……无数的未知与危险，能带着食物回家何其艰难，狼的每次分别，都承载了对彼此深重的牵挂与担忧，这一去可能是生离死别，再见面必定是劫后余生，怎能不为每次重逢而悲喜交集，感激涕零？于是，每当格林猎食回家，我也会用最激烈热情的拥抱迎接他的凯旋。

然而吃着狼食，我们的心情却愈加沉重。既欣慰于格林已经能养活自己，甚至还能照顾到我们，又羞愧于两个大人的荒野生存能力竟然远不如一只几个月的小狼，如果没有亦风带来的那车食物，我们早饿死了。而每次偷偷看见格林往雪窝子里埋东西，亦风的脸上就臊得慌："他埋在外面是给我留面子啊。"

不能老指望着格林猎食。既然他能找到食物，我们也能试试，毕竟我们是"智人"啊。

我用老方法逮鼠兔，可是冬天的鼠兔不像夏天那样忙于收集食物，我堵了洞以后，鼠兔缩在窝里，压根儿就懒得出来。好不容易有只鼠兔出洞的时候，我已经冻得脚僵手麻了，棉袍上落满的雪花也结成了冰壳子。

亦风拔下车里的两根缸线，做了两个钢丝圈。我引着亦风找野兔洞。亦风说，小时候看见大人在田里就下这样的钢丝圈套野兔。亦风的道理说得是很到位，可天天查看钢丝圈，也没见一只野兔上套。最糟糕的是，有一天，我们再去查看的时候，钢丝圈少了一根。亦风脸色铁青："没有了缸线，车子可就别想开了。"

感谢上苍，正当我们最着急绝望的时候，我发现叼着猎物回来的格林步态很别扭，仔细一看，他后腿上套着的赫然是我们丢失的宝贝缸线。这根缸线是如何缠在格林腿上的呢？我们到现在也没想通过。亦风自嘲道："忙活了半天，总算套着一只狼。"

重新装好缸线以后，亦风再不敢卸车子的任何零件来谋生了。毕竟，有车在，我们心里总怀有一线生机；有车在，我们似乎离现代文明仅有一步之遥。我和亦风成了困在蛮荒和现代夹缝中的人，拥有着诸多现代设备，却延续着一种人们早已摒弃的生活方式。

亦风不止一次地说：“我们已经成了格林的负担了，不是我们在养他，而是他在养我们。”

是啊，在这里又冷又饿日子难过，我们早已弄不清是我们在野化格林还是格林在野化我们。可是我们怎么舍得离开？努力那么久，格林的群体还没找到。虽然格林已经完全有生存能力，用亦风的话说，“这孩子就是捡破烂、吃腐肉，他都活得下去”，格林完全可以抛开我们这个累赘，独享食物，远走浪迹，可是他为什么总会回到我们身边，或许他最渴望的是一份精神的慰藉，一个家。

人有人道，狼有狼道。我真后悔当初没有让他一直追随大狼而去，反而因为他回到我身边就愈加疼爱。此刻，我想让他回到狼群的愿望比以往任何时候都强烈。

33 最盼遇到人，最怕遇到人！

刚出来就连遭撵打，格林的心情低落起来，跟我回去的路上委屈地呜咽着——不容于人群，不容于狗群，我到底属于哪里？

33　最盼遇到人，最怕遇到人！

遮天蔽日的风沙刮了两天两夜，太阳缩在风沙后面，白天变成了黄昏，背风坡的雪面染成了一片焦土。

我灰头土脸地进了屋，从河边打回来的一桶水里有小半桶都是沙子。亦风不敢出门了，他已经被呛得喘不过气，嘴唇发乌，掐着脖子窝"哧哧"地喷着哮喘药。

格林大喷着鼻息拱开小屋门钻了进来，一身黄烟，狼眼几乎睁不开，他前爪捂着鼻子在地上打滚，难受得像马一样打响鼻。他瞧见我放在门边的水桶，就一脑袋扎进去，摇头晃脑地涮着鼻子，涮几下又抬头大喘一口气，再埋嘴进水桶，突突地冒着鼻泡泡，弄得一地都是水。我抱起狼脸一看，黑鼻孔成了黄鼻孔，里面堵了好厚一层沙，看来鼻子大也有坏处，外鼻子舔得着，鼻洞里面吸进的沙可就舔不出来了。我从格林脊背上揪了一点浮毛，沾点水，在一根草棍儿上揉成团，做成棉签，小心翼翼地托着格林的下巴，替他把鼻孔里的黄沙都掏出来，格林连打了几十个喷嚏，略好。我没想到这辈子还会给狼挖鼻屎。

铺天盖地的沙尘之下，哪里找猎物啊？这风沙还要刮几天？找不到食物，格林怎么办？

风沙发狂般摇撼着小屋子，风声灌进每一个窗缝、门缝，变成巫婆般歇斯底里的怪叫。烟囱的风门也被刮了起来，炉子里总是倒灌风，连续几天都没法生火取暖。到了夜晚，钻进睡袋里焐上半天都感觉不到热气，我们和格林只好挤在一起相互取暖，像蜷缩在狼洞里的一窝狼。

亦风的脑袋挨着我的脑袋，他一只手抱着格林粗大的脖子，另一只手放在格林腋窝下焐着，他喃喃地问我："咱们好像还从没拍过一张全家福吧？赶明儿我把相机焐热了，咱们拍一张。"（由于相机和摄像机在高原经常显示"低温无法开启"，因此往往需要提前在怀里焐热才能使用。）

我"嗯"了一声："这些照片随时都可以拍啊，还需要预约吗？"

亦风微微一笑道："也是，我只是想，如果格林走了，就没机会了。"他一遍遍摸着格林的尖耳朵，看着耳朵顺贴在手掌下，又"噗"地弹起来，轻声问道："说真的，如果格林走了，你舍得吗？"

"舍不得也要舍啊，我来草原不就是为了让他回归吗？狼不是宠物，人的陪伴绝不能取代他真正的同类。而且，狼有自然交付给这个物种的使命，我巴不得尽

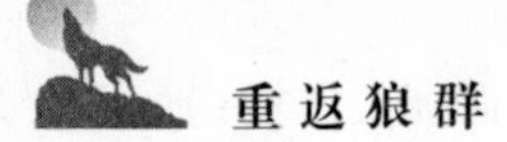

早让格林加入狼群，只要他能活得快乐，我有什么舍不下的。”

亦风满眼笑意，轻轻捞起格林毛蓬蓬的大尾巴，用狼尾巴尖扫着我的鼻子：“你呀，就给我讲大道理吧。”

厚密的狼毛盖在身上，像一床活毛被，让寒冷也远离。我被格林的热气熨帖着，摸得到他皮毛下有力的心跳！感觉我的血液循环也与他同步，朦朦胧胧中我似乎回到了城市温暖的被窝里。我渐渐坠入梦乡，唯一别扭的就是耳朵，格林的大鼻子刚好贴在我的耳边，于是他每次呼气的时候，我的耳朵就会温烘烘痒酥酥的，而他每次吸气的时候，我的耳朵就冷得直缩。半夜里，我总以为是亦风的鼾声，后来才发现是格林在打呼噜，再困苦的环境，他也能睡得香。

我刚来草原时穿的白纱长裙早已剪得支离破碎，有的纱块儿用来包扎格林的伤口，有的纱条用来捆绑小屋子不结实的地方，有的纱条搓成绳子随身携带着捆背柴火用。有的纱叠成几层用来过滤饮水。衬裙则扎成了一个大口袋，装牛粪用。我做梦也没想到过自己最珍爱的纱裙会落得个焚琴煮鹤的下场，然而没有生存，哪来的浪漫？

即使被过滤后的水，喝进嘴里也全是细沙磨着牙齿的声音。吃压缩饼干不喝水不行，我们一口饼干一口沙水，硬往下咽。从前吃完的几大箱方便面每包配料袋里的一点点碎肉丁，我都像考古一样仔仔细细地挑出来，攒了小半碗。这会儿终于派上用场了，我把肉丁拌在掰碎的压缩饼干里，留给格林吃。

格林两口就吞完了，然而狼肚子仍然扁得晃荡。我还想再拿几块压缩饼干给他，亦风止住我：“那玩意儿膨胀得厉害，吃多了一喝水会出事儿。先让他喝点水吧。”

格林喝了一大碗水以后，肚皮才勉强撑了起来，大家貌似饱了。

三天后，风沙终于停了，小屋子里的每一个接地缝隙前都留下了一个个扇形的沙锥。

风沙过后，前段时间远离的牛羊群又转了回来。亦风嘱咐我说：“牧场上似乎有人来住了，以后格林出去的时候可得多跟着点。”我连连点头。

这天，格林下山出猎，我远远地跟着他，顺便提了桶到河边取水。

格林刚走到河边一处平坦地带，正巧一辆摩托车载着两个牧民经过。两个牧民一看有狼，立刻停了下来。格林看见人来，竟然毫无心机地迎了上去。一个牧民下了车，伸手在怀里一阵掏摸，赫然掏出一个后端带铁链的流星锤模样的武器，拿在手里抡起来。

我吓得水桶一扔，边冲过去边大喊起来：“不能打！不能打！”急扑上前护住了格林。

牧民愣了一下：“你敢抱狼？”

我连声解释：“他不会伤人的，只是好奇。”我突然脑袋里灵光一闪，用藏语大喊道：“他是寺庙里放生的！”这句话是当初跟扎西学的，也不知道发音是否标准，更不知道寺院里会不会放生狼。但这句话应该奏效了。牧民看看我的一身藏袍，将信将疑地收起流星锤，一步三回头地骑着摩托走了。

我回望懵懵懂懂的格林，这孩子真让人不放心。那流星锤打在你糊里糊涂的脑袋上还得了吗？直到摩托车走远，我才松开格林，捡回水桶来到河湾处。

刚下到大河的冰面上，我想起没带凿冰的工具，以前的水洞已经冻实了，跳起来跺都跺不塌。正发愁的时候，瞅见在大河的上游正好有一男一女两个牧民，他们也在河面上凿冰取水。我正琢磨着等这俩人走了，我可以上他们的水洞去取水。哪知道格林又上去了，这次格林小心了一些，他悄悄接近，观望他们在做什么。或许格林觉得这一男一女俩牧民不会伤害他……格林观望了好一会儿，河面有了咕噜噜的水声，牧民的冰洞凿开了，口渴的格林也想从凿开的冰洞里喝水，于是他跑了上去。牧民抬头一看来了只狼，立刻进入了备战状态。

格林轻轻地摇着尾巴，小心翼翼地走过去，歪着脑袋看着牧民。然而牧民妇女拿起木棍石块，对准格林狠狠地砸过来！格林大吃一惊连忙躲开。好在狼的速度非一般人能赶上的，而且有了刚才摩托车的经历，让他略有提防，但这一击还是让格林在冰面上狼狈地滑跌了一跤，他忙翻身爬起，边跑边吱吱叫着，他回头看打他的人，心里很是疑惑。男牧民抄起凿冰的铁棒随后赶来追打，我赶去制止，这才避免了进一步的伤害。

刚出来就连遭撵打，格林的心情低落起来，跟我回去的路上委屈地呜咽着——不容于人群，不容于狗群，我到底属于哪里？

回到小屋，我把这事儿跟亦风一讲，两人心里都酸酸的——在人类中长大的

格林小心翼翼地走过去，歪着脑袋看着牧民，遭到的却是狠狠砸打。

格林已经把人当成了可亲近的同伴，如果继续留在我们身边，如何让他接受“人是他最大的天敌”这个概念？这是我们最担心的，格林太单纯，太没有心机，尽管我们教会了他狩猎求生的本领，但是如果他对人没有戒心，很可能是个悲剧的结果。然而我们已经退到了荒芜的狼山，即使我们可以控制住格林不去接近人的地盘，却无法阻止人逼近狼的领地。

一天，亦风发现格林始终专注地盯着极远处的牧场，他用望远镜仔细调好焦距搜寻，他发现牧场上好像有个白点始终没挪动过位置，从望远镜里观察，似乎是一只羊躺在那里，是死是活不真切。亦风和格林留守小屋，我决定独自翻过牧场围栏去看个究竟。

走了大半天终于到达目标跟前，我兴奋得欢呼雀跃——那是一只死羊，肚子已经膨胀起来，身上却皮包骨头，格林的食物有着落了！我围着死羊转圈，想办法要把羊拖回去。正琢磨间，一个骑着马的牧民不知道从哪儿冒了出来：“你在干什么？”

“大哥，你的羊死了怎么处理啊？”我看到牧场主人来了，客气地询问。

“不要，就丢在那儿。”

“那把羊给我吧。”

“你拿死羊做什么？都死几天了，不能吃了。皮也坏了，没用。”

死几天了都没有鸟兽来啃食？我看着完整的羊尸，心里有点悲凉，草原上的食腐动物真是愈见稀少了，也或许他们根本不敢踏入人类范围，只能像格林一样望食兴叹。牧场之内死亡的牲畜无法消化，牧场之外食肉的动物忍饥挨饿。

“我不吃，拖出去喂狼总可以吧。”

“那你拿去嘛，”牧民笑着靠在马背上看我折腾，“哪里去找狼？狼敢来早就打死了。”

“谢谢你啦！”得了许可，我把冻得硬邦邦的死羊翻了个面，寒冷的高原是个天然冰柜，羊尸并没有太腐败，我边拿绳子捆羊腿边说，“狼冬天就清理这些腐肉，到春夏秋天，狼就吃鼠兔旱獭，这样你的草场上就不会有那么多老鼠了，以后你的牛羊才有草吃。”我尽量通俗易懂地说着，把羊腿捆了起来。他显然对我的话题并不感兴趣，看了一会儿拍马掉头走了。

我把绳子挎在肩膀上，费力地拖着死羊往回走，走了百来米，身后马蹄声响，刚才那个牧民又回来了：“卖给你。”他改变了主意。

“啊？”我有点意外，“什么？”

“这个死羊卖给你。”他重复。

“你不是不要吗？”

“你要就要给钱，羊皮还值钱呢，拿到市场上也可以卖。”

“多少钱？”我也懒得争辩了，死羊不值钱，多说无益。

牧民上下打量了我一下："八百块。"

"啊？"我吓一跳，"活羊也才卖九块钱一斤呢，这羊瘦成这样就算活的也最多值五百。"

"你要不要吧？"牧民很干脆。

我无可奈何，说不要吧，想想格林过几天可能就断粮了，好不容易走到这儿来。我叹口气："那这样吧，我买活羊。"这样我还不用背着沉重的死羊回狼山呢。

"活羊不卖。"牧民不跟我多说了，骑着马围着我和死羊绕圈，拿着手机打电话。看这阵势是不让我走了。不惹事的好，我摸摸衣兜："我只有五百块，你愿意就卖死羊给我，我没有多的了。"

牧民放下手机瞅瞅我的包："就是八百。"又打量我一下，看上了挂在我脖子上的望远镜，"不够拿望远镜给我也行。"

"那怎么行？这望远镜三千都不止！"

"我用得着。"

"可我也用得着啊，坚决不行，这羊不要了，我走。"我放下死羊，欲从马旁边绕过去。

"不许走！"牧民不让。

我背脊一寒，这才知道自己陷入麻烦了。我下意识地摸向内兜里的对讲机，转念一想，即使亦风赶来也来不及，何况他还带着格林，只怕事情会更复杂。僵持中，另一个牛倌模样的人骑马过来了："怎么回事？"

"她弄死了我的羊。"牧民说。

"我啥时候弄死你的羊了？"我对这不白之冤措手不及，"我手上什么东西都没有，怎么可能弄死一只羊啊？而且这羊都死了几天了。"

"就是你弄死的。"牧民肯定地重复。

我把目光转向刚来的牛倌，希望他断公道。

"弄死羊就该赔人家嘛！"牛倌儿下结论了。

"你们还讲理不讲理？"我心中气苦，想起了刚才牧民在打电话，他们是一路的。

"怎么不讲理？"牧民说，"我这个羊就是八百块钱，你弄死了就赔钱，钱不够望远镜抵三百。"

"这个羊就算活着也只值五百，凭什么要八百啊？"我为保住望远镜做最后的努力。

"你看肚子那么大，怀了小羊啊，怎么不值三百？"牧民一本正经地解释他的道理。

我仔细一看："这明明是只公羊嘛，凭什么骗人？"两人愣了一下，交换了几句听不懂的话。牛倌摆出维护正义的样子："不管怎么说你闯进人家的牧场，平白无故一只羊死在你面前，你总是说不过去吧？好好的路不走，你怎么知道这里有死羊？对吧，既然羊都杀死了，只能按照人家开的价格来赔了嘛，你错在先啊。"

“你们这个牧场是才围起来的，我们早就在这里了……”我猛然想到观测点门口的大叉，不敢再说下去，重申道，“我只有五百，你要还有良心就收五百放我走吧。我也不会再来了。”语气中明显示弱与祈求。一个不怕狼的人，怕人了。

“五百可以，但是望远镜给他，牧民放羊用得着。再说你不赔清楚也走不了。人多了就不是这个价格了。”牛倌儿也牛起来了。

走，走不了；留，不敢留。面对如此威胁，我只好取下望远镜扬手摔在草地上，牧民潇洒地从马背上弯腰捡起。

我心里气苦：“这里草这么差，你们还在放牛羊，草根都刨吃干净了，明年你们的牛羊啥草都没得吃。”

牧民得意地摆弄着望远镜，漫不经心地说：“这牧场我们租下来了就是我们的了，明年没草转其他地方就是，用不着你操心。”

“目光应该放长远啊，人的眼睛为什么长在前面？”

两人对视一眼，笑得不亦乐乎：“为了数钱啊，快拿来吧！”

没法说了，我气得快哭了，掏出钱来哗啦一声扔在草地上，转身拖起死羊走了。我怕他们发觉观测点，特别绕了一个大圈才从山背后回去。

我拖着死羊爬上半山，老远就看见亦风和格林冲下来接我，我哭倒在亦风怀里，抽抽噎噎地讲了经过，亦风安慰我说：“人安全回来就好，钱无所谓。如果遇不到人，那些钱又有什么用呢？”

“可他们也太欺负人了！”我大把抹着眼泪，“明明是公羊，硬说是怀孕的母羊。”

“你怎么知道是公羊？”

“我掰开腿看了的。”

“你还有心思去掰人家的腿?!”亦风且笑且叹，“要是你的处事经验有动物知识的一半多，就不会老受欺负了。”

我摇摇头：“我宁愿跟狼相处，狼比人简单多了。”

在草原上，我们最盼望的是遇到人，因为有人就可以买来食物，有人，我们那些没用的银行卡和钱就可以变得非常有用。但是我们也最害怕遇到人，每接触一个陌生人都是一场赌博，因为无论对格林而言，还是对我们而言，在这草原上，最危险的往往就是人。

34 狼族的集结号

格林翻身冲上雪坡，惊魂未定。沉重的公牛爬不上来，在斜坡下气势汹汹地跺着牛蹄，威吓格林。同时，百余只牦牛像示威游行般，牛角一致向前，跺着牛蹄缓缓逼近，越慢越恐怖，带着令人窒息的压迫感，逐渐形成一个半包围，将我、亦风和格林围在中间。

死羊的味儿很重，我把羊拖到离观测点百米之外的雪地上，任格林饱餐一顿。亦风嘱咐了几句，趁着天还没黑下山提水去了。

我独自坐在屋前看着格林吃羊，不由得担忧起来。我的望远镜给了牧民确实是个麻烦事情，以往距离远，狼山附近少有人来，观测点还算相对安全，可是一旦他们有了望远镜就很容易发现我们的存在，甚至发现格林。出于安全考虑，我把吃饱后的格林招进了小屋。

夕阳最后的光芒也淡去了，亦风才拎着水桶回到观测点，一进屋就愣住了："啊！格林怎么在这儿?"

"我叫他进来的，怕人发现……"

"可是……外面也有一只!"亦风说着，头发根儿都竖了起来，"野狼?"

我心猛一跳，压低了嗓门："哪儿?"

"死羊那儿……"亦风颤声回答，手直哆嗦，半桶水都抖了出来。

我拍拍亦风的肩膀，让他俯低，悄悄合上屋门，闩死。两人蹑手蹑脚地靠近窗边躲起来，屏住呼吸，攀着窗沿，露出半边脸向外望去。果然，好大一只狼，正在羊尸边狼吞虎咽。冬季的狼已换上厚重的皮毛，越发显得雄壮。我当初看见盯梢的大狼也只是远观，还没有现在的距离近，单凭眼力我一时不敢确定这是否就是那大狼。

我轻轻缩回头来看看亦风，我们的目光同时投向了格林。格林的耳朵直立倾听，鼻子一耸一耸。亦风没回来的时候我就觉得格林的神情有点怪，还以为是他不习惯的缘故，现在想来他早已感受到同类的存在。让不让他出去与同类相认呢?我和亦风交换着眼神。

多日来的种种迹象在我脑中一一串联起来：冰河冻猪残骸旁边的狼足迹；回应格林的深夜狼嗥；本应足够格林吃上一个星期的大羊仅仅几天就啃得只剩皮骨，说不定杀羊后的晚上这狼就来造访过，替格林消灭了一半的羊。这样看，野狼一直就在这一带出没，对这小屋是轻车熟路极为放心了。而今我大老远拖了一只死羊回来，腐肉的味道吸引着野狼，以至于还未入夜，野狼就等不及出现了。如此看来，这死羊可真算为我们立了一功。又或者，这野狼是一路跟随牛羊群回来的?也许今天这只死羊原本是他盯上的菜，没想到被我捷足先登给端回来了。

不管怎样，我们在狼山上等了快两个月了，终于为格林找到了同伴，虽然只有一个，但总不枉我们苦候一场。在现在的草原上真要找到狼群恐怕也非易事，一定要把握住这个机会，让格林出去相认。我的心止不住咚咚狂跳，正要挪动身子向门边靠去，转念又想到一个问题：如果这狼夜晚就来吃过羊，那么经常在外过夜的格林很可能早与这只狼有过接触了，看格林此刻稳坐倾听却并不新奇的神情，我更加坚定了这一猜测。我不由得皱起了眉头，眼前的这只狼如此大胆地接近人类区域，又分吃格林的剩食，看样子境况也很艰难，且他是一匹独狼，格林跟着他会不会有危险？他还有没有别的同伴在一旁？还是再观察一下吧。

我使个眼色，和亦风轻手轻脚再次靠近窗边探出脑袋，但这次却吓了一大跳。大狼继续在狂吞海塞，但是却翻起狼眼，两道犀利的目光直逼窗户后面的我们——他知道我们在看他！我和亦风愣神片刻，既然已被发现了而对方并未逃走，我们的精神反而放松了一些，情不自禁地沉浸在这种奇特的异类审视中。狼如果不想让人察觉，人还真不容易发现他们，这狼敢明着现身吃东西就是一种放心的试探，至少他觉得我们无害。

他应该是匹老狼，焦枯的毛色在暮色中显得有点沧桑，他的狼尾低垂，一只耳朵直直地向着我们的方向，另一只却转向一旁轻微摆动。我悄悄摸向胸口，又猛然想起我的望远镜已经不在了，忙向亦风努努嘴示意把他身后的相机给我。

我刚接过相机开始对焦，亦风就急忙扯我的手臂，我回头一看，本来安静坐着的格林此时猛地站了起来，狼眼炯炯地盯着我们俩，皱起鼻翼微微露出獠牙，喉咙里发出低频的吼声，而粗大的狼尾巴却在身后一个劲儿摆动。我从未见过他如此怪异的举动，这是两个截然相反的肢体语言：皱鼻、龇牙、低吼、死盯着对方，这些是威胁的举动，可摆动尾巴却又是亲近恳求的表示。格林眼中错综复杂的神情让我渐渐明白了，格林以为我们要对付那只老狼，看来格林的确认识他。

我把相机轻轻递到格林眼前，柔和地说："你放心，只是看看。"格林嗅嗅相机，紧张的表情慢慢松弛下来。我这才回眼向窗外看去，此时的太阳已收尽了余晖，死羊还躺在原地，那匹狼却消失了，或许听到格林的低吼声后，他就迅速撤退了。

"瞧瞧去？"亦风不甘心。我犹豫地看着窗外降临的夜幕摇摇头，狼的情况不明确，夜晚不敢轻举妄动。况且狼的心思很难揣测，万一把我们视为敌人，我和亦风贸然出去如有意外连个救命的人都没有，野狼可不是我们所熟悉的格林，虽然无数的纪录片中都说过狼是很怕羞的动物，不会轻易攻击人，可临到自己亲身体验了，还是有点心虚。眼下的情况还是先看看格林站在哪边，只有格林才可能成为人狼沟通的唯一桥梁。我把门打开让格林出去，既然他们已经认识了就静观其变吧。

"你看清楚了吗？"我问亦风。

亦风摸出他的望远镜打望窗外，说：“我提水上山的时候看见的，当时以为是格林，进屋才发现不对。老天爷，日盼夜盼盼野狼，野狼就在我眼前了，我居然没在意。他是你以前说的那只盯梢大狼吗？”

我咬着嘴唇摇头：“不像，盯梢大狼给我的感觉是年轻健壮、沉着冷静、高傲老辣，对食物异常小心，总是与人保持安全距离，从不轻易让人发现他的行踪。但这只狼却是只老狼，毛色灰暗，而且似乎更贪婪一些，为了食物竟敢离人这么近。哦，对了，我印象特别深刻的是盯梢大狼的尾巴是高举起来的，而这只老狼却是夹着尾巴的，可他怎么敢明目张胆地露面呢？”

“我觉得他像个探子。”亦风大胆地提出了他的看法，“如果光为食物而来，眼看就天黑了，何必在乎多等一会儿？精明的老狼没有必要白天现身，而且我上山的时候离他不过百余米，他看见了我也并没躲避，以至于我还以为是格林，他一定是想试探我们对野狼的反应。”

我想了想点点头，亦风分析得不无道理，老狼在吃死羊的时候，一只耳朵朝向我们，注意收集我们的动静，另一只耳朵却在收集四周的声音，这动作表明这只老狼心里也是犹豫紧张的，逃跑还是留下？他或许也从未这样试探过人类。老狼明知道我们在看他，却边吃边注意我们的反应，直到听见格林的警告声才立刻消失。

我看看窗外已然全黑的景象，死羊已经被夜幕吞噬看不清了。格林围着屋子绕了一圈，在窗根儿背风的地方扒了个雪窝躺下了。

“如果他是探子，是在试探我们呢，还是怀疑格林呢？”亦风问。

“或许都有吧，但狼不会真的对人感兴趣，他们或许更想弄明白格林为什么会和我们在一起，也许他们对于格林是不是奸细还有深重的怀疑。”

“出生调查呀，”亦风擦了把冷汗，竟然笑了出来，“狼可真够多疑的。”

“那当然，如果一匹狼把他养大的人类小孩送回人群中，人会是什么反应？”

难啊，人与狼之间裹挟着太多千百年来积累下来的憎恨、惧怕、威胁、杀戮、好奇、神秘与不断的试探，要将一个人类抚养大的狼子送回族群，那是一种史无前例的奇妙传递，是一种诚心与狼握手言和。

接下来的几天里，我们的小屋子仿佛成了热门景点。清晨起来，我们总会在雪地上发现一些徘徊的野狼足迹，死羊周围狼爪印更多。开始亦风还无比紧张，每次进屋都要关门上锁，每次出门前都要用望远镜张望好一会儿，然后把铁链揣在怀里。后来，亦风渐渐放松下来。“狼很怕羞。”亦风说，“我早上铲屋门口的积雪，发现那狼正往死羊那里靠近，我才瞄了他一眼，他立马就闪了。”亦风说晚上埋伏摄像机在死羊身边，说不定能拍到野狼进食，看他们到底有多少只，但是我不想冒险破坏几个月的努力才与狼群建立起来的信任。而且摄像设备没有那么长的待机电力。亦风只好在屋檐下绑了一个无线麦克风，看看能不能录到声音。

老狼“探子”很怕羞，才瞄了他一眼，立马就闪了。

黄昏牛羊群回去以后，我们偶尔能看见一两只狼在对面山腰上向我们这边打望。那些观光狼即使面对我们的望远镜也不刻意躲避了。狼群确实可以和人和平共处。

这天夜晚，星空明朗，天地间一片幽幽的光，我和亦风谁都不肯睡，有种莫名的激动与预感，觉得今晚会有事情发生。

十二点后，一轮满月越过天际高悬在淡蓝的夜空，积雪的狼山像是沐浴在一种阴森惨淡的白光里。亦风奓起胆子打着手电筒到死羊附近去看了看，没有一点动静，而格林在窗下也似乎没有任何异常举动，睁着一双磷火般的眼睛静卧在雪窝子里。

亦风失望地回到小屋，拍拍靴子上的积雪，拉开睡袋准备休息。他刚钻进睡袋，一声清晰的狼嗥划破夜空猛然响起，那声音竟然就在这座山上。亦风和我惊出一身冷汗，睡意全消，赶紧翻身坐起，趴在窗口静静倾听。格林早已爬了起来，竖起耳朵仔细听着、嗅着。

第一声长嗥以后，周遭一片宁静，没有任何反应。格林小跑几步，雕像一般站在月光下继续凝神倾听，清幽的月色为他黑色的身体罩上了一层银白色的光晕。

不久，第二声狼嗥响起了，在西北面的山坡，空灵悠远穿透冰雪的寒意，像是一个恢弘乐章的平静引子。尾声未歇时，近处的狼嗥遥相呼应：“欧——欧——嗷——”两处狼嗥结束，四周一片寂静，似乎连风声都暂时停歇了。

万籁俱寂中一声悠长、高昂、激越的狼嗥横空出现，就像简短的前奏之后主角的登场，而这声音就来自狼山之巅，经幡之侧。这一声长啸从容、镇定、权威，有种至高无上君临天下的优越感，俨然前两声狼嗥是为它的出现肃清和铺垫，声音中召唤意味强烈。我和亦风激动地对视了一眼，脑海中同时想到了一个词——“集结号”！

格林在月光下的剪影一阵狂烈地颤抖，他脖子上和肩上的毛发都竖立了起来，根根泛着银光。他急切地转向西北面山坡，又立刻调整耳朵朝向近处的那个声音，最后转向狼山顶峰最威严的长啸声的方向。他紧张地舔着鼻尖，仿佛他体内有一种新生命的悸动，这悸动与以往他每夜呼唤声逗引起来的稀稀拉拉的回应全然不同，跟从小一起长大的藏獒们的叫声更为迥异。他转着耳廓努力倾听嗥声中的含义。那是留存在他记忆中的来自另一个世界的呼声，来自狼族的呼唤，比以往任何时候都具有诱惑力，令他不能抗拒。

长声狼嗥甫定，远远近近一大片尖厉的狼嗥开始遥相呼应，响彻整个狼山山脉，乃至草原对面数百公里的山麓都有隐约回应，像后方急于参战的勇士们争先恐后地报到。从未听过如此众多而清晰的狼嗥，像一阵阵声浪汹涌澎湃在草原深处，像暗夜长风撼动整个狼山山脉，又如一股银色的洪流奔涌入洒满月光的狼渡滩。

强烈的声浪中，格林窄窄的胸膛剧烈起伏，唇吻不住颤抖，他大口地呼吸着，在鼻尖呼出一团团白雾。他坐立不安，急切地想对那黑暗中的声音作出回应。

亦风握紧了我浸出汗水的手，两人看着窗外的格林心里祈祷着：“嗥啊，格林，快回答你的同伴。”

冰雪的旷野上，我们如同期待着曙光乍现一般强烈期待着格林第一声长嗥的出现。

格林歪着脑袋坐下，紧张地交替着两只前爪，马上又站起来，不知所措地晃晃尾巴，这突如其来的喜悦几乎冲昏了他的头脑，滞涩了他的声带。格林埋头细想，舔了一口积雪，鼓足腹音寻找自己本能中的那种声调，终于他张开了大嘴：“呜——呜——啊——”像大山猫打哈欠般的声音一经发出，我俩几乎当场昏厥，格林在强烈兴奋下竟然找不到调儿了。

“莫呜——啊——喔——”又是一声四不像。亦风哭笑不得地看着我。这家伙平时自哼自唱发挥都还不错，怎么盼望已久的时刻来了却临阵疲软呢？

我忙掏出手机手忙脚乱地调试，想用以往狼嗥的录音带一带他。

“你省省吧，”亦风说，“现在有那么多现场原声还需要你这个录音吗？”我想想也是，收起了手机，继续期待格林的声音归位。

格林又听了一会儿，怯生生地嗥出第三声：“莫嗷——嗷——”他终于想起要把嘴巴卷成圆筒状了。

“要好一点！”我兴奋地捏了捏亦风的手，我一向乐于看到格林的每一点进步。

“声音太小了。”亦风说，他总是看到不足。

可不是吗，格林叫了两声不在状态就对自己的歌声不自信起来。在强大的狼嗥阵容中，这点小猫叫似的应答很快被狼勇士们激越的声浪淹没。格林显然也意识到了这点，可嗥声却总是因为找不准音而怯生生地提不起来，他的心狂跳不已急于加入黑暗中的乐团，情急中竟然瞬间想到了藏獒声中响亮的吠叫。

“黄！花!！啊呜——”

这怪异的报名并未引起黑暗歌唱者的共鸣，而发出第一声狼嗥的最近的那只野狼却注意到他了。那只野狼悠长的嗥声戛然而止，只剩下远处你呼我应的狼族集结声。

突然，一声尖厉而不同于集结报到的高音震慑登场，是最近处的那只野狼发出的，长嗥过后，大批的狼嗥应声止歇下来，只有远处山麓还有零星嗥声，似乎他们叫喊得太投入，没有听到这位狼长老的“肃静!”之声，但很快这些声音也灭了下来。

“花！嗷——”格林一点儿也没有觉察和在意，仍旧大着胆子憋出了更大更高昂的声音，“花！嗷——欧——”这声音在一切狼声寂然之后发出，显得尤为清晰，尤为突出。

亦风和我屏息相视，不知道这狼腔狗调的声音一旦昭告天下，下一步狼群该作何反应。格林的位置离狼山顶峰狼王的位置如此之近，甚至还有狼长老都选择了这个次制高点，四野的狼们一定摸不着头脑，不知道他是什么角色，今年的集结难道改了新的暗号?

“莫——嗷——欧——欧——”声音似乎渐渐恢复了格林平时的正常水平。

我终于发现格林发音问题的所在了，他还不会用舌根抵住爆破出来的喉音，而是借助唇吻开合的时候先发出“莫”的音把嘴筒撑圆了，继而缩小口围转到标准的“欧”音上。我以前都是用纪录片和亦风收集的狼谷实地录音为教材教他的，也没人能面对面地教他发音口型。就算我想教，我和他的嘴长得也不太一样，不，是太不一样，所以也只能按听到的声音有一句学一句。后来到了草原光顾着狩猎谋生，野外也没有电视教学，这样的狼语练习便少了。每晚格林自导自唱我也觉得过得去，偶尔还能引来一两声狼嗥回应，我就没想着再比对什么。现在如此众多的狼老师现场原声，才发现问题所在。就像外国人说汉语，怎么听都掩饰不住的别扭。但此时临时抱佛脚地教他肯定是来不及了。我顿时觉得万般颓丧。过不了语言关，狼群是绝对不会接受一个满口“方言”的狼的。

“莫——欧——嗷——欧——”格林继续在一片寂静中独唱，我惨不忍听地捂住了耳朵，平时听来悦耳享受的声音，此刻却成了目睹格林即将孤独终老的一种煎熬。

“要有信心。”亦风拿开我捂耳朵的手，“我们是教过他狼嗥的，那么多的录音……”

“我怀疑你那些是不是盗版的!”我正没处撒气，无来由地跟亦风急眼了。

亦风眼睛一瞪："大小姐，那么多的资料都是假的，总有一些是真的吧，况且还有你自己的珍藏呢，你也不知道听听有没有你能明白的叫声！"他指指窗外孤单的格林："你有信心，他才会有信心！"

我顿时想到格林还在"考场"上，急忙向他看去。

格林仍旧叫两声后就侧耳细听，十多分钟过去了，大山里始终没有回应。他失落极了，他疑惑为什么自己全情投入的嗥声没有引来任何回应。他来回走动把身体朝向各个不同方向，似乎连他灵敏的听觉都不再相信这份安静了。连嗥两声又是几分钟的鸦雀无声后，他像一个考砸了的孩子，落寞地转过身望着窗户里的我发呆。

"嗷——欧——喔——"一声苍老而亲切、略带沙哑的清晰狼嗥响起，声音不出百米远。格林两眼放出惊喜的绿光，嗖然回身，急忙回应那个近在咫尺的声音，并急切地向发出声音的方向奔去，瞬间没入黑暗中……此后就再也没有动静了。

我俩屏息静待。时间一分一秒流逝……

"怎么没动静了?"半小时后，亦风终于开口了。

我摇摇头不做声，仍旧趴在冷冰冰的窗户上……亦风的手表滴答滴答轻轻作响。

"他走了?"一小时后，亦风仿佛在自言自语。

"嗯，好像是……"我抓抓脑袋，有点难以置信，格林就这样走了？这就算狼群接纳他了？以后还能见到他吗？虽然无数次希望他能回归狼群，但如今这孩子竟然一考就中，一次性通过，梦想成真的感觉让我觉得是那么的不真实。等啊……望啊……猜啊……抱着无数的疑惑和不解，在强大的睡意催促下，我俩靠着窗边渐渐在冷风中进入了梦乡……

35 离开人类的第一步

格林回头望了一眼，他凝视虚幻的山上曾经的家园，心里涌动着生离死别之情。终于，他从深深的雪中拔出一只前肢，迈出了离开人类的第一步……

这一夜，梦境不断，我梦见格林投入狼群，在众狼的呵护下学习狩猎、学习生存。又梦见格林还在我身边，如同幼时一般调皮嬉戏啃咬我的手指头……突然又梦见格林因带有人的气息为众狼所不容，被狼群追逐撵上悬崖，咚的一声闷响像块石头一样坠落山谷，重重地砸入我怀中……不对！这沉重的闷响声如此真实，痛感也如此真切。我“啊”的一声惊叫，激出满头冷汗，惊恐地睁开双眼！亦风也被惊醒了，这才发现两人竟然都靠在窗边睡了一夜。窗户没关，眉毛上头发上全是白霜。窗户上扑腾着一个狼脑袋，伸长舌头大口大口愉快地哈着气，竟然是昨晚消失的格林。

“这家伙怎么又回来了？”亦风乐了，捡起格林扔进窗户的Morning Call，这可是有史以来最大的一块石头啊。亦风把石头对着初升的阳光照了照：“你哪儿找来的啊？”

格林粉红的舌头像玫瑰花瓣儿一样快乐地抖动伸展着，嘴角微微上翘，眯着眼睛狼笑了一下，很是得意。他退后几步，从窗户跳了进来，抱着我们又亲又咬。

“臭小子，我还以为你走了呢。怎么搞的？面试没通过？”我又喜又忧用力摸着格林的脊背，检查这次有没有什么伤口，一切看来似乎很好。这家伙狼鬃越长越长了，没事儿还老爱在雪地上打几个滚擦擦毛，起来抖一抖像个狮子似的，得瑟！

“你看，你看，真是个好东西！”亦风摆弄着这块金黄色的石头，“活像一座山的模样，对，像狼山，这里是狼洞，旁边有棵树，太像了！”

我凑过脑袋看，果真有点儿那意思，整个石块呈不规则三角形，左下方是一个椭圆形洞穴的纹理，右侧一道长长的分叉纹理像一棵洞旁的孤树，拙朴抽象，越看越有味道。

“嘿，扔了那么多的石头，这块儿最经典！”我发自心底地赞叹。格林扬扬得意，抱着我俩的脸一阵狂亲，推都推不开，我们头发上凝结的白霜被他这一折腾扑扑簌簌掉了个干净，花白头发的两人瞬间恢复了“青春”。亦风把躺在地上的格林当大面团似的揉搓，而格林也很乐于享受这种粗鲁的爱意，揉到舒服处就浑身哆嗦。

亲热完，格林在屋里转了个圈，呼啦一蹦又从窗户里跳了出去。我和亦风好像看到久别的孩子一样高兴，擦擦一脸的狼口水，赶紧收拾几样随身器材跟了出去。

我几天前拖回来的死羊已经只剩骨架了，结了一层霜雪，旁边错综复杂的狼爪印和零星散落的几颗狼粪，显示着昨晚狼在这里聚餐了。格林来到死羊前马马虎虎嚼了两口残余的肋骨咽了下去，径直往狼山走去，好像叼着早点匆忙赶路的上班族。

窗外的雪地上有格林昨晚留下的一路清晰的爪印，这爪印一直向前跑了接近两百米，到了另一个大爪印跟前，杂乱地旋转了几圈。这应该就是昨晚那只最后召唤他的老狼的爪印吧。之后两个爪印一前一后往狼山方向跑去。我们有心跟着狼爪印侦察一番，看看他们昨晚到底去了哪里，于是跟着痕迹一路走了下去。

两行狼足印且行且停，老狼的足印悠悠缓缓，格林的足印兴奋跳跃，很多次急冲向前又回过头来等待老狼的足印，有时候两行足印像跳交谊舞一样围着转上几圈，有时候雪上又留下一大片打滚嬉戏的痕迹，足迹很快没入雪线之下再无法跟踪了。昨晚这里到底发生了什么？这些只闻声音，不肯现形的神秘狼伙伴哪里去了？狼群对格林的态度到底如何，为什么又让他独自回来了？是狼群驱逐了他，还是格林已经习惯了和人在一起？如果是这样岂不是麻烦了！我们历尽艰险陪他找狼群，狼群找到了，也集结了，而格林却放归不归。这到底是喜是忧？接下来我们又该怎么办？

亦风抬头望望正在翻过狼山的格林，亦风很想爬上狼山顶峰，去看看狼王的足印解除他昨晚的疑惑。我却一心扑在格林身上，一路跟着他往狼山背后翻去。我觉得跟着格林更容易发现狼踪。

我在狼山这么久还没有翻到顶峰的背面来看过，没想到这里的景致这么好！站在峰顶视野绝佳，任何风吹草动都逃不过狼王的眼睛。亦风架起摄像机把狼山景色一阵猛拍。格林却在山头专心致志地等待，他今天好像是有所为而来。他专注的神态似乎是要出猎，可是在这冰雪封冻的时候，还会有什么猎物呢？

格林开始往山下进发，他选择迂回隐蔽的路线下山，目标的确是向着牦牛群去的。

太阳升出了地平线，我们静心等待了很久，山下的牦牛群渐渐靠近。格林盯着山下舔了舔狼嘴，转过头看了我们一眼，这一眼看得我心里直发毛，我和亦风突然有种不祥的预感——这小子不会打牦牛的主意吧？他应该去找狼群啊！怎么对牦牛群摆出了前所未有的狩猎准备状态呢？我紧盯着格林。格林看上牦牛不是一天两天了，也大着胆子跟牛群对峙过，可从来没有这样认真地从下山开始就时时观察、步步计划。连临行前的早点羊排都吃得不多不少恰到好处，既能够转化些许能量，又不会因饱食而影响速度。我越想脑子越蒙，如果是对付一只落单的牦牛还有几分胜算，眼前摆着的是多达百头的牦牛群，牛犊子又都在母牛的严密保护之下。狼极重视自己的生命，绝不轻易犯险，可这孩子咋想的？大清早把我们叫起来，难道就是为了最后看我们一眼就要去冒险？

格林开始往山下进发，他选择迂回隐蔽的路线下山，目标的确是向着牦牛群去的。

这是一片被薄雪所覆盖的草场，牦牛群认真而艰难地寻食草根，看见我和亦风扛着摄像机走近，牦牛群并不惧怕，只是抬头平静地嚼着枯草打量着我俩。格林却异常狡猾，利用牦牛都注意看着我俩的时机，悄悄接近牛群，躲在一处斜坡下，伸个脑袋定睛观瞧。通常狼在攻击之前都会衡量对方的实力，摸清猎物的底细，以确定要不要攻击，有没有机会攻击。虽然牦牛本就是狼的猎物之一，可眼下独狼与群牛力量悬殊，我还是希望格林能审时度势，打消这个疯狂的想法。亦风说："我们把格林抓回去吧……"

话未落音，格林已从隐藏的斜坡后跃起，奔向最近处的一只离开母牛的小牛犊，一口咬在小牛犊的后臀上。牛犊大惊，"哞"一声叫唤着跳起，高踢后腿摆脱狼咬，格林借着小牛踢腿的力，趁势撕下一块皮肉，马上吞进肚子里。牛群一阵慌乱，一头白额头的母牛挺起牛角就向格林撞了过来。

"糟!"亦风大叫。格林迅速跳开，躲开白额头的致命冲撞，擦着牛蹄反身跃起，一口咬住牛尾巴，荡秋千一样甩到一边。这招估计失误，白额头扬起的后腿，狠踢一脚，格林惨叫一声，沙包一样横飞出两米多远，一声闷响落在雪地上滚了几转，溅得地上雪片乱飞。白额头挺角冲来，格林痛苦地扭曲着狼脸，翻身而起，咬牙奔出白额头的攻击范围。吓得我叫不出声，真是出师不利。

此时，牦牛群惊慌稍定，迅速结成圆形牛阵，把小牛犊全部拢在内圈保护起来，母牛在第二层，公牛在最外圈，牛角一致向外，牛蹄刨雪，愤愤地喷着鼻息，严阵以待。公牛们往远处张望，预防其他潜伏的狼发动突袭。

格林被踢得够戗，身子痛得弯成"C"型，他勉强挪到离牛群三十余米远的地方，大口吸气平息痛感。我赶紧上前看他有没有被踢断肋骨。格林定了定神，回过头向狼山方向望去，若有所思。难道他还有后援？我愣了一下，也回头望去，却没看见任何东西。牦牛群同样紧张地四处张望。僵持观望了二十多分钟以后，牛群惊奇地发现没有其他“伏兵”，牛群转过头来，防备着眼前的小狼，很诧异——这娃胆敢单刀赴会?!

格林慢慢平复着伤痛，再次用目光扫视了一遍来时路，眼神中蒙上一层失落。他深吸一口气一瘸一拐地向我走来，投来需要增援的眼神。他焦急地用脖颈靠着我，身体因为临敌的激动而有些颤抖。我心惊胆战地抚摸他的痛处，确认肋骨和腿骨无恙，连声劝说：“别去了，格林，太危险！”他仰头看了我一眼，似乎我的回答令他大大地失望了。可是有人类法则束缚的我怎么可能肆无忌惮地去帮他猎杀牦牛呢？我总不能对格林解释，他的口粮是人类的财产吧。

牦牛群用锐利的牛角聚成了箭林矛阵，即使是人也肝裂胆颤，谁看着百余只牦牛用尖角逼近还敢不要命地往前冲？“别去，听话好吗?”我近乎央求格林了，他终于领悟到我永远不可能帮他这个忙，他的眼里射出绝望和愤怒的光芒。他咬牙转身，像出膛的炮弹般把自己射出，穿过雪地，跨越土岗，向牛阵冲去。所经之处，地上观望的鼠兔仓皇逃进洞穴。格林的身影流星般朝前箭射，扬起厚厚的雪砂滚向远方。他眨眼就冲入了牛阵，在牛蹄的缝隙间左突右闪，直朝负伤的小牛奔去。

牛群没料到单独一匹小狼竟有如此勇魄，牛群奋蹄踩踏，慌乱的牛身互相碰撞，发出咚咚闷响，牛角挑在了自己同伴的身上。一时间，公牛的怒息声，母牛的唤子声，小牛犊的寻母声，牛声鼎沸。格林孤身穿越牛群，在纷乱牛蹄下险象环生，我吓得呼吸都快没了：“这不是找死吗?”

亦风强作冷静地调着摄像机：“我看未必，他是想冲乱阵形，好把小牛犊分离出来。”

的确，格林看似莽撞的冲突，其目标却有明确的指向性，小牛是不经世事而最容易惊慌的，一旦最中间的小牛惊慌逃窜出内圈，母牛就会不由自主地分散保护自己的牛犊，公牛也就围不成有效的保护圈了，格林这一招的确管用。圆形的牛阵马上乱作一团，冲入牛阵的格林跑到哪里，挤得密不透风的牛群就慌忙掉头朝向哪里，寻找那鬼影般冲入牛群的杀手。牢不可破的牛墙反而成了大牛们转身最大的障碍，密密麻麻的牛头牛身相互顶撞牵制，牛角碰得噼啪作响。牛犊们在父母的挤压下更加惊慌失措，有的还被大牛踩踏了两下，负痛惨叫着连爬带挤逃出牛圈来，母牛们慌忙呼喊着追出保护各自的宝贝，公牛一看保护阵形已乱，干脆向格林撞了过去。

风卷云涌之下，猛禽苍鹰凌空俯视草场上那惊心动魄的追猎场面——牛背涌动中，一条奔突的狼影时隐时现，忽而跃过牛角，忽而钻入蹄下，在低垂的苍穹下紧盯目标，奋力追猎。眼见负伤的牛犊已被分离出牛群，亡命奔逃，格林在负伤牛犊后面紧追不舍，白额头绝望地哞叫着，奋力抢救幼犊，却始终赶不上狼的步伐。格林就要追上伤犊了，突然一只雄壮的黑牦牛斜刺里奔出，拦腰向格林撞过去！格林一惊，连忙蹬直后腿，腾空跃起，躲过黑牦牛的尖角，后爪在牛后颈

一只雄壮的黑牦牛斜刺里奔出，拦腰向格林撞过去！

上一踩，借力跳开，但公牛冲劲如此之大，格林踩踏不稳，落地极其狼狈，差点被惯性冲来的牛蹄踏碎狼头。

格林翻身冲上雪坡，惊魂未定。沉重的公牛爬不上来，在斜坡下气势汹汹地跺着牛蹄，威吓格林。同时，百余只牦牛像示威游行般，牛角一致向前，跺着牛蹄缓缓逼近，越慢越恐怖，带着令人窒息的压迫感，逐渐形成一个半包围，将我、亦风和格林围在中间。最近的牦牛离我们仅仅两三米远。亦风忐忑不安："我们会不会遭围攻啊?"

我环顾牛群，头皮发麻，挽过格林的脖子护着他慢慢后退。格林却并不接受我的庇护，抖抖狼毛毅然冲出牛群包围，跟走在前面的几头大牦牛缠斗起来。牛群的包围圈迅速转向，朝着格林逼近。格林快速后撤跑上一个陡坡，居高临下俯视牛群，继续采用狼最擅长的疲劳战术，不停地下坡逗引牛来冲击他，消耗牛的体力，一面伺机再分离牛犊。一个多小时不断地冲雪坡，把护卫牛犊的公牛累得气喘吁吁，毕竟这是人饲养的家畜，生活一直平静悠缓，虽然有着体型和数量上的优势，却哪里经历过与狼不断缠斗的巨大体力消耗。

远处隐约有了人声和犬吠，我和亦风生怕遇到牧民，赶紧上前夹住狼脖子，连拖带拽地把格林拖离现场。格林喘着粗气，埋怨地盯了我俩一眼，心有不甘地穿过结冰的河面，消失在一片冬季草场中。亦风挥了一把冷汗："好险！可惜他没有同伴援手，不然一定能拿下的。"

狼为了一顿食物真是在以命相搏啊。我叹口气，格林的确太孤单了，从獒场一个个被卖掉的藏獒朋友到无一肯接纳他的领地狗，格林始终孤身一狼。从无法援助他狩猎的我和亦风到始终不肯露面的狼族同伴，他是多么急切地需要伙伴和帮助。那么，他为什么不跟狼群走？狼群又为什么不帮他？他独自冲击牛群又到底是为什么？我感觉我越来越猜不透格林和狼群了。

刚一回到观测点，我们就发现有“访客”来过了：屋里全是狼爪印！背包、睡袋、帐篷以及很多东西上都留下狼检视过的痕迹。我们早上跟着格林匆忙离开，没有关窗户，此刻窗框和墙壁间都是狼翻进来的爪痕。小屋子外围的雪地上踩了一圈的狼爪印。我们仔细分辨了一下，至少有三匹狼的清晰足印，其余都因重复踩踏而无法看清了，到底有多少匹狼无法准确判定。最触目惊心的是有两行爪印竟然一直跟随在我和亦风的足迹之后，而我们却一点都没察觉，想起来都一身冷汗。也就是说我们和格林今天干了啥，狼群门儿清。

今天格林攻击牦牛的异常举动一直让我们不理解，难道他把这视为证明他胆识和勇气的“成狼礼”吗？格林咬伤那只小牛犊的时候也曾经回望狼山，似乎是期望同伴的协助，可那时我没往深里想。格林带我们一走，这些狼就来探营，两只跟踪我们，其余的来搜查屋子，就像事先策划好的一样。

“这帮狼也太不仗义了，丢下格林独自去对付牛群，把我们引开，抄后路查我们老底?!”亦风有些气愤。

“狼天生多疑。”我心里很纠结，努力去站在狼的立场上想问题，“有些时候不是我们愿望好就能获得对方理解的。送格林回狼群本来就不是人的正常行为，人和狼斗了千百年了，你要人家立刻接受你的友善怎么可能？总要一个了解的过程，现在大家都是在相互试探，应该多看到友善的一面。”

亦风哼了一声：“他们眼看着格林冲进牦牛群里，却不帮忙，这是友善的吗？格林还是个娃娃！”

“对狼来说，他已经不是娃娃了，只有人才会把大孩子捧在手心里惯着。我觉得冲牛群这个事也是格林对自己勇气的一种升华和考验，他要独立，这是迟早要面临的事。”我摸着大敞开的窗户，突然心情轻松起来，似乎触摸到了一点感觉，“你想想，这是在狼的领地里，昨晚我们可是开着窗户睡觉的，他们如果要对我们不利，昨晚就行动了，还用得着等到现在吗？这只是好奇和群体保护的探查，不能用人的仗义来解释的。我估计他们也想多看看我们的目的何在。如果我没猜错，或许他们早上是要帮助格林的，但是看见我们跟了格林去，他们就不方便出现了。而且他们一定也很纳闷为什么这只小狼老是要回到人的身边。”我想到这里，会心一笑：“话说回来，如果格林连独自穿越牛群的胆量都没有的话，在群体狩猎中也会拖狼群的后腿，狼群的生存是现实而严酷的，他们绝不允许参与行动的狼迟缓、怯阵、贪生怕死，或者离阵脱逃。如果格林没有勇气或者冲牛阵的时候有勇无谋进得去出不来的话，都不是一个理想的狩猎伙伴，那么即便是同类或者血亲也不可能接受一匹害群之狼。”

我这样一说，亦风顿时释然。“没想到上狼山入伙也不是容易的事，先口试，再面试，最后还要纳一份货真价实的投名状?! 水泊梁山……够严密的啊！”他说完哈哈一笑，转身出门去，“咱也得调查调查他们，我去反侦察一下这群狼从哪儿来、到哪儿去！咱的儿子也不是可以轻易托付的！”

格林把昨夜剩下的死羊连皮带骨吃了个干净，回屋来趴在一个角落里睡大觉。这一天他太累了。

我慢慢收拾满屋狼藉——防潮垫和睡袋被扔在一边，充气床垫挪到了窗户正下方，而且已经漏完气了，我铺平皱巴巴的床垫一看，发现上面印满密密麻麻的大狼爪印，床垫中间有两个清晰的狼牙洞。我再仔细查看，窗沿上还有不少往下跳的狼爪印，而这些跳完床垫的爪印又乐颠颠地跑出门，绕回窗外，继续上窗往屋里蹦。我乐了，顿时想起格林第一次见到充气床垫时的新奇表现，这帮大狼和格林简直一个德行。狼们一定琢磨着，人可真会享受啊。我想象着大狼们在床垫上憨蹦乱跳的稀罕劲儿，傻蹦不过瘾，还要轮流爬上窗户花样跳床，这帮家伙挺会玩儿的啊！我隐约找回了当初藏獒们嬉戏狂闹的影子，心里升起一种温馨感。尽管狼是凶猛的掠食者，可他们的天性里仍旧有纯善稚趣的一面，一帮好奇贪玩的大小孩。中间那俩牙洞没准儿是哪匹蹦得忘乎所以的笨狼一嘴嗑漏了气，搞得大伙儿都没得玩了。

我为格林收集来的马蹄包被狼叼了出来，那些止血的粉末揉擦了一地，像是谁在上面打过滚似的。我想起扎西从前对我说过，野外的狼受伤了，就会寻找这种止血的马蹄包，揉擦在身上。如果扎西说的果然是真的，难道这次是狼群中某个成员受伤了来寻药吗？我最担心我们的口粮被洗劫，然而屋角箱子里的压缩饼干却一点没动，不知道是不合狼们的口味还是由于锡箔的包装有金属气息……我分析着满屋的有趣痕迹，感觉越了解狼就越不了解狼了。

收拾完屋子，我仔细修补着床垫，直到太阳落山，亦风才满脸疲惫地回来：“那些狼太狡诈了，弄乱了脚印，我一直跟到下面的冬季草场，绕了一大圈又回到起点上，要找他们比找天地会分舵还难。”我笑了，早知道是这种结果……

日落，大地渐渐被黑暗笼罩，只有白雪把地面衬出来一片白光。在白雪与黑暗的上方是夜空的蔚蓝。偶尔响起一串串的鞭炮和着犬吠从遥远的村落方向隐约传出。我和亦风恍惚想起今天是除夕了，这也是若尔盖草原最冷的时候。

小屋窗下，格林依偎在我们面前，头枕在我的膝盖上，我轻轻揉搓着他的耳根：“格林，你知道吗？你不属于藏獒，不属于领地狗，更不属于人类，你是狼——荒野里最自由最神奇的狼。”格林瑟瑟颤动着耳朵，深情地舔了一下我的手腕。

夜影婆娑，夜风泠泠……

午夜时分，格林慢慢起身，狼脊背滑过我的指尖，他默默地走出了小屋。

荒冷寂静中，当第一声狼嗥从窗外响起，我们的心顿时苍凉起来。格林今天的声音中蓄满了孤独与忧伤……他经历了其他狼所没有经历过的生命历程，却也没有经历很多狼应该经历的考验，他独自走到了今天。有人说狼拥有永远填补不

满、感到无限空洞的灵魂，也或许，狼的一生都是生活在孤独中。极端的生存条件，铸就了他们钢铁般意志的同时，也塑造了一颗最孤独的心。于是，排解内心孤独成为狼的习俗和传统，于是狼常常对月哭泣。但格林不止是哭泣，今天的他有了更多的自信与自豪，披着月影为他罩上的苍银色战袍，他稳稳地站在雪面上，挺拔身躯，昂起头颅放声嗥叫，寂静的山野仿佛被嗥声撕开一道道闪电般的裂口，冰雪脆裂的声音滚过山谷。

聆听苍狼祭月，格林的声音纯正圆润，再没有胆怯的收声。他闭上眼睛物我两忘地呼唤着，狼族的声音讲述着他的寂寞、孤单和凄凉的身世，这流淌在他血液中的狼嗥比他度过的岁月和呼吸过的空气还要古老。

格林缓缓睁开眼睛等待一个时刻的到来。一点点的回音在遥远的草原消失，听力所及之处，没有任何声音，目力所及之处，没有一双关注的眼睛。

“狼群是不是走了?”亦风有些失望。

不远处一声洪亮的狼嗥猛然响起，与格林遥相呼应，声音亲近而友好。刹那间，我们像打了兴奋剂一样立即爬上了窗边。这珍贵的回音令格林更为兴奋，他调整好自己的歌喉，高亢地嗥叫着尝试和这位同伴交流。

“嗷——欧——”一声威严而不容置疑的嗥叫，中气十足，声音非常之近。

“这句我听过，这句我听过!”我猛摇亦风的肩膀，在他给收集的狼谷录音中曾经反复听到过这种音调，这是狼王接纳家族成员的声音。我像蒙中了一道考试题那样亢奋不已。一旦明了，格林立刻和这个声音接上了头，长声回应起来，我和亦风一把鼻涕一把泪地笑着。

狼王的呼啸之后，狼群便此起彼伏地回应起来，声音很近，就在附近的几座山上，远近几十公里内的狼都在这里集结了起来。狼王用家族独有的声音召唤着所有的家人，不同的家族唱着不同的声调，没有狼会拒绝加入群体的战歌，每年也会有新的成员来到不同的狼家庭，这是属于狼的时刻，狼族的勇士们纷纷聚集起来，为越冬准备食粮。

我和亦风裹着厚衣服走出小屋外，坐在冰天雪地中感受这一生仅有一次的不一样的除夕夜。

狼族的战歌不时在空野回荡，他们对格林回应的嗥声再没有了昨夜的迟疑。格林也越唱越激昂，看着他的陶醉样，我们也不禁为之感染，抚着格林的背小声地学起来。亦风学了两声，似乎找到点感觉，索性壮着胆子，拢起嘴巴加入了这狼族的合唱团：“欧呜——嗷——”然而亦风的号声刚结束，狼们却统统闭嘴了，今天的狼群都近，把这里的声音听得分明，好像合唱团中突然有人跑了调，有的狼“欧”音还没拖够就打嗝似的咽进了肚子里。

“我说错话了吗?”亦风心虚地捂上了嘴巴，格林偏头望着亦风，钢针般的瞳人中竟然透出温柔与感激。没想到亦风的声音还能起到清场的效果，我哧哧地贼笑着：“你别考验狼王的承受能力了，刚接受了一个格林，今天又来一个另类。要不，你也去纳一份投名状?”亦风捂紧了嘴巴偷笑起来。

狼王高贵的声音再次响起，似乎对刚才的“奇声怪调”深感困惑，格林舔舔亦风，骄傲地抬起头回答那声问话：“嗷——嗷——欧——”这个声音响彻四野，整个狼山微微震颤，一片片积雪从小屋上纷纷坠落。

少顷，狼族的嗥声重又恢弘乐章般地响起，声音越来越近，越来越密集，逐渐向狼山会聚。狼越是在恶劣的环境下越需要集体，这是对他们生死的考验，也是对生于斯、长于斯的荒原的眷恋。

格林回头望了一眼，他凝视月光虚幻的山上曾经的家园，心里涌动着生离死别之情。

终于，他从深深的雪中拔出一只前肢，迈出了离开人类的第一步……

36 凄厉的北风吹过……

山风呜咽，与格林四目相对，我大喘着气，还没来得及叫他，他就快速冲过来扑入了我的怀中。我的热泪瞬间涌了出来，紧紧抱着这久别的孩子，仿佛要把分离的一切全都抱回来！

格林走了，留下的只是这无边无际的感伤。

无垠的旷野上只剩下我和亦风日夜长期地守望着。太阳失去了往日的光芒，苍白的巨月无论是升是落都是那样凄凉，冷清的狼洞口终日堆满积雪，洞前的足迹被掩盖了，灌进洞穴的北风带着哨响，裹着坚硬的雪粒，日复一日地堆积着沉甸甸的记忆。

小屋的门上，格林每次挠门的爪痕还清晰地印着。屋外雪地上，他经常叼着解馋的一截瘦羊蹄已成了乌鸦们的玩具，他藏食的雪窝子再没留下抓刨的痕迹，他食盆里的水结成了冰坨子。我每天早上仍然习惯地盼望着格林的石头从窗户外丢进来，期盼着看见他一脸憨笑地爬上窗户。最后的那块狼山石被亦风抚摸得越来越光滑……

晚上挤在一起睡觉时，少了最暖和的格林，我冻得牙齿直打战，半夜里冻醒就拱着睡袋往亦风怀里钻。亦风也鼓着眼睛睡不着，他叹着气："格林这下真的走了，你舍得吗？"

我哇的一声哭了出来，趴在亦风肩头上啜泣了一整夜，怎么劝慰都没用了。

白茫茫的雪，灰蒙蒙的天，黑漆漆的狼洞，周围的一切变成了黑白底片，再没有了蓝色的天、紫色的云、金色的狼毛、明黄的狼眼、粉红的狼舌头……仿佛格林是草原之魂，没了他，我们的草原陷入一片死寂。

那么久的相依为命，格林在的时候，日子再苦都是甜的，格林一走，我们的生活失去了重心。我们常常四目相对无话可说，可是谁也不愿意离去，心里只有一个希望，想再看格林最后一眼，想再抱抱他，或者我内心最盼望的还是格林能回来，他的离开是那么匆忙，尽管我们有了半年多的思想准备，然而这一天终于到来时，我们俩竟然像得了相思病一样，说不出的空虚和惆怅。

格林会不会被其他狼欺负？他会不会找不到食？会不会想我们？有时我突然神经质地想到："糟糕！他会不会被人打死了？而我们还蒙在鼓里！"于是我疯狂地找他，喊他！亦风到处留记号，希望帮他找到回家的路。

有两次我们在望远镜里发现似乎有动物的尸体躺在草丛中，两人头昏脑涨地冲上去看，当发现是冻死饿死的野狗，我们揪紧的心才松下来，幸好不是格林。但格林此刻又在哪里？会不会在另一片雪地上垂死挣扎？他会不会跟着狼群走得太远，找不到回家的路了？就像他曾经在城市里迷失的那次一样，迷茫地到处找我们？他还在这一带活动吗？这么多天过去了，他会不会饿得连爬回家的力气都没有了？如果自由的代价是死亡，我们当初还舍得他走吗？

雪后，时常能看见狼的踪迹，我和亦风便会满怀希望地跟去看个究竟，比照其间有没有格林的足迹。我用相机把每次发现的狼爪印都拍下来，晚上回小屋子把爪印逐一作比对，记下每只狼足印的特征。但是再也没见过格林，我们的希望也越来越渺茫，估计此生再也见不着了。想起亦风以前对我说过的，没有一例人养大的狼放生以后能活着的，我追悔莫及——早知道就不该让格林走！

狼山一带原本漫山遍野的干牛粪早已被我和亦风捡得差不多了，我们只能分头走远路拾柴火和牛粪。

大约半个月后的一天上午，我走着走着，突然，雪地里几个熟悉的爪印跳入我眼中，缺一小趾！我心里一抖，这是格林的爪印！老天啊，他还活着?!

足迹很新鲜，绝不超过一天，和另一只大狼的足迹走在一起。我顾不上叫回亦风，立刻沿着这两行狼迹往下走去，越过河面，翻过小山包，穿过一大片冬季草场，在一处牧民家周围，狼爪印消失在深草中。

我确认牧民家的狗都是拴起来的，便小心翼翼地靠近。我攀上牧民家的牛粪墙向院子里张望，里面有三个劳作的牧民妇女。

"大姐，最近在这里有没有看见过狼啊?"我小心地探问。

三个女人互相交流了几句，其中一个会汉语的十七八岁的藏族少女隔墙回答："有啊，昨天下午阿妈就见到了两只狼。"

我心里怦怦一跳，强压激动问："看见狼往哪个方向走了吗?"

少女回答："这个不太清楚了，是阿妈看见的，要不你进来喝碗茶吧，我给你叫阿妈去。"

分开半个多月了，终于有了格林的线索，不但有了线索，还能吃上东西，我心花怒放，立刻随着少女进了屋，坐在暖炉旁烤着火，一口气喝了五碗酥油茶，身子马上暖和起来。我满心期待地等着阿妈。

不一会儿，阿妈进了屋来，头发花白，面目和善。我连忙躬身问好，少女也跟在后面进了屋。阿妈让我坐下，意味深长的目光把我上上下下打量了一番，用生硬的汉语问："你是做什么的?"

阿妈一开口就问我这个问题，我一时间不知道如何回答。说我是自由职业者吧，这草原深处的牧民也不一定理解；说我是画画的吧，我已经一年多没正经画过了，而且我专为打听狼的消息而来，什么职业才能与狼沾边呢？我总不能说自己是养狼的吧，不是所有人都接受狼，我还是多留个心眼的好。我低头一犹豫，看见挂在胸前的照相机，试探着回答："我是来旅游摄影的，听说有狼出没，想拍一些照片。"

冬季里哪儿来的游客？游客哪儿来这么大胆？游客又怎么会穿着这一身熏满牛粪味儿的藏棉袍。这漏洞百出的回答连我自己都不信，但总算为寻狼找到点理由吧。

阿妈听完嘴角一抿笑了起来，她们用藏语交流了几句，少女忍不住掩着嘴咯咯笑起来："骗人，那不就是你那只狼吗？"

我浑身一激灵，窘得满脸通红："你们认识我？"谎言当场被揭穿，我一时间手足无措。阿妈笑着在额头比画了一下："我们在山那头放牧的时候见过你跟着狼走，我认得那只天眼狼，昨天就隔着我很近，他一直盯着我看，好像认识我似的。他不太怕人啊！"

天眼狼？我一愣，随即反应过来，格林额头正中的疤痕恰似长在眉心的第三只眼睛，藏族人多数信佛，对天眼更有着神奇的向往。这"天眼"和不太怕人的特征印证着我发现的足印，确认是格林无疑。

我尴尬地接着问下去："阿妈看见两只狼往哪儿去了呢？"

阿妈点头喝了口茶，大致描述起来：昨天，天刚麻黑的时候，一只大狼和那只天眼狼来到我们牧场上，天眼狼在羊圈外面放哨，和狗缠扯，大狼从羊圈矮墙洞里跳进来，咬死了两只半大小羊。那两只狼可能饿慌了，特别能吃，没多久就啃得只剩羊脑袋和蹄子了。

我脑袋"嗡"地一下！完蛋了，我还以为找到格林的线索了呢，结果是格林在这里闯祸了。我心情复杂极了，既欣喜，又心惊，更害怕——

我欣喜的是，这么多天来第一次得到确切的关于格林的消息。首先，他活着！其次，狼族接纳了他！再者，这家伙知道去逮羊了，看来确实是饿不死了！这点是被人类规范束缚的我没法教他的，还得是狼师出狼徒！

我心惊的是，格林袭击的是人类的牲畜，就算不被饿死，可他也会被打死啊！虽然，我过了几个月的狼生活，我完全可以理解狼生存的艰难，理解他为什么会冒死偷羊，但牧民与狼的矛盾由来已久，我怎么可能要求别人牺牲自己的财产去保护狼呢？然而，我也知道横竖都是死，狼绝不会选择饿死！

我更害怕的是，我此刻就坐在牧民家里，像个闯祸孩子的家长，被人家逮个正着，还不知道受损失的牧民会如何狮子大开口？我陡然间想起了卖死羊给我的牧民，我真后悔走进这个小屋，还一气儿喝了人家五碗酥油茶，这事儿麻烦了，我下意识地抱紧了相机。亦风没在我身边，如果我今天走不脱怎么办？我的汗顺着额角流了下来……不，或许事态会比我想象的更严重，我养了个"祸害"，我说不定会被牧民们视为养狼为患的仇敌！而格林，我可怜的小狼，这里可没有什么动物园，逮到"害兽"完全可以当场打死！

我想来想去，心里一横，躲是躲不脱的，为了格林，一定得扛起来："阿妈，那羊多少钱？我……我……赔您！"

阿妈一听就乐了："几个弱羔子赔什么呀，这牧场上哪家不死牛羊？吃了就吃了吧，狼总要活命嘛！等开春儿有食了，狼也就散了。”

“啊？”我意外得简直不敢相信自己的耳朵，“可是，阿妈，那天眼狼是……是我那只啊……”这叫冤有头债有主，你们都逮着我了，还不找我算总账？

少女笑得更欢了：“知道是你养的，我们以前在山那头的大河湾一带放牧的时候，经常看见你带着那狼在河对岸走，一起抓兔子、抓老鼠啥的，很神奇。我们叫你狼女，可是从没见你走近。呵呵，你放心好了，阿妈说了，狼到我们牧场来，我们不会打他的，好多年都没有看见过狼了。”

我眼睛一热，老天有眼，我终于又遇见好人了，阿妈的善良瞬间打破我心中重重顾虑。同在一个草原上，牧民和牧民的差距咋就这么大呢？

我紧捏着相机的手总算松了下来，少女瞅见我手里的相机，挪挪凳子亲近地坐过来问我：“阿姐，能不能帮我们照张相啊？”

我连忙点头，巴不得为这家好人做点事，我瞄了一眼他家墙上的大相框，说：“回头我也洗成这样的照片给你们送过来。”

少女一听，兴高采烈地进屋换最漂亮的衣服。

阿妈填着炉膛里的火，蒸锅里冒着馋人的热气。我咽着口水，硬把眼睛从蒸锅上挪开，扭头往墙上的相框瞅去。相框里众多的照片中突然有一张面孔引起了我的注意，我凑近了看，越看越眼熟……这不是多吉吗？那个引我到狼山去的爱狼的小伙子！

我忙指着多吉的照片问道：“阿妈，这小伙子是你什么人啊？”

阿妈抬头看了一眼，笑道：“哦，那是我儿子。”

噢……我心里所有的疑惑顿时有了答案。人和人的确不一样。

我刚给少女照完相回到小屋里，就见阿妈揭开了锅盖，热腾腾的蒸汽里肉香扑鼻。我眼睛直勾勾地盯着这锅刚出炉的包子，强压住的饥馋再也控制不住了，我红着脸问：“阿妈，我能吃个包子吗？”

“吃吧！吃吧！呵呵！”阿妈热情地点着头，转身找盘子给我盛包子，我已等不及伸手进锅里抓了一个，就往嘴里塞！羊肉包子，太香了！

“慢点吃，小心烫！”阿妈连声说，装了满满一盘放在我面前。我死盯着盘子，两手左右开弓，羊肉包子塞了满嘴，滚烫的包子贴在嘴巴的裂口上，烫得眼泪直打转。

阿妈问：“你饿坏了？”我顾不上回答，嘴里嗯嗯几声，又抓了两个包子塞进鼓鼓囊囊的嘴里，一个劲儿地点着头，眼泪再也忍不住流了下来，这是我几个月来吃到的第一顿像样的饭食，泪水伴着几个月的辛酸全咽进了肚子里……我知道我吃食的样子可能跟格林差不多，这才是人间烟火啊，要是亦风也在，该多好啊！

一阵狼吞之后，整锅的包子被我干掉了一大半，我急忙停手了，心里很过意不去，不知道这是不是这家人的晚饭。阿妈又装了一盘放在我面前：“放心吃吧，吃不完的阿妈给你装回去。家里男人们都去寺庙了，要回来还早着呢，等会儿阿妈再做就是了。”

我谢过阿妈，才又拿了一个包子咬起来，这回动作斯文多了。阿妈问起我很多事，不解地说：“一个城里姑娘为一匹狼跑这里来受苦，值得吗?”

我咽了一口包子，鲜甜味在舌边慢慢回了上来，我点点头：“值得。”

其实和格林在一起，最开始只是天生的母性和同情，可天长日久，格林身上似乎有些魔力般的东西感染着我，引我不断去探究和体会到狼性中一些可贵的东西，有时甚至不知不觉地把狼性和人性相比较。直至和格林一起来到草原后，狼、动物、人乃至整个草原无时无刻不在触动着我，越来越深的自然情怀和人狼情缘让我在这片草原的残酷和痛苦中享受快乐，我也从没想到当初一个小小的生命会给我带来这么多的感悟。我甚至想永远留在这里，和狼群奔跑在同一片荒野上。然而，这对一个和现代化有着千丝万缕依赖的城里人而言，回到自然或许只是一个遥远的梦境。我才发现也许我和很多现代人一样，早已失去了和大地的联系，和自然的感应。

我很羡慕阿妈，这样善良的一家人住在草原上，有着自己的信仰，牛羊成群，儿女相伴，每天感受着草原的脉动。我情不自禁地问道：“阿妈，您这一辈子都生活在草原，你感觉幸福吗?”

阿妈笑眯眯地答道：“幸福是个啥？我从没想过这个。草原上的人一茬一茬地长，长大了饲养够吃够用的牛羊，然后结婚，生子，死去，一辈一辈就是这样生活的。”说话间，阿妈慈祥的脸上流露出一种别无他求的满足感。或许，老一辈的草原人就是这样生活的，简简单单，他们从不自问是否幸福，是否向往另一种生活，没有另一种，只有从遥远的过去就在等待着每一个草原人的那一种生活。有时候别人的追求就是自己的现在，自己的憧憬就是别人的现实。

如今呢？在席卷草原的社会变迁下，年轻的草原人有了另一种选择，而草原上也有太多可以交换另一种幸福的东西，草原的未来又将如何？我珍惜地体会着在草原人家做客的幸福，或许十年以后，人们再走进草原就感受不到如此单纯质朴的情谊了。

饭后，少女带我进羊圈，查看了昨天格林和大狼翻进羊圈的洞，那是羊圈最矮的一处围墙，墙上带着血迹的狼爪印清晰可辨。虽然早已预见，当我的手指触摸在那熟悉的爪印上时，心中还是泛起一阵惊喜的暖流。真的是格林！

出了羊圈，我满怀感激与歉意地告别阿妈，阿妈把剩下的包子全装在口袋里给我，又给了一大麻袋血肠、油饼、风干肉，我赶紧把热包子捂在怀里，连声道谢！格林活着，我们也有吃的了，我飞奔回家，让亦风感受这双重的惊喜！

回去的途中，我泪洒了一路……草原深处的牧民仍有一些保持着与自然的和谐关系和与人为善的淳朴品质。不知道像阿妈和扎西这样肯为狼的生存留有余地的人还有多少。

36 凄厉的北风吹过……

转眼又是十多天过去了。我像一个苦苦盼望与失散独子重逢的狼母。

这天，中午还有点小太阳，现在干脆阴了下来。云层厚厚地压在天边，北风夹着细小的雪花掠过冰封的河面。

“这是什么地方啊，跟平底锅似的。”亦风拿着望远镜站在一处略高的地方，环顾四周。两岸环绕着草场的都是逐渐倾斜成三四十度的山坡，山脚与草场相接，草场尽头与天相连，整片“U”形的地势像被拉了个辽阔的鱼眼广角。而眼前这条南北走向的冰河蜿蜒过锅底中央，把中间的草场曲分成了东岸和西岸，乍一看像个太极图。

冰河的东岸，草场上的积雪并不深，有些地方的薄雪东一块西一块地融化着，露出一点干瘦的烂草皮子掺和着雪化后的泥浆，死皮赖活地贴在地面上。草皮摆出限量供应的样子等着牦牛群来啃食。几百头牦牛埋头摆动着大脑袋拱开积雪，扒吃雪下的泥草，管他是泥还是草，能填塞肚子就行。风吹着几乎能拖地的牦牛长毛，牛群呼出的白气比雪雾更加浓重。有的牦牛吃着吃着就抬起头，艳羡地望向河西岸——那边是一大片冬季草场，过膝深的金色牧草就在冷风里晃啊晃的，但是那片冬季草场是另一家牧民留着接春羔时用的，被严格地用铁丝网围了起来，而且中间隔着陡峭难爬的河床。牦牛是不敢贸然越过冰面的，如果在坚冰上摔一跤对沉重的牦牛而言，可能是致命的，东岸的牦牛也只能望河兴叹。

我和亦风是跟踪着一大片狼足迹来到这条大河西岸边的。头一天晚上，我们听到远远近近的狼嗥声，一大清早，我们就循着昨夜发出声音的方向到处巡查。终于在河滩边的雪面上发现了成群的狼足印，于是一路跟了过来，谁知足迹跟到这里分散绕了几个弯儿，竟然全都诡异地消失了。

跟了大半天又是一无所获，我们沮丧地坐在西岸边的一块小坡地上，啃着干粮发牢骚。

“你说他们昨晚嗥啥啊？这么多狼咋说不见就不见了。”

我拢拢衣领遮挡扑面而来的寒风。今天为了便于追踪，我特意穿着冲锋衣，这会儿停了下来便觉得冷飕飕的。亦风掏着衣服包，摸出半个油饼又掰开来分给我一半：“吃点儿吧，阿妈给的干粮也不多了，得省着点吃。”

我肚子正饿得慌，坐下抓了一坨干净雪就着油饼嚼起来：“兴许这拨儿是昨晚过路的狼，咱们早跟丢了，要不咱们还是回去吧。”

“你是说回成都吗？”亦风问。我哽着油饼不吱声儿。

我们正啃着干粮，远远望见牛群西北角骚动起来，所有吃草的牛都抬起头来，向西北角望去。眨眼间骚动就变成了恐慌，牦牛群开始你推我搡，牛角相互碰撞，简直像是群魔乱舞。

突然，不知哪头牛跺蹄大声哞叫，几百头牦牛立刻狂奔起来，奔腾的牛蹄卷起漫天的沙尘和雪片，蹄声震惊四野。

我们被这惊雷般的声响震得一蹦，正啃着的油饼掉在雪地上。亦风张大了嘴巴："什么情况？"

我一把拽过亦风胸口的望远镜一看："狼！"

望远镜里，只见牛群乱作一团，小牛到处乱窜，母牛焦急唤子，公牛高声哞叫着组织结群。数匹大狼紧随其后，驱赶着牛群，沿河一路向南奔来！牛群聚成一片，像潮水一样涌动起来。中途又有多匹大狼从侧翼杀出，阻止企图越过河面的牛群。

虽然隔着冰河，我还是感觉到强烈的冲击力，望远镜里全是乱溅的泥雪和鼓瞪的牛眼，寒风中只听见牛群隆隆的蹄声、喘息声和嘶吼声。牦牛和狼正进行着一场千年未变的仪式，为生存而厮杀。牦牛群惊恐万状，早已辨不清东南西北。

没想到无意中让我们撞见狼群追猎，这是生平第一次。令我费解的是，奔跑中，明明已经有了几头脱队的牦牛，这是狼群挑寡的绝佳机会啊，狼群却根本不去围攻落单的牦牛。不单如此，还总有一匹狼绕过去把这些掉队牛驱赶归队，那友善的模样，俨然他根本不是狼，而是牧羊狗。牦牛群终于有机会把小牛犊护在了牛阵中央，牛群的奔跑速度也略微减缓，似乎开始的害怕劲儿已经平静一些了。这群笨狼坐失良机，只追不杀，开什么玩笑啊？

我任由亦风把望远镜抢去，有些失望，现在的狼群是大不如前，就这帮不敢进攻的草狼真是成不了什么气候了。

"快看，那边还有狼！"亦风低喊着，指向河边草坡。

短促尖厉的野兽嘶叫，这就像个前兆，河岸的南面草坡中又蹿突出来数匹大狼，迎面突袭牛群右翼。奔跑中的牦牛群腹背受敌，向西是河，向东是山坡，狼群数量陡增，牛群陷入了无路可跑的新一轮慌乱中，他们别无选择，牛阵中的头牛们当机立断扭转方向，整群牦牛像回头潮一样向东面山坡上涌去！东面是一座四十度左右的向阳斜坡，斑驳的积雪残留在坡上。黑压压的牦牛群好像一股血肉与皮毛聚成的海啸，所有牦牛耸起牛肩胛，挺起牛角，奋蹄向陡坡埋头苦冲，只想捡回一条命。

几个狩猎小分队的狼群呈扇形从后面包抄上来，龇着尖利如锥的獠牙，扭动着灵活的身形，紧跟牛群的动向，在牛群周围忽左忽右地飞快跳窜，让牛群越发慌不择路，拼尽全力冲坡。牛群闷头猛爬，锐利的牛角像挺着刺刀催促前牛往上冲！

我看得瞠目结舌：这是狼群在打围啊！

眼看牦牛群已经冲过了半山腰。突然间，山梁上传出一声穿涧越谷的狼嗥，高亢振奋、摄人心魄的呼嗥声腾空而起，从高高的山梁上压顶而下，好似一只巨爪扑向这群瑟瑟发抖的待宰牲畜。长嗥声中，山梁上突现奇兵，眨眼间冒出了成群的大狼，朝着牛群龇牙大吼起来，仿佛将发起声势浩大的总攻！

这群狼不知是何时匿行潜踪埋伏在那里的。亦风拿着望远镜数狼，纷乱中根本数不过来。

狼群大声咆哮着，亮出獠牙利爪，飞扑下来，迎头冲向爬坡的牛群。

冲在最前面的两头牦牛紧急刹住，前蹄腾空，差点仰面后翻摔下坡去。刹那间，整个牦牛群陷入了巨大的恐慌中，跑在前阵的牦牛慌忙掉头回跑，像一片惊涛陡然被狼群的大堤迎头一挡！泥泞湿滑的山坡，像个大滑梯，牛蹄没有抓地力，坡上面的牛根本刹不住车，很多回头牛直接就撞在了前冲牛的利角上。牦牛们被顶得高声惨叫，栽着跟斗往陡坡下滑跌，扬起一路的碎石泥沙。有的小牛犊怕得不行，拼命往大牦牛肚子底下躲，谁知沉重的牛身直接压倒在他们还没长硬朗的脖子上，有的小牛当场就没了声响。一头大公牛踩到一块摇摇欲坠的岩石，滑了下去，连后面那几头牦牛也跟着遭了殃。几头牛挣扎着想重新找回平衡，可坡面太陡了，加上湿滑的积雪，数头牦牛在斜坡上最后踢蹬了几下，像山体滑坡一般，一齐翻滚下来。

阵尾的牦牛被狼群驱赶着冲坡，断后的公牛甚至还倒退着往山上撤，混乱中根本看不见山上发生了什么事。山下的牛还在低头挺角，铆着牛劲儿往上冲，上面的肉山囫囵个儿地压下来，角度正好，砰咚闷响声中，滚下来的牛被戳着肩胛的、挑破肚子的，甚至被后面的牛角扎透了颈窝子的，还有的被牛角戳进了肋骨抽不出来，两头牛一起翻着跟头滚下山坡，像古代战争用的礌石，后面的牛躲闪不及被冲压了一路，小牛被挤死的、被踩伤的，一片烟尘雪泥中，只闻牛哭狼嗥。

亦风和我完全惊呆了，目睹这眼前上演的惨烈戏码，都忘了再拿起望远镜，镜头外的阵容远比镜头内震撼。天啊，这怎么跟纪录片里看见的完全不一样，我们所知的狼群都是惯于闷声不响发动突袭，而眼前的狼群却全然不同，虽然也是在突袭，但是更多的却是张牙舞爪地咆哮着造势，没有一匹狼真正下口咬，更没有一匹狼深入牛群当中大肆屠戮。或许人对狼的了解太少了。我突然感觉背脊发凉，虽然纪录片中都说狼群有了猎物就不会再攻击，可面对这么一大群狼，会不会顺便把我和亦风也捡了去？人若不了解狼，纪录片里说的靠谱吗？

想到这里，我一动不敢动，谁知道哪里还有狼军埋伏？我下意识地看了看身后。

就在转头侧耳的一瞬间，我猛然听到咆哮的狼群中传出“花花”的吠叫声！我顿时心跳加速，狂跳的脉搏把激动的感觉往全身每个细胞泵去！多熟悉的“口音”！我赶紧抢过亦风的望远镜，望远镜绳子勒得亦风咝咝喊疼，我忙让他噤声：“听，格林！”

亦风一听果然又有几声“花花”。

亦风张嘴就喊：“格……”我一巴掌给他捂了回去，生怕惊扰了狼的狩猎，也生怕他这一叫，格林一分神，被牛蹄子跺上一脚就完蛋了。我拿着望远镜一个劲地搜寻，暴乱的牛群中到处都是狼在跳窜，哪里分得清谁是格林？

感觉有格林在，我就不害怕了，我和亦风对视一眼，竟然有了一种找到组织的奇妙错觉，觉得眼前是我们本家在围猎。有格林的维系，我们已经把自己当成了狼族一员，正在观摩大部队作战，热血沸腾！有一种送儿子去当兵的感觉，看着儿子在战场上拼杀既自豪又担心。

牦牛群如山崩泥石流般倾泻下来以后，伤的伤，残的残，哀牛遍野。

狼群不再追撵，他们绕开还在奋起反抗的牦牛。狼不需要再动手了，这一役，战果辉煌！我再也不敢对狼战妄下结论了。

然而，我们以为狼群该大快朵颐的时候了，狼们却碰碰鼻子擦擦肩，有的走山后，有的跑向西南角……打围的狼，竟然三五成群地撤了，一点都不留恋这些伤残死牛。我们一头雾水，辛苦半天不要战利品？这算打的什么围啊?!

牦牛们蹬着蹄子，挣扎着爬起来，丢下一大片伤兵，向安全地带转移。

远远传来了人声、马蹄声和犬吠……

“格林!”眼看狼群快撤了，亦风终于忍不住喊了一声，声音不大，但西南角撤退的狼群中，一匹狼猛然回头，被亦风看个正着。“是他吗?”亦风急忙拿望远镜对焦。我死盯着“回头狼”，把不准。

另一匹大狼擦过“回头狼”的肩部，轻轻一撞，似乎在催促他，他们的小分队——另外的五只狼已经从容越过冰河撤退了。“回头狼”犹豫了一下，跟着大狼一起小跑着过了冰河，没入冬季草场。

牧民的声音比刚才更近了。

“快跑!”我一拉亦风，撒腿就追着“回头狼”的方向逃跑。仿佛我俩也是两匹掉队的狼，在奋力追撵我们的大部队。

然而我们最终没能追上这群狼。两人跑得头顶冒白烟，亦风气喘吁吁地问：“人来了，咱们跑什么呀？又不关咱们的事。”

我弓着腰，两手撑在膝盖上大口掴着气。我也不知道为什么第一反应是逃跑，但似乎那时那刻，我潜意识中更怕的是人，以至于忘记了对狼群的畏惧，又似乎只要有格林在，我就是那群狼的一分子，只要有格林在，那群狼铁定是我们的老相识。

我叹了口气：“我知道自己会遇到什么样的狼，但是不知道自己会遇到什么样的人，如果那群牛伤亡惨重，而我们又在事发现场，会有什么结果，你能预料吗?”

亦风想了想，无言以对。

我和亦风疲惫地回到小屋，我几乎瘫软了，白天的画面像演电影一样在我眼前闪，我抱着一线希望问亦风：“你看清格林了吗?”

亦风摇摇头。两人一脸的失落，想起白天遇到的狼群，脑子里更是一团糨糊。狼是不会打无谓之战的，可这群狼到底在开什么玩笑啊？按狼理说今天绝不是个追猎的好天气，狼喜欢利用天时作战，例如下大雪刮大风对狼追猎而言就是绝佳的天气，笨重的牛在厚雪上迈不开步，狼便占尽了优势，利于围攻。像这种积雪很薄的时候，牦牛脚踏实地跑得风快，狼还有什么优势可言呢。

对这点亦风倒是有不同看法："我不太了解狼的习惯，但是我觉得正是这种薄雪才利于牛奔跑冲坡，也正是这种湿滑的天气才会让牛群栽了这么大的跟斗。我看狼这次不仅用了天时而且占了地利。"

亦风拿纸笔画了当时的地形和狼群埋伏点，经他一分析，一场狡诈的打围战更加一目了然。这应该是好几个群体的狼集结在一起，看好雪薄湿滑的天气和斜坡环围的有利地势，分头驱赶吓唬牛群，只是摇旗呐喊就能制造自伤踩踏事件！如果比起杀伤力，狼牙远不如牛角，狼力也远不如牛劲，狼太善于观察猎物的弱点和优势，并把对方最大的优势和对方的弱点一嫁接，转化为自己的利器。以牛之角攻牛之肋，以牛之力压牛之身，牛群优势越大，对自身造成的杀伤力也越大，而狼群则坐收渔利。

两人分析完这番策略，不由得又惊诧又敬畏。这种缜密的战法安排，人都不一定想得到，而狼却用得得心应手，真是狼不厌诈。这种借力打力的"太极战法"，三十六计里估计也没这招。而这么复杂的战略，狼群之间又是怎么沟通默契的呀？狼还有多少我们所不了解的战术和智慧啊。

"狼还是老的辣！"我叹道，对这狼王的敬意油然而生。想起最初的时候，这狼王给我的印象还是在我的营地周围捡剩食，像丐帮帮主似的形影相吊，也没帮手，没想到冬季一聚集，竟然是这么出色的领导者。狼王既能委曲求全，独步荒野，又能指挥狼军团巧攻智取，不伤一兵一卒拿下越冬口粮，看来真正的领袖也并不是随时都威风八面不可一世的，关键时刻才显示出他的王者之风！我们以为格林从小就够诡计多端了，相比狼王，格林还缺乏大智慧，得好好淬淬火！

想起格林，我们心里又一阵牵挂。我们听见的"花花"声是真的，还是幻觉？那回头的狼到底是不是格林？

"明天一早，我们再去冰面上对照一下爪印，顺便看看那群牛怎么样了，狼既然打了围，不可能不吃。"亦风说。

我点点头，犹豫了一下，又摇摇头："还是晚点去吧，我怕遇到人。"

"也好，明天咱们把对讲机带上，有什么事儿你也就不担心了。你把铁链也带上，万一有狗！"

第二天下午，我和亦风来到狼群围攻牦牛的山坡下，积雪已融化露出枯草，天空中，兀鹫盘旋低飞。几头大牦牛死在山脚下，身上大大小小的血窟窿扎得像蜂窝，一头牦牛肋骨上还戳着一根折断的牛角。我和亦风心下凛然，可以想象牦牛滚摔下山的惨状。不远处，一只小牛犊的残骸躺在草地上，几只乌鸦还在残骸上寻找着肉渣，乌鸦看见我们走近，呼啦一下全飞走了。小牛犊的肉已被啃食干净，只剩下半张牛皮包裹着一段粗大的脊椎骨以及头颅和残缺的牛蹄。牛皮上留着很多狼牙洞，残骸周围的血爪印踩成怪异的狼圈，混杂着食肉猛禽的爪印和羽毛，杂乱得无法辨认。

若尔盖大草原上的生生死死每天都在上演，自然法则本就如此，哪一个生命不是在天敌的眼皮子下降生的呢？生物链中一物降一物，如果哪个物种已经没谁降得住了，那么这个物种就太可怕了。相信昨天那一战必将为牦牛群体的每个成员注入更多的胆气、力量和危机感。

亦风纳闷道："为什么狼群把一头小牛啃得这么干净，其他死牛却一口不动啊？"

"大约是小牛肉嫩，比较好撕咬吧。"我猜测。

既然这么多的死牛在这里，狼群必定还会来。我和亦风连续数日来到这里观察，然而每天都只看见头天还完整的牛，第二天就成了一堆带血的骨头和皮毛。兀鹫、乌鸦、狐狸甚至还有一两只我们不认识的动物分享着残骸，这群分享者能在半个小时之内把一头牦牛的残骸处理得干干净净，就连牛骨也被专吃骨头的胡兀鹫一块块带上天空，准确地扔在岩石上砸碎，然后囫囵吞掉全部骨髓和骨渣。最后牦牛的皮毛会被渡鸦们一点点分解叼走筑巢。只剩下谁都拖不走的硕大牛头留给细菌，用不了多久也会化为风中白骨。

多日来看着这群盛宴的分享者，我醒悟过来：狼群每天只剖食一只死牛，其实是有意义的。兀鹫这些猛禽能在顷刻间解决完腐肉，但他们的爪喙却无法撕扯开坚硬的牦牛皮，必须等狼牙来为他们"开饭"，而狼群则一天一头牛地按计划"放粮"。否则，一旦牛尸都剖开，狼食就变成鸟食了，而大量的牛肉吃不完也会迅速腐烂风干。我们一直以为狼进食一定是东撕西扯，遍地血肉"一片狼藉"，谁知道狼群进食竟然是这么有计划有步骤，让每一个分享者都消费不浪费。或许真正的"狼藉"乃是井然有序的。

数日后，死牦牛都吃完了。我们沿河往下追踪，远远地跟踪着大牛群。隔三差五地会看见伤残牦牛挣扎着倒毙在牛群之后。我们越来越佩服狼王的先知先觉。

人在进步，狼也在进步，相比《狼图腾》里的人狼斗争，这三四十年间已有了明显的变化：人，不再用原始的套马杆、手电筒和猎狗，骑着马打狼，而是用带瞄准镜的猎枪、无色无味的毒药、高倍望远镜，开着越野车追猎。

狼，知道明智地站在人类猎枪的射程之外，知道远离公路，哪怕有人拿着望远镜、照相机，狼都会迅速消失。狼的打围也有了不同：其一，致伤不致死。狼群或许不再像从前那样，把黄羊大规模赶入雪窝子冻起来，以备春荒。他们想出了更保鲜的方法，几个狼群体集结起来将牛群一阵饱吓，制造踩踏事件，伤牛迟早过不了冬，冬天的牛肉没市场，牧民自身也消化不了，牛死在牧场上也没谁拖得走。我可以想象接下来的冬天里，狼群只需每天派个探子看看哪头牛撑不住了，回头就把伤牛赶到隐蔽的山坳里面收拾了，这样的鲜活肉食可以点杀到春天。其二，不固定进食地点，那么多伤牛在牧场上游走，啥时候咽气，在哪儿倒毙，没谁算得准，更不用说在死牛身上下毒下夹子。其三，最大限度保全族群。狼群非不得已不再冒险搏命猎杀，而用智取。数量有限的狼族勇士一个都不能再少了。

也或许，若尔盖草原没有内蒙草原那样的大雪窝子，没法替狼们冷冻食物。

如果一次性杀死大量的牛群，露天摆着，很快就会腐烂。因此，这里的狼冬季打围有他们的独到之处，批量致伤，分期点杀，吃的是鲜肉，连血都是热的。

人不再是过去的人，狼也不再是过去的狼。

这天，我们照例跟上牛群。

突然，一小群狼横冲过冰河，迅速消失在河对面的冬季草场。我赶忙跳到冰面查看，有五只狼的足印。亦风在河岸高处大叫："格林！"急忙招呼我，"快上来，他们在攻击伤牛！"

我心弦一震，连忙从河床爬上牧场，纷乱的牛群当中，还有两匹未及撤离的狼在和一头伤牛周旋。其中一匹狼见到有人出现，便很快奔过河面，也消失在冬季草场。另一匹狼猛回头惊讶地看着我们，浑身的毛被风吹似的奓了起来，他额头正中有一只"天眼"，正是我朝思暮想的格林！

格林正要跑近，牧民和狗已叫嚷着追了过来。格林急忙转身，频频回头越过冰面逃走了。

"这家伙终于知道怕人了！"亦风高兴地说，"快，跟上！"

格林跑得并不快，似乎他也并不想跑快。另一只大狼不断回头探看，仿佛在催促他，虽然大狼的动作中并未流露出怕我们的感觉，但始终对我们保持距离和警惕。我们紧跟格林追到了一座远离牧场的山下，人声狗吠都已经远了。大狼迅速翻过山梁消失了，格林却留在山梁上徘徊不前，我怀着难以抑制的冲动急奔上山梁。

山风呜咽，与格林四目相对，我大喘着气，还没来得及叫他，他就快速冲过来扑入了我的怀中。我的热泪瞬间涌了出来，紧紧抱着这久别的孩子，仿佛要把分离的一切全都抱回来！格林依恋地轻唤，不断用脖颈蹭着我的脸颊。我单膝跪地，使劲抚拍着格林的脊背，搓挠着他的脖子和脸颊上的毛，揉捏他粗壮的四肢，他成熟了很多，身材也更加魁梧，狼眼炯炯有神，针眼一样的瞳孔透露出坚毅和只有荒野猎人才有的奕奕神光。他的皮毛光滑油润，狼群应该对他不错。

我捧着格林的脸，又哭又笑，和他碰着鼻子，亲着他的大脑门儿，这家伙长大多了，想当初刚找到这小狼崽儿那天，他像坨牛粪一样蜷在地上，听到我的声音，小耳朵突然就立起来了，爬起来像个盲人一样摸索到我怀里，那神奇的一刻已深深镌入我的脑海。如今，他已经找到了他自己的亲族，可心底里仍旧是我的孩子，我的小格林。狼的幼稚期很短暂，格林已经长成青年，狼只要死不了，就会变得更强。

"格林，终于找到你了，你还好吗？我好想你，你知道吗……"

格林可着劲儿地舔我的脸，他的眼里有种很深沉、很炽烈的东西，我笃定他都听懂了。

格林认真地看着我，似乎想好好记住我的模样，狼眼中那份久违和毫无保留的信任，这是我用任何其他人都无法认同的巨大牺牲为代价换来的。看着看着，他突然伸出舌头轻轻舔了舔我下巴上的泪滴，他不想看见我难过，但我的泪却流得更多了。

亦风在山腰上实在爬不动了，可他目睹了山梁上的一切，他心里一动，立刻打开了摄像机。亦风在对讲机里的声音有些酸涩："如果你实在舍不得，就把他带回来吧。"

我凝望格林，泪水长淌。我当然舍不得这相依数月，有过那么多共同经历的狼儿……

"格林，别走好吗？我们再也不分开了。我怎么舍得你跟着狼群吃苦受难，我要一直守着你！看着你！养你一辈子！"我这样念着，心跳骤然加速，头脑迅速发热，以至于脸都烧烫起来。我哆嗦着手摸出铁链，呼吸更加急促，我生怕格林看见链子转身就跑。我很清楚自己任由情感超越了最后的界限，我把所有的忌讳都抛在脑后，把所有的禁条都踩在脚下，只要格林能留在我身边，我宁愿付出任何代价，宁愿守护他一辈子！他此刻怪我也好，咬我也好，管不了那么多了，哪怕绑也要把他绑回来！我把铁链挂在了格林的脖子上，他没有反对，安静地注视着我，我泪水背后的目光一定很自私，我心虚得甚至不敢看他的眼睛了，我从未感觉到跟他靠得这么近……又这么远，我咬牙颤抖着双手扣链环，心里进行着一场跟自己的战斗。似乎只有那条脆弱的铁链能将格林从艰难求生的狼群中拉回我的身边。我捏紧了铁链，捏紧了我全部的牵挂。

格林温存摩挲着我，铁链困不住狼，留下是因为我爱你。他转头望着狼群消失的方向，又回过头来，狼眼里慢慢溢出一层泪光……我顺着他的眼光看去，仿佛那所有的狼族亲眷也在远处荒坡上翘首相望。我的手抖得更厉害了，眼泪大滴大滴掉在冰冷的链子上。我把头埋在臂弯里，重重地抽噎着，心如刀绞。

亦风强作镇定的声音在对讲机里断续地劝着："还是带回来吧……外面太险恶了……"

啜泣了一会儿，我抬头凝视着格林盛满荒原的眼睛，牙一咬，眼一闭，心一横，解下项圈，最后抱了抱他，站起身来艰难地说："去吧！"格林愣了一下，退后几步，眼角低垂，耳朵帖服，唇吻紧闭，显得很伤感，喉间发出宛若哀泣般的声音，依依不舍地绕到我前方。我转过身不敢再看他，迈开腿往前走去，泪水模糊了天际线。格林跟了上来，一如之前每次看着我离开的样子。我回头看他，幸福激动伴随着痛苦失落在我心间翻江倒海……一对养父母要将他们一手带大的孩子交还给他的血亲，让孩子走到更大的世界中去，欣慰与悲凉千缠百转地交织着，笑容与眼泪也就自然地交替着。

对讲机那头，亦风已无法遏制地哭了起来："不行，你一定要带他回来，我舍不得他！"他是唯一能够理解我进退维谷的人，也是唯一能和我并肩面对患难的人。然而，这次让我们共同放弃吧。

格林低垂着尾巴，犹豫着退后几步，回转身向狼群的方向走去。越来越远，每一步都像踏在我心上。我看见他小跑起来，前方的长草轻微晃动，似乎那些伙伴一直在等着他。格林快要回到伙伴身边了，突然，他猛地掉头，以十倍的速度狂奔回来，转眼间就冲回到我面前！

格林大喘着气人立起来，拱我的手臂，我硬起心肠，极力忍住再抱他的冲动，我知道一旦抱住他，我就再也舍不得放开了。格林拱开我的手掌，把大狼爪在我掌心一印……我握紧了狼爪，仰头向天，使劲眨着眼睛，让泪水全落到心里。曾经我们的约定是带你重返狼群，而这次你想再和我约定什么吗？

格林最后看了我一眼，放下前爪重新站回地上。我感觉狼头轻轻擦过我垂下的手背，然后是狼脖子，狼肩胛，狼背，狼尾……滑过指缝的狼毛像手中握不住的细沙。我知道他将离开了，我强忍着不敢哭出声，耳朵里听见格林流连徘徊好几次，终于，最后的足音消失了……

我猛然转身，在挥别的同时却还在盼着他身影的出现，直到山那边的长草不再晃动……他没有再回来，我的心情随着山风的吹拂一步一步沉入谷底。站在山梁上，随风而起的雪片打着转抽在我脸上，犹如刀割一般。雪粒和着泪花凝结成白茫茫的一片，不一会儿就分不清天地了。

“为什么要让他走？为什么……”亦风问。

我步履沉重地回到山下，要说的话都堵在了嗓子眼儿，心如灌铅：“谁都不能为谁铺一辈子的路，格林是自由的，剩下的路该自己走了……”

“莫嗷——欧——”山那边传来悲凉幽咽的狼嗥，格林在和他的人类亲人做最后的告别。

我一阵心酸的狂喜，双手围住嘴，长啸了一声……山那边，格林和他的家人回应了我。

我高兴得哭了出来，突然间，一种幸福感和解脱感让我仿佛飘在云端。

“嗷——欧——”消失的狼群隐隐回应着，自由尽管脆弱，却是唯一的财富，嗥歌尽管粗野，却是真情流露。风刮得更紧了，夹带着细细的雪尘，暴风雪即将拉开序幕……

这是我最后一次见到格林……

我们依旧留在狼山，舍不得离去。抚摸狼毛的感觉仿佛一直停留在指尖。我们一直守着和格林分别的小屋，希望当他需要我的时候，回来，我还能帮到他……

然而，又坚持了一个月以后，我们弹尽粮绝。

亦风把行李收拾好了，屋子里一片凌乱，像格林当初捣乱过的房间一样。多么希望他能像从前一样跳窗而入，扑到我怀里撒娇。而现在格林不知浪迹何方，或许在跟伙伴一起相依相偎，或许在星空下对月长歌。一曲终了，给我留下的是一份无休止的惆怅和缠绕心间的淡淡幸福。

亦风珍惜地收好格林最后叼来的狼山石。我们最后一次坐在狼洞口发呆，泪水在寒冷的山风中凝结成了晶莹的冰珠。

雪后的天空重现碧蓝和空灵，起伏的远山，仿佛温顺的巨狼的脊背。若尔盖在一片素白中恢复了寂静，在这圣洁的草原上，仿佛什么也没发生过。

2011 年 4 月 21 日星期四　初稿于成都
2011 年 5 月 30 日星期一　二稿于成都
2011 年 6 月 5 日世界环境日　三稿于成都
2012 年 2 月 2 日世界湿地日　四稿大改重修于成都

图书在版编目（CIP）数据
重返狼群 / 李微漪著．
武汉：长江文艺出版社，2012．7

ISBN 978－7－5354－5847－6
Ⅰ．①重…
Ⅱ．①李…
Ⅲ．①长篇小说－中国－当代
Ⅳ．①I247．5
中国版本图书馆 CIP 数据核字（2012）第 095956 号

选题策划：金丽红　黎　波　安波舜
责任编辑：安波舜　张　维
装帧设计：潘　峰
媒体运营：赵　萌
责任印制：张志杰

出　　版：长江出版传媒 长江文艺出版社　　电话：027－87679310　传真：027－87679300
地　　址：湖北省武汉市雄楚大街 268 号湖北出版文化城 B 座 9－11 楼
邮　　编：430070
发　　行：北京长江新世纪文化传媒有限公司
电　　话：010－58678881　　传真：010－58677346
地　　址：北京市朝阳区曙光西里甲 6 号时间国际大厦 A 座 1905 室
邮　　编：100028
印　　刷：三河市鑫利来印装有限公司

开本：700 毫米×1000 毫米　1/16　　印张：24．5
版次：2012 年 07 月第 1 版　　印次：**2013年1月第8次印刷**
字数：476 千字

定价：35．00 元

我们承诺保护环境和负责任地使用自然资源。我们将协同我们的纸张供应商，逐步停止使用来自原始森林的纸张印刷书籍。这本书是朝这个目标前进迈进的重要一步。这是一本环境友好型纸张印刷的图书。我们希望广大读者都参与到环境保护的行列中来，认购环境友好型纸张印刷的图书。